5 MINUTES AVEC...

- Rendre les disciplines vi
- Donner du sens aux ens des liens entre Histoire,
- Ancrer les connaissances dans la vie réelle

▶ Interviews filmées

5 minutes avec...

Classe inversée

Parcours Avenir

① « Penser par soi-même », qu'est-ce que ça veut dire ? ▶

Michel Tozzi
Philosophe

② Comment construit-on un raisonnement ? ▶

" Penser par soi-même ce n'est pas penser seul. "

CRÉDITS

M MAGNARD

CARTES INTERACTIVES

- Apprendre à lire les cartes et à construire des repères géographiques

Les territoires ultramarins

FICHES IMPRIMABLES

- Interview

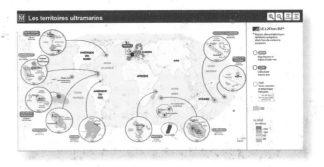

Chap. 15 · Jean-Luc Charles
L'aménagement de l'île de Nantes

▶ Des fiches d'exploitation pour les interviews

Collège

....

....

....

2016 - 2017 : ....

20... - 20... : ....

20... - 20... : ....

20... - 20... : ....

20... - 20... : ....

Histoire
Géographie
Enseignement moral et civique

3ᵉ

Programme 2016

Sous la direction d'**Alexandre Ployé**
ÉSPÉ de l'Académie de Créteil

Laurent Bonnet
Professeur d'Histoire-Géographie
au collège Les Bartavelles, Marseille (13)

Hugo Borgogno
Professeur d'Histoire-Géographie
au lycée Léonard de Vinci, Tremblay-en-France (93)

Sophie Canivez
Professeure d'Histoire-Géographie
au collège Fernande Benoist, Hazebrouck (59)
ÉSPÉ de l'académie de Lille

Natacha Dangouloff
Professeure d'Histoire-Géographie
académie de Versailles (78)

Sébastien Durand
Professeur d'Histoire-Géographie
à la Cité scolaire Olympe de Gouges, Noisy-le-sec (93)

Frédéric Fouletier
Professeur d'Histoire-Géographie
à la Cité scolaire internationale, Lyon (69)

Gabriel Kleszewski
Professeur d'Histoire-Géographie
au collège Jean Rostand, Sains-en-Gohelle (62)

Anne-Clémentine Larroque
Professeure d'Histoire-Géographie
au lycée Isaac Newton, Clichy-la-Garenne (92)

Gilles Massardier
Professeur d'Histoire-Géographie
au collège Honoré d'Urfé, Saint-Étienne (42)

Michaël Pardon
Professeur d'Histoire-Géographie
au lycée Pablo Picasso, Perpignan (66)
ÉSPÉ de l'académie de Montpellier

Roger Reineri
Professeur de Géographie

Aurélie Robin
Professeure d'Histoire-Géographie
au collège Denis Diderot, Aubervilliers (93)

Évelyne Soumah
Professeure d'Histoire-Géographie
à la Cité scolaire internationale, Lyon (69)

Ghislain Tranié
Professeur d'Histoire-Géographie
au lycée Gaston Bachelard, Chelles (77)

Les éditions Magnard remercient pour leur contribution Sophie Adeyema – engagée dans le service civique, **Julien Aubert** – député de l'Assemblée nationale, **Abdennour Bidar** – philosophe, **Jean-François Birebent**, professeur d'Histoire-Géographie missionné au service éducatif de l'Historial de Péronne, **Sabine Buis** – députée de l'Assemblée nationale, **Jean-Luc Charles** – directeur général de la SAMOA, **Francine Christophe** – rescapée du camp de Bergen-Belsen, **Christian Grataloup** – géographe, **Pilar Jaromillo-Cathcart, Benjamin Stora** – historien, **Michel Tozzi** – philosophe.

Remerciements à **Delphine Castex** (Boulogne-Billancourt), **François Pancrazi** (Valence), **Aurélie Renard** (Lembeye), **Pascal Vally** (Pouilley-les-Vignes) pour leur relecture et suggestions et aux enseignants qui ont participé aux études menées sur ce manuel.

MAGNARD

Code offre
106185

Valable jusqu'au 31/07/2021

Le socle commun et les compétences du programme dans le manuel

Bulletin officiel spécial n° 11 du 26 novembre 2015

Le socle commun

Domaine ❶ Les langages pour penser et communiquer

Domaine ❷ Les méthodes et outils pour apprendre

Domaine ❸ La formation de la personne et du citoyen

Domaine ❹ Les systèmes naturels et les systèmes techniques

Domaine ❺ Les représentations du monde et l'activité humaine

Extraits du Bulletin officiel spécial n° 11 du 26 novembre 2015.

Les compétences travaillées en Histoire et en Géographie

En italique, les compétences déjà travaillées en cycle 3 et approfondies en cycle 4.

Se repérer dans le temps : construire des repères historiques

- *Situer un fait dans une époque ou une période donnée.*
- *Ordonner des faits les uns par rapport aux autres.*
- Mettre en relation des faits d'une époque ou d'une période donnée.
- Identifier des continuités et des ruptures chronologiques pour s'approprier la périodisation de l'histoire et pratiquer de conscients allers-retours au sein de la chronologie.

❶ ❷

Extraits du *Bulletin officiel* spécial n° 11 du 26 novembre 2015.

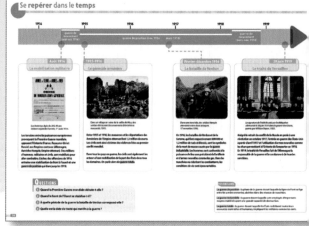

Se repérer dans l'espace : construire des repères géographiques

- *Nommer et localiser les grands repères géographiques.*
- *Nommer, localiser et caractériser un lieu dans un espace géographique.*
- Nommer, localiser et caractériser des espaces plus complexes.
- *Situer des lieux et des espaces les uns par rapport aux autres.*
- Utiliser des représentations analogiques et numériques des espaces à différentes échelles ainsi que différents modes de projection.

❶ ❷

Extraits du *Bulletin officiel* spécial n° 11 du 26 novembre 2015.

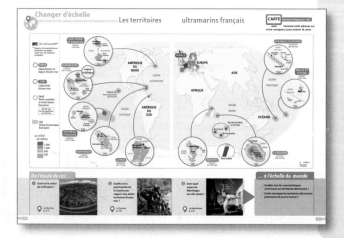

Raisonner, justifier une démarche et les choix effectués

- *Poser des questions, se poser des questions à propos de situations historiques ou/et géographiques.*
- *Construire des hypothèses d'interprétation de phénomènes historiques ou géographiques.*
- *Vérifier des données et des sources.*
- *Justifier une démarche, une interprétation.*

Extraits du *Bulletin officiel* spécial n° 11 du 26 novembre 2015.

Analyser et comprendre un document

- Comprendre le sens général d'un document.
- Identifier le document et son point de vue particulier.
- *Extraire des informations pertinentes pour répondre à une question portant sur un document ou plusieurs documents, les classer, les hiérarchiser.*
- Confronter un document à ce qu'on peut connaitre par ailleurs du sujet étudié.
- Utiliser ses connaissances pour expliciter, expliquer le document et exercer son esprit critique.

Extraits du *Bulletin officiel* spécial n° 11 du 26 novembre 2015.

Pratiquer différents langages en histoire et en géographie

- *Écrire pour construire sa pensée et son savoir, pour argumenter et écrire pour communiquer et échanger.*
- *S'exprimer à l'oral pour penser, communiquer et échanger.*
- Connaitre les caractéristiques des récits historiques et des descriptions employées en histoire et en géographie, et en réaliser.
- *Réaliser des productions graphiques et cartographiques.*
- Réaliser une production audio-visuelle, un diaporama.
- S'approprier et utiliser un lexique spécifique en contexte.
- S'initier aux techniques d'argumentation.

Extraits du *Bulletin officiel* spécial n° 11 du 26 novembre 2015.

S'informer dans le monde du numérique

- *Connaitre différents systèmes d'information, les utiliser.*
- *Trouver, sélectionner et exploiter des informations.*
- Utiliser des moteurs de recherche, des dictionnaires et des encyclopédies en ligne, des sites et des réseaux de ressources documentaires, des manuels numériques, des systèmes d'information géographique.
- *Vérifier l'origine/la source des informations et leur pertinence.*
- Exercer son esprit critique sur les données numériques, en apprenant à les comparer à celles qu'on peut tirer de documents de divers types.

Extraits du *Bulletin officiel* spécial n° 11 du 26 novembre 2015.

Coopérer et mutualiser

- *Organiser son travail dans le cadre d'un groupe pour élaborer une tâche commune et/ou une production collective et mettre à la disposition des autres ses compétences et ses connaissances.*
- Adapter son rythme de travail à celui du groupe.
- Discuter, expliquer, confronter ses représentations, argumenter pour défendre ses choix.
- Négocier une solution commune si une production collective est demandée.
- *Apprendre à utiliser les outils numériques qui peuvent conduire à des réalisations collectives.*

Extraits du *Bulletin officiel* spécial n° 11 du 26 novembre 2015.

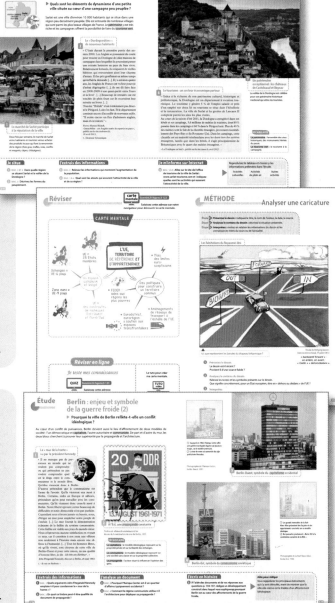

L'interdisciplinarité dans le manuel

« L'élève œuvre au développement de ses compétences, par la confrontation à des tâches plus complexes où il s'agit de réfléchir davantage aux ressources qu'il mobilise, que ce soit des connaissances, des savoir-faire ou des attitudes. Il est amené à faire des choix, à adopter des procédures adaptées pour résoudre un problème ou mener un projet dans des situations nouvelles et parfois inattendues. Cette appropriation croissante de la complexité du monde (naturel et humain) passe par **des activités disciplinaires et interdisciplinaires** dans lesquelles il fait l'expérience de regards différents sur des objets communs. »

Extraits du *Bulletin officiel* spécial n°11 du 26 novembre 2015.

Des pistes pour les enseignements pratiques interdisciplinaires (EPI)

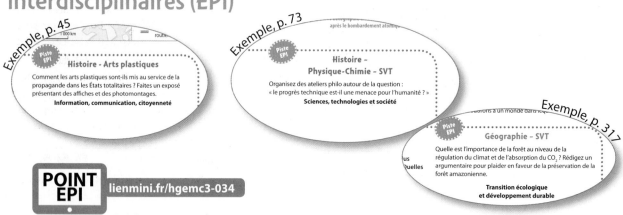

Exemple, p. 45

Piste EPI

Histoire - Arts plastiques

Comment les arts plastiques sont-ils mis au service de la propagande dans les États totalitaires ? Faites un exposé présentant des affiches et des photomontages.
Information, communication, citoyenneté

Exemple, p. 73

Piste EPI

Histoire – Physique-Chimie – SVT

Organisez des ateliers philo autour de la question : « le progrès technique est-il une menace pour l'humanité ? »
Sciences, technologies et société

Exemple, p. 317

Piste EPI

Géographie – SVT

Quelle est l'importance de la forêt au niveau de la régulation du climat et de l'absorption du CO_2 ? Rédigez un argumentaire pour plaider en faveur de la préservation de la forêt amazonienne.
Transition écologique et développement durable

POINT EPI lienmini.fr/hgemc3-034

Saisissez cette adresse sur votre navigateur pour faire le point sur les EPI.

La maitrise de la langue

« Tous les champs disciplinaires concourent à la maitrise de la langue. L'histoire et la géographie, les sciences et la technologie forment à l'acquisition de langages spécifiques qui permettent de comprendre le monde. Les arts développent la compréhension des langages artistiques et l'aptitude à communiquer sur leur réception. L'enseignement moral et civique entraine à l'expression des sentiments moraux et au débat argumenté. L'éducation aux médias et à l'information aide à maitriser les systèmes d'information et de communication à travers lesquels se construisent le rapport aux autres et l'autonomie. »

Extraits du *Bulletin officiel* spécial n°11 du 26 novembre 2015.

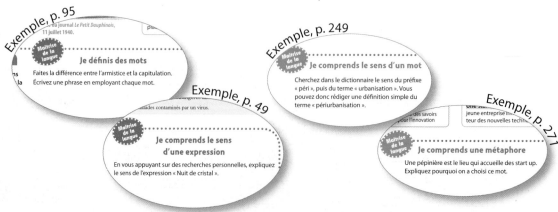

Exemple, p. 95

Maitrise de la langue

Je définis des mots

Faites la différence entre l'armistice et la capitulation. Écrivez une phrase en employant chaque mot.

Exemple, p. 249

Maitrise de la langue

Je comprends le sens d'un mot

Cherchez dans le dictionnaire le sens du préfixe « péri », puis du terme « urbanisation ». Vous pouvez donc rédiger une définition simple du terme « périurbanisation ».

Exemple, p. 49

Maitrise de la langue

Je comprends le sens d'une expression

En vous appuyant sur des recherches personnelles, expliquez le sens de l'expression « Nuit de cristal ».

Exemple, p. 271

Maitrise de la langue

Je comprends une métaphore

Une pépinière est le lieu qui accueille des start up. Expliquez pourquoi on a choisi ce mot.

L'Histoire des arts

« L'histoire des arts contribue au parcours d'éducation artistique et culturelle des élèves et concourt aux objectifs de formation fixés par le référentiel de ce parcours. Des partenariats, en particulier avec des structures muséales et patrimoniales, permettent aux élèves de rencontrer des acteurs des métiers d'art et de la culture et de fréquenter des lieux de culture (conservation, production, diffusion). Ces partenariats facilitent l'élaboration de projets inscrits dans le parcours d'éducation artistique et culturelle des élèves.

Les Enseignements Pratiques Interdisciplinaires offrent un cadre particulièrement propice au travail collectif autour d'objets communs en lien avec les thématiques d'histoire des arts. »

Extrait du *Bulletin officiel* spécial n°11 du 26 novembre 2015.

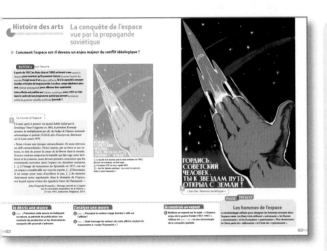

Les compétences travaillées

- Décrire une œuvre d'art en employant un lexique simple adapté.
- Associer une œuvre à une époque et une civilisation à partir des éléments observés. ❶ ❺
- Proposer une analyse critique simple et une interprétation d'une œuvre. ❶ ❸ ❺

- Construire un exposé de quelques minutes sur un petit ensemble d'œuvres ou une problématique artistique. ❶ ❷ ❺
- Rendre compte de la visite d'un lieu de conservation ou de diffusion artistique ou de la rencontre avec un métier du patrimoine. ❶ ❷ ❺

Extraits du *Bulletin officiel* spécial n° 11 du 26 novembre 2015.

Les liens Histoire-Géographie Enseignement moral et civique

« Une attention particulière est portée aux liens à construire avec l'enseignement moral et civique, auquel l'enseignement de l'histoire et de la géographie au cycle 4 est étroitement lié, dans la perspective de la maitrise par les élèves en fin de cycle des objectifs fixés par le domaine 3 du socle commun, "La formation de la personne et du citoyen". Les équipes de professeurs d'histoire et de géographie puisent également dans les thématiques d'histoire des arts pour nourrir leur enseignement. »

Extrait du *Bulletin officiel* spécial n° 11 du 26 novembre 2015.

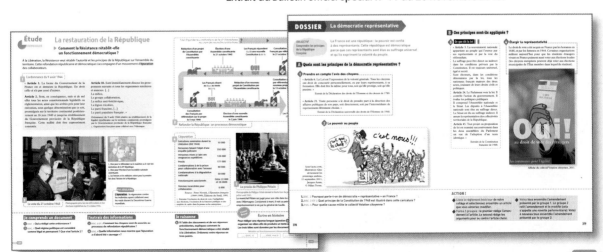

LA FORMATION DE LA PERSONNE ET DU CITOYEN

Domaine 3 du socle commun : la formation de la personne et du citoyen

« **La formation de la personne et du citoyen relève de tous les enseignements et de l'enseignement moral et civique.** Cette formation requiert une culture générale qui fournit les connaissances éclairant les choix et l'engagement éthique des personnes. Elle développe le sens critique, l'ouverture aux autres, le sens des responsabilités individuelles et collectives en mettant en jeu par le débat, par l'engagement et l'action les valeurs fondamentales inscrites dans la République et les diverses déclarations des droits. Elle engage donc tous les autres domaines du socle : la capacité à exprimer ses émotions et sa pensée, à justifier ses choix, à s'insérer dans des controverses en respectant les autres ; la capacité à vivre et travailler dans un collectif et dans la société en général ; les connaissances scientifiques et techniques qui permettent d'accéder à la vérité et à la preuve, de la différencier d'une simple opinion, de comprendre les enjeux éthiques des applications scientifiques et techniques ; le respect des règles et la possibilité de les modifier ; les savoirs littéraires et historiques indispensables à la compréhension du sens de la citoyenneté et de la place de l'individu dans la société. […]

Développer le jugement est un des buts privilégiés du cycle 4.

[…] L'enseignement moral et civique permet de comprendre la diversité des sentiments d'appartenance et en quoi la laïcité préserve la liberté de conscience et l'égalité des citoyens. […] L'éducation aux médias et à l'information oblige à questionner les enjeux démocratiques liés à l'information journalistique et aux réseaux sociaux. »

Extraits du *Bulletin officiel* spécial n° 11 du 26 novembre 2015.

5 minutes avec... — LA LAÏCITÉ

" Au-delà de toutes nos différences, nous nous retrouvons autour de la valeur fondamentale que nous donnons à la liberté, à l'égalité, à la fraternité et puis évidemment autour de la valeur que nous donnons à la laïcité. "

Abdennour Bidar, philosophe

▶ Pour visionner l'interview, voir p. 389

CRÉER UNE CULTUR

RAISONNER

❝Raisonner, c'est avoir une démarche dans laquelle je vais essayer, pour me faire un point de vue, de voir les avantages et les inconvénients.❞
Michel Tozzi, philosophe
▶ Pour visionner l'interview, voir p. 361

LA CULTURE COMMUNE

❝La France est une démocratie et en même temps une République. C'est une société politique qui repose sur l'adhésion de tous les citoyens à un ensemble de principes autour desquels ils se retrouvent, de principes et de valeurs qu'ils partagent. La première caractéristique de la démocratie française, c'est d'insister beaucoup sur ce que les citoyens ont en commun.❞
Abdennour Bidar, philosophe
▶ Pour visionner l'interview, voir p. 389

PENSER PAR SOI-MÊME

❝Penser par soi-même, c'est essayer de réfléchir à une question qui concerne tous les hommes, comme savoir si la vie a un sens ou si l'amour est une illusion. Réfléchir avec les autres me permet d'avoir des points de vue différents et me permet de comprendre que ce que je pense est une hypothèse.❞
Michel Tozzi, philosophe
▶ Pour visionner l'interview, voir p. 361

VIVRE ENSEMBLE

❝La ville est le lieu par excellence du vivre ensemble. La ville de demain sera donc une ville ouverture à tous, c'est-à-dire une ville qui ne relègue pas les populations les plus modestes dans des quartiers périphériques.❞
Jean-Luc Charles, directeur de la SAMOA, société d'aménagement de la métropole ouest atlantique
▶ Pour visionner l'interview, voir p. 307

COMMUNE DU CITOYEN

Sommaire

Ressources numériques

Interviews

• Un historien, p. 14
• Le mémorial de Péronne, p. 25
• Une rescapée de Bergen-Belsen, p. 83

Cartes interactives

• 5 cartes interactives
p. 20, 114, 132, 156, 174

Apprendre à apprendre

11 cartes mentales, 1 tuto et 11 quiz

Exercices à imprimer

Les fiches d'exploitation des interviews sont téléchargeables et imprimables.

Sommaire

Ressources numériques

Interviews

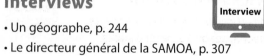

Cartes interactives

☰ Thème 3 La France et l'Union européenne

Apprendre à apprendre

7 cartes mentales, 1 tuto
et 7 quiz

Exercices à imprimer

Les fiches d'exploitation des interviews
sont téléchargeables et imprimables.

Sommaire

Enseignement moral et civique

▶ **Interdisciplinarité,** voir p. 4 et 5
▶ **Programme,** voir p. 414

Ressources numériques

Interviews

Interview

- Un philosophe, penser par soi-même, p. 360
- Une franco-colombienne naturalisée, p. 365
- Deux députés, le parcours d'une loi, p. 377
- Un philosophe, les principes de la démocratie, p. 389
- Une volontaire, le service civique, p. 399

Exercices à imprimer

- p. 361

EXOS

MÉMORISER

LIRE   ÉCOUTER

VISUALISER

APPRENDRE À APPRENDRE

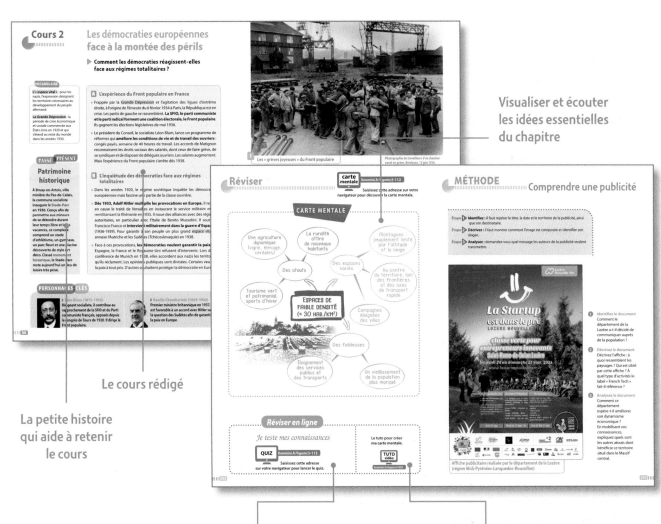

Visualiser et écouter les idées essentielles du chapitre

Le cours rédigé

La petite histoire qui aide à retenir le cours

S'auto-évaluer

Créer son propre outil pour apprendre et retenir dans toutes les disciplines

HISTOIRE

QU'EST-CE QU'UN HISTORIEN ?

1 Écoutez l'interview. Qui est Benjamin Stora ? Dans quels domaines l'historien apporte-t-il ses connaissances de nos jours ?

2 Pourquoi fait-on appel à lui dans la réalisation d'un film par exemple ?

3 Comment l'historien Benjamin Stora travaille-t-il sur la guerre d'Algérie ?

5 minutes avec...

Benjamin Stora
Historien

« On peut parler de l'histoire de soi, mais il faut toujours croiser avec l'histoire des autres. »

CRÉDITS   M MAGNARD

① Qu'est-ce qu'un historien ?

② Est-il possible d'avoir été témoin d'un événement et le raconter à la façon d'un historien ?

③ Comment l'historien utilise-t-il les sources ?

« On peut être historien et se raconter. C'est un moment d'écriture de l'Histoire qui est nouveau. Pendant très longtemps, on a considéré que les historiens ne devaient pas faire état de leur propre subjectivité. Mais les choses ont changé et la mémoire est devenue un élément de l'Histoire. La mémoire individuelle devient un élément de l'Histoire pour peu que l'on soit le plus objectif possible. Il ne faut pas rester prisonnier d'une seule mémoire sinon il y a un risque de communautarisation des mémoires. On peut parler de l'histoire de soi, mais il faut toujours croiser avec l'histoire des autres, ne jamais perdre de vue qu'il faut rentrer et comprendre l'histoire des autres. »

Découvrez deux autres interviews dans la partie Histoire.

• **Jean-François Birebent**, professeur d'Histoire-Géographie, missionné auprès du service éducatif de l'Historial, p. 25
• **Francine Christophe**, rescapée du camp de Bergen-Belsen, p. 83

EXOS lienmini.fr/hgemc3-003

Saisissez cette adresse sur votre navigateur pour télécharger les exercices.

Civils et militaires
dans la Première Guerre mondiale

Hommage aux victimes militaires de la Première Guerre mondiale

AIDE VISUELLE

1 L'ossuaire recueille les restes non identifiés de 130 000 soldats français et allemands.

2 Soldats portant les cercueils de camarades morts à la bataille de Verdun en 1916.

3 Familles de combattants se recueillant.

4 Soldats au garde-à-vous pour l'hommage militaire.

▶ **Comment la violence de la Première Guerre mondiale fragilise-t-elle les États et les sociétés ?**

OCÉAN
ATLANTIQUE

• DOUAUMONT

Mer
Méditerranée

Photographie de la première inauguration de l'ossuaire de Douaumont, près de Verdun, 17 septembre 1927.

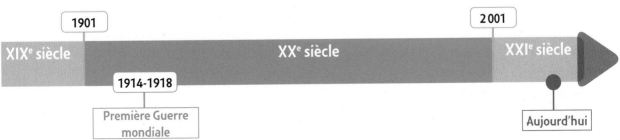

1901

2001

XIXe siècle

XXe siècle

XXIe siècle

1914-1918

Première Guerre
mondiale

Aujourd'hui

Se repérer dans le temps

1914	1915	1916

guerre de mouvement (août-oct. 1914)

guerre de position (nov. 1...

Août 1914

La mobilisation militaire

ARMÉE DE TERRE ET ARMÉE DE MER

ORDRE DE MOBILISATION GÉNÉRALE

Les hommes âgés de 20 à 40 ans doivent rejoindre l'armée, 1er août 1914.

Les tensions entre les puissances européennes provoquent la Première Guerre mondiale, opposant l'Entente (France, Royaume-Uni et Russie) aux Empires centraux (Allemagne, Autriche-Hongrie, Empire ottoman). Des millions d'hommes, militaires et civils, sont mobilisés pour aller combattre. L'échec des offensives de 1914 entraine une stabilisation du front à l'ouest et une guerre de position qui dure jusqu'en 1918.

1915-1916

Le génocide arménien

Dans un village en ruine de la vallée de Mus, des soldats découvrent les ossements d'Arméniens massacrés, 1915.

Entre 1915 et 1916, les massacres et les déportations des Arméniens de l'Empire ottoman font 1,3 million de morts. Les civils sont ainsi victimes des violences liées au premier conflit mondial.

Dans tous les pays en guerre, les civils sont également les acteurs d'une mobilisation de la part des États dans tous les domaines. On parle alors de guerre totale.

QUESTIONS

1 Quand la Première Guerre mondiale débute-t-elle ?

2 Quand le front de l'Ouest se stabilise-t-il ?

3 À quelle période de la guerre la bataille de Verdun correspond-elle ?

4 Quelle est la date du traité qui met fin à la guerre ?

Timeline

1917   1918   1919

ars 1918)

guerre de mouvement
(mars-nov. 1918)

Février-décembre 1916
La bataille de Verdun

Dans une tranchée, des soldats français attendent entre deux attaques, 17 novembre 1916.

En 1916, les batailles de Verdun et de la Somme, qui font respectivement 600 000 et 1,2 million de tués et blessés, sont les symboles de la mort de masse causée par la guerre industrielle. Les hommes sont confrontés à la puissance de feu sans précédent de l'artillerie et d'armes nouvelles comme les gaz. Dans les tranchées où s'abritent les combattants, les conditions de vie sont épouvantables.

---

28 juin 1919
Le traité de Versailles

La signature du Traité de paix par la délégation allemande le 28 juin 1919 dans la galerie des Glaces, peinte par William Orpen, 1921.

Malgré le retrait du conflit de la Russie en proie à une révolution en octobre 1917, l'entrée en guerre des États-Unis à partir d'avril 1917 et l'utilisation d'armes nouvelles comme les chars permettent à l'Entente de l'emporter en 1918. En 1919, le traité de Versailles fait de l'Allemagne la responsable de la guerre et la condamne à de lourdes sanctions.

VOCABULAIRE

La guerre de position : la phase de la guerre durant laquelle la ligne de front se fige entre les armées ennemies, abritées dans des réseaux de tranchées.

La guerre industrielle : la guerre durant laquelle sont employés d'importants moyens matériels ayant une grande capacité de destruction.

La guerre totale : la guerre durant laquelle les États mobilisent toutes leurs ressources matérielles et humaines, impliquant les militaires comme les civils

Se repérer dans l'espace

L'Europe dans la Première Guerre mondiale (1914-1918)

1. États en guerre et alliances militaires

Les puissances de l'Entente et leurs alliés (dates d'entrée en guerre)

Les Empires centraux et leurs alliés (dates d'entrée en guerre)

● Capitales des principaux États en guerre

2. Une guerre de position et une guerre d'usure

- - - Lignes de front stabilisées en 1914-1915

Territoires occupés par les Empires centraux entre 1914 et 1918

Attaques de sous-marins allemands contre les convois de ravitaillement alliés

Blocus naval britannique pour asphyxier économiquement les Empires centraux

3. Les évènements de la Première Guerre mondiale

★ Les grandes batailles

★ Les autres évènements

États neutres

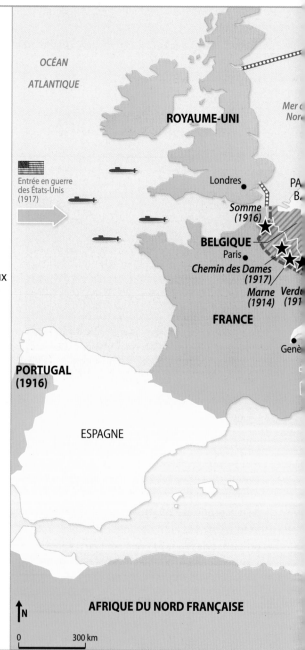

OCÉAN ATLANTIQUE

ROYAUME-UNI

Mer du Nord

Entrée en guerre des États-Unis (1917)

Londres

Somme (1916)

BELGIQUE

Paris

Chemin des Dames (1917)

Marne (1914)

Verdun (191)

FRANCE

Genève

PORTUGAL (1916)

ESPAGNE

AFRIQUE DU NORD FRANÇAISE

N

0   300 km

QUESTIONS

1 De quels pays sont composés les deux camps en présence ?

2 Quel camp se renforce le plus par l'entrée de nouveaux alliés ?

3 Quelles sont les grandes batailles qui se déroulent sur le front de l'Ouest en 1916 ?

CARTE lienmini.fr/hgemc3-004

Saisissez cette adresse sur votre navigateur pour animer la carte.

NORVÈGE

SUÈDE

DANEMARK

...nd (6)

...goland (et 1917)

Mer Baltique

Petrograd

☆ Révolution russe (1917)

RUSSIE

Tannenberg (1914) ★

Berlin

ALLEMAGNE

Vienne

AUTRICHE-HONGRIE

★ Offensive Broussilov (1916)

Caporetto (1917)

E

ITALIE (1915)

Rome

Attentat de Sarajevo (28 juin 1914)

Belgrade

☆

MONTÉNÉGRO

Podgorica

SERBIE

Sofia

ROUMANIE (1916)

Bucarest

BULGARIE (1915)

Mer Noire

Constantinople

☆ Génocide arménien (1915)

ALBANIE

Salonique (1915) ★

★ Dardanelles (1915-1916)

EMPIRE OTTOMAN (novembre 1914)

GRÈCE (1917)

Athènes

Mer Méditerranée

VOCABULAIRE

Le blocus naval : le déploiement de navires de guerre pour empêcher les échanges maritimes d'un pays.

Le front : la ligne le long de laquelle se font face les armées ennemies.

La guerre d'usure : la guerre visant à affaiblir les capacités matérielles et humaines de l'ennemi.

La bataille du Chemin des Dames

▶ **En quoi cette bataille illustre-t-elle la violence de la guerre industrielle ?**

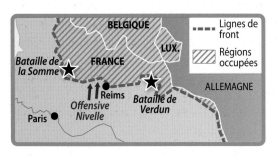

Le 16 avril 1917, le général Nivelle qui commande l'armée française lance une puissante offensive destinée à percer le front allemand et à mettre fin à la guerre de position. Mais les forces françaises n'avancent que de trois kilomètres au prix de pertes très lourdes : 200 000 morts, blessés et disparus en seulement quelques jours.

1 Le contexte vu du côté français

« Soldats de la République,

Au moment où s'achève une nouvelle année de guerre, vous pouvez considérer avec fierté l'œuvre accomplie.

À Verdun, vous avez brisé le choc le plus puissant que l'Allemagne ait fait contre aucun de ses adversaires.

Sur la Somme – rivalisant de courage avec nos alliés britanniques – vous avez, au cours d'une longue suite d'attaques, fait preuve d'une supériorité tactique qui ira toujours en s'affirmant.

C'est sous ces brillants auspices[1] que s'ouvre l'année 1917. Vous en ferez une année de Victoire.

Général Robert Nivelle, Grand Quartier Général de Compiègne, décembre 1916.

1. Signes favorables.

2 Une tranchée allemande

Photographie d'une tranchée allemande de 2e ou 3e ligne, 1917.

VOCABULAIRE

Une mutinerie : le refus collectif d'obéissance des soldats.

Un poilu : le surnom donné aux soldats français.

Une tranchée : le fossé creusé dans le sol pour servir d'abri aux soldats.

Je situe

1 DOC. 1 Dans quel contexte l'offensive du Chemin des Dames a-t-elle lieu ?

2 DOC. 1 ET 2 Qui oppose-t-elle ?

J'extrais des informations

3 DOC. 3 ET 4 Quelles armes montrent la dimension industrielle de cette guerre ?

4 INTRO, DOC. 3 ET 5 Quel est le bilan humain et militaire de la bataille ?

5 DOC. 5 Que provoque l'échec de l'offensive parmi les troupes françaises ?

3 Le témoignage d'un « poilu »

« Ce matin, 16 avril 1917, [...] après une nuit sans sommeil, [...] attaque à 5 heures [...]. Déjà l'ennemi attend, il est prêt, il guette, il bombarde presque aussi fort que nous. [...] Je porte mes vivres, [...] quatre grenades [...] un couteau poignard [...] et, enfin, mon fusil Lebel et ses cartouches, les deux masques à gaz et sans oublier mon casque. Avant de partir, nous avons fait une petite bombe[1] ; comme nous ne savons pas si nous en reviendrons, il fallait en profiter ; une courte lettre à sa famille, presque un adieu, et en route ! [...] la première vague part, mais est aux deux tiers fauchée par les mitrailleuses ennemies qui sont dans des petits abris en ciment armé. [...] puis c'est à nous de partir, [...] nous sautons sur les parapets[2] [...] les mitrailleuses et les obus pleuvent autour de nous ; [...] après mille péripéties, nous arrivons à cette fameuse crête : nous avons laissé de nombreux morts et blessés en route. [...] Nous en sommes écœurés, nous avons les larmes aux yeux. Quelques Sénégalais, morts eux aussi, plus à gauche. [...] nous sommes gelés et une eau glaciale a succédé à la neige. [...] C'est l'enfer ; le papier ne peut contenir et je ne puis exprimer les horreurs, les souffrances que nous avons endurées dans ce coin de terre de France ! Il faut y être passé pour comprendre. »

Témoignage de Paul Clerfeuille,
cité par André Loez, Dossier pour une visite
du Chemin des Dames, © CRID 14-18, 2007.

1. Une « fête » dans le langage des poilus.
2. Bord supérieur d'une tranchée.

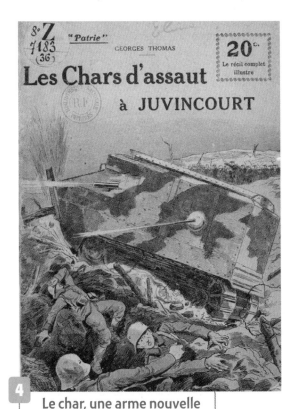

4 Le char, une arme nouvelle

Couverture du magazine *Patrie*, 1917.

5 Les mutineries de 1917

La Chanson de Craonne, composée en 1917, pacifiste et antimilitariste, tire son nom de l'un des lieux les plus meurtriers de la bataille du Chemin des Dames.

« [...] Ceux qu'ont l'pognon, ceux-là r'viendront
Car c'est pour eux qu'on crève
Mais c'est fini, car les trouffions[1]
Vont tous se mettre en grève
Ce s'ra votre tour, messieurs les gros[2]
De monter sur le plateau
Car si vous voulez faire la guerre
Payez-la de votre peau [...] »

L'échec de l'offensive provoque une série de mutineries dans l'armée française entre mai et juillet 1917. Le général Nivelle est remplacé par le général Pétain qui fait fusiller une trentaine de mutins mais accorde des permissions aux « poilus » et interrompt les offensives meurtrières.

1. Les soldats.
2. Les riches.

Je pratique différents langages

6 Recopiez et complétez le schéma ci-contre à l'aide d'exemples extraits des documents et de vos réponses précédentes.

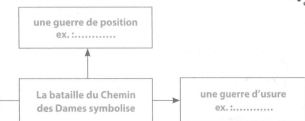

une guerre de position
ex. : ....

une guerre industrielle
ex. : ....

La bataille du Chemin des Dames symbolise

une guerre d'usure
ex. : ....

Cours 1

La violence d'une guerre industrielle

▶ **Comment expliquer l'extrême violence des combats entre 1914 et 1918 ?**

PASSÉ PRÉSENT

L'argot des tranchées

Pour renforcer leur cohésion, les soldats utilisaient entre eux un vocabulaire spécifique, l'argot des tranchées. Se sont ainsi diffusées dans la langue française des expressions comme **roupiller**, zigouiller, avoir la trouille. Certains mots comme cahoua (« café »), **toubib** (« médecin »), gourbi (« abri ») sont d'origine nord-africaine car des milliers de soldats français venaient des colonies.

A Un conflit d'une ampleur sans précédent

▶ La guerre oppose à partir de 1914 **les Empires centraux** (Allemagne, Autriche-Hongrie, Empire ottoman) **à l'Entente** (Royaume-Uni, Russie, France). Celle-ci recrute dans ses colonies et reçoit le soutien de l'Italie et du Japon en 1915, puis des États-Unis en 1917. **Il s'agit donc d'un conflit mondial.**

▶ Après l'échec des offensives de 1914, le front de l'Ouest se stabilise et **les armées s'enterrent dans des réseaux de tranchées**. Pendant plus de trois ans, aucun des belligérants ne parvient à percer le front ennemi malgré des batailles très meurtrières comme celles de Verdun et de la Somme en 1916 ou du Chemin des Dames en 1917. Il faut attendre 1918 et l'arrivée des troupes américaines pour que l'Entente réussisse à vaincre les Empires centraux. **La guerre s'achève avec l'armistice du 11 novembre 1918.**

B L'enfer des combats

▶ La Première Guerre mondiale est **une guerre industrielle qui donne aux armées une puissance de feu plus meurtrière** que lors des conflits passés. L'artillerie lourde et les mitrailleuses déciment les unités adverses lors des attaques. De nouvelles armes sont mises au point, comme les gaz de combat utilisés à partir de 1915 ou les chars d'assaut qui apparaissent à la bataille de Somme en 1916. Les avions sont de plus en plus employés pour repérer et attaquer les positions ennemies.

▶ Les tranchées offrent aux combattants des abris fragiles où les conditions de vie sont précaires. Les hommes sont exposés aux intempéries (le froid, la pluie, la boue) et vivent au milieu des rats et des cadavres abandonnés sur le *no man's land*. La peur de la mort, les blessures et les traumatismes causés par la violence des combats, ainsi que l'éloignement de leur famille, sont la cause d'**une grande souffrance psychologique parmi les soldats**.

ÉLÉMENTS CLÉS

▶ **Philippe Pétain (1856-1951)**
Après avoir organisé la défense de Verdun en 1916, il devient général en chef de l'armée française en 1917. Son rôle dans la guerre lui octroie un grand prestige.

▶ **La bataille de la Somme**
Se déroulant entre juillet et novembre 1916, c'est la plus grande bataille de la Première Guerre mondiale. Elle fait 1,2 million de victimes issues de 25 pays différents.

L'Historial de la Grande Guerre à Péronne

1

5 minutes avec...

Jean-François Birebent
Professeur d'Histoire-Géographie, missionné auprès du service éducatif de l'Historial

66 Au sol vous avez des fosses qui représentent l'univers des combattants. 99

CRÉDITS

M MAGNARD

① Présentez-nous l'historial de Péronne !

② Quelle est la particularité des fosses dans le musée ?

③ Qu'est-ce que l'artisanat de tranchée ?

INTERVIEW lienmini.fr/hgemc3-005

Saisissez cette adresse sur votre navigateur pour visionner l'interview.

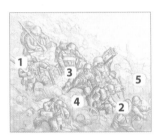

① Mitrailleuse lourde
② Masque à gaz
③ Grenades
④ Cadavres humains
⑤ Barbelés

Otto Dix, *Section de mitrailleurs à l'assaut (Somme, 1916)*, croquis sur carte postale. Kunstmuseum, Stuttgart.

2 Les combattants face à la mort et aux destructions

▶ **Les gaz de combat**

En avril 1915, les Allemands sont les premiers à utiliser des gaz de combat. Par la suite, toutes les armées emploient cette arme contre laquelle les soldats se protègent grâce à des masques à gaz.

▶ **Un conflit meurtrier**

Pertes journalières de soldats pendant la Première Guerre mondiale (en moyenne)

900 🚶🚶🚶🚶🚶🚶🚶🚶
Français

1 200
Allemands
🚶🚶🚶🚶🚶🚶🚶🚶🚶🚶🚶

Les civils mobilisés dans le conflit

▶ **Quels sont la place et le rôle des civils
dans la guerre totale ?**

Dès 1914, les populations sont mobilisées dans le conflit. La Première Guerre mondiale devient très vite une guerre totale dont l'issue se joue aussi bien sur le front où combattent les soldats qu'à l'arrière où les civils participent de différentes manières à l'effort de guerre et subissent aussi souffrances et violences.

1 Les difficultés du quotidien

David Hirsch est un commerçant de Roubaix, dans le nord de la France, ville occupée par les Allemands entre 1914 et 1918.

20 novembre 1914 : « le charbon se fait rare ; les malheureux commencent à se plaindre. »

8 janvier 1915 : « La question du manque de pain commence à devenir sérieuse. »

6 avril 1916 : « Hier au soir on a emmené 2 à 300 hommes, jeunes gens et jeunes filles de force, pour les faire travailler, croit-on, du côté de Valenciennes à couper du bois, sans doute pour les tranchées. »

23 juin 1916 : « Ce matin nous avons acheté 10 kg de pommes de terre à 1 franc 60 le kg (environ 15 fois le prix du temps normal), les œufs 13 sous. Le gouvernement allemand réclame environ 40 millions de francs, imposition de guerre aux trois villes Lille, Roubaix, Tourcoing [...]. »

23 octobre 1917 : « Plus nous allons et plus il nous faut supprimer des choses de notre alimentation ; après le vin en entier, la viande en grande partie, les pâtes alimentaires en grande partie aussi, ainsi que les œufs, le lait, nous arrivons maintenant au café. »

« Journal de David Hirsch » dans Annette Becker (dir.), *Journaux de combattants & civils de la France du Nord dans la Grande Guerre*, © Presses universitaires du Septentrion, 1998.

2 Financer la guerre

Affiche de propagande pour le septième emprunt de guerre allemand, 1917.

1. « L'épée allemande, luisante, aiguisée doit combattre le mensonge et la tromperie. Ouvrez le portemonnaie et sortez l'argent. Le dragon doit périr. »

VOCABULAIRE

L'arrière : les espaces éloignés du front.

La guerre totale : voir p. 19

La propagande : l'action visant à influencer l'opinion des gens.

J'identifie

1 Recopiez le tableau ci-dessous et classez les documents.

Les civils, acteurs de la guerre	Les civils, victimes de la guerre

J'analyse des documents

2 DOC. 1 ET 3 Quelles sont les différentes formes de violences et de souffrances subies par les civils ?

3 DOC. 2 Que symbolise le « dragon » ici ?

4 DOC. 4 ET 5 Montrez que les femmes ont un rôle très important dans la guerre.

3

Les bombardements

Dessin réalisé par un écolier parisien après le bombardement de la capitale par des avions et ballons dirigeables (zeppelins) allemands, 29 janvier 1916.

4

Les « marraines[1] de guerre »

« Toulon le 3 Février 1916,

Mon bien cher filleul,

C'est avec un très grand plaisir que j'ai pris connaissance de votre aimable lettre du 25 et je vous en remercie beaucoup. […] Vous avez le don mon cher filleul Marcel, de nous faire rire et vous vous y entendez à merveille. Vous êtes très amusant ! [J'ai] dit à mes deux soeurs de vous écrire à des jours différents afin que vous ne recevrez pas les lettres ensemble. Car on a plus de plaisir à en avoir tous les jours que tout en même temps. […] En attendant de vos nouvelles mon cher filleul je vous embrasse bien affectueusement.

Votre dévouée petite marraine. Angèle (Dorangeon) »

Source : Musée historique du Palatinat, collection Première Guerre mondiale (www.museum-digital.de ; transcription et traduction en allemand : Cora Tremmel).

1. Femmes qui, depuis l'arrière, entretiennent une correspondance avec des soldats au front.

5

Les femmes et l'économie de guerre

Photographie d'une usine française de fabrication de casques, janvier 1916.

Je justifie

5 Justifiez l'affirmation suivante : « le rôle et le sort des civils dans la Première Guerre mondiale montrent qu'il s'agit d'une guerre totale ».

Piste EPI

Histoire - Arts plastiques

Comment les artistes représentent-ils la violence de la guerre ? Préparez une affiche rassemblant et décrivant trois œuvres.

Culture et création artistiques

Étude

||||||||||||

Le génocide arménien

Mer Méditerranée

EMPIRE OTTOMAN

Mer d'Oman

▶ **Pourquoi le génocide arménien constitue-t-il une nouvelle forme de violence contre les civils ?**

En 1915, deux millions d'Arméniens vivent dans l'Empire ottoman. Ils constituent une minorité ethnique, de confession chrétienne dans un pays musulman. Menacé à ses frontières par l'armée russe, le gouvernement ottoman accuse les Arméniens de s'être alliés avec l'ennemi afin de créer un État indépendant et décide de leur extermination.

1 Les lieux du génocide

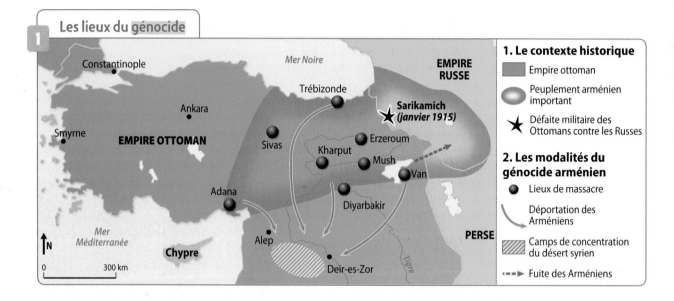

1. Le contexte historique

- Empire ottoman
- Peuplement arménien important
- ★ Défaite militaire des Ottomans contre les Russes

2. Les modalités du génocide arménien

- Lieux de massacre
- Déportation des Arméniens
- Camps de concentration du désert syrien
- Fuite des Arméniens

2 Les massacres

« À l'aube, je fus réveillé par le bruit des tirs [...]. les agresseurs n'étaient pas les Arméniens mais les autorités civiles elles-mêmes ! Soutenues par [...] la populace des environs, elles attaquaient et mettaient à sac le quartier arménien. [...] les assassins pénétraient dans les maisons, et, après avoir poignardé leurs victimes sans défense, obligeaient les femmes, les mères et les filles de ces pauvres créatures à trainer leurs blessés dans la rue par le pied ou les bras.[...] Je réussis à approcher le belediye reis[1] [et] lui ordonnai d'arrêter le massacre. Il me stupéfia en me répondant qu'il ne faisait rien d'autres qu'accomplir un ordre sans équivoque du gouverneur général de la province... Exterminer tous les hommes arméniens de 12 ans et plus. »

Témoignage de Rafael de Nogales, officier vénézuélien dans l'armée ottomane sur les massacres de Adilcevaz (rive nord du lac de Van), cité dans *L'Histoire*, n° 408, février 2015.

1. Maire.

Je situe

1 INTRO ET DOC. 1

Où et dans quel contexte militaire le génocide arménien se produit-il ?

J'analyse des documents

2 DOC. 2 ET 4 Qui ordonne les massacres ? Qui les exécute ?

3 À partir des DOC. 1 À 3, recopiez et complétez le tableau ci-contre.

	Hommes	Femmes, enfants et vieillards
Principaux moyens d'extermination		
Principaux lieux d'extermination		

La déportation

« Nous sommes arrivés à Deir-es-Zor le 24 juin 1915, après avoir parcouru à pied des déserts inconnus durant quarante-sept jours. [...] À l'extérieur de la ville, à dix minutes, sur la rive orientale de l'Euphrate, près de cent cinquante tentes de déportés arméniens étaient dressées. Elles étaient faites de vieilles nappes et surtout de draps de literie blancs ou colorés tendus entre quatre morceaux de bois s'élevant vers le ciel. C'est sous ces petits carrés que vivaient, durant la canicule désertique de juin, plus de 3 000 Arméniens de Zeytoun, qui ne pouvaient garder à l'ombre que leur tête. [...] Il n'y avait aucune assistance ; [les déportés] avaient commencé à manger toutes sortes de cadavres d'animaux, d'insectes des champs, ainsi que diverses matières végétales séchées. [...]. Il y avait quotidiennement 300 à 350 morts qui étaient jetés à l'eau ou dans des cavités naturelles, puis recouverts de terre. »

Témoignage de Mihran Aghazarian, 1919, *Imprescriptible*. Annales du Centre d'histoire arménienne contemporaine (UGAB).

Photographie d'une Arménienne agenouillée devant son enfant mort à Alep, 1915.

4
Les procès des criminels

Photographie d'un procès d'auteurs du génocide, parue dans le journal *Memleket*, 8 avril 1919.

VOCABULAIRE

Une déportation : le transfert forcé d'une population.

Une diaspora : la dispersion d'un peuple en dehors de son pays d'origine.

Une ethnie : un groupe dont les membres se reconnaissent une origine et une culture communes.

Un génocide : une extermination planifiée et organisée d'un peuple en raison de ses origines ou de sa religion.

Entre 1919 et 1920, le nouveau gouvernement ottoman condamne à la peine de mort ou à des peines de prison les principaux responsables du génocide arménien. Certains sont cependant acquittés tandis que d'autres échappent au verdict car ils ont fui le pays.

Le génocide des Arméniens fait 1,3 million de morts et provoque une diaspora chez les survivants.

J'argumente

4 En vous appuyant sur la définition de « génocide », sur les documents et sur vos réponses précédentes, montrez que le massacre des Arméniens est un génocide.

Conseil Brevet

Étudier un témoignage

Pour étudier un témoignage comme ceux des DOC. 2 ET 3, il faut bien identifier son auteur, la date et les conditions de son récit. Et il faut garder à l'esprit qu'il s'agit d'un point de vue particulier sur l'évènement.

Étude

La Révolution russe

▶ Pourquoi la Révolution russe est-elle un bouleversement pour l'Europe ?

En Russie, les difficultés militaires et l'aggravation des pénuries provoquent une révolution en février 1917. Quelques mois après la chute de l'empereur, le tsar Nicolas II, les bolcheviks prennent le pouvoir en octobre. S'ensuit une longue guerre civile qui s'achève en 1922 par la création de l'Union des républiques socialistes soviétiques (URSS), patrie du communisme.

1 Lénine, chef de la révolution bolchevik

Lénine est le fondateur du parti bolchevik. Exilé en Suisse pour échapper à la répression politique, il revient à Petrograd un mois après la chute du tsar.

« Le lendemain [de son retour] Lénine présenta au parti un bref exposé écrit de ses idées qui devint un des plus importants documents de la révolution, sous la dénomination de "thèses du 4 avril". Les thèses exprimaient de simples pensées, en termes simples et accessibles à tous. La république qui est sortie de l'insurrection de Février n'est pas notre république, et la guerre qu'elle mène n'est pas notre guerre. La tâche pour les bolcheviks est de renverser le gouvernement impérialiste[1]. [...] Nous sommes en minorité. Dans ces conditions, il ne peut être question d'un acte de force de notre côté. [...] "Il faut patiemment donner des explications." »

Le succès d'une telle politique, imposée par l'ensemble des circonstances, est garanti et il nous amènera à la dictature du prolétariat[2], par conséquent il nous conduira au-delà du régime bourgeois. Nous voulons rompre totalement avec le capital[3], publier ses traités secrets et appeler les ouvriers du monde entier à briser avec la bourgeoisie et à liquider la guerre. Nous commençons la révolution internationale. Seul le succès de cette révolution consolidera la nôtre, et assurera le passage au régime socialiste. »

Léon Trotsky[4], *Histoire de la révolution russe*, 1930-1932, © Éditions du Seuil, 1962, pour la traduction française, « Points Essais », 1995.

1. Désigne le régime instauré au lendemain de la chute du tsar.
2. Les ouvriers et les paysans, par opposition à la bourgeoisie.
3. Ceux qui défendent les intérêts de la bourgeoisie.
4. Dirigeant bolchevik, aux côtés de Lénine.

2 Les objectifs des bolcheviks en 1917

« Le Gouvernement ouvrier et paysan, créé par la révolution des 24 et 25 octobre et s'appuyant sur les soviets[1] des députés ouvriers, soldats et paysans, propose à tous les peuples belligérants et à leurs gouvernements d'entamer des pourparlers immédiats en vue d'une paix juste et démocratique. [...] Le déclenchement de l'insurrection armée, de la deuxième révolution, la révolution d'Octobre, prouve clairement que la terre doit être remise entre les mains des paysans. »

Extraits des décrets sur la paix et sur la terre rédigés par Lénine le 26 octobre 1917 (8 novembre pour notre calendrier)

1. « Conseil » en russe : assemblée de soldats, de paysans et d'ouvriers acquis aux idées révolutionnaires.

Je situe

1 INRO ET DOC. 1 Dans quel contexte la révolution bolchevik se produit-elle ?

J'extrais des informations

2 DOC. 1 ET 2 Quelles sont les idées et les objectifs de Lénine et des bolcheviks ?

3 DOC. 2 Quelles sont les principales décisions prises par les bolcheviks au lendemain de la révolution d'Octobre ?

4 DOC. 3 ET 4 Quelles sont les conséquences de la révolution bolchevik en Russie et en Europe ?

La IIIᵉ Internationale : ou Komintern, l'organisation internationale mise en place par le parti bolchevik en 1919 pour favoriser la diffusion du communisme dans le monde.

« Les Armées blanches » : les armées russes formées après la révolution d'octobre 1917 pour lutter contre les Soviétiques.

L'Armée rouge : l'armée mobilisée par Lénine pour combattre les ennemis de la Révolution.

Un bolchevik : un communiste russe partisan de Lénine en 1917.

Le communisme : le modèle idéologique reposant sur une société sans classe et sur la propriété collective.

Une guerre civile : une guerre entre des populations appartenant au même État.

① L'étoile rouge, symbole du communisme.
② Une usine, représentant le monde ouvrier.
③ « Toi, t'es engagé comme volontaire ? »

3 La propagande bolchevik

Affiche de recrutement de l'Armée rouge, publiée pendant la guerre civile (1920) contre les « Armées blanches ».

4 L'Europe et la Révolution russe

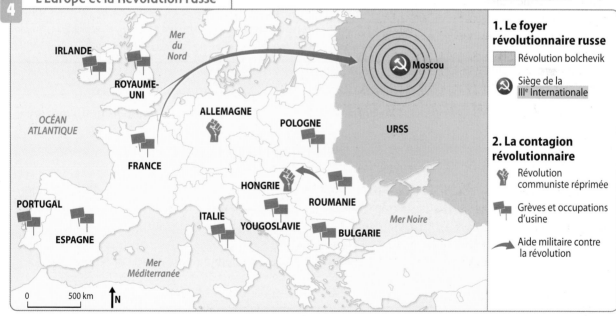

1. **Le foyer révolutionnaire russe**

   Révolution bolchevik

   Siège de la IIIᵉ Internationale

2. **La contagion révolutionnaire**

   Révolution communiste réprimée

   Grèves et occupations d'usine

   Aide militaire contre la révolution

IRLANDE · ROYAUME-UNI · Mer du Nord · OCÉAN ATLANTIQUE · ALLEMAGNE · POLOGNE · Moscou · URSS · FRANCE · HONGRIE · ROUMANIE · Mer Noire · PORTUGAL · ITALIE · YOUGOSLAVIE · BULGARIE · ESPAGNE · Mer Méditerranée

0 — 500 km · N

Je pratique différents langages

5 À l'aide des documents et de vos réponses précédentes, recopiez et complétez le schéma ci-contre.

....

est causée par

La révolution bolchevik

a pour conséquences

en Russie.......................

en Europe.......................

Cours 2 — Une guerre qui bouleverse les États et les sociétés

▶ **Comment les populations civiles sont-elles affectées par la guerre ?**

PASSÉ PRÉSENT

Les monuments aux morts

L'ampleur des pertes et le difficile rapatriement des corps poussent les municipalités à ériger des monuments pour **commémorer les morts** et permettre aux familles de faire leur deuil. Aujourd'hui encore **chaque ville ou village de France** a un monument où sont inscrits les noms des morts de la Première Guerre mondiale mais aussi ceux de la Seconde Guerre mondiale et des guerres de la décolonisation.

A Une guerre totale

▶ **Les civils sont mobilisés dans le conflit.** À l'arrière, une économie de guerre se met en place. **Les femmes remplacent les hommes dans les usines** ou dans les champs, tandis que les États appellent les populations à financer l'effort de guerre.

▶ Les civils souffrent du conflit, confrontés à la mort de proches mobilisés, mais aussi au manque de nourriture. Dans les régions occupées, ils sont souvent maltraités. Ils sont aussi victimes des bombardements contre les villes. En 1915, **le gouvernement ottoman décide le génocide des Arméniens**, faisant 1,3 million de morts.

B Un effroyable bilan

▶ **Le bilan humain et matériel est très lourd** et a des conséquences durables sur les sociétés. La plupart des familles sont en deuil. De nombreux soldats reviennent avec des blessures très graves, comme les « gueules cassées ». Il faut plusieurs années pour reconstruire les lieux dévastés par les combats.

▶ La volonté de ne plus revivre les souffrances de la guerre **entraine le développement du pacifisme**. Mais parmi les soldats revenus du front, certains sont marqués par la brutalité de la vie des tranchées.

C Les bouleversements politiques de l'Europe

▶ **En Russie, les bolcheviks dirigés par Lénine s'emparent du pouvoir en 1917.** Ils veulent instaurer le communisme et diffuser la révolution dans le monde. Au lendemain de la guerre, des grèves et des insurrections ouvrières éclatent ainsi dans plusieurs pays européens.

▶ **La paix est rétablie par des traités dont celui de Versailles signé le 28 juin 1919.** Huit nouveaux États sont créés. À la demande du président américain Wilson, est instituée la Société des Nations (SDN) qui doit permettre aux pays de coopérer pour la paix. En Allemagne, jugée responsable du conflit et durement sanctionnée, certains dénoncent un « diktat ».

ÉLÉMENTS-CLÉS

▶ Thomas Woodrow Wilson (1856-1924)
28ᵉ président des États-Unis, il engage son pays dans la guerre en 1917. En 1918, il énonce « 14 points » pour le monde d'après guerre : liberté des échanges, droit des peuples et sécurité collective.

▶ Georges Clemenceau (1841-1929)
Chef du gouvernement français entre 1917 et 1920, il mène une politique autoritaire pendant la guerre et impose à l'Allemagne d'humiliantes conditions de paix.

1 L'Europe au lendemain de la guerre

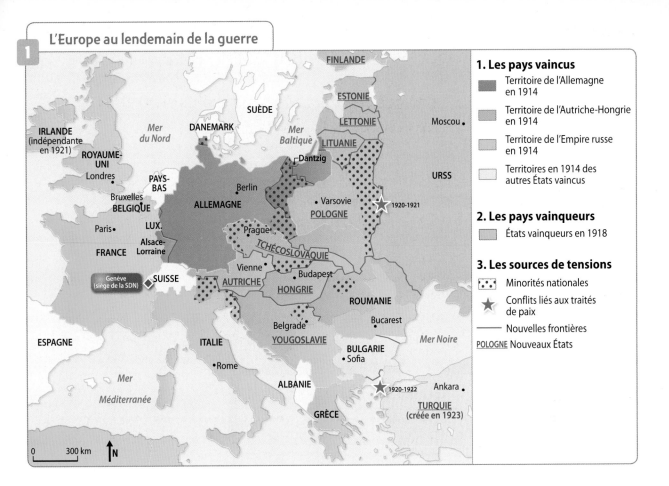

1. Les pays vaincus

- Territoire de l'Allemagne en 1914
- Territoire de l'Autriche-Hongrie en 1914
- Territoire de l'Empire russe en 1914
- Territoires en 1914 des autres États vaincus

2. Les pays vainqueurs

- États vainqueurs en 1918

3. Les sources de tensions

- Minorités nationales
- ★ Conflits liés aux traités de paix
- Nouvelles frontières
- POLOGNE Nouveaux États

2 Le traité de Versailles, promesse d'une paix durable ?

Les conditions de paix imposées à l'Allemagne sont très dures : démilitarisation, pertes de certains territoires, lourdes réparations à payer à la France.

• Le point de vue du chef du gouvernement français

« Nos épreuves ont créé dans ce pays un sentiment profond des réparations qui nous sont dues ; [...] Ne croyez pas qu'ils [les Allemands] nous pardonneront jamais ; ils ne chercheront que l'occasion d'une revanche. »

Extrait d'un discours de Georges Clemenceau lors de la conférence de la paix de Paris, le 28 mars 1919.

• Le point de vue d'un représentant du gouvernement allemand

« Nous contestons fermement que l'Allemagne, dont le peuple avait à se défendre, soit seule chargée de cette culpabilité. [...] C'est la politique de la revanche, la politique de l'expansion et de la négligence du droit des peuples qui ont contribué à la maladie de l'Europe, laquelle a eu sa crise dans la guerre. »

Extrait du discours d'Ulrich von Brockdorff-Rantzau, lors de la conférence de la paix de Paris, le 7 mai 1919.

▶ **La Société des Nations (SDN)**

La SDN est une organisation internationale instaurée par la volonté du président américain Wilson afin de garantir la paix et le droit international.

▶ **Le lourd bilan humain**

Bilan humain de la Première Guerre mondiale

10 millions de soldats **tués**   **20 millions de** soldats **blessés**   **3 millions de veuves**   **6 millions d'orphelins**

Réviser

carte mentale lienmini.fr/hgemc3-006

Saisissez cette adresse sur votre navigateur pour découvrir la carte mentale.

CARTE MENTALE

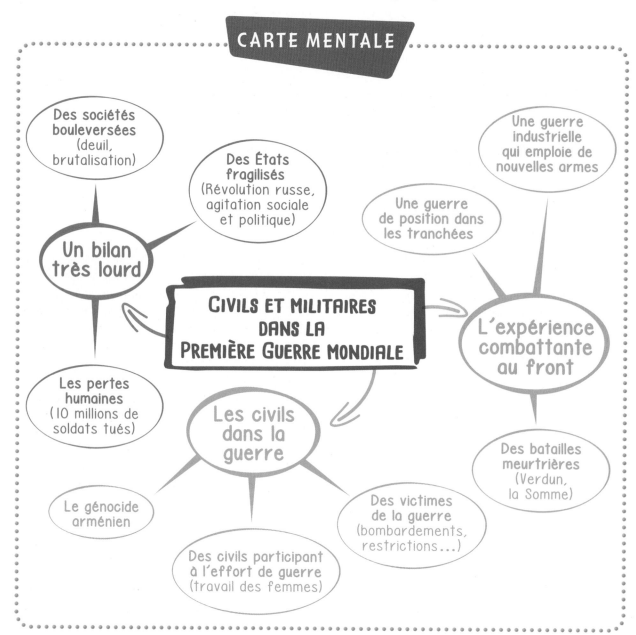

Des sociétés bouleversées (deuil, brutalisation)

Des États fragilisés (Révolution russe, agitation sociale et politique)

Une guerre industrielle qui emploie de nouvelles armes

Une guerre de position dans les tranchées

Un bilan très lourd

CIVILS ET MILITAIRES DANS LA PREMIÈRE GUERRE MONDIALE

L'expérience combattante au front

Les pertes humaines (10 millions de soldats tués)

Les civils dans la guerre

Des batailles meurtrières (Verdun, la Somme)

Le génocide arménien

Des victimes de la guerre (bombardements, restrictions...)

Des civils participant à l'effort de guerre (travail des femmes)

Réviser en ligne

Je teste mes connaissances

QUIZ lienmini.fr/hgemc3-007

Saisissez cette adresse sur votre navigateur pour lancer le quiz.

Je construis ma carte mentale

TUTO vidéo lienmini.fr/hgemc3-001

Saisissez cette adresse sur votre navigateur pour découvrir la vidéo tuto.

Étudier un document officiel

Étape 1 **Présentez le document :** identifiez la date, l'auteur (un État ou un personnage historique) et la nature du document (discours, loi, traité international, etc.). Précisez à qui il s'adresse.

Étape 2 **Cherchez le sens :** il faut resituer le document dans son contexte et être capable d'en extraire les idées principales.

Étape 3 **Interprétez :** il faut s'interroger sur les intentions de l'auteur et ne jamais oublier que celui-ci a un point de vue qui peut être critiqué. Puis il faut évaluer la portée du document : quel est son intérêt historique ?

1 Le traité de Versailles (extraits)

Le traité de Versailles est signé le 28 juin 1919 par les représentants des pays alliés et de l'Allemagne. Il met fin à la Première Guerre mondiale, crée la Société des Nations (SDN), retire à l'Allemagne des territoires et lui impose des conditions de la paix.

« **Article 160.**

1. À dater du 31 mars 1920, au plus tard, l'armée allemande ne devra pas comprendre plus de [...] cent mille hommes, officiers et dépôts compris, et sera exclusivement destinée au maintien de l'ordre sur le territoire et à la police des frontières.

Article 169.

[...] les armes, les munitions, le matériel de guerre allemands, [...] qui seront en excédent des quantités autorisées, devront être livrés aux Gouvernements des principales puissances alliées et associées pour être détruits ou mis hors d'usage.

Article 227.

Les puissances alliées et associées mettent en accusation publique Guillaume II de Hohenzollern, ex-empereur d'Allemagne, pour offense suprême contre la morale internationale et l'autorité sacrée des traités. Un tribunal spécial sera constitué pour juger l'accusé [...] Il sera composé de cinq juges, nommés par chacune des cinq puissances suivantes, savoir les États-Unis d'Amérique, la Grande-Bretagne, la France, l'Italie et le Japon.

Article 231.

Les Gouvernements alliés et associés déclarent [...] que l'Allemagne et ses alliés sont responsables, pour les avoir causés, de toutes les pertes et de tous les dommages subis par les Gouvernements alliés et associés et leurs nationaux en conséquence de la guerre, qui leur a été imposée par l'agression de l'Allemagne et de ses alliés.

Article 232.

Les Gouvernements alliés et associés exigent [...] que soient réparés tous les dommages causés à la population civile de chacune des puissances alliées et associées et à ses biens pendant la période où cette puissance a été en état de belligérance[1] avec l'Allemagne. »

1. En guerre.

1 Présentez le document
Quelle est la nature du document ? Qui en sont les auteurs ?
Quand ce document devient-il officiel ?

2 Cherchez le sens
Dans quel contexte ce document a-t-il été préparé ?
Qu'impose-t-il à l'Allemagne ?

3 Interprétez
Comment expliquer la dureté des conditions de paix imposées à l'Allemagne ?
Pourquoi les Allemands peuvent-ils considérer ces conditions comme injustes et humiliantes ?

MÉTHODE
Rédiger un développement construit

Étape 1 ▶ Comprenez la consigne : au brouillon, commencez par identifier le chapitre auquel se rapporte le sujet. Puis relevez les mots qui indiquent les compétences à mettre en œuvre (décrire, expliquer, raconter, etc.). Enfin il faut définir les notions clés à l'aide du cours.

Étape 2 ▶ Mobilisez vos connaissances : il faut faire un tri parmi ses connaissances et distinguer les idées les plus importantes des idées secondaires. Chaque idée doit être illustrée par un exemple précis.

Étape 3 ▶ Construisez un plan détaillé : les deux ou trois idées principales doivent constituer les différentes parties du plan. Une fois que celui-ci est établi, il faut « ranger » dans chaque partie les idées secondaires et les exemples.

Étape 4 ▶ Rédigez l'introduction et la conclusion : l'introduction doit situer le contexte chronologique et spatial du sujet, définir les notions de la consigne et proposer une question simple qui oriente le développement. La conclusion doit résumer les principales idées du développement et proposer une ou deux phrases d'interprétation générale.

Étape 5 ▶ Rédigez le développement : on rédige sous la forme de paragraphes séparés par des sauts de ligne et commençant par des alinéas les différentes parties du développement.

Sujet : Sous la forme d'un développement construit d'une vingtaine de lignes et en vous appuyant sur quelques exemples précis issus du cours, expliquez le rôle et la place des civils dans la Première Guerre mondiale.

1 Lisez le développement et la conclusion proposés.

2 Rédigez l'introduction.

Développement rédigé

La Première Guerre mondiale se caractérise par une large mobilisation humaine et matérielle. La plupart des hommes âgés de 20 à 40 ans sont appelés dans les armées pour défendre leur patrie. À l'arrière, les femmes remplacent dans de nombreux métiers les hommes partis au front. Elles jouent un rôle déterminant dans l'effort de guerre. La mobilisation est également financière, notamment par les campagnes d'emprunts auxquelles souscrit la population. Les civils apportent aussi un soutien moral et matériel aux combattants par l'envoi de lettres ou de colis. Cette participation de l'ensemble de la société civile est suscitée par une intense propagande contrôlée par l'État.

Mais la mobilisation totale des sociétés fait aussi des civils des victimes de la guerre.

La guerre totale aggrave les difficultés du quotidien. Les civils doivent faire face à des mesures de rationnement et à la pénurie de nombreux biens de consommation de base, en particulier en Allemagne soumise à un blocus maritime visant à l'asphyxier économiquement. Les populations urbaines subissent également des bombardements. Dans les régions occupées, les civils sont victimes de violences et du travail forcé. Dans l'Empire ottoman, le massacre et la déportation des Arméniens en 1915 et 1916 provoquent un génocide qui fait plus de 1,3 million de morts. Enfin toutes les sociétés sont confrontées au deuil de masse provoqué par la mort de près de 10 millions de soldats.

Conclusion rédigée

Si le pourcentage de victimes parmi les civils reste encore relativement limité durant la Première Guerre mondiale (5 %), ceux-ci occupent une place déterminante dans le conflit. Ils sont des acteurs clés ayant contribué à l'effort de guerre. Ils sont aussi des victimes au point dans certains cas de devenir des cibles stratégiques. Ces évolutions marquent l'entrée dans l'ère des guerres totales qui verra avec la Seconde Guerre mondiale le franchissement d'un nouveau seuil de violence.

Exercice 1   Analyser et comprendre des documents

1 Discours de Lénine (extraits)

Devant le comité central du parti bolchevik le 20 janvier 1918 qui doit décider s'il faut continuer ou non la guerre contre l'Allemagne, Lénine s'oppose à un autre dirigeant bolchevik, Boukharine, partisan de la guerre révolutionnaire.

« Point 10

Un autre argument pour la guerre immédiate, c'est l'assertion qu'en signant la paix nous devenons de fait des agents de l'impérialisme[1] allemand, parce que nous lui donnons la possibilité de prélever des troupes sur notre front, nous lui rendons des milliers de prisonniers, etc. Mais cet argument est incontestablement faux, parce qu'une guerre révolutionnaire à ce moment nous réduirait au rôle d'agents de l'impérialisme anglo-français, en lui donnant des forces auxiliaires. Les Anglais ont déjà proposé ouvertement à notre généralissime Krylenko[2] cent roubles par mois pour tout soldat russe qui continuerait la guerre. Si même nous n'acceptions pas un kopeck[3] de la part des Anglo-Français, nous les aiderions néanmoins, en retenant une partie des troupes allemandes sur notre front.

Dans aucun des deux cas nous ne pourrions nous arracher à tout contact avec les impérialistes d'une part ou de l'autre ; il est d'ailleurs impossible de s'en arracher sans renverser l'impérialisme mondial. On peut en déduire que, du moment qu'un gouvernement socialiste a triomphé dans un pays, toutes les questions doivent être résolues sous le point de vue de la création des meilleures conditions pour le développement de cette révolution socialiste qui a déjà commencé, et non pas sous le point de vue d'une préférence quelconque accordée à l'un des impérialismes aux dépens de l'autre. En d'autres termes, nous devons nous demander non pas auquel des deux impérialismes il nous faut porter secours, mais plutôt : comment peut-on procurer à la révolution socialiste la possibilité de se fortifier et de se maintenir dans un pays, en attendant que d'autres suivent son exemple ? »

1. Terme utilisé par les bolcheviks pour qualifier les puissances occidentales capitalistes et coloniales.
2. Un des principaux chefs de l'Armée rouge.
3. Monnaie russe valant un centième de rouble.

1 **Quelle est la nature du document ? Qui en est l'auteur ? À qui s'adresse-t-il ?**
> Lénine étant un acteur étudié en cours, il faut préciser son rôle historique.

2 **Quel est le contexte historique du document ?**
> Pensez à la situation sur le front en 1918 mais aussi aux évènements survenus en Russie en 1917.

3 **Quel est le sujet du désaccord entre les bolcheviks ?**

4 **Quel est le point de vue de l'auteur ?**
> Justifiez votre réponse en citant un ou deux extraits du texte.

5 **Pourquoi les bolcheviks rejettent-ils à la fois l'idée d'une alliance avec les « Anglo-Français » et avec les Allemands ?**
> La réponse doit analyser l'emploi de la notion d'« impérialisme » et définir l'idéologie des bolcheviks (le communisme).

6 **Selon l'auteur, quelles sont les perspectives de la Révolution bolchevik en Europe ?**

Exercice 2   Maitriser différents langages pour raisonner et se repérer

a **Sujet :** Sous la forme d'un développement construit d'une vingtaine de lignes et en vous appuyant sur quelques exemples précis issus du cours, vous expliquerez pourquoi la Première Guerre mondiale peut être qualifiée de « guerre industrielle » ?

b Recopiez la frise, puis placez les dates de début et de fin de la Première Guerre mondiale. Indiquez ensuite une bataille emblématique du conflit et justifiez votre choix. Enfin imaginez un figuré pour identifier le génocide arménien, puis localisez-le sur la frise.

L'Europe,
entre démocraties et régimes totalitaires (1918-1939)

Un face-à-face symbolique dans la France du Front populaire

AIDE VISUELLE

1 Le pavillon allemand, 54 m de haut, surmonté d'un aigle tenant une croix gammée entre ses serres, est conçu par Albert Speer, architecte en chef du parti nazi.

2 Le pavillon soviétique, 160 m de long, surmonté d'une statue de 25 m de haut (*L'Ouvrier et la Kolkhozienne* de Vera Moukhina), est conçu par Boris Iofane, architecte officiel du régime stalinien.

▶ **Comment les régimes totalitaires menacent-ils les démocraties dans l'Europe de l'entre-deux-guerres ?**

OCÉAN ATLANTIQUE

● Paris

Mer Méditerranée

Carte postale représentant l'un des sites de l'Exposition universelle de Paris de 1937.

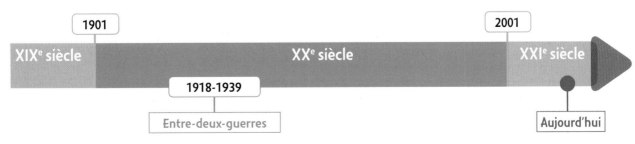

1901

2001

XIXe siècle

XXe siècle

XXIe siècle

1918-1939

Entre-deux-guerres

Aujourd'hui

Se repérer dans le temps

1918	1920	1930

Staline au pouvoir (1924-1953)

1917
Les révolutions russes

À Petrograd, un bolchevik brandit un drapeau rouge fixé à sa baïonnette, 1917.

En février 1917, une première révolution met fin à l'empire du tsar Nicolas II. Quelques mois plus tard, en octobre, une seconde révolution permet à Lénine et à ses partisans, les bolcheviks, de prendre le pouvoir à Petrograd. Des décrets sur le partage de la terre et le contrôle ouvrier de la production sont rédigés. Un pouvoir autoritaire s'impose à la société et aux soviets. Une opposition militaire s'organise.

1929
Crise boursière et Grande Dépression

Marche de la faim de chômeurs du nord de la France, 1933.

En octobre 1929, les cours de la Bourse de New York (Wall Street) s'effondrent. Le système bancaire américain est durement atteint. Les États-Unis subissent une grave crise économique qui s'étend progressivement à partir de 1930 au reste du monde, notamment à l'Europe. Elle entraine de nombreuses faillites d'entreprises et un chômage massif qui déstabilise les sociétés.

QUESTIONS

1 Quel régime est renversé en Russie en octobre 1917 ?

2 Quelles sont les conséquences de la crise économique américaine dans le monde ?

3 Quel évènement permet aux nazis de mettre en place une dictature ?

4 Avec quel pays Hitler signe-t-il un pacte de non-agression ?

1939

1933
Arrivée au pouvoir des nazis

Adolf Hitler et le président de la République allemande, le maréchal Hindenburg, 21 mars 1933.

Après les élections législatives de 1932, le parti nazi devient la première force politique d'Allemagne. Le 30 janvier 1933, le président Hindenburg nomme le chef de ce parti, Adolf Hitler, au poste de chancelier (Premier ministre). Après l'incendie du parlement, le Reichstag, le 27 février, les nazis mettent en place une dictature. Les opposants sont persécutés.

1939
La guerre en Europe

Défilé de l'armée allemande à Prague (Tchécoslovaquie), mars 1939.

Depuis 1935, Hitler applique en Europe une politique agressive d'annexions afin d'agrandir le territoire allemand. Après l'Autriche, il s'attaque à la Tchécoslovaquie en 1938. Il s'allie au dictateur italien Benito Mussolini, puis signe un pacte de non-agression avec l'Union des républiques socialistes soviétiques (URSS). L'invasion de la Pologne en 1939 déclenche la Deuxième Guerre mondiale.

Timeline:
1939

Hitler au pouvoir (1933-1945)
Front populaire (1936-1938)

VOCABULAIRE

La Bourse : le lieu où se fixe la valeur des actions, de la monnaie et de certaines matières premières.

Les élections législatives : les élections des députés d'un parlement.

Un soviet : une assemblée composée d'ouvriers, de paysans et de soldats durant les révolutions russes de 1917.

Se repérer dans l'espace

L'Europe en 1938

1

ISLANDE

Mer de Barents

SUÈDE

FINLANDE

NORVÈGE

ESTONIE

LETTONIE
LITUANIE

DANEMARK

URSS

ROYAUME-
UNI

IRLANDE

PAYS-BAS

ALLEMAGNE

POLOGNE

BELGIQUE

TCHÉCOSLOVAQUIE

FRANCE

SUISSE

AUTRICHE

HONGRIE

OCÉAN
ATLANTIQUE

ITALIE

ROUMANIE

YOUGOSLAVIE

Mer Noire

Mer
Caspienne

BULGARIE

ESPAGNE

ALBANIE

PORTUGAL

GRÈCE

TURQUIE

Mer Méditerranée

0   1 000 km

N

Démocratie   Régime totalitaire nazi ou fasciste   Régime totalitaire soviétique

Dictature et régime autoritaire   Guerre civile espagnole (1936-1939)

QUESTIONS

❶ Quels sont les trois grands régimes totalitaires en 1938 ?

❷ Quel pays subit une guerre civile ?

❸ Quelles régions sont annexées ou envahies par l'Allemagne nazie entre 1935 et 1939 ?

❹ Avec quels pays l'Allemagne nazie met-elle en place des accords diplomatiques ?

L'Allemagne nazie et l'Italie fasciste menacent la paix en Europe (1935-1939)

2

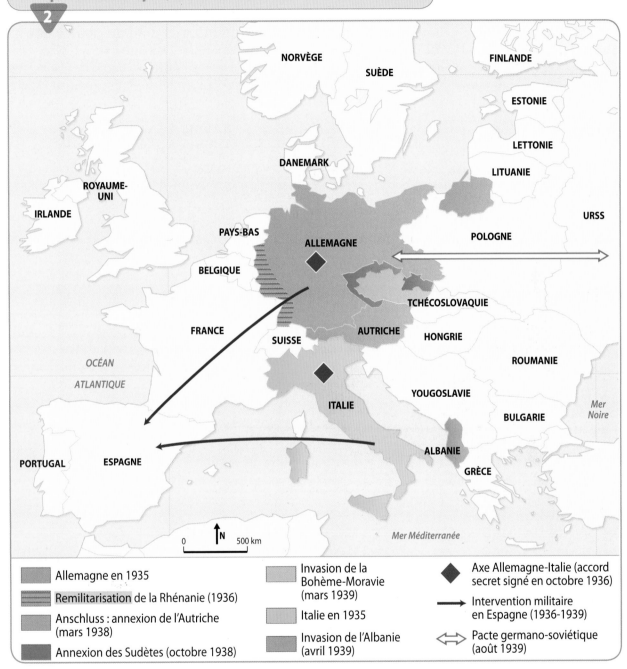

▨ Allemagne en 1935	▨ Invasion de la Bohème-Moravie (mars 1939)	◆ Axe Allemagne-Italie (accord secret signé en octobre 1936)
▤ Remilitarisation de la Rhénanie (1936)	▨ Italie en 1935	→ Intervention militaire en Espagne (1936-1939)
▨ Anschluss : annexion de l'Autriche (mars 1938)	▨ Invasion de l'Albanie (avril 1939)	⟷ Pacte germano-soviétique (août 1939)
▨ Annexion des Sudètes (octobre 1938)		

VOCABULAIRE

Fasciste : désigne le type de gouvernement mis en place par Mussolini en Italie en 1922, s'appuyant sur un État totalitaire, la dictature et un parti unique.

Un régime autoritaire : un régime politique dans lequel un pouvoir exécutif concentre un très grand pouvoir.

Un régime totalitaire : un régime politique dans lequel l'État et un parti unique imposent une idéologie par la propagande, l'encadrement de la population et la répression de l'opposition.

La remilitarisation : ici, le déploiement de forces armées allemandes dans l'ouest de l'Allemagne malgré son interdiction par le traité de Versailles.

Le régime soviétique, de Lénine à Staline

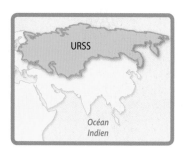

URSS

Océan Indien

▶ **Comment le régime totalitaire soviétique s'est-il mis en place ?**

Une longue guerre civile (1917-1921) suit la prise du pouvoir par les bolcheviks. Afin d'imposer le communisme, Lénine met en place une politique de terreur en Russie, devenue l'URSS. À partir de 1924, son successeur Joseph Staline prend le pouvoir et construit un régime totalitaire.

1 La terreur rouge durant la guerre civile

« Camarades ! Le soulèvement koulak[1] dans vos cinq districts doit être écrasé sans pitié. Les intérêts de la révolution tout entière l'exigent, car partout la "lutte finale" avec les koulaks est désormais engagée. Il faut faire un exemple.

1. Pendre (et je dis pendre de façon que les gens le voient) pas moins de 100 koulaks, richards, buveurs de sang connus.

2. Publier leurs noms.

3. S'emparer de tout leur grain.

4. Identifier les otages comme nous l'avons indiqué dans notre télégramme hier. Faites cela de façon qu'à des centaines de lieues à la ronde les gens voient, tremblent, sachent et se disent : ils tuent et continueront à tuer les koulaks assoiffés de sang. Télégraphiez que vous avez bien reçu et exécuté ces instructions. Vôtre, Lénine.

Post scriptum. Trouvez des gens plus durs. »

Télégramme de Lénine au comité exécutif du soviet de Penza, 10 août 1918.

1. Paysan aisé opposé aux réformes économiques du pouvoir soviétique.

LA SÉANCE PLÉNIÈRE DE LA CONFÉRENCE
EXCELSIOR
VENDREDI 17 JANVIER 1919

CONTRE L'INVASION DU BOLCHEVISME

2 La peur d'une révolution bolchevik en Europe

Une d'un journal français, *Excelsior*, 17 janvier 1919.

VOCABULAIRE

Un bolchevik : un communiste russe partisan de Lénine en 1917.

Le communisme : le modèle idéologique reposant sur une société sans classe et sur la propriété collective.

Le goulag : l'administration d'un réseau de camps de concentration dans lesquels le régime soviétique déporte les opposants.

L'URSS : L'Union des républiques socialistes soviétiques.

J'identifie

1 DOC. 1 Qui a rédigé ce télégramme ? Dans quel contexte ?

2 DOC. 3 Qui sont les personnages représentés en arrière-plan ?

J'extrais des informations

3 DOC. 1 ET 4 Relevez des méthodes de terreur appliquées par les communistes sur leurs opposants.

4 DOC. 3 ET 4 Comment l'État cherche-t-il à encadrer la population soviétique ? Dans quel but ?

50% DE RÉDUCTION
sur les parcours en Union Soviétique.
Intourist

3 L'URSS de Staline

Publicité française de l'Intourist, 1935.

4 Le goulag

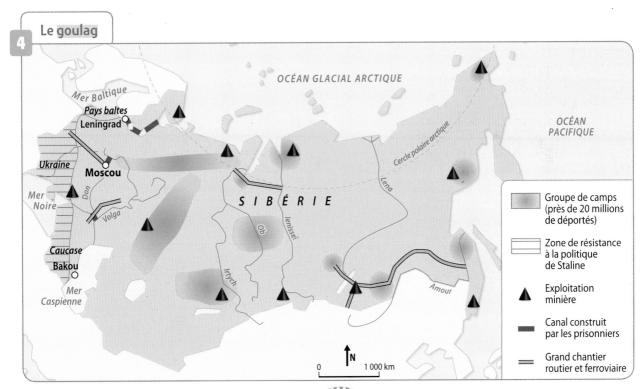

OCÉAN GLACIAL ARCTIQUE

OCÉAN PACIFIQUE

Mer Baltique
Pays baltes
Leningrad

Ukraine

Moscou

Mer Noire

Don

Volga

Caucase

Bakou

Mer Caspienne

S I B É R I E

Ob

Irtych

Ienisseï

Lena

Cercle polaire arctique

Amour

Légende :
- Groupe de camps (près de 20 millions de déportés)
- Zone de résistance à la politique de Staline
- Exploitation minière
- Canal construit par les prisonniers
- Grand chantier routier et ferroviaire

N

0 — 1 000 km

Je comprends un document

5 DOC. 2 Quelle est l'attitude de la France face à l'expérience communiste à la fin des années 1910 ?

6 DOC. 3 Comment l'URSS veut-elle séduire la France durant les années 1930 ?

Piste EPI

Histoire - Arts plastiques

Comment les arts plastiques sont-ils mis au service de la propagande dans les États totalitaires ? Faites un exposé présentant des affiches et des photomontages.

Information, communication, citoyenneté

Les nazis au pouvoir : des élections à la dictature

▶ **Comment les nazis ont-ils conquis le pouvoir et construit un régime totalitaire ?**

ALLEMAGNE

Au début des années 1930, l'Allemagne est touchée par la Grande Dépression. Les nazis parviennent au pouvoir dans ce contexte de crise économique. Nommé chancelier (Premier ministre) en 1933, Adolf Hitler est soutenu par une large partie de la population. Après l'incendie du parlement, le Reichstag, il impose une dictature.

1 Instrumentaliser la crise économique

Élections	Chômage en % de la population active	Voix obtenues par le NSDAP[1] en %	Voix obtenues par le KPD[2] en %
1928	8,4	2,6	10,6
1930	15,3	18,3	13,1
1932	33	33,1	16,9
1933	26,3	43,9	12,3

1. Parti national-socialiste des ouvriers allemands (dit parti nazi)
2. Parti communiste allemand.

Source : Ian Kershaw, *Hitler. 1889-1936 : Hubris.* Flammarion, 1999.

2 Une rapide suspension des libertés démocratiques

• *Dans la nuit du 27 au 28 février 1933, le Reichstag est incendié. Le Parti communiste allemand est accusé d'avoir commis cet attentat. Le 28 février 1933, Hitler promulgue le décret[1] suivant :*

« En vertu de l'article 48 de la Constitution, est pris le décret suivant, destiné à la répression des actes de violence commis par les communistes et constituant un danger pour l'État. Sont autorisées, même au-delà des limites fixées par la loi :
- les restrictions à la liberté des personnes, à la liberté d'expression, y compris la liberté de la presse, le droit de réunion […] ;
- les perquisitions, les confiscations et les restrictions de propriété. »

1. Acte règlementaire pris par le pouvoir exécutif.

• *Le 24 mars 1933, la « loi édictée en vue de remédier à la détresse du peuple et du Reich » prévoit que :*

« Les lois édictées par le gouvernement peuvent s'écarter de la Constitution[1]. Elles sont rédigées par le Chancelier. »

1. Texte fixant l'organisation et le fonctionnement d'un État.

Je comprends un document

1 DOC. 1 **Quelle relation établissez-vous entre la crise économique allemande et le parti nazi au tournant des années 1920-1930 ?**

J'extrais des informations

2 DOC. 2 **Comment les communistes allemands sont-ils présentés dans ce document ?**

3 DOC. 3 **Relevez dans cette affiche des éléments montrant la remise en cause du traité de Versailles par les nazis.**

① « Pas à pas, Hitler déchire le diktat de Versailles ! »

② « 1933 : l'Allemagne quitte la SDN. »

③ « 1934 : le réarmement commence. »

④ « 1935 : récupération de la Sarre* ! Et de la souveraineté militaire ! »
* Région allemande frontalière de la France.

⑤ « 1936 : libération totale de la Rhénanie ! »

⑥ « 1937 : le mensonge de la dette solennellement effacé ! »

⑦ « 1938 : l'Autriche germanophone* annexée au Reich !
La Grande Allemagne se concrétise ! »
* Qui parle allemand.

⑧ « C'est pourquoi, le 10 avril, toute l'Allemagne soutient
son libérateur Adolf Hitler. Tous disent : Oui ! »

1 Zug um Zug zerriß **Adolf Hitler** das Diktat v. Versailles!

2 1933 Deutschland verläßt den Völkerbund von Versailles!

3 1934 Der Wiederaufbau der Wehrmacht, der Kriegsmarine und der Luftwaffe wird eingeleitet!

4 1935 Saargebiet heimgeholt! Wehrhoheit des Reiches wiedergewonnen!

5 1936 Rheinland vollständig befreit!

6 1937 Kriegsschuldlüge feierlich ausgelöscht!

7 1938 Deutsch-Oesterreich dem Reiche angeschlossen! Großdeutschland verwirklicht!

Darum bekennt sich ganz Deutschland am 10. April zu seinem Befreier

8 **Adolf Hitler** Alle sagen: **Ja!**

Édité par Jean-Jacques PAUVERT - Imprimerie S.A.G., Paris-15e, dépôt légal : 2e trimestre 1968, directeur-gérant : Jean-Jacques Pauvert.

3 Démanteler le traité de Versailles

Affiche électorale du NSDAP (parti nazi), avril 1938.

4 Les camps de concentration

Photographie de détenus politiques au camp de concentration de Sachsenhausen, 1938.

Je raisonne

4 DOC. 1 et 3 Décrivez dans quel contexte et avec quels arguments les nazis sont parvenus au pouvoir en 1933.

5 DOC. 2 et 4 Démontrez que le régime mis en place par Hitler n'est pas démocratique.

Conseil Brevet

Dégager le sens d'une photographie

Pour dégager le sens d'une photographie, il faut analyser attentivement sa composition. Dans le DOC. 4, observez bien l'identité des détenus, leurs postures, leurs uniformes et l'expression de leur visage.

Étude

Le régime nazi : un régime raciste et antisémite

ALLEMAGNE

▶ **Comment le régime nazi a-t-il imposé sa politique antisémite en Allemagne ?**

Adolf Hitler et les nazis développent une vision raciste du monde. Ils considèrent qu'il existe une « race supérieure », les Aryens, tandis que les Juifs sont désignés comme une « race inférieure ». Ils excluent ces derniers du Reich allemand.

1 Une politique de discrimination antisémite instaurée par la loi

« **Article 1.** Les mariages entre Juifs et nationaux de l'État allemand ou de même nature sont interdits. Les mariages néanmoins conclus sont nuls et non avenus, même s'ils ont été conclus à l'étranger pour circonvenir à cette loi.
Article 2. Les relations sexuelles hors mariage entre des Juifs et les ressortissants de l'État allemand ou de même nature sont interdites.
Article 3. Les Juifs ne peuvent employer de domestiques féminins de sang allemand ou de même nature, de moins de 45 ans.
Article 4. Il est interdit aux Juifs de faire flotter un drapeau du Reich ou un drapeau national, ainsi que d'arborer les couleurs du Reich. Par contre, ils sont autorisés à arborer les couleurs juives. L'exercice de ce droit est protégé par l'État.
Article 5. Toute personne qui contrevient à l'interdiction des articles 1, 2 et 3 sera punie de prison et de travaux forcés. »

Loi pour la protection du sang et de l'honneur allemands (lois de Nuremberg), septembre 1935.

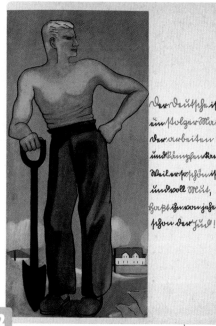

2 La propagande antisémite

Extrait d'un ouvrage illustré d'Elvira Bauer, *Ne te fie pas au renard de la plaine, pas plus qu'au serment d'un Juif*, Nuremberg, 1936.

① « L'Allemand est un homme fier qui sait travailler et se battre. Parce qu'il est si beau et plein de courage, le Juif, de tout temps, le hait. »

② « Voici le Juif, on le reconnaît aussitôt, le plus grand coquin de tout le Reich. Il pense être le plus beau, et reste néanmoins si laid. »

J'extrais des informations

1 DOC. 1 et 3 Quels sont les outils de terreur employés par les nazis à l'encontre des Juifs allemands ?

Je comprends un document

2 DOC. 1 Pourquoi les lois de Nuremberg sont-elles des lois de discrimination à l'égard des Juifs ?

3 DOC. 4 En quoi la position de la France à l'égard des Juifs depuis 1791 s'oppose-t-elle à la politique nazie des années 1930 ?

3 La « Nuit de cristal »

Photographie de Juifs faits prisonniers et exhibés par le service d'ordre nazi (SS) de Baden-Baden, 10 novembre 1938.

4 La réaction d'un démocrate européen face à l'antisémitisme nazi

« Quand l'Assemblée nationale en 1791 décréta l'émancipation des Juifs, elle s'occupa extrêmement peu de la race. Elle estima que les hommes doivent être jugés non par le sang qui coule dans leurs veines, mais par leur valeur morale et intellectuelle. C'est la gloire de la France de prendre ces questions par le côté humain. Aujourd'hui, la persécution a changé de caractère. Elle ne parque plus les hommes dans des lazarets[1]. Elle les frappe, elle les insulte, elle les exile. Au nom de quel principe ? Au nom de la race. Les Juifs ne sont pas une minorité. [Les nazis] les maintiennent dans la nation pour les en chasser. [...] Pour sauver le monde, il faut d'abord respecter les droits naturels, qui sont la garantie imprescriptible et inaliénable de la fraternité humaine. »

Notes privées de Louis Barthou, ministre français des Affaires étrangères, après une rencontre avec Joachim von Ribbentrop, ministre des Affaires étrangères allemand, août 1934, © Tajan.

1. Lieu de mise en quarantaine de malades contaminés par un virus.

Je justifie

4 DOC. 2 **En vous appuyant sur des éléments précis, montrez que cette illustration pour enfants est raciste**

Maîtrise de la langue

Je comprends le sens d'une expression

En vous appuyant sur des recherches personnelles, expliquez le sens de l'expression « Nuit de cristal ».

Histoire des arts L'urbanisme totalitaire

▶ **Comment les principes d'un État totalitaire se traduisent-ils dans la construction d'une ville ?**

REPÈRES sur l'œuvre

Auteur : Boris Iofane (1891-1976), architecte soviétique.

Titre : Palais des Soviets

Nature : Projet architectural imaginé lors d'un concours d'architecture, afin de remplacer la cathédrale du Christ-Sauveur rasée sur ordre de Joseph Staline. Le bâtiment doit accueillir les délégués de tous les soviets de l'Union des républiques socialistes soviétiques (URSS).

Date : 1931-1933. Le projet a reçu la médaille d'or du concours d'architecture.

Courant artistique : architecture stalinienne.

Dimensions : 415 mètres de hauteur soit le plus grand immeuble du monde à l'époque devant l'Empire State Building à New York (381 mètres) et la tour Eiffel (324 mètres). Le bâtiment de sept étages est surmonté d'une statue de Lénine.

Lieu : Prévu à Moscou, la réalisation du projet a commencé en 1937 mais s'est arrêtée durant la Deuxième Guerre mondiale en 1941. Le palais des Soviets n'a jamais vu le jour, mais il a inspiré des constructions réalisées après 1945.

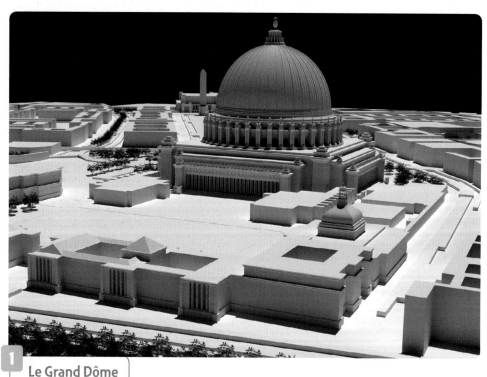

Reconstitution en 3D, mars 2016.

Projet du Grand Dôme ou Halle du peuple d'Albert Speer (320 mètres de haut), siège du futur parlement du Reich prévu au cœur de Germania, la nouvelle Berlin, 1939.

1 Le Grand Dôme

Je décris une œuvre

1 DOC. 2 À l'aide des Repères sur l'œuvre, décrivez le monument.

J'analyse une œuvre

2 DOC. 2 Comment ce monument participe-t-il au culte de la personnalité mis en œuvre par le régime soviétique ?

3 DOC. 2 À quels pays l'URSS veut-elle ainsi se mesurer ?

4 DOC. 1 Quel monument se rapproche du palais des Soviets ? Pour quelles raisons ?

2 Le palais des Soviets

Je construis un exposé

Chef décorateur d'une adaptation cinématographique de *1984* de George Orwell, vous présenterez des propositions de décors inspirés de l'urbanisme totalitaire.

PASSÉ PRÉSENT

Hunger Games

L'adaptation cinématographique des romans *Hunger Games* s'inspire de l'architecture totalitaire stalinienne et nazie des années 1930 pour représenter le Capitole de Panem : palais imposants, larges avenues, plan symétrique des rues.

Cours 1

Les expériences totalitaires de l'entre-deux-guerres

▶ **Comment se mettent en place les régimes totalitaires soviétique et nazi ?**

VOCABULAIRE

L'antisémitisme : voir p. 49.

La collectivisation : la mise en commun des moyens de production gérés par l'État.

Le communisme : voir p. 44.

Le nationalisme : la doctrine politique affirmant la supériorité des intérêts d'une nation.

La république de Weimar : le nom donné au régime mis en place en Allemagne au lendemain de la Première Guerre mondiale.

A En Russie : un régime né de la révolution et de la guerre

▶ En 1917, Lénine mène une politique autoritaire **afin d'imposer le communisme en Russie**. Entre 1918 et 1921, en pleine guerre civile, il pose les bases d'**un régime totalitaire : parti unique, police politique, déportation des opposants et encadrement de la vie quotidienne**.

▶ Après la mort de Lénine en 1924, Joseph Staline s'impose face à ses adversaires et contrôle peu à peu l'État soviétique. À la fin des années 1920, il décide de transformer l'économie et la société de l'Union des républiques socialistes soviétiques (URSS) : industrialisation massive, collectivisation, abolition de la propriété privée. Pour atteindre ses objectifs, Staline reprend et développe les outils mis en place par Lénine. **La terreur est employée contre les opposants politiques. Les paysans aisés qui refusent les réformes sont déportés au goulag.** Des procès sont organisés en 1937-1938 à l'encontre des cadres du parti communiste, de l'Armée rouge ou des simples citoyens.

B En Allemagne : un régime établi dans un pays en crise

▶ Dès sa mise en place en 1919, la république de Weimar connait des difficultés. Le régime est contesté par les communistes et l'extrême droite. Après 1929, l'Allemagne subit les conséquences de la crise économique dont une forte montée du chômage qui touche 6 millions de personnes en 1932. **Les partis extrêmes exploitent la situation.**

▶ À la tête du parti nazi depuis 1920, Adolf Hitler veut rassembler les **mécontents grâce à un discours nationaliste**, critique à l'encontre du traité de Versailles, et antisémite. En 1932, le parti nazi obtient une majorité de voix aux élections législatives. **Hitler est nommé chancelier (Premier ministre) en janvier 1933.** Après l'incendie du parlement, le Reichstag, il supprime les libertés publiques et réprime les opposants politiques, déportés en camps de concentration.

PERSONNAGES-CLÉS

▶ **Lénine (1870-1924)**
Chef du parti bolchevik, il s'oppose au régime du tsar. Exilé en Europe, il revient en Russie en 1917 et dirige la révolution d'Octobre. Il met en place le communisme de guerre.

▶ **Joseph Staline (1878-1953)**
Membre du parti bolchevik, il participe à la révolution d'Octobre et à la guerre civile. Il prend la tête du parti communiste à la mort de Lénine. Il construit un État totalitaire et instaure la Grande Terreur contre ses opposants.

1

	Les caractéristiques du régime soviétique stalinien	Les caractéristiques du régime nazi
Les objectifs du régime	Créer un homme nouveau dans le cadre d'une économie contrôlée par l'État	Protéger le peuple allemand de « race pure » des Juifs, considérés comme une « race inférieure»
Les instruments de contrôle de la société	Propagande et culte de la personnalité, parti unique (parti communiste), encadrement de la jeunesse (jeunesses communistes)	Propagande et culte de la personnalité, parti unique (parti nazi), encadrement de la jeunesse (jeunesses hitlériennes)
Les instruments de terreur	Police politique (NKVD), système concentrationnaire (goulag)	Police politique (Gestapo), système concentrationnaire (camps de concentration)

Si les régimes stalinien et nazi sont différents dans leurs objectifs, ils se rapprochent sur deux points : le contrôle total de la société et l'utilisation de la terreur contre les ennemis de l'État.

2 Une société militarisée

Photographie d'un rassemblement nazi à Dortmund, 1933.

▶ **Adolf Hitler (1889-1945)**
Hitler est le chef du parti nazi en 1922. Il parvient au pouvoir démocratiquement avant d'imposer un régime totalitaire, raciste et antisémite.

▶ **Joseph Goebbels (1897-1945)**
Nazi très actif, il est chef de la propagande du parti puis ministre de la Propagande en 1933. Il nazifie l'école, la culture, les arts et les médias.

L'expérience du Front populaire (1936-1938)

FRANCE

▶ **Comment le Front populaire répond-il à la crise des années 1930 en France ?**

Au début des années 1930, la République française subit une crise économique grave qui entraine un chômage de masse, et une crise politique liée à la progression des idées d'extrême droite. La démocratie est fragilisée.

NOUS FAISONS le SERMENT SOLENNEL DE RESTER UNIS POUR DÉSARMER et DISSOUDRE les LIGUES FACTIEUSES. POUR DÉFENDRE et DÉVELOPPER LES LIBERTÉS DÉMOCRATIQUES et POUR ASSURER la PAIX HUMAINE

1 Une mobilisation de la gauche face aux émeutes du 6 février 1934

Photographie d'une manifestation à Paris, 14 juillet 1935.

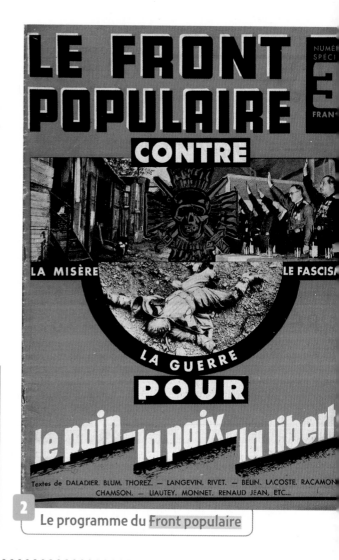

LE FRONT POPULAIRE CONTRE

LA MISÈRE — LE FASCISME

LA GUERRE

POUR

le pain — la paix — la liberté

Textes de DALADIER. BLUM. THOREZ. — LANGEVIN. RIVET. — BELIN. LACOSTE. RACAMON CHAMSON. — LIAUTEY. MONNET. RENAUD JEAN, ETC...

2 Le programme du Front populaire

Brochure publiée par le Front populaire en vue des élections législatives de 1936.

① Renvoie à la crise économique des années 1930.
② Se réfère à la guerre civile espagnole.
③ Principaux leaders des partis radical, socialiste (SFIO) et communiste.

Je situe

1 DOC. 1 ET 2 Dans quel contexte intérieur et européen nait le Front populaire ?

2 DOC. 2 De quels partis le Front populaire est-il composé ?

J'extrais des informations

3 DOC. 1 ET 2 Quelles valeurs sont portées par le Front populaire ?

4 DOC. 1 Quelles mesures les partis de gauche veulent-ils prendre contre les ligues d'extrême droite ?

5 DOC. 3 Quelles mesures renforcent les droits des salariés au sein de l'entreprise ?

Après sa victoire aux élections législatives de juin 1936, le Front populaire prend des mesures sociales.

• Accords de Matignon du 7 juin 1936

« **Article 3.** L'observation des lois s'imposant à tous les citoyens, les employeurs reconnaissent la liberté d'opinion, ainsi que le droit pour les travailleurs d'adhérer librement et d'appartenir à un syndicat. [...] Les employeurs s'engagent à ne pas prendre en considération le fait d'appartenir ou de ne pas appartenir à un syndicat pour arrêter leurs décisions en ce qui concerne l'embauche, la conduite ou la répartition du travail, les mesures de discipline ou de congédiement[1].

Article 4. Les salaires réels [seront] rajustés suivant une échelle décroissante commençant à 15 % pour les salaires les moins élevés pour arriver à 7 % pour les salaires les plus élevés.

Article 5. Dans chaque établissement comprenant plus de dix ouvriers, [...] il sera institué deux ou plusieurs délégués ouvriers selon l'importance de l'établissement. Ces délégués ont qualité pour présenter à la direction les réclamations individuelles [...] visant l'application des lois, décrets, règlements du Code du travail, des tarifs de salaires, et des mesures d'hygiène et de sécurité.

Article 6. La délégation patronale s'engage à ce qu'il ne soit pris aucune sanction pour faits de grève. »

1. licenciement.

• Loi du 21 juin 1936

« **Article 6.** Dans les établissements industriels, commerciaux ou artisanaux la durée du travail ne peut excéder quarante heures par semaine. »

• Loi du 26 juin 1936

« **Article 54 f.** Tout ouvrier ou employé [...] a droit [...] à un congé annuel continu payé d'une durée minimum de quinze jours. »

4 Les congés payés et le temps libre

Une du magazine Regards, *29 juillet 1937.*

Le 6 février 1934 : les émeutes contre le régime parlementaire organisées par les ligues d'extrême droite à Paris.

Le Front populaire : l'alliance électorale des partis communiste, socialiste (SFIO) et radical constituée en vue des élections législatives de 1936.

La SFIO : la Section française de l'Internationale socialiste, fondée en 1905.

Je justifie

6 DOC. 3 ET 4 **Montrez, en vous appuyant sur des éléments précis, que le Front populaire a contribué à améliorer la qualité de vie des salariés.**

Conseil Brevet **Justifier une interprétation**

Pour répondre à la question **6**, il faut sélectionner les informations pertinentes dans les documents afin d'apporter des preuves, par exemple l'augmentation des salaires dans le DOC. 3.

Étude

La guerre d'Espagne (1936-1939)

ESPAGNE

▶ **Comment les démocraties européennes réagissent-elles aux agressions des dictatures ?**

En 1936, l'Espagne bascule dans la guerre civile. La lutte oppose les républicains du *Frente Popular* (Front populaire) composé de partis politiques de gauche aux nationalistes dirigés par le général Franco. Elle devient un enjeu majeur pour les puissances européennes.

1 L'Espagne dans la guerre

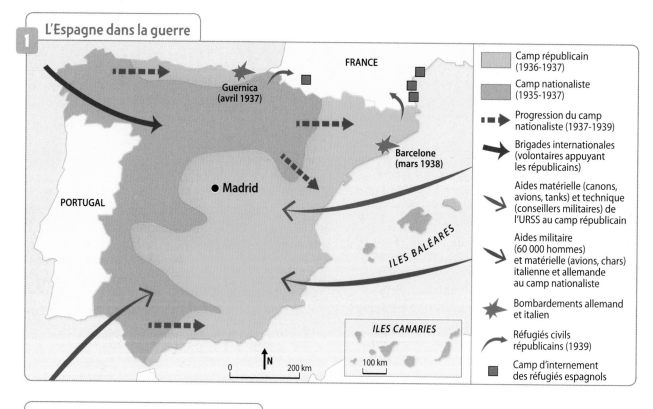

2 La position française et britannique

Anthony Eden, ministre des Affaires étrangères britannique, explique la politique de non-intervention en Espagne décidée avec la France :
« Notre but n'a pas été d'aider un camp plutôt qu'un autre, mais d'éviter que la guerre civile ne passe les frontières de l'Espagne et n'implique l'ensemble de l'Europe dans son sillage. [...] Le vrai problème est que cette lutte ne concerne pas l'Espagne. L'Espagne est devenue un pion dans le jeu de la politique des puissances, et c'est sans doute une des raisons de notre décision en faveur de la non-intervention. »

Discours à la Chambre des communes,
29 octobre 1936.

J'identifie

1 DOC. 1 Quelles puissances européennes interviennent dans la crise espagnole ?

2 DOC. 4 Quel parti politique a réalisé cette affiche ? À quelle coalition appartient-il en 1937 ?

Je comprends un document

3 DOC. 2 Comment l'auteur justifie-t-il la politique de non-intervention conduite par son pays ?

4 DOC. 3 Pourquoi ces hommes sont-ils partis se battre en Espagne ? Quelles valeurs défendent-ils ?

3 Les Brigades internationales

« Le terrible constat était que le fascisme était en marche dans toute l'Europe. Il a suscité un fort désir d'agir. Cette marche avait commencé avec Mussolini et avait pris un élan terrible avec Hitler, avant d'être portée par Franco. Chez la plupart des jeunes, il y avait un sentiment de frustration. Mais certains étaient déterminés à faire tout ce qui semblait possible, même si cela signifiait la mort, pour tenter d'arrêter la propagation du fascisme… Cette propagation était réelle et elle a dû être arrêtée. »

« Quand l'Angleterre a pris les rênes de la "non-intervention", je n'ai pas pu me retenir plus longtemps. J'ai mis tout le reste de côté. Je ne pouvais pas m'identifier, même passivement, à cette farce politique. J'ai décidé d'aller en Espagne pour défendre la démocratie par des actes. »

Témoignages de Jack Jones et Louis Hearst, international-brigades.org.uk, traduction Magnard, 2016.

VOCABULAIRE

Les Brigades internationales : l'armée de volontaires venus du monde entier pour combattre en Espagne aux côtés des républicains.

La non-intervention : la politique visant à empêcher l'intervention militaire ou la livraison d'armes de puissances étrangères en direction de l'Espagne.

Un réfugié : une personne fuyant un pays en guerre.

4 Une aide humanitaire face au drame espagnol

Affiche de la Fédération des Jeunesses communistes de France, 1939.

5 L'accueil des réfugiés républicains en France

Photographie de réfugiés espagnols à Argelès-sur-Mer (Pyrénées-Orientales), février 1939.

Je justifie

5 DOC. 1 ET 5 Montrez que l'accueil des réfugiés espagnols en France a été contrasté.

Je pratique différents languages

6 À l'aide des documents et de vos réponses, recopiez et complétez le tableau afin de répondre à la question : « comment les grandes puissances interviennent-elles dans la guerre d'Espagne ? »

Allemagne	Italie	France	Royaume-Uni	URSS

Cours 2

Les démocraties européennes face à la montée des périls

▶ **Comment les démocraties réagissent-elles face aux régimes totalitaires ?**

VOCABULAIRE

L'« **espace vital** » : pour les nazis, l'expression désignant les territoires nécessaires au développement du peuple allemand.

La Grande Dépression : la période de crise économique et sociale commencée aux États-Unis en 1929 et qui s'étend au reste du monde dans les années 1930.

PASSÉ **PRÉSENT**

Patrimoine historique

À Bruay-en-Artois, ville minière du Pas-de-Calais, la commune socialiste inaugure le **Stade-Parc** en 1936. Conçu afin de permettre aux mineurs de se détendre durant leur temps libre et leurs vacances, ce complexe comprend un stade d'athlétisme, un gymnase, un parc fleuri et une piscine découverte de style Art déco. Classé **monument historique**, le Stade-Parc reste aujourd'hui un lieu de loisirs très prisé.

A L'expérience du Front populaire en France

▶ Frappée par la Grande Dépression et l'agitation des ligues d'extrême droite, à l'origine de l'émeute du 6 février 1934 à Paris, la République est en crise. Les partis de gauche se rassemblent. **La SFIO, le parti communiste et le parti radical forment une coalition électorale, le Front populaire**. Ils gagnent les élections législatives de mai 1936.

▶ Le président du Conseil, le socialiste Léon Blum, lance un programme de réformes qui **améliore les conditions de vie et de travail des ouvriers** : congés payés, semaine de 40 heures de travail. Les accords de Matignon reconnaissent les droits sociaux des salariés, dont ceux de faire grève, de se syndiquer et de disposer de délégués ouvriers. Les salaires augmentent. Mais l'expérience du Front populaire s'arrête dès 1938.

B L'inquiétude des démocraties face aux régimes totalitaires

▶ Dans les années 1920, le régime soviétique inquiète les démocraties européennes mais fascine une partie de la classe ouvrière.

▶ **Dès 1933, Adolf Hitler multiplie les provocations en Europe.** Il remet en cause le traité de Versailles en instaurant le service militaire et en remilitarisant la Rhénanie en 1936. Il noue des alliances avec des régimes autoritaires, en particulier avec l'Italie de Benito Mussolini. Il soutient Francisco Franco et **intervient militairement dans la guerre d'Espagne** (1936-1939). Pour garantir à son peuple un plus grand espace vital, il annexe l'Autriche et les Sudètes (Tchécoslovaquie) en 1938.

▶ Face à ces provocations, **les démocraties veulent garantir la paix**. En Espagne, la France et le Royaume-Uni refusent d'intervenir. Lors de la conférence de Munich en 1938, elles accordent aux nazis les territoires qu'ils réclament. Les opinions publiques sont divisées. Certains veulent la paix à tout prix. D'autres souhaitent protéger la démocratie en Europe.

PERSONNAGES-CLÉS

▶ **Léon Blum (1872-1950)**
Dirigeant socialiste, il contribue au rapprochement de la SFIO et du Parti communiste français, opposés depuis le congrès de Tours de 1920. Il dirige le Front populaire.

▶ **Neville Chamberlain (1869-1940)**
Premier ministre britannique en 1937, il est favorable à un accord avec Hitler sur la question des Sudètes afin de garantir la paix en Europe.

1 Les « grèves joyeuses » du Front populaire

Photographie de travailleurs d'un chantier naval en grève, Bordeaux, 12 juin 1936.

LE FIGARO

50 c^{mes}

Le Gaulois

14, ROND-POINT DES CHAMPS-ÉLYSÉES, PARIS (8ᵉ)
TÉLÉPHONE : ÉLYSÉES 98-31 A 98-38

VENDREDI **30** SEPTEMBRE 1938
N° 273 — 113ᵉ Année

Munich et après

LA PAIX EST SAUVÉE

L'ACCORD DE MUNICH A ÉTÉ SIGNÉ CE MATIN A 1 HEURE 35

Occupation progressive du 1ᵉʳ au 10 Octobre ;
Une commission internationale fixera les localités où auront lieu les plébiscites et délimitera ensuite les frontières ;
Garantie immédiate de la France et de l'Angleterre, garantie allemande et italienne quand les revendications polonaises et hongroises auront été satisfaites.

Munich, 30 septembre. — A 1 h. 35, on apprend de source officielle que les chefs de gouvernement des quatre puissances

M. Mussolini a quitté Munich dans la nuit
M. Daladier part ce matin à 10 heures

MM. CHAMBERLAIN ET DALADIER

2 Un sentiment de paix après l'accord de Munich

Une du journal français, *Le Figaro*, 30 septembre 1938.

▶ **Benito Mussolini (1883-1945)**
Dictateur italien, il prend le pouvoir à Rome par un coup d'État en 1922 et impose un régime totalitaire. Il est l'allié principal d'Hitler.

▶ **Francisco Franco (1892-1975)**
Général espagnol et chef des nationalistes durant la guerre civile, il combat les républicains. Vainqueur, il impose une dictature en 1939.

Réviser

carte mentale lienmini.fr/hgemc3-008

Saisissez cette adresse sur votre navigateur pour découvrir la carte mentale.

CARTE MENTALE

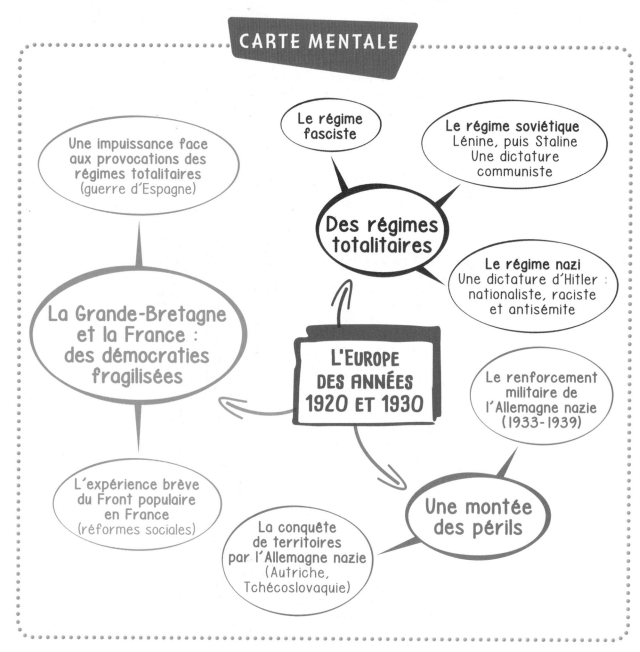

Le régime fasciste

Le régime soviétique
Lénine, puis Staline
Une dictature communiste

Une impuissance face aux provocations des régimes totalitaires (guerre d'Espagne)

Des régimes totalitaires

Le régime nazi
Une dictature d'Hitler : nationaliste, raciste et antisémite

La Grande-Bretagne et la France : des démocraties fragilisées

L'EUROPE DES ANNÉES 1920 ET 1930

Le renforcement militaire de l'Allemagne nazie (1933-1939)

L'expérience brève du Front populaire en France (réformes sociales)

La conquête de territoires par l'Allemagne nazie (Autriche, Tchécoslovaquie)

Une montée des périls

Réviser en ligne

Je teste mes connaissances

QUIZ lienmini.fr/hgemc3-009

Saisissez cette adresse sur votre navigateur pour lancer le quiz.

Le tuto pour créer ma carte mentale.

TUTO vidéo

lienmini.fr/hgemc3-001

MÉTHODE

Étudier une affiche de propagande

Étape **1** **Présentez l'affiche :** précisez la nature du document, son auteur ou son commanditaire (celui qui a commandé), la date et le lieu de sa conception.

Étape **2** **Observez en détail :** étudiez la composition de l'image de manière ordonnée (premier plan, deuxième plan) et la manière dont certains éléments visuels sont organisés (texte, proposition et ordre de présentation des figures).

Étape **3** **Interprétez :** reliez les éléments décrits au contexte historique du document et aux motivations de son auteur.

1 Une affiche de propagande nazie

« La jeunesse d'Adolf Hiter va dans les écoles », affiche, années 1930.

1 Présentez l'affiche
Quelles sont la nature et la date du document ?
Qui l'a commandé et à qui s'adresse-t-il ?

2 Observez
Comment Hitler est-il représenté ?
Quelle est la réaction de la jeunesse face à lui ?

3 Interprétez
Quelle impression cette image de propagande veut-elle donner ?
En quoi ce document illustre-t-il un culte de la personnalité organisé autour d'Hitler ?

Brevet

||||||||||||||||||||||||||||||||||||||||||||||||||||||||||||||||||||||||||||||||||||||||| Sujet guidé

Exercice 1   Analyser et comprendre des documents

1 Une affiche de propagande soviétique

1 Quelle est la nature et la date du document ? Qui l'a commandé et à qui s'adresse-t-il ?

2 Quel type d'évènement est représenté sur l'affiche ?

Identifiez bien les différents éléments qui composent l'affiche.

3 Comment le peuple est-il représenté ?

4 Comment Staline est-il représenté ?

5 Quelle image de l'URSS et de son peuple cette affiche veut-elle montrer ?

Observez les expressions des visages.

6 En quoi cette affiche illustre-t-elle le culte de la personnalité ?

N'oubliez pas de prendre en compte le slogan.

« Longue vie au grand Staline ! », affiche de Sirocenqo, 1938.

Exercice 2   Maitriser différents langages pour raisonner

Sujet : Sous la forme d'un développement construit d'une vingtaine de lignes et en vous appuyant sur quelques exemples précis issus du cours, vous montrerez comment Lénine et Staline ont mis en place un régime totalitaire en Russie.

1 Lisez l'introduction et la conclusion proposées.

2 Rédigez le développement.

Conseils : définir la notion de régime totalitaire et les objectifs poursuivis par le pouvoir soviétique. Faire le récit chronologique du contrôle exercé par Lénine puis Staline sur la société russe puis soviétique en insistant sur les outils de terreur et de contrôle mis en place.

Introduction rédigée

En 1917, deux révolutions mettent un terme au régime tsariste en Russie. Les bolcheviks prennent le pouvoir en octobre et, en pleine guerre civile, tentent d'imposer le communisme dans le pays. Lénine, puis son successeur Staline, établissent alors un régime totalitaire.

Conclusion rédigée

En 1939, la société et l'économie soviétiques sont totalement contrôlées par Staline et le parti communiste, au prix d'une grande terreur et de nombreux morts.

||| 62

Brevet

Sujet blanc

Exercice 1   Analyser et comprendre des documents

1   Témoignage du journaliste Guillaume Ducher sur le camp de concentration de Dachau

« L'existence des camps de concentration est un fait officiellement avoué et reconnu. Les rumeurs qui circulent sont si horribles qu'on hésite parfois à leur apporter créance[1]. L'opinion publique internationale, si prompte à s'indigner, s'est bientôt désintéressée de cette question. Je suis pourtant en mesure d'affirmer qu'après un an de régime hitlérien, les camps de concentration sont toujours aussi nombreux et soumis à un régime aussi cruel. [...] Le Directeur m'explique, en parlant des internés : "vous avez devant vous deux députés au Reichtag, la plupart de leurs 'collègues subversifs' étant internés au camp d'Orianenbourg près de Berlin, des éditeurs de journaux séditieux, des jeunes gens qui ont dirigé des mouvements marxistes, des avocats, des artistes, des médecins, des pacifistes !" Les uns sont des ouvriers, d'autres des paysans, beaucoup sont des bourgeois. La moitié

est communiste. Deux cents sont juifs, en me montrant un groupe séparé des autres. Cent seulement sont d'authentiques criminels. Je regarde. La plupart de ces hommes sont dans la force de l'âge. Mais je distingue aussi des vieillards et de très jeunes gens qui n'ont pas plus de quinze ou seize ans. [...] Il y a dans le camp deux mille cinq cents hommes environ. Pendant sept heures au moins, ils doivent faire des travaux de terrassement. Comme un immense troupeau de bêtes pourchassées, ils sont tous réunis, misérables, figés dans un grotesque garde-à-vous. Presque tous ceux qui sont là y ont été amenés sans jugement. Ils ignorent la cause de leur incarcération. Ils ne savent pas s'ils sortiront jamais de cet enfer. »

D'après Guillaume Ducher, « Les camps tragiques »,
Lecture pour tous, mars 1934.

1. À les croire.

1   **Qui est l'auteur du texte ?**

2   **Quel est son objectif à l'égard de l'opinion publique ?**

3   **Qui sont les personnes enfermées dans le camp de Dachau ? Vous classerez les informations dans le tableau ci-dessous.**

Opposants politiques au régime hitlérien	
Opposants civils au régime hitlérien	
Citoyens allemands discriminés à cause de leur origine	
Détenus de droit commun	

4   **Montrez que Dachau concentre de façon massive les ennemis du régime.**

5   **Relevez des éléments décrivant le traitement inhumain infligé aux détenus par le régime nazi à Dachau.**

Exercice 2   Maitriser différents langages pour raisonner

Sujet : Sous la forme d'un développement construit d'une vingtaine de lignes et en vous appuyant sur quelques exemples précis issus du cours, vous montrerez que le régime nazi est totalitaire et raciste.

La 2e Guerre mondiale,
une guerre d'anéantissement

Les dégâts des bombardements pendant la Deuxième Guerre mondiale

À partir de septembre 1940, l'Allemagne bombarde
les villes du Royaume-Uni.

▶ Pourquoi la 2ᵉ Guerre mondiale est-elle une guerre d'anéantissement ?

OCÉAN
ATLANTIQUE

Londres

Mer
Méditerranée

Photographie colorisée d'une rue de Londres après un bombardement allemand, 25 juillet 1943.

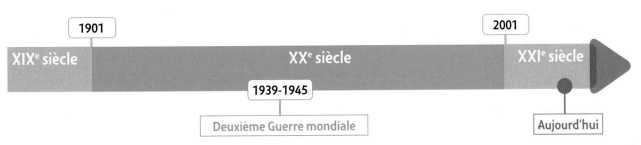

1901

2001

XIXᵉ siècle

XXᵉ siècle

XXIᵉ siècle

1939-1945

Deuxième Guerre mondiale

Aujourd'hui

Se repérer dans le temps

IIIIIIIIIIIIIIIIIIIIIIIIIIIIIIIIIIIIIIIIIIIIIIIIIIIIIIIIIIIIIIIIIIIIIIIIIIIIIIIIIIIIIIIIIIIIIIIIIIIIIIII

| 1937 | 1938 | 1939 | 1940 | 1941 |

début de la guerre en Asie

victoires de l'Axe (1939-1942)

Décembre 1937

Massacre de Nankin

Soldats japonais massacrant des soldats chinois après l'invasion de Nankin en décembre 1937.

Le Japon, allié de l'Allemagne, veut étendre son territoire en Asie. Il envahit la Chine du Nord dès juillet 1937. La conquête est très violente : à Nankin, plus de 200 000 personnes (militaires et civils) sont massacrées.

Mai 1940

Invasion allemande à l'Ouest

Chars allemands près de Dinant en Belgique, mai 1940.

Le 1er septembre 1939, l'Allemagne envahit la Pologne. En mai-juin 1940, elle conquiert presque tout le continent européen : c'est la guerre éclair. Seul le Royaume-Uni résiste, malgré le bombardement de ses villes. En juin 1941, l'armée allemande attaque l'Union des républiques socialistes soviétiques (URSS).
En Asie, le Japon bombarde la base navale américaine de Pearl Harbor le 7 décembre 1941, entrainant l'entrée en guerre des États-Unis. Le Japon annexe des colonies européennes dans la région.

QUESTIONS

❶ Quand la guerre en Asie et en Europe débute-t-elle ?

❷ Après quel évènement les États-Unis entrent-ils en guerre ?

❸ Quelle arme utilisent les États-Unis pour faire capituler le Japon ?

Chronologie

1942 — 1943 — 1944 — 1945

tournant de la guerre (1942-1943)

reconquête des Alliés (1943-1945)

Juillet 1942- février 1943
Bataille de Stalingrad

Soldat russe à la bataille
de Stalingrad, 1943.

À partir de 1942, les forces de l'Axe connaissent leurs premières défaites. Dans le Pacifique, les États-Unis stoppent la progression japonaise à Midway en juin 1942. En Afrique du Nord, les Britanniques sont victorieux face aux Allemands à El Alamein en novembre 1942. À l'Est, les troupes allemandes capitulent en février 1943 à Stalingrad.

27 janvier 1945
Libération d'Auschwitz-Birkenau

Des rescapés du camp d'Auschwitz-Birkenau, janvier 1945.

Alors que les Anglo-Américains débarquent en Normandie le 6 juin 1944, les troupes soviétiques contre-attaquent à l'Est. Le 27 janvier 1945, elles libèrent le centre de mise à mort d'Auschwitz-Birkenau en Pologne. L'Allemagne capitule le 8 mai 1945.
Dans le Pacifique, en août 1945, les États-Unis lancent deux bombes atomiques sur le Japon, à Hiroshima et Nagasaki. Ils contraignent ainsi les Japonais à capituler le 2 septembre.

VOCABULAIRE

Les Alliés : l'alliance organisée contre les pays de l'Axe autour du Royaume-Uni, des États-Unis et de l'Union des républiques socialistes soviétiques (URSS).

L'Axe : l'alliance de l'Allemagne, de l'Italie et du Japon.

Une guerre éclair : une offensive à la fois aérienne et terrestre dont l'objectif est de percer le front très rapidement.

Se repérer dans l'espace

Un conflit aux dimensions planétaires

1

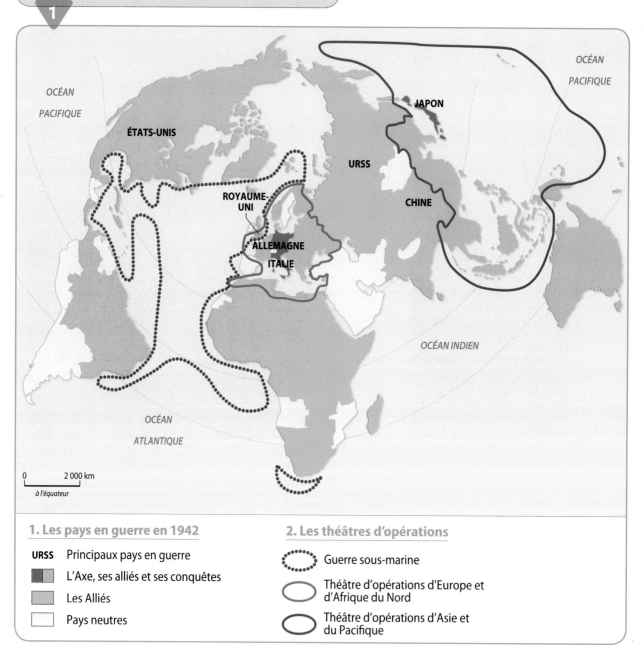

OCÉAN PACIFIQUE

OCÉAN PACIFIQUE

JAPON

ÉTATS-UNIS

URSS

ROYAUME-UNI

CHINE

ALLEMAGNE

ITALIE

OCÉAN INDIEN

OCÉAN ATLANTIQUE

0   2 000 km
à l'équateur

1. Les pays en guerre en 1942

URSS Principaux pays en guerre

■ L'Axe, ses alliés et ses conquêtes

■ Les Alliés

□ Pays neutres

2. Les théâtres d'opérations

⬭ Guerre sous-marine

◯ Théâtre d'opérations d'Europe et d'Afrique du Nord

◯ Théâtre d'opérations d'Asie et du Pacifique

QUESTIONS

1 Pourquoi la Deuxième Guerre mondiale est-elle un conflit aux dimensions planétaires ?

2 Quelle est la grande puissance d'Europe de l'Ouest non conquise par l'Allemagne en 1942 ?

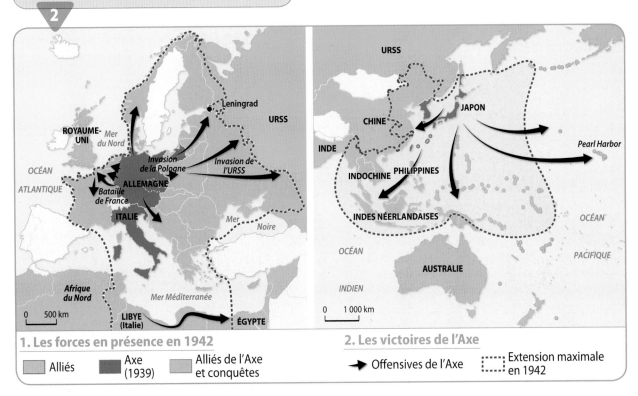

Les victoires de l'Axe (1939-1942)

2

Leningrad

ROYAUME-UNI
Mer du Nord

URSS

OCÉAN ATLANTIQUE

Invasion de la Pologne

Invasion de l'URSS

ALLEMAGNE

Bataille de France

ITALIE

Mer Noire

Mer Méditerranée

Afrique du Nord

0   500 km

LIBYE (Italie)

ÉGYPTE

URSS

CHINE

JAPON

INDE

Pearl Harbor

INDOCHINE   PHILIPPINES

INDES NÉERLANDAISES

OCÉAN

OCÉAN INDIEN

AUSTRALIE

PACIFIQUE

0   1 000 km

1. Les forces en présence en 1942

- Alliés
- Axe (1939)
- Alliés de l'Axe et conquêtes

2. Les victoires de l'Axe

→ Offensives de l'Axe

┈┈ Extension maximale en 1942

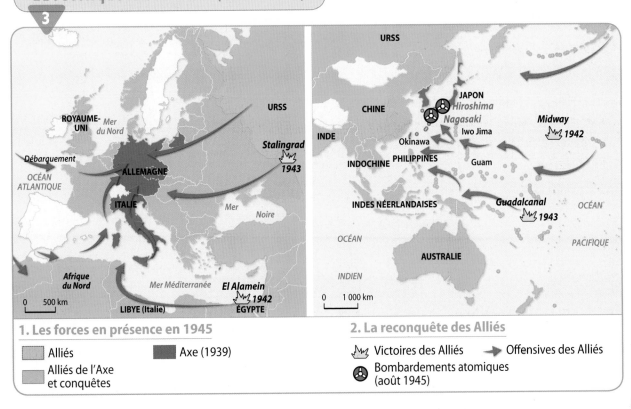

La reconquête des Alliés (1943-1945)

3

ROYAUME-UNI
Mer du Nord

URSS

Débarquement

OCÉAN ATLANTIQUE

ALLEMAGNE

Stalingrad
1943

ITALIE

Mer Noire

Afrique du Nord

Mer Méditerranée

El Alamein
1942

0   500 km

LIBYE (Italie)

ÉGYPTE

URSS

CHINE

JAPON
Hiroshima
Nagasaki

Midway
1942

INDE

Okinawa   Iwo Jima

INDOCHINE   PHILIPPINES   Guam

INDES NÉERLANDAISES

Guadalcanal
1943

OCÉAN

OCÉAN INDIEN

AUSTRALIE

PACIFIQUE

0   1 000 km

1. Les forces en présence en 1945

- Alliés
- Axe (1939)
- Alliés de l'Axe et conquêtes

2. La reconquête des Alliés

- Victoires des Alliés
- → Offensives des Alliés
- Bombardements atomiques (août 1945)

Étude

Le siège de Leningrad

▶ **En quoi le siège de Leningrad traduit-il une volonté d'anéantissement ?**

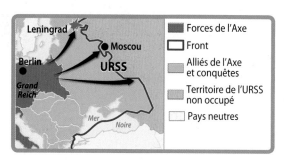

En juin 1941, l'armée allemande attaque l'URSS. En septembre, les troupes nazies menacent Leningrad. Hitler veut « rayer de la surface de la terre » la ville où la révolution bolchevik est née. Leningrad vit alors un long siège jusqu'en janvier 1944, sans céder.

1 Les ordres concernant Leningrad

• **Ordre allemand du 29 septembre 1941**

« Notre intention est d'assiéger la ville et de la raser grâce aux tirs d'artillerie [...] et à des bombardements aériens [...]. Une fois la ville encerclée, les demandes de reddition[1] seront rejetées, puisque nous ne sommes ni en mesure ni en devoir de régler le problème du transfert et de l'alimentation de la population. Dans cette guerre pour notre survie même, nous n'avons aucun intérêt à conserver ne serait-ce qu'une partie de cette très nombreuse population urbaine. »

Anna Reid, *Leningrad.*
Tragedy of a City Under Siege 1941-44,
© Bloomsbury, 2011, traduction Magnard, 2016.

1. Le fait de se rendre.

• **Appel du commandement militaire soviétique au peuple de Leningrad, le 21 août 1941**

« Levons-nous comme un seul homme pour la défense de notre ville, pour celle de nos maisons, de nos familles, de notre liberté et de notre honneur. Accomplissons notre devoir sacré de patriotes soviétiques dans une lutte sans merci contre un ennemi impitoyable. »

Cité par Alexander Werth, *La Russie en guerre*, t. 1,
© Taillandier, 2010.

2 Le témoignage d'une jeune habitante

Les neuf pages du journal intime de Tanya Savicheva, 11 ans (6 ans sur la photographie). Musée d'histoire de Saint-Pétersbourg (ex-Leningrad).

« Zhenya[1] est morte le 28 décembre 1941 à 12h00. »
« Ma grand-mère est morte le 25 janvier 1942 à 15h00. »
« Leka[2] est mort le 17 mars 1942 à 5h00. »
« Oncle Vasya est mort le 13 avril 1942 à 2h00. »
« Oncle Lyusha est mort le 10 mai 1942 à 16h00. »
« Maman le 13 mars à 7h30. »
« Tous les Savichevs sont morts. »
« Tout le monde est mort. »
« Il ne reste que Tanya[3]. »

1. Une de ses sœurs, morte d'épuisement et de faim.
2. Un des frères de Tanya.
3. En fait, une sœur et un frère de Tanya survivent à la guerre. Souffrant de grave malnutrition, Tanya est évacuée de Leningrad en août 1942, mais meurt de maladie le 1er juillet 1944.

Je situe

1 DOC. 1 Quels pays s'opposent à Leningrad ?

2 DOC. 1 À partir de quand combattent-ils ?

J'extrais des informations

3 DOC. 1 Par quels moyens l'état-major allemand compte-t-il anéantir la ville ?

4 DOC. 2 Quel est le mot qui revient le plus souvent dans ce journal intime ?

5 DOC. 3 Dans quel but cette affiche a-t-elle été placardée ?

ЗАЩИТИМ ГОРОД ЛЕНИНА

3 **La propagande pour soutenir le moral**

Affiche de propagande soviétique placardée à Leningrad, 1941.

① Soldat et marin de l'Armée rouge.
② Civils prêts à se battre (l'ouvrier et la paysanne, symboles de l'URSS).
③ Slogan : « Défendons la ville de Lénine ».

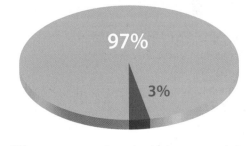

VOCABULAIRE

La propagande : l'action visant à influencer l'opinion des gens.

La révolution bolchevik : la révolution communiste menée en Russie par Lénine et ses partisans en 1917.

Un siège : une opération militaire qui vise à s'emparer d'une ville.

4 **Les causes des décès lors du siège**

97%

3%

■ Part des victimes tuées par bombardement ou par tir d'artillerie
■ Part des victimes mortes d'épuisement et de faim

Le nombre total de morts est estimé entre 649 000 et 2 millions de personnes.

Source : RIA Novosti, 2012, www.ria.ru.

Je raisonne

6 DOC. 2 ET 4 **De quoi les proches de Tanya ont-ils pu être victimes ?**

7 DOC. 2 ET 3 **Montrez que les civils sont à la fois les principales victimes et les acteurs du siège.**

Conseil Brevet

Le document source

Le document source est le document de base de l'historien. Il date de l'époque étudiée. Il est donné brut, sans être adapté. Ainsi le DOC. 3 est un document source, contrairement au DOC. 4.

Dossier | Les villes sous les bombes

▶ **Que révèlent les bombardements urbains de la violence de la guerre ?**

Dès 1940, les Allemands bombardent des villes britanniques pour faire plier le Royaume-Uni. Pendant toute la durée de la guerre, les puissances de l'Axe et les Alliés utilisent des bombardements massifs dans le but de terroriser les populations.

L'objectif d'un bombardement

2

Note de service de l'état-major de la RAF[1], 23 septembre 1941
« Le but ultime de l'attaque d'une zone urbaine est de briser le moral de la population qui l'habite. Pour ce faire, nous devons parvenir à deux choses : premièrement, il nous faut rendre la ville matériellement inhabitable ; et, second point, nous devons faire prendre conscience aux gens que leur vie est continuellement menacée. L'objectif immédiat est par conséquent ce qui suit :
(I) La destruction et (II) La peur de la mort. »

Cité par Richard Overy,
Sous les bombes. Nouvelle histoire de la guerre aérienne,
© Flammarion, 2014.

1. Royal Air Force, l'armée de l'air britannique.

1 **Les raids aériens**

Photographie d'une rue de Londres après un raid aérien, 15 octobre 1940.

Le cratère créé par la bombe a détruit une partie de la station de métro en dessous. Londres est bombardée 71 fois pendant le Blitz de septembre 1940 à mai 1941, faisant près de 45 000 morts.

J'identifie

1 DOC. 2 **Quels sont les objectifs des bombardements ?**

2 DOC. 1 ET 4 **Où ces photographies ont-elles été prises ?**

J'extrais des informations

3 DOC. 1 ET 3 **Qui sont les victimes de ces bombardements ?**

4 DOC. 3 **Quel effet ces bombardements ont-ils eu sur la population ?**

Témoignages d'habitants de Hambourg (nuit du 27 au 28 juillet 1943)

Les bombardements des Alliés sur Hambourg ont causé la mort de 45 000 civils en quelques jours.

• Herbert Wulff, 15 ans

« Peu après que tout le monde dans l'immeuble se fut entassé dans la cave, le bâtiment entier a tremblé, jusqu'aux fondations, secoué par l'explosion d'une énorme bombe. [...] Ensuite, la lumière s'est subitement éteinte, un cri a retenti dans la cave, et l'espace d'un instant j'ai cru que ma dernière heure était venue. [...] nous n'avions plus qu'une seule pensée : sortir de là. »

• Henni Klank, son mari et leur bébé, à leur sortie de l'abri

« Nous sommes sortis [...], mais pour déboucher dans un enfer de tonnerre et de flammes. Les rues brulaient, les arbres brulaient, [...], des chevaux en feu [...] sont passés devant nous au galop, l'air brulait, tout simplement, tout brulait ! »

Témoignages cités par Keith Lowe, *Inferno. La dévastation de Hambourg, 1943*, © Perrin, 2015.

4 Les bombardements atomiques

AVANT

APRÈS

Les bombardements atomiques américains sur Hiroshima, puis sur Nagasaki trois jours après, ont fait 220 000 morts.

Photographie de la ville d'Hiroshima avant et après le bombardement atomique du 6 août 1945.

Piste EPI

J'explicite

5 DOC. 4 **Comment ces photographies montrent-elles la « guerre d'anéantissement » ?**

Histoire – Physique-Chimie – SVT

Organisez des ateliers philo autour de la question : « le progrès technique est-il une menace pour l'humanité ? »
Sciences, technologies et société

Cours 1

Une guerre d'anéantissement

▶ **Pourquoi la Deuxième Guerre mondiale est-elle une guerre d'anéantissement ?**

A Une guerre idéologique

▶ **Le Japon et l'Allemagne déclenchent la Deuxième Guerre mondiale** pour conquérir des espaces qu'ils jugent vitaux. À l'inverse, la Chine, le Royaume-Uni et l'Union des républiques socialistes soviétiques (URSS) sont contraints de lutter pour préserver leur territoire.

▶ Le Japon et l'Allemagne justifient leurs conquêtes au nom d'**une vision raciste du monde**. Les Alliés, Royaume-Uni et États-Unis en tête, combattent parce qu'ils croient dans les valeurs de la démocratie ; l'URSS souhaite quant à elle défendre le communisme.

B Une guerre totale

▶ L'ensemble des populations est mobilisé. **87 millions de soldats** combattent sur les champs de bataille d'Europe, d'Afrique et d'Asie.

▶ À l'arrière, les travailleurs, dont les femmes et les scientifiques, produisent en masse des armes de plus en plus perfectionnées pour anéantir l'adversaire.

▶ **Les forces de l'Axe pillent les ressources des pays conquis** dont les populations sont contraintes de participer à l'effort de guerre nazi et japonais.

C Une violence extrême envers les civils

▶ **La guerre coute la vie à près de 56 millions de personnes**, soit la moitié des victimes dues aux guerres entre 1914 et 2014.

▶ Dans l'est de l'Europe et dans le Pacifique, les combats sont acharnés, comme à Stalingrad. Les prisonniers sont exécutés ou réduits en esclavage. **Il ne s'agit plus de vaincre l'adversaire, mais de l'anéantir.**

▶ **Ce conflit efface la frontière entre civils et militaires.** Les villes sont assiégées, comme Leningrad, ou bombardées, comme Londres et Hambourg. Hiroshima et Nagasaki sont rasées par l'arme nucléaire. Les populations sont victimes de massacres, de représailles et de déplacements forcés.

PASSÉ **PRÉSENT**

Le D-Day

Le **6 juin 2014**, de nombreux chefs d'État et de gouvernement, et des monarques ont participé aux commémorations du 70e anniversaire du débarquement de Normandie. Parmi eux, Barack Obama (États-Unis), Elizabeth II (Royaume-Uni), Vladimir Poutine (Russie) ou Angela Merkel (Allemagne) sont venus célébrer ce jour où l'Europe de l'Ouest fut libérée du nazisme.

PERSONNAGES-CLÉS

▶ **Adolf Hitler (1889-1945)**
Dictateur de l'Allemagne, il provoque la guerre en Europe et ordonne les génocides des Juifs et des Tziganes.

▶ **Joseph Staline (1878-1953)**
Dictateur de l'URSS, il rejoint les Alliés lorsque son pays est attaqué par l'Allemagne nazie en juin 1941.

Au nom de l'idéologie raciste nazie, l'armée allemande exécute des soldats français d'Afrique. Le 18 juin 1940, 43 soldats sont exécutés au camp de Clamecy. Environ 3 000 soldats coloniaux sont ainsi assassinés par des unités allemandes.

1 **Crimes de guerre racistes de l'armée allemande**

Photographie prise dans le camp de prisonniers de Clamecy (Nièvre), juin 1940.

2 **Les pertes humaines**

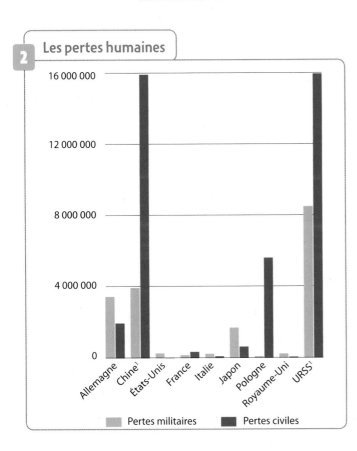

- Pertes militaires
- Pertes civiles

3 **Produire pour anéantir l'adversaire**

Affiche de propagande américaine, entre 1943 et 1945.

▶ **Winston Churchill (1874-1965)**
Premier ministre anglais, il incarne l'esprit de résistance à Hitler, notamment à travers ses discours de guerre où il demande aux Britanniques de poursuivre le combat.

▶ **Franklin D. Roosevelt (1882-1945)**
Président des États-Unis, il engage son pays dans la guerre après l'attaque japonaise contre Pearl Harbor. Il donne son feu vert à la création de la bombe atomique.

Les exécutions de masse en Lettonie

▶ **Quand et comment les génocides des Juifs et des Tziganes débutent-ils ?**

Forces de l'Axe
Front
Alliés de l'Axe et conquêtes
Territoire de l'URSS non occupé
Pays neutres

Dans les territoires nouvellement conquis sur l'URSS dès la fin juin 1941, des troupes spéciales allemandes, les *Einsatzgruppen*, sont chargées d'assassiner massivement les Juifs, les Tziganes et les communistes. Ces opérations de tuerie par fusillade causent, entre juin 1941 et 1944, la mort de deux millions de Juifs.

1 La mission des *Einsatzgruppen*

Le général SS Erich von dem Bach-Zelewski au principal procès de Nuremberg[1]

« La tâche principale des *Einsatzgruppen* [...] était d'éliminer les Juifs, les Tziganes et les commissaires politiques[2]. »

Cité par Telford Taylor, *Procureur à Nuremberg*, © Éditions du Seuil, « L'Épreuve des faits », 1995, pour la traduction française.

1. Voir p. 83.
2. Officier communiste détaché auprès d'une unité de l'Armée rouge pour vérifier l'application des ordres du parti.

VOCABULAIRE

Les *Einsatzgruppen* : les groupes mobiles de tuerie, commandos spéciaux chargés d'exterminer les Juifs, les Tziganes et les communistes.

Un ghetto : un quartier d'une ville où sont concentrés et enfermés les Juifs.

2 Le témoignage d'un habitant de Liepaja

Edward Anders, alors âgé de 15 ans

« J'ai pour la première fois entendu parler des exécutions une semaine après le début de l'occupation[1]. Un voisin, un homme très bien, vint nous voir parce qu'il était révolté que les Allemands tuent des Juifs. Il raconta qu'ils étaient amenés à la prison (cela se produisait parfois en pleine nuit), puis conduits dans un endroit près de la plage ou à côté du stade de football. [...] Là, on les obligeait à creuser leur tombe, et ils étaient ensuite exécutés. Parfois, les tombes étaient préalablement creusées. Le bruit se répandit à travers la ville. Bien sûr, certains, surtout parmi les collaborateurs[2], se réjouissaient qu'on assassine des Juifs, mais la majeure partie des habitants était choquée, car les relations entre Juifs et non-Juifs avaient jusqu'alors été excellentes à Liepaja. Je pense que mon père savait déjà ce qui se passait, mais il ne nous a rien dit. »

Cité par Michaël Prazan, *Einsatzgruppen. Sur les traces des commandos de la mort nazis*, © Éditions du Seuil, 2010, « Points Histoire », 2015.

1. Début juillet 1941.
2. Personne qui apporte son soutien à un ennemi.

J'identifie

1 DOC. 1 **Qui sont les principales victimes des *Einsatzgruppen* ?**

2 DOC. 3 **Quelles victimes sont rassemblées ici ? À quoi les reconnait-on ?**

J'extrais des informations

3 DOC. 3 ET 4 **Montrez le caractère organisé du massacre.**

4 DOC. 4 ET 5 **Comment ces documents prouvent-ils la volonté des assassins de montrer leur efficacité ?**

3 Femmes juives et leurs enfants avant leur assassinat

Photographie prise à Liepaja, décembre 1941.

Les Juifs sont reconnaissables à l'étoile jaune cousue sur leurs vêtements.
Des collaborateurs lettons les surveillent. On devine au fond une voiture allemande.

4 Rapports des assassins à leur hiérarchie

• Extrait du rapport de l'*Einsatzgruppe* A, décembre 1941

« [...] ont été exécutés le 9 novembre à Duna-burg 11 034 [Juifs], début décembre à Riga, [...] 27 000 [Juifs] et à la mi-décembre à Libau[1], 2 350 Juifs. En ce moment, se trouvent dans les ghettos [...] de :

Riga, à peu près 2 500,
Dunaburg, 950,
Libau, 300 [Juifs]. »

Cité par Christian Ingrao, *Croire et détruire.
Les intellectuels dans la machine de guerre SS*,
© Librairie Arthème Fayard, 2010.

1. Nom allemand de Liepaja.

• Extrait du rapport d'exécutions d'un commando de l'*Einsatzgruppe* A

« 22.8.41 Dünaburg 3 communistes russes, 2 Lettons (dont un meurtrier), 1 garde rouge russe, 3 Polonais, 3 Tziganes, 1 femme tzigane, 1 enfant tzigane, 1 Juif, 1 Juive, 1 Arménien, 2 officiers politiques russes [...]. »

Cité par le site www.phdn.org.

VON DER EINSATZGRUPPE A DURCHGEFÜHRTE
1 JUDENEXEKUTIONEN

PETERSBURG
KRASNOGWARDEISK
REVAL
963 **3600**
JUDENFREI
2
RIGAER BUCHT
3
RIGA
GHETTO 2500 **35,238**
GHETTO 4500 SCHAULEN DUNABURG
GHETTO 950
136,421
KAUEN
GHETTO 15,000
41,828
MINSK
4 GESCHÄTZTE ZAHL DER NOCH VORHANDENEN JUDEN 128,000

5 Bilan des massacres de l'*Einsatzgruppe* A

Rapport de l'*Einsatzgruppe* A pour les pays baltes et la Russie du Nord-Ouest, janvier 1942.

① « Action d'exécution des Juifs menée par le groupe » ② « [Territoire] Libre de juifs » ③ Localisation d'un ghetto dans lequel les Juifs sont concentrés. Leur nombre est indiqué. À côté d'un cercueil, le nombre des victimes des exécutions de masse ④ « Estimation du nombre de Juifs encore en vie ».

Je confronte deux documents

5 DOC. 2 ET 3 Comment les Lettons réagissent-ils face aux tueries ?

6 DOC. 2 ET 5 Recopiez et complétez le tableau ci-contre avec des exemples.

Discrimination	Enfermement	Assassinat

Auschwitz-Birkenau, un centre de mise à mort industrielle (1)

▶ **Comment les nazis exterminent-ils les Juifs et les Tziganes à Auschwitz-Birkenau ?**

Début 1942, des centres de mise à mort sont construits afin de mettre en œuvre la « solution finale » décidée par Hitler. À Auschwitz-Birkenau, en Pologne, plus d'un million de personnes sont exterminées jusqu'en 1945.

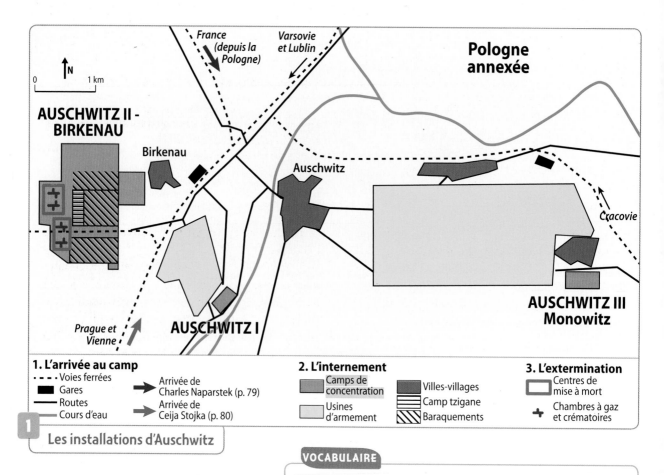

1. L'arrivée au camp
- - - Voies ferrées
- ■ Gares
- — Routes
- Cours d'eau
- ➡ Arrivée de Charles Naparstek (p. 79)
- ➡ Arrivée de Ceija Stojka (p. 80)

2. L'internement
- Camps de concentration
- Usines d'armement
- Villes-villages
- Camp tzigane
- Baraquements

3. L'extermination
- Centres de mise à mort
- ✚ Chambres à gaz et crématoires

1 Les installations d'Auschwitz

VOCABULAIRE

Un camp de concentration : un lieu de détention de masse dans lequel sont regroupés les opposants au régime.

Un centre de mise à mort : les installations dédiées à l'extermination immédiate (chambres à gaz, fours crématoires).

La « solution finale » : le nom donné par les nazis à la politique d'extermination des Juifs en Europe.

Je comprends

1 DOC. 1 ET 3 Quelles sont les deux fonctions du camp d'Auschwitz-Birkenau ?

2 DOC. 2 ET 3 Que se passe-t-il à l'arrivée des convois de déportés juifs à Auschwitz ?

J'extrais des informations

3 DOC. 3 Pourquoi Charles Naparstek a-t-il été déporté ?

4 DOC. 1 ET 3 Comment les Juifs sont-ils exécutés ?

2 | La sélection des déportés juifs à l'arrivée d'un convoi

① Les wagons
② L'entrée et le mirador
③ Des membres du service d'ordre nazi (SS)
④ La rampe de tri
⑤ Les baraquements pour les aptes au travail

Photographie prise par un SS à Auschwitz-Birkenau, 1944.

3 | Témoignage de Charles Naparstek, déporté dans le convoi 36

« J'ai été arrêté en compagnie de mon frère Raymond[1], le 19 juillet 1942 à Bourges par la Gestapo en qualité d'Israélite[2], j'étais également inculpé de passage frauduleux de la ligne de démarcation[3].

Je fus maltraité à la Kommandantur de Bourges et flagellé dans le but de me faire avouer la nature de l'activité d'un troisième camarade, également arrêté, qui nous servit de passeur à la ligne de démarcation. Le passeur fut relâché, la Gestapo n'ayant pu obtenir de moi aucun aveu.

Je fus transféré à la prison de Bourges puis, le 29 juillet 1942, au camp de Pithiviers[4].

Mon frère et moi fûmes déportés le 23 septembre 1942 à Auschwitz. Le voyage s'est effectué dans les conditions habituelles : wagon à bestiaux plombé où 60 déportés avaient pris place. Nous avions touché 1 kg de pain et une boite de thon représentant 3 jours de vivres.

Trois vieillards arrachés de l'hôpital, jugés intransportables par les médecins, moururent au cours du voyage, les corps ne furent enlevés qu'à l'arrivée.

À la gare d'Auschwitz les 1 200 déportés composant le convoi subirent un tri : environ 200 jeunes hommes et 100 jeunes femmes jugés capables de travailler furent emmenés vers le camp ; les autres, c'est-à-dire un millier, furent acheminés vers le four crématoire. On nous enleva tous nos bagages.

Dès l'entrée du camp nous étions complètement mis à nu. Nous échangions nos vêtements contre le costume de bagnard. Un numéro de matricule était tatoué sur les bras des Juifs. »

Extrait du procès-verbal d'audition de Charles Naparstek, 1er juin 1945 à Paris.

1. Les deux frères sont arrêtés alors qu'ils fuient Paris où ont été arrêtés leurs parents.
2. Juif.
3. Jusqu'en novembre 1942, la ligne de démarcation est la frontière séparant la zone occupée de la zone libre sous autorité du régime de Vichy.
4. Il est ensuite transféré à Drancy, un des lieux de départ des convois pour Auschwitz-Birkenau.

Conseil Brevet

Je justifie

⑤ **DOC. 3** Qualifiez les conditions de déportation. Justifiez votre réponse par des exemples précis.

⑥ **DOC. 1, 2 ET 3** Justifiez l'expression selon laquelle Auschwitz-Birkenau est un centre de mise à mort industrielle.

Analyser un plan

Pour analysez un plan, comme celui du **DOC. 1**, il faut bien lire son titre et sa légende, puis repérer les informations essentielles. Il est souvent nécessaire de mobiliser ses connaissances pour resituer le plan dans son contexte.

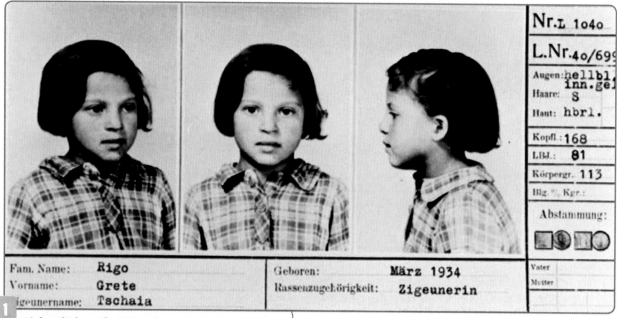

Nr.ʟ 1040
L.Nr.40/699
Augen: hellbl.
inn.gel
Haare: S
Haut: hbrl.
Kopfl.: 168
LBJ.: 81
Körpergr. 113
Blg. % Kgr.:
Abstammung:
Vater
Mutter

Fam. Name: **Rigo**
Vorname: **Grete**
Zigeunername: **Tschaia**

Geboren: **März 1934**
Rassenzugehörigkeit: **Zigeunerin**

1 Fiche d'identification de Ceija Stojka en 1940

Sur cette fiche d'identification de la jeune Ceija Stojka sont inscrits :
« **Nom de famille** : Rigo [nom du clan de sa mère]   **Naissance** : mars 1934
Prénom : Grete   **Race** : tzigane »
Nom tzigane : Tschaia [Ceija]

2 La vie des Rigo Stojka

« Lorsque l'Allemagne a annexé l'Autriche en mars 1938, notre roulotte était garée [...] à Vienne. Les Allemands nous ont ordonné de rester enfermés dans notre roulotte et nous avons perdu nos droits civiques. [...]
1940-44 : Les Tziganes ont été obligés de se faire répertorier comme membres d'une autre "race". Le terrain sur lequel nous étions installés a été clôturé et placé sous surveillance policière. Un an plus tard, les Allemands ont emmené mon mari ; ils m'ont renvoyé ses cendres quelques mois plus tard. [...] Finalement, les Allemands ont déporté les derniers membres de notre famille [...] à Birkenau. Je prenais soin de mes enfants autant que je pouvais dans ce terrible endroit, mais mon plus jeune fils a été emporté par le typhus. »

« Témoignage de Maria, mère de Ceija »,
extrait du site de l'United States
Holocaust Memorial Museum,
Washington, traduction Mémorial de la Shoah, Paris.

J'extrais des informations

1 DOC. 3 Décrivez l'intérieur de ce baraquement.

2 DOC. 2 Où et comment vivaient les Rigo Stojka ?

Je comprends un document

3 DOC. 1 ET 2 Pourquoi Ceija Stojka et sa famille ont-ils été déportés ?

4 DOC. 1 Montrez que Ceija Stojka est traitée comme une criminelle.

3 Baraque à Auschwitz-Birkenau

Photographie prise après la libération du camp le 27 janvier 1945.

À Auschwitz-Birkenau, plus de 20 000 Tziganes étaient enfermés dans 32 baraques en bois comme celle-ci.

4 Les victimes d'Auschwitz-Birkenau

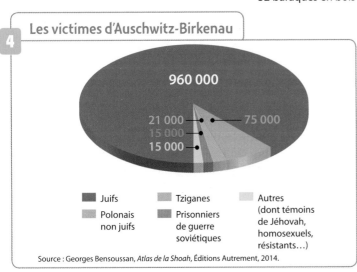

960 000

21 000 — 75 000
15 000 —
15 000 —

■ Juifs
■ Polonais non juifs
■ Tziganes
■ Prisonniers de guerre soviétiques
■ Autres (dont témoins de Jéhovah, homosexuels, résistants…)

Source : Georges Bensoussan, *Atlas de la Shoah*, Éditions Autrement, 2014.

① Proverbe allemand :
« C'est en étant honnête qu'on va le plus loin. »
② Lits superposés en bois où dormaient les déportés.
③ Vêtements des déportés.

Je raisonne

5 DOC. 4 **Sur quelle base idéologique les nazis exterminent-ils ces populations ? Argumentez votre réponse.**

Je pratique différents langages

6 DOC. 2 **Recopiez et placez dans le schéma ci-dessous les 4 étapes de la persécution des Rigo Stojka.**

(1938) ………… → (1940-1944) ………… → ………… → …………

Cours 2 — De la persécution aux génocides

▶ **Comment l'Allemagne nazie a-t-elle mis en place les génocides ?**

VOCABULAIRE

Les crimes contre l'humanité : les violences les plus graves faites aux civils pour des motifs politiques, d'origines ou de religion.

Un génocide : une extermination planifiée et organisée d'un peuple en raison de ses origines ou de sa religion.

La Shoah : la « catastrophe » en hébreu, désigne le génocide des Juifs.

PASSÉ PRÉSENT

Auschwitz-Birkenau

Dès 1947, le camp d'Auschwitz-Birkenau est transformé en mémorial et en musée. En 1979, il est inscrit au patrimoine mondial de l'Unesco. Depuis, plus de 25 millions de visiteurs s'y sont rendus, témoignant de l'importance du devoir de mémoire des génocides dans nos sociétés contemporaines.

A Exclure

▶ Dès 1933, **les autorités nazies excluent du peuple allemand ceux qui ne correspondent pas à leur vision raciste du monde**, ou qui luttent contre celle-ci. Handicapés, homosexuels, Juifs, Tziganes, émigrés et opposants sont ainsi classés, discriminés, dépouillés de leurs biens, brutalisés.

▶ Après l'invasion de la Pologne en 1939, **les Allemands commencent à déporter et à concentrer les populations juives et tziganes dans des ghettos** où elles manquent de tout. Plus de 800 000 personnes y meurent.

B Détruire

▶ À partir de 1941, dans les territoires de l'Est conquis par l'Allemagne, **des commandos spéciaux (*Einsatzgruppen*) assassinent par fusillade Juifs, Tziganes et communistes**. Ce sont les massacres par balles. Souvent les populations locales soutiennent et aident les assassins. Ces tueries font deux millions de victimes juives.

▶ Alors que les forces de l'Axe se heurtent à la résistance soviétique et font face à l'entrée en guerre des États-Unis, les dirigeants nazis prennent des décisions de plus en plus extrêmes. **Lors de la conférence de Wannsee en janvier 1942, ils planifient l'extermination des populations juives et tziganes d'Europe** : les autorités nazies parlent de « solution finale ».

C Anéantir

▶ Les nazis construisent des centres de mise à mort, comme Auschwitz-Birkenau, pour assassiner avec des moyens industriels. Juifs et Tziganes sont tués en masse dans des chambres à gaz ou soumis à l'esclavage jusqu'à la mort. Ces centres font trois millions de victimes juives et tziganes. **Les génocides des Juifs (ou Shoah) et des Tziganes constituent la caractéristique centrale de la guerre d'anéantissement.**

▶ En 1945, l'avancée des troupes soviétiques et l'écroulement du Reich permettent la libération des camps. Des survivants, comme Primo Levi, témoignent de ce qu'ils ont vécu.

ÉLÉMENTS-CLÉS

▶ **Anne Frank (1929-1945)**
Anne Frank est une jeune fille juive allemande. Cachée avec sa famille à Amsterdam, elle a écrit un journal intime. Elle est morte en déportation à 16 ans.

▶ **Primo Levi (1919-1987)**
Primo Levi est un auteur italien. Déporté à Auschwitz en 1944, il témoigne de son expérience dans le livre *Si c'est un homme*.

INTERVIEW lienmini.fr/hgemc3-010

Saisissez cette adresse sur votre navigateur pour visionner l'interview.

1 Une rescapée du camp de Bergen-Belsen

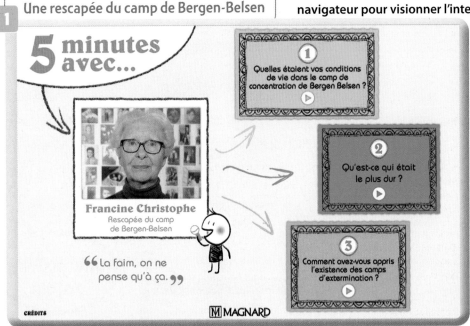

5 minutes avec...

Francine Christophe
Rescapée du camp de Bergen-Belsen

" La faim, on ne pense qu'à ça. "

1. Quelles étaient vos conditions de vie dans le camp de concentration de Bergen Belsen ?

2. Qu'est-ce qui était le plus dur ?

3. Comment avez-vous appris l'existence des camps d'extermination ?

CRÉDITS

M MAGNARD

2 Persécution et génocides juif et tzigane

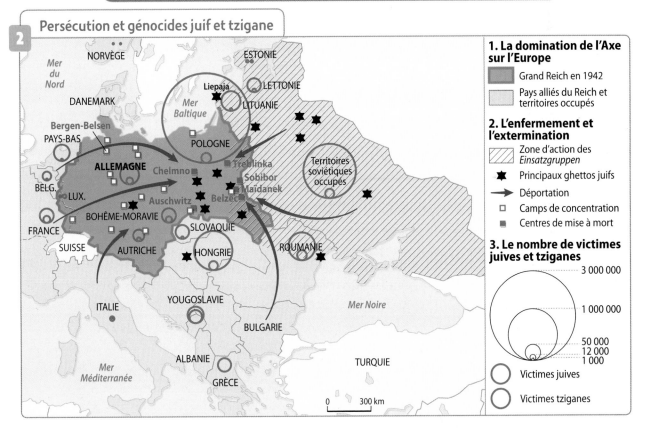

1. La domination de l'Axe sur l'Europe

- Grand Reich en 1942
- Pays alliés du Reich et territoires occupés

2. L'enfermement et l'extermination

- Zone d'action des *Einsatzgruppen*
- ★ Principaux ghettos juifs
- → Déportation
- □ Camps de concentration
- ■ Centres de mise à mort

3. Le nombre de victimes juives et tziganes

3 000 000
1 000 000
50 000
12 000
1 000

○ Victimes juives
○ Victimes tziganes

0   300 km

▶ **Heinrich Himmler (1900-1945)**

Heinrich Himmler est le chef du service d'ordre nazi (SS). Il est chargé par Hitler d'organiser les génocides des Juifs et des Tziganes.

▶ **Procès de Nuremberg**

Entre 1945 et 1946, des dirigeants nazis sont jugés par les Alliés pour crimes de guerre et crimes contre l'humanité.

Réviser

carte mentale lienmini.fr/hgemc3-011

Saisissez cette adresse sur votre navigateur pour découvrir la carte mentale.

CARTE MENTALE

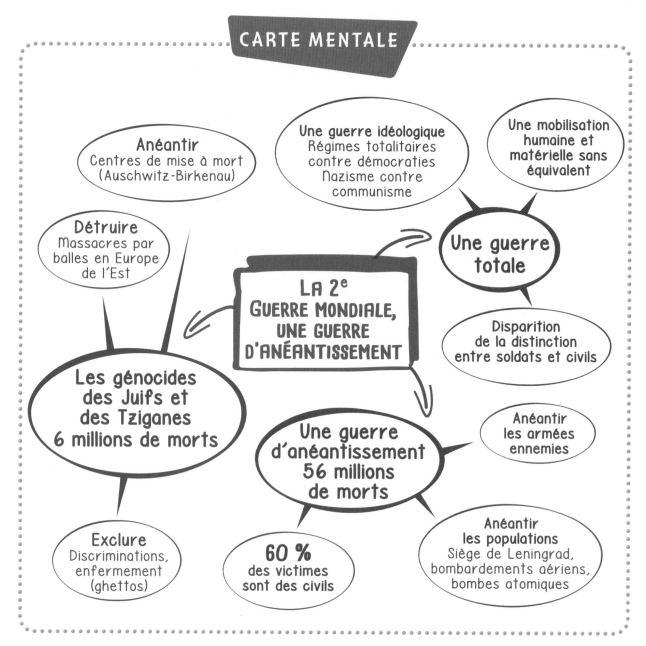

Anéantir
Centres de mise à mort (Auschwitz-Birkenau)

Une guerre idéologique
Régimes totalitaires contre démocraties
Nazisme contre communisme

Une mobilisation humaine et matérielle sans équivalent

Détruire
Massacres par balles en Europe de l'Est

La 2ᵉ GUERRE MONDIALE, UNE GUERRE D'ANÉANTISSEMENT

Une guerre totale

Disparition de la distinction entre soldats et civils

Les génocides des Juifs et des Tziganes 6 millions de morts

Une guerre d'anéantissement 56 millions de morts

Anéantir les armées ennemies

Exclure
Discriminations, enfermement (ghettos)

60 %
des victimes sont des civils

Anéantir les populations
Siège de Leningrad, bombardements aériens, bombes atomiques

Réviser en ligne

Je teste mes connaissances

QUIZ lienmini.fr/hgemc3-012

Saisissez cette adresse sur votre navigateur pour lancer le quiz.

Le tuto pour créer ma carte mentale.

TUTO vidéo

lienmini.fr/hgemc3-001

MÉTHODE
||||||||||||||||||||||||||||||||||||||||||||||||||||||||| Étudier un témoignage

Étape 1 ▶ **Présentez le témoignage :** identifiez l'auteur du témoignage, la date et les conditions de son témoignage, ainsi que la date des évènements racontés.

Étape 2 ▶ **Cherchez le sens :** vous devez contextualiser le document, c'est-à-dire le resituer dans son époque. Pour bien comprendre un témoignage, gardez toujours à l'esprit qu'un témoin présente un point de vue particulier sur un évènement.

Étape 3 ▶ **Interprétez :** identifiez l'intérêt du témoignage : pourquoi est-il important pour la compréhension d'une époque ou d'un évènement ?

---

1 ## Témoignage de Stanislaw Kozak sur le centre de mise à mort de Belzec

Stanislaw Kozak est un ouvrier polonais réquisitionné par les Allemands dans le cadre du travail obligatoire pour construire le centre de mise à mort de Belzec, situé en Pologne occupée. Libérés du travail le 22 décembre 1941, les travailleurs polonais sont alors remplacés par des ouvriers juifs tirés des ghettos.

« Nous avons commencé le travail le 1er novembre 1941 par la construction de baraques sur un terrain adjacent à la voie[1] [...]. Tout près de la voie se trouvait une baraque [...]. Elle devait servir de salle d'attente pour les Juifs qui allaient travailler dans le camp. Une deuxième baraque[2] [...] était destinée aux Juifs qui allaient être envoyés aux bains. À côté de celle-ci, nous avons construit une troisième baraque[3] [...]. Toutes les portes de cette baraque s'ouvraient de l'extérieur. Elles avaient été très solidement fabriquées [...]. Pour s'assurer qu'on ne puisse pas les enfoncer depuis l'intérieur de la baraque, un verrou en bois était fixé sur deux crochets en fer [...]. Le long du côté nord de la baraque, [...] une rampe a été fabriquée avec des planches [...] menant à une fosse située exactement à l'angle nord-est de l'enceinte du camp de la mort. »

Déposition de Stanislaw Kozak datée du 14 octobre 1945, pièce du dossier sur les crimes commis à Belzec, citée dans Robert Kuwalek, *Belzec : premier centre de mise à mort*, © Calmann-Lévy/Mémorial de la Shoah, 2013, pour la traduction française.

1. Probablement la voie ferrée amenant au camp.
2. Une chambre de déshabillage.
3. Une chambre à gaz.

---

1 Présentez le témoignage
Qui est l'auteur du témoignage ? Que sait-on de lui ?
Quand et sous quelle forme ce témoignage a-t-il été recueilli ?

2 Cherchez le sens
Quel est le contexte des évènements racontés dans ce témoignage ?
Que nous raconte cet acteur et témoin des faits ?

3 Interprétez
Pourquoi ce témoignage est-il important ?

Brevet

IIIIIIIIIIIIIIIIIIIIIIIIIIIIIIIIIIIIIIIIIIIIIIIIIIIIIIIIIIIIIIIIIIIIIIIIIIIIIIIIIIIII **Sujet guidé**

Exercice 1 — Analyser et comprendre des documents

Le *Journal* d'Anne Frank

1

Anne Frank est une jeune juive allemande née en 1929. Sa famille fuit aux Pays-Bas pour échapper au nazisme. Mais en mai 1940, le pays est envahi par l'Allemagne nazie qui y persécute les Juifs. Anne Frank commence son journal intime en juin 1942, peu avant que sa famille ne se cache pour échapper aux nazis. En 1944, ils sont tous arrêtés sur dénonciation. Déportée, elle meurt du typhus en 1945.

« Samedi 20 juin 1942

[...] À partir de mai 1940, c'en était fini du bon temps, d'abord la guerre, la capitulation, l'entrée des Allemands, et nos misères, à nous les juifs, ont commencé. Les lois antijuives se sont succédé sans interruption et notre liberté de mouvement fut de plus en plus restreinte. Les juifs doivent porter l'étoile jaune ; les juifs doivent rendre leurs vélos ; les juifs n'ont pas le droit de prendre le tram ; les juifs n'ont pas le droit de circuler en autobus, ni même dans une voiture particulière ; les juifs ne peuvent faire leurs courses que de trois heures à cinq heures, les juifs ne peuvent aller que chez un coiffeur juif ; les juifs n'ont pas le droit de sortir dans la rue de huit heures du soir à six heures du matin ; les juifs n'ont pas le droit de fréquenter les théâtres, les cinémas et autres lieux de divertissement ; les juifs n'ont pas le droit d'aller à la piscine, ou de jouer au tennis, au hockey ou à d'autres sports [...]. Les juifs n'ont plus le droit de se tenir dans un jardin chez eux ou chez des amis après huit heures du soir ; les juifs n'ont pas le droit d'entrer chez des chrétiens ; les juifs doivent fréquenter des écoles juives, et ainsi de suite, voilà comment nous vivotions et il nous était interdit de faire ceci ou de faire cela. »

Anne Frank, *Journal*, © 1992, 2001, Calmann-Lévy, pour la traduction française par Philippe Noble et Isabelle Rosselin-Bobulesco.

1 Qui est l'auteure du témoignage ? Que sait-on d'elle ?

2 Quand et sous quelle forme ce témoignage a-t-il été écrit ?

3 Quel est le contexte des évènements racontés dans cet extrait ?

4 Que nous raconte cet extrait ?

5 Pourquoi ce témoignage est-il important ?

> Servez-vous du document mais aussi du texte de présentation.

> Une fois la date du document identifiée, replacez-le dans son époque grâce à vos connaissances.

> Résumez en une phrase l'idée principale.

Exercice 2 — Maitriser différents langages pour raisonner

Sujet : Sous la forme d'un développement construit d'une vingtaine de lignes et en vous appuyant sur quelques exemples précis issus du cours, vous montrerez que les civils sont les principales victimes de la guerre d'anéantissement.

1 Lisez l'introduction et le développement proposés.

2 Rédigez la conclusion.

> **Conseils :** résumer les faits. Répondre à la question posée dans le sujet et l'introduction. Ouvrir vers un autre aspect de la question ou vers un sujet lié.

Introduction rédigée

La 2ᵉ Guerre mondiale efface définitivement la distinction entre militaires et civils. Comment expliquer un tel effacement et sa conséquence, la mort de 30 millions de victimes civiles ?

Développement rédigé

La guerre que mènent l'Allemagne nazie et le Japon est motivée par une vision raciste du monde et la volonté d'anéantir complètement l'adversaire.

Ce racisme explique en grande partie les crimes contre l'humanité commis : déportations, esclavage, massacres. Surtout, les dirigeants nazis planifient les génocides des Juifs et des Tziganes d'Europe qui coutent la vie à plus de six millions d'individus.

Le recours à la terreur n'est pas seulement utilisé par les forces de l'Axe : tous les belligérants bombardent les villes ennemies pour faire plier leurs adversaires. En 1945, les États-Unis utilisent l'arme nucléaire à Hiroshima et à Nagasaki tandis que l'Armée rouge commet des violences contre les populations civiles allemandes.

Brevet

Sujet blanc

Exercice 1　Analyser et comprendre des documents

ПРЕВРАЩЕНИЕ „ФРИЦЕВ" ОКНО ТАСС №640

1 Une affiche de propagande soviétique

La Métamorphose des « Boches »,
affiche, Koukryniksy
(groupe de peintres et caricaturistes
soviétiques), 1942.

1 Identifiez la nature, les créateurs et la date du document.

2 Contextualisez le document en le situant dans son époque.

3 Décrivez le document :

Ce que je vois	Personnages	Symboles	Action	Décor

4 Quel est son message ?

5 Pourquoi ce document est-il une forme de propagande ?

Exercice 2　Maitriser différents langages pour raisonner et se repérer

a **Sujet :** Sous la forme d'un développement construit d'une vingtaine de lignes et en vous appuyant sur quelques exemples précis issus du cours, vous expliquerez le processus génocidaire nazi.

b Recopiez la frise, puis placez les dates de début et de fin de la Deuxième Guerre mondiale en Europe. Indiquez par des couleurs les trois étapes de cette guerre : les victoires de l'Axe, le tournant de la guerre, la reconquête des Alliés. Imaginez un figuré pour identifier les génocides juif et tzigane, puis localisez-les sur la frise.

La France
dans la Deuxième Guerre mondiale (1940-1944)

La « parade de la victoire » allemande

AIDE VISUELLE

1 L'arc de triomphe de la place de l'Étoile.

2 La 30ᵉ division d'infanterie allemande défile.

3 Le général allemand Kurt von Briesen salue les troupes.

Comment les Français réagissent-ils à l'invasion et à l'occupation allemandes ?

OCÉAN ATLANTIQUE

• Paris

Mer Méditerranée

Photographie prise avenue Foch à Paris, 14 juin 1940.

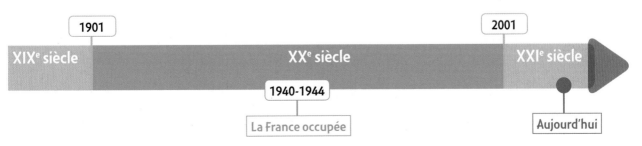

1901

XIXᵉ siècle

XXᵉ siècle

2001

XXIᵉ siècle

1940-1944

La France occupée

Aujourd'hui

Se repérer dans le temps

|||||||||||||||||||||||||||||||||||||||||||||||||||||||||||||||||||||||||||||||||||||||||||||||||

1940   **1941**   **1942**

La France

10 mai 1940
Début de l'offensive allemande

Des civils fuient l'avancée des troupes allemandes, mai 1940.

Le 3 septembre 1939, la France déclare la guerre à l'Allemagne. Pendant plusieurs mois, les soldats français restent stationnés derrière la ligne Maginot : c'est la « drôle de guerre ».
En mai, l'armée allemande déclenche une guerre éclair. L'offensive met les troupes françaises et britanniques en déroute. La population prend alors la route de l'exode.

18 juin 1940
L'appel du général de Gaulle

Le général de Gaulle au micro de la BBC à Londres, juin 1940.

Depuis Londres, le général de Gaulle refuse la défaite et appelle, le 18 juin 1940, sur les ondes de la BBC, à poursuivre le combat. C'est l'acte fondateur de la Résistance.
En France, le maréchal Pétain désormais au pouvoir choisit de cesser le combat. Le 22 juin, il signe un armistice avec l'Allemagne nazie. Dès l'automne, il entre dans la collaboration.

QUESTIONS

1 Qu'appelle-t-on la « drôle de guerre » ? Situez-la dans le temps.

2 Qui organise la rafle du Vél' d'Hiv' ?

3 Par qui la France est-elle libérée ?

o c c u p é e

16 et 17 juillet 1942

La rafle du Vél' d'Hiv'

Les autobus qui ont servi à la rafle devant le Vélodrome d'hiver de Paris, 16 juillet 1942.

La police française arrête 13 152 Juifs étrangers à Paris et en banlieue parisienne les 16 et 17 juillet 1942. Les familles sont enfermées dans l'enceinte sportive du Vélodrome d'hiver. Les couples sans enfant et les célibataires sont, quant à eux, internés au camp de Drancy.

La plupart des Juifs arrêtés sont ensuite déportés et exterminés au camp d'Auschwitz-Birkenau.

25 août 1944

La libération de Paris

Paris est libéré, 25 août 1944.

Les Alliés débarquent en Normandie le 6 juin 1944, puis en Provence le 15 août.

La France est alors progressivement libérée par les armées anglo-américaines, appuyées par les différents groupes issus de la Résistance : les Forces françaises libres (FFL) et les Forces françaises de l'intérieur (FFI).

VOCABULAIRE

Un armistice : un accord permettant la fin des combats.

L'exode : la fuite des populations civiles devant la progression de l'armée allemande en mai et juin 1940.

La ligne Maginot : la ligne de fortifications construite par la France le long de ses frontières pour se protéger d'une invasion allemande.

Se repérer dans l'espace

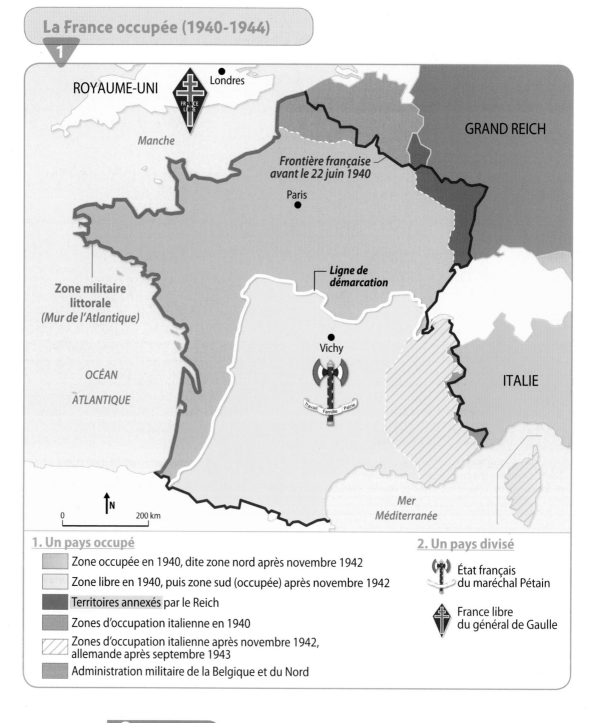

La France occupée (1940-1944)

1

ROYAUME-UNI

Londres

Manche

GRAND REICH

*Frontière française
avant le 22 juin 1940*

Paris

*Ligne de
démarcation*

**Zone militaire
littorale**
(Mur de l'Atlantique)

Vichy

Travail Famille Patrie

ITALIE

*OCÉAN
ATLANTIQUE*

↑N

0   200 km

*Mer
Méditerranée*

1. Un pays occupé

Zone occupée en 1940, dite zone nord après novembre 1942

Zone libre en 1940, puis zone sud (occupée) après novembre 1942

Territoires annexés par le Reich

Zones d'occupation italienne en 1940

Zones d'occupation italienne après novembre 1942,
allemande après septembre 1943

Administration militaire de la Belgique et du Nord

2. Un pays divisé

État français
du maréchal Pétain

France libre
du général de Gaulle

QUESTIONS

1 Décrivez l'invasion de la France au printemps 1940.

2 Comment la France est-elle divisée à l'issue de l'armistice du 22 juin 1940 ?

3 Quel nom la zone libre prend-elle en novembre 1942 ? Pourquoi ?

4 Quand le territoire français est-il libéré ?

La campagne de France (1940)

2

1. Offensive allemande

— Ligne Maginot

➤ Avancée de l'armée allemande

⟿ Opération Dynamo

---- Limite de l'avancée allemande le 22 juin 1940

2. Territoires conquis

Du 10 mai au 24 mai

Du 25 mai au 4 juin

Du 5 juin au 22 juin

La libération de la France (1944-1945)

3

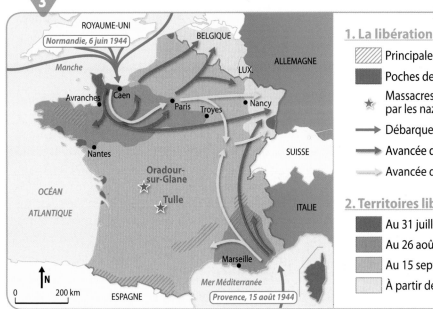

1. La libération

▨ Principales zones de maquis

■ Poches de résistance allemande

★ Massacres d'otages civils par les nazis

➤ Débarquements alliés

➤ Avancée des troupes alliées

⇨ Avancée des troupes françaises

2. Territoires libérés

Au 31 juillet 1944

Au 26 août 1944

Au 15 septembre 1944

À partir de septembre 1944

VOCABULAIRE

Un maquis : un regroupement, dans des zones difficiles d'accès, de résistants qui mènent des actions de guérilla contre l'occupant.

L'opération Dynamo : l'opération d'évacuation, du 26 mai au 4 juin 1940, de 338 226 soldats alliés, piégés à Dunkerque par l'armée allemande.

Un territoire annexé : le territoire d'un État placé sous la souveraineté d'un autre.

Étude

L'année 1940

▶ **Quelles sont les conséquences de la défaite de juin 1940 ?**

L'Allemagne lance en mai 1940 une grande offensive contre la Belgique, la Hollande et la France. En quelques semaines, les troupes françaises sont vaincues par les armées allemandes et le territoire est envahi.

1 La déroute militaire

Photographie prise à La Panne, près de Dunkerque, après le retrait des troupes britanniques, 1er juin 1940.

2 La demande d'armistice

« Français,

À l'appel de M. le président de la République, j'assume à partir d'aujourd'hui la direction du gouvernement de la France.

Sûr de l'affection de notre admirable armée qui lutte avec un héroïsme digne de ses longues traditions militaires contre un ennemi supérieur en nombre et en armes ; sûr que, par sa magnifique résistance, elle a rempli nos devoirs vis-à-vis de nos alliés ; sûr de l'appui des anciens combattants que j'ai eu la fierté de commander ; sûr de la confiance du peuple tout entier, je fais à la France le don de ma personne pour atténuer son malheur.

En ces heures douloureuses, je pense aux malheureux réfugiés qui, dans un dénuement extrême, sillonnent nos routes. Je leur exprime ma compassion et ma sollicitude.

C'est le cœur serré que je vous dis aujourd'hui qu'il faut cesser le combat. Je me suis adressé cette nuit à l'adversaire pour lui demander s'il est prêt à rechercher avec moi, entre soldats, après la lutte et dans l'honneur, les moyens de mettre un terme aux hostilités.

Que tous les Français se groupent autour du Gouvernement que je préside pendant ces dures épreuves et fassent taire leur angoisse pour n'obéir qu'à leur foi dans le destin de la patrie. »

Philippe Pétain, discours radiodiffusé,
17 juin 1940.

Je raconte

1 DOC. 1 À l'aide de la carte 2 p. 93, racontez le choc de la défaite de 1940.

Je présente les conséquences d'un fait historique

2 DOC. 2 Quelles décisions le maréchal Pétain annonce-t-il ?

3 DOC. 4 ET CARTE 1 P. 92 Quelles sont les conséquences de la défaite militaire de la France pour son territoire et son régime politique ?

« Les chefs qui, depuis de nombreuses années, sont à la tête des armées françaises ont formé un gouvernement. Ce gouvernement, alléguant la défaite de nos armées, s'est mis en rapport avec l'ennemi pour cesser le combat. Certes, nous avons été, nous sommes, submergés par la force mécanique, terrestre et aérienne, de l'ennemi.

Infiniment plus que leur nombre, ce sont les chars, les avions, la tactique des Allemands qui nous ont fait reculer. [...]

Mais le dernier mot est-il dit ? L'espérance doit-elle disparaitre ? La défaite est-elle définitive ? Non !

Croyez-moi, moi qui vous parle en connaissance de cause et vous dis que rien n'est perdu pour la France. Les mêmes moyens qui nous ont vaincus peuvent faire venir un jour la victoire.

Car la France n'est pas seule ! Elle n'est pas seule ! Elle n'est pas seule ! Elle a un vaste Empire derrière elle. Elle peut faire bloc avec l'Empire britannique qui tient la mer et continue la lutte. Elle peut, comme l'Angleterre, utiliser sans limites l'immense industrie des États-Unis. Cette guerre n'est pas limitée au territoire malheureux de notre pays. Cette guerre n'est pas tranchée par la bataille de France. Cette guerre est une guerre mondiale. [...]

Moi, général de Gaulle, actuellement à Londres, j'invite les officiers et les soldats français qui se trouvent en territoire britannique ou qui viendraient à s'y trouver, avec leurs armes ou sans leurs armes, j'invite les ingénieurs et les ouvriers spécialisés des industries d'armement qui se trouvent en territoire britannique ou qui viendraient à s'y trouver, à se mettre en rapport avec moi.

Quoi qu'il arrive, la flamme de la résistance française ne doit pas s'éteindre et ne s'éteindra pas. »

Charles de Gaulle, discours radiodiffusé par la BBC de Londres, 18 juin 1940.

LE PETIT DAUPHINOIS

JEUDI 11 JUILLET 1940

LE GRAND QUOTIDIEN DES ALPES FRANÇAISES

Pour que renaisse une France forte

569 voix contre 80 sur 649 votants

C'est à cette imposante majorité que l'Assemblée nationale, réunie à Vichy, a accordé TOUS POUVOIRS AU MARECHAL PETAIN POUR REVISER LA CONSTITUTION

Cette nouvelle Constitution, qui devra garantir les droits de la Famille, du Travail et de la Patrie, sera soumise ultérieurement à la ratification de la Nation

4
La **loi constitutionnelle** du 10 juillet 1940

Une du journal *Le Petit Dauphinois*, 11 juillet 1940.

Une loi constitutionnelle : une loi qui modifie la Constitution. Celle du 10 juillet 1940 permet à Pétain de réviser totalement la Constitution de la IIIe République, en place depuis 1875.

Je confronte deux documents

Maitrise de la langue

4 DOC. 2 ET 3 Présentez et comparez les positions de Philippe Pétain et de Charles de Gaulle sur la défaite de 1940.

Je définis des mots

Faites la différence entre l'armistice et la capitulation.
Écrivez une phrase en employant chaque mot.

Étude

Le régime de Vichy : collaboration et antisémitisme

▶ **Comment le régime de Vichy collabore-t-il avec l'Allemagne au génocide des Juifs ?**

Dès l'été 1940, le régime de Vichy s'engage dans une politique de remise en cause des valeurs républicaines. Il adopte rapidement des positions violemment antisémites. Tandis qu'en janvier 1942 l'Allemagne met en œuvre le génocide des Juifs, un premier convoi de déportés juifs quitte la France en mars pour le camp d'Auschwitz-Birkenau.

1 Entrer dans la collaboration

Le 24 octobre 1940, Philippe Pétain rencontre Adolf Hitler à Montoire-sur-le-Loir, engageant la France dans la collaboration avec l'Allemagne. Il s'en explique aux Français.

« C'est dans l'honneur et pour maintenir l'unité française – une unité de dix siècles – dans le cadre d'une activité constructive du nouvel ordre européen, que j'entre aujourd'hui dans la voie de la collaboration.

Ainsi, dans un avenir prochain, pourrait être allégé le poids des souffrances de notre pays, amélioré le sort de nos prisonniers, atténuée la charge des frais d'occupation.

Ainsi pourrait être assouplie la ligne de démarcation et facilités l'administration et le ravitaillement du territoire.

Cette collaboration doit être sincère. Elle doit être exclusive de toute pensée d'agression. Elle doit comporter un effort patient et confiant.

L'armistice, au demeurant, n'est pas la paix. La France est tenue par des obligations nombreuses vis-à-vis du vainqueur. Du moins reste-t-elle souveraine. Cette souveraineté lui impose de défendre son sol, d'éteindre les divergences de l'opinion, de réduire les dissidences de ses colonies.

Cette politique est la mienne. Les ministres ne sont responsables que devant moi. C'est moi seul que l'histoire jugera.

Je vous ai tenu jusqu'ici le langage d'un père. Je vous tiens aujourd'hui le langage du chef.

Suivez-moi. Gardez votre confiance en la France éternelle. »

Philippe Pétain, discours radiodiffusé, 30 octobre 1940.

2 La législation antisémite de Vichy en 1940-1941

22 juillet 1940	Décret-loi sur la révision des naturalisations. 15 000 personnes perdent la nationalité française, dont environ 8 000 Juifs.
3 octobre 1940	Loi portant « statut des Juifs ». Proclamant la notion de race juive, cette loi exclut les Juifs de tout poste dans la fonction publique et dans les professions artistiques.
4 octobre 1940	Loi accordant aux préfets le pouvoir d'interner « les étrangers de race juive ». 40 000 d'entre eux sont ainsi internés dans des camps.
2 juin 1941	Deuxième statut des Juifs renforçant leur exclusion des professions libérales, commerciales, artisanales et industrielles. Les Juifs de zone non occupée doivent se faire recenser sous peine d'internement « même si l'intéressé est français ».
22 juillet 1941	Loi concernant la liquidation des biens juifs et leur passage sous contrôle d'administrateurs non juifs. Cette tâche est confiée au Commissariat général aux questions juives créé en mars 1941.

Je situe

1 Quelle est la période couverte par les documents ? Présentez la situation de la France pendant cette période.

J'analyse un document

2 DOC. 1 Comment Philippe Pétain explique-t-il le choix de la collaboration avec l'Allemagne nazie ?

3 DOC. 2 Que nous apprend la législation antisémite de Vichy sur le régime et sa collaboration avec l'Allemagne nazie ?

4 DOC. 3 ET 4 Décrivez les modalités de la déportation des Juifs en France.

3 Les camps d'internement français et la déportation des Juifs

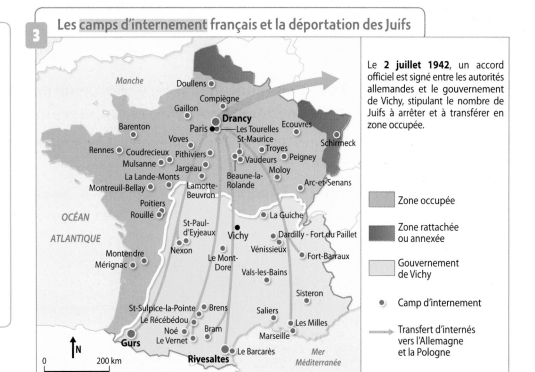

Le **2 juillet 1942**, un accord officiel est signé entre les autorités allemandes et le gouvernement de Vichy, stipulant le nombre de Juifs à arrêter et à transférer en zone occupée.

Zone occupée

Zone rattachée ou annexée

Gouvernement de Vichy

● Camp d'internement

→ Transfert d'internés vers l'Allemagne et la Pologne

4 Le camp d'internement de Rivesaltes

Photographie d'un rassemblement de Juifs à Rivesaltes avant leur départ pour Drancy, 1942.

Entre 1941 et 1942, 17 500 personnes sont internées au camp de Rivesaltes, dont 53 % de réfugiés fuyant la guerre civile espagnole, 40 % de Juifs et un peu plus de 7 % de Tziganes. 2 300 sont envoyées à Drancy depuis le camp, avant de partir pour Auschwitz-Birkenau.

Je raisonne

5 DOC. 2 ET 3 **Le régime de Vichy a collaboré au génocide des Juifs : n'a-t-il fait que suivre les ordres de l'occupant nazi ? Justifiez votre réponse.**

Piste EPI

Histoire - EMC - Français

Participez au Concours national de la Résistance et de la Déportation (voir sur le site www.education.gouv.fr).

Information, communication, citoyenneté

Cours 1

La France sous l'occupation et le régime de Vichy

▶ **Comment la défaite et l'occupation mènent-elles à la négation des valeurs républicaines ?**

PASSÉ PRÉSENT

Le Mémorial du camp de Rivesaltes

Situé dans les Pyrénées-Orientales, le mémorial a été inauguré en octobre 2015. Des Juifs, mais aussi des républicains espagnols et des Tziganes ont été internés dans ce qui fut le **plus grand camp d'Europe occidentale** par son étendue **(640 hectares)**.

A La défaite et l'occupation

▶ **Le 10 mai 1940, l'armée allemande déclenche une guerre éclair.** Les troupes françaises cèdent et de nombreux civils prennent la route de l'exode.

▶ Le maréchal Pétain signe un armistice avec l'Allemagne, le 22 juin 1940. **Une grande partie du territoire français est envahie** et la souveraineté nationale réduite. **En novembre 1942, tout le pays est occupé.**

▶ Pendant quatre années, les Français, privés de libertés, connaissent des difficultés d'approvisionnement et sont victimes des représailles allemandes. Les villes sont bombardées par les Alliés.

B Le régime de Vichy, un régime antirépublicain

▶ Le 10 juillet 1940, en votant les pleins pouvoirs à Pétain, **les parlementaires autorisent ce dernier à mettre fin à la IIIe République** et à la démocratie. **L'État français**, le nouveau régime installé à Vichy, est **une dictature personnelle**. Les partis politiques sont interdits et l'opposition réprimée. La presse est censurée. La propagande organise le culte du chef et impose la « Révolution nationale ».

▶ **L'État français est un régime xénophobe et antisémite.** Les réfugiés politiques sont internés, les citoyens juifs exclus de la société.

C La collaboration avec l'Allemagne nazie

▶ **La collaboration est un choix de Philippe Pétain et de Pierre Laval.** Elle se traduit sur le plan économique par l'envoi de main-d'œuvre en Allemagne : le Service du travail obligatoire (STO) est ainsi établi en 1943.

▶ La collaboration est aussi policière et militaire : **la Milice fait la chasse aux résistants** tandis que la Légion des volontaires français (LVF) combat sous l'uniforme allemand sur le front de l'Est.

▶ La police française et l'administration de Vichy jouent un rôle décisif dans le génocide des Juifs en participant à leur arrestation, leur internement et leur déportation.

ÉLÉMENTS-CLÉS

▶ **Philippe Pétain (1856-1951)**
Obtenant les pleins pouvoirs en 1940, il fonde et dirige l'État français, une dictature antisémite qui collabore avec l'Allemagne nazie.

▶ **Pierre Laval (1883-1945)**
Principal ministre de Pétain, en 1940 puis de 1942 à 1944, il est très engagé dans la politique de collaboration. Il est condamné à mort et exécuté en 1945.

1 « Travail, Famille, Patrie »

Photomontage réalisé à partir d'affiches de propagande de l'État français, 1941.

2 La collaboration policière

Photographie de l'arrestation de maquisards par des Miliciens dans le Limousin, juillet 1944.

▶ **Le Service de travail obligatoire (STO)**

Au titre du Service de travail obligatoire, 650 000 Français partent en Allemagne pour travailler et soutenir ainsi la machine de guerre nazie.

▶ **Le sort des déportés juifs de France**

76 000 personnes déportées dans les centres de mise à mort nazis

 Un tiers étaient des citoyens français

Plus de 8 000 étaient des enfants de moins de 13 ans

 2 500 sont revenus, soit 3 %

Dossier

Les femmes dans la Résistance

▶ **Quelles actions les femmes mènent-elles au sein de la Résistance ?**

Dès l'été 1940, des Françaises et des Français refusent la défaite, l'occupation de la France et l'idéologie des régimes nazi et de Vichy. Ils s'engagent dans des actions de résistance sur le territoire français ou rejoignent la France libre, organisation de la Résistance extérieure fondée à Londres par le général de Gaulle.

1 Marguerite Soubeyran, une **Juste parmi les nations**

« En juillet 1941, Marguerite Soubeyran, directrice d'une école à Dieulefit (Drôme), accepte d'admettre huit élèves juifs, dont un réfugié allemand. Pendant les vacances, les élèves travaillent dans des fermes des alentours. En août 1942, des gendarmes français commencent à rechercher des Juifs dans la région. Ils arrêtent trois des enfants qui sont internés au camp de transit de Vénissieux, près de Lyon. Marguerite Soubeyran entre en relation avec des résistants qui avaient organisé une filière de sauvetage d'enfants juifs. Avec deux collègues de l'équipe enseignante de l'école, elle parvient à ramener ses trois élèves à Dieulefit. Le 18 février 1969, les trois femmes reçoivent le titre de Juste parmi les nations. »

D'après Jean Sauvageon, museedelaresistanceenligne.org.

2 Engagées dans les **Forces françaises libres (FFL)**

Affiche placardée à Alger en décembre 1942 et à Tunis en août 1943.

VOCABULAIRE

Les Forces françaises de l'intérieur (FFI) : l'ensemble des organisations armées de la Résistance intérieure.

Les Forces françaises libres (FFL) : l'armée de la France libre fondée à Londres par le général de Gaulle durant l'été 1940.

Un Juste parmi les nations : le titre décerné par l'État d'Israël depuis 1953 rendant hommage à ceux qui ont sauvé des Juifs pendant la Deuxième Guerre mondiale.

Photographie de Marguerite Soubeyran dans son école à Dieulefit, 1943.

J'identifie

1 DOC. 1 À 4 Quelles sont les sources qui permettent de connaître l'histoire des résistantes ?

J'analyse

2 DOC. 1 Pourquoi Marguerite Soubeyran a-t-elle reçu le titre de Juste parmi les nations ?

3 DOC. 1 Montrez que son action n'aurait pu réussir sans l'appui d'autres personnes.

4 DOC. 1 À 4 Classez les types d'actions menées par les femmes au sein de la Résistance.

3 Combattantes des Forces françaises de l'intérieur (FFI)

Photographie d'Isabelle Nacry, chef FFI, près de Boulogne-sur-Mer, 14 septembre 1944.

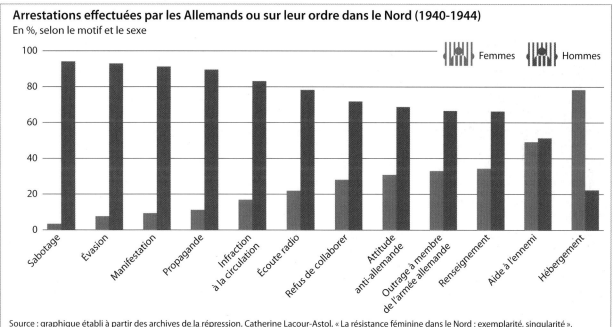

Arrestations effectuées par les Allemands ou sur leur ordre dans le Nord (1940-1944)
En %, selon le motif et le sexe

Femmes Hommes

Sabotage · Évasion · Manifestation · Propagande · Infraction à la circulation · Écoute radio · Refus de collaborer · Attitude anti-allemande · Outrage à membre de l'armée allemande · Renseignement · Aide à l'ennemi · Hébergement

Source : graphique établi à partir des archives de la répression. Catherine Lacour-Astol, « La résistance féminine dans le Nord : exemplarité, singularité », colloque *Femmes résistantes*, organisé au Sénat, 27 mai 2014.

4 Le rôle des femmes dans la Résistance

J'interprète et je confronte des documents

5 DOC. 2 **Quelle image des femmes engagées dans la Résistance renvoie cette affiche ?**

6 DOC. 2 **En quoi cette image diffère-t-elle de celle révélée dans le DOC. 3 ?**

Conseil Brevet

Confronter des documents

Confronter deux documents (question **6**), c'est se demander s'ils présentent les mêmes aspects d'une situation historique, s'ils renvoient la même vision d'un fait historique.

Histoire des arts

Robert Desnos, un poète engagé en Résistance

▶ **La poésie peut-elle devenir une arme de la Résistance ?**

REPÈRES sur l'œuvre

Auteur : Robert Desnos (1900-1945).

Titre : « Ce cœur qui haïssait la guerre… ».

Date de parution : 14 juillet 1943 (repris dans Robert Desnos, *Destinée arbitraire*, Paris, Gallimard, 1975).

Contexte de parution : Publié clandestinement par les Éditions de Minuit dans le recueil *L'Honneur des poètes* qui rassemble les textes de vingt-deux poètes résistants, réunis par Paul Éluard.

Nature : Poème en vers libres.

2 L'« Avis » de *L'Honneur des poètes*

Poète surréaliste, Paul Éluard publie « Avis » en 1943 dans L'Honneur des poètes, *sous le nom de Jean du Haut.*

Avis

La nuit qui précéda sa mort
Fut la plus courte de sa vie
L'idée qu'il existait encore
Lui brûlait le sang aux poignets
Le poids de son corps l'écœurait
Sa force le faisait gémir
C'est tout au fond de cette horreur
Qu'il a commencé à sourire
Il n'avait pas UN camarade
Mais des millions et des millions
Pour le venger il le savait
Et le jour se leva pour lui.

In *Au rendez-vous allemand*, © 1945,
Les Éditions de Minuit.

1 Robert Desnos

Robert Desnos, poète et journaliste, participe au mouvement surréaliste puis s'engage aux côtés des intellectuels antifascistes au moment du Front populaire et de la guerre d'Espagne. Après avoir participé à la « drôle de guerre », il vit à Paris, occupé alors par les Allemands. Il entre dans le réseau de résistance Agir en juillet 1942. Il transmet des informations à la presse clandestine, fabrique des faux papiers pour des Juifs et des résistants. Le 22 février 1944, il est arrêté par la Gestapo et déporté dans plusieurs camps. En avril 1945, il est transféré dans le camp de concentration de Theresienstadt (Tchécoslovaquie). Épuisé par les privations, malade du typhus, il meurt le 8 juin 1945.

Dernière photographie connue de Robert Desnos ① au camp de Theresienstadt, 1945.

Je situe

1 DOC. 1,3 ET REPÈRES SUR L'ŒUVRE
Dans quel contexte le poème a-t-il été écrit et publié ?

Je comprends le sens d'une œuvre

2 DOC. 3 À qui s'adresse le poète ?

3 DOC. 3 De quoi le cœur est-il le symbole dans ce poème ?

4 DOC. 3 En étudiant sa construction, montrez que le poème est une incitation à la révolte.

Ce cœur qui haïssait la guerre...

Ce cœur qui haïssait la guerre voilà qu'il bat pour le combat et la bataille !

Ce cœur qui ne battait qu'au rythme des marées, à celui des saisons, à celui des heures du jour et de la nuit,

Voilà qu'il se gonfle et qu'il envoie dans les veines un sang brulant de salpêtre et de haine

Et qu'il mène un tel bruit dans la cervelle que les oreilles en sifflent

Et qu'il n'est pas possible que ce bruit ne se répande pas dans la ville et la campagne

Comme le son d'une cloche appelant à l'émeute et au combat.

Écoutez, je l'entends qui me revient renvoyé par les échos.

Mais non, c'est le bruit d'autres cœurs, de millions d'autres cœurs battant comme le mien à travers la France.

Ils battent au même rythme pour la même besogne tous ces cœurs,

Leur bruit est celui de la mer à l'assaut des falaises

Et tout ce sang porte dans des millions de cervelles un même mot d'ordre :

Révolte contre Hitler et mort à ses partisans !

Pourtant ce cœur haïssait la guerre et battait au rythme des saisons,

Mais un seul mot : Liberté a suffi à réveiller les vieilles colères

Et des millions de Français se préparent dans l'ombre à la besogne que l'aube proche leur imposera.

Car ces cœurs qui haïssaient la guerre battaient pour la liberté au rythme même des saisons et des marées, du jour et de la nuit.

In *Destinée arbitraire*, © Éditions Gallimard, www.gallimard.fr.

PASSÉ PRÉSENT

Les Éditions de Minuit

Fondées en 1941 sous l'occupation allemande, les Éditions de Minuit font paraitre clandestinement **des œuvres de résistants** dont le *Silence de la mer* de Vercors en 1942. La maison d'édition poursuit son activité jusqu'à aujourd'hui, publiant notamment **les prix Nobel de littérature** Samuel Beckett et Claude Simon.

Je comprends l'usage d'une œuvre

5 DOC. 2 ET 3 Comment la poésie peut-elle devenir une arme de la Résistance ?

▶ **Quels sont les combats menés par la Résistance civile et militaire ?**

VOCABULAIRE

Un réseau de résistance : une organisation créée en vue d'un travail militaire précis (renseignement, sabotage, évasion de prisonniers et de pilotes), en lien avec les Alliés et la France libre.

Un mouvement de résistance : une organisation qui a pour objectif de sensibiliser et d'appeler la population à la résistance. Il mène aussi des actions militaires.

PASSÉ **PRÉSENT**

La journée nationale de la Résistance

En 2013, une loi a instauré une journée nationale de la Résistance. Fixée au **27 mai**, date anniversaire de la création du Conseil national de la Résistance, elle est **l'occasion de réfléchir** aux valeurs portées par les femmes et les hommes qui ont lutté contre les régimes nazis et de Vichy.

A La Résistance extérieure

▶ **Le 18 juin 1940, le général de Gaulle lance un appel** incitant les Français **à refuser la défaite et à continuer le combat** contre l'Allemagne nazie. **Il devient le chef de la France Libre.**

▶ Les premiers ralliements permettent de fonder les Forces françaises libres (FFL), qui s'engagent dans les colonies, aux côtés des Alliés, dans la lutte contre l'Axe et le régime de Vichy. Les FFL recrutent de nombreux soldats africains, les « indigènes ».

B La Résistance intérieure

▶ Sur le territoire français, la **Résistance nait dès 1940 et se structure lentement en mouvements et réseaux**. Elle recrute ses partisans principalement après l'instauration en 1943 du Service de travail obligatoire (STO) que de nombreux jeunes Français refusent.

▶ **Les résistants agissent dans la clandestinité**. Ils diffusent des informations, participent à des réseaux d'évasion, commettent des actes de sabotage, s'organisent en maquis combattants.

▶ Victimes de la répression de l'armée allemande et de la Milice, ils sont soutenus par une partie de la population française qui leur procure abri ou nourriture. Certains Français s'engagent eux-mêmes pour cacher des Juifs.

C Une Résistance unifiée qui participe à la libération du territoire

▶ À partir de 1941, **le général de Gaulle tente d'unir les mouvements de Résistance intérieure** et de les placer sous son autorité. En 1943, l'objectif est atteint grâce à Jean Moulin qui crée le Conseil national de la Résistance (CNR). Le programme du CNR rassemble les résistants autour d'un double objectif : la libération du territoire et la refondation de la République.

▶ Le débarquement allié en Normandie le 6 juin 1944 est la première étape de la Libération. **Les FFL et les Forces françaises de l'intérieur (FFI) participent aux combats.** De Gaulle prend la tête d'un Gouvernement provisoire de la République française (GPRF).

ÉLÉMENTS- CLÉS

▶ **Charles de Gaulle (1890-1970)**
Depuis Londres, il dirige les Forces françaises libres dès 1940 avant de prendre la tête du Gouvernement provisoire de la République française à partir de 1944.

▶ **Jean Moulin (1899-1943)**
Préfet en 1940, il rejoint de Gaulle à Londres et mène à bien l'union de la Résistance. Arrêté par la Gestapo à Lyon, il est torturé et assassiné en juin 1943.

LIBÉRATION

N° 25   1er Mars 1943

ORGANE DES MOUVEMENTS DE RÉSISTANCE UNIS

Un seul chef : DE GAULLE ; une seule lutte : POUR NOS LIBERTÉS

Autres Organes des Mouvements de Résistance Unis

COMBAT   ——

FRANC-TIREUR

La Jeunesse française répond : Merde

le Rassemblement du Peuple

SABOTEZ LA CONSCRIPTION des esclaves au service d'Hitler

1 Résister en informant

Une de *Libération*, 1er mars 1943.

Né à Lyon à l'été 1940, Libération-Sud devient le deuxième plus puissant mouvement de résistance en zone sud. Il appelle à la désobéissance civile et conduit des actions militaires. Son journal est imprimé à plus de 200 000 exemplaires.

2 La libération de Paris

Photographie de la 2e division blindée (DB) française donnant l'assaut contre la Chambre des députés, l'un des derniers bastions allemands, au cours de la bataille pour la libération de Paris, 25 août 1944.

▶ Les maquisards

De quelques centaines au début de l'année 1943, ces combattants des maquis sont entre 25 000 et 40 000 à la fin 1943 et près de 100 000 en juin 1944.

▶ La campagne des V

Lancée en 1941, elle utilise la lettre V (pour « victoire ») comme un signe de résistance à l'occupant et d'espoir d'une libération prochaine du pays.

Réviser

carte mentale lienmini.fr/hgemc3-013

Saisissez cette adresse sur votre navigateur pour découvrir la carte mentale.

CARTE MENTALE

La Résistance intérieure (réseaux, mouvements et maquis)

Une Résistance unie qui participe à la libération du territoire (le CNR, 1943)

Deux réactions en juin 1940 : Pétain et de Gaulle

Un territoire occupé à la souveraineté limitée

La Résistance civile et militaire

LA FRANCE DANS LA DEUXIÈME GUERRE MONDIALE (1940-1944)

La défaite de 1940

La Résistance extérieure : la France libre (de Gaulle à Londres)

Le régime de Vichy, régime autoritaire et antidémocratique

La fin de la IIIe République et de la démocratie

La collaboration avec l'Allemagne nazie (le STO)

Une idéologie : la Révolution nationale

Une dictature xénophobe et antisémite (déportation des Juifs)

Réviser en ligne

Je teste mes connaissances

QUIZ lienmini.fr/hgemc3-014

Saisissez cette adresse sur votre navigateur pour lancer le quiz.

Le tuto pour créer ma carte mentale.

TUTO vidéo

lienmini.fr/hgemc3-001

MÉTHODE ||||||||||||||||||||||||||| Confronter deux documents

1 Les bombardements anglo-américains sur Rouen, 1944

Affiche de propagande anti-anglaise, 1944.

2 La libération de Sainte-Honorine-des-Pertes (Calvados), 7 juin 1944

Photographie, 1944.

1 Présentez les documents

Identifiez la nature et les auteurs probables des deux documents.
À quel évènement de la Deuxième Guerre mondiale les documents font-ils référence ?

2 Analysez

À qui s'adresse le document 1 et quel message veut-il faire passer ?
Montrez que le document 2 contredit ce message.

3 Comparez

Quels sont les points de vue des deux documents ?
Que nous apprennent ces documents sur la situation de la France au printemps 1944 ?

Exercice 1   Analyser et comprendre des documents

1 Affiche du régime de Vichy

L'affiche reprend une citation d'un discours prononcé le 17 juin 1941.

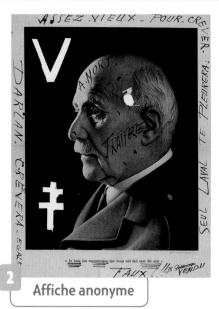

2 Affiche anonyme

L'Affiche était apposée sur un arbre à Rueil-Malmaison (Hauts-de-Seine), 21 mai 1941.

1 Identifiez l'homme représenté sur les deux affiches et présentez son rôle dans la France de 1941.

> Situer les affiches dans le temps et dans leur contexte.

2 Quelles caractéristiques du régime de Vichy peut-on définir à partir du document 1 ?

3 Montrez que les deux documents présentent deux images opposées de cet acteur de la Deuxième Guerre mondiale.

> Faites bien attention au slogan et aux indications manuscrites sur les documents.

4 Que représentent les symboles blancs dessinés sur l'affiche du document 2 ? Que nous apprennent-ils sur les auteurs des graffitis ?

> Faites appel à vos connaissances sur la Résistance.

5 Que nous apprennent ces documents sur la France de 1941 ?

Exercice 2   Maitriser différents langages pour raisonner

Sujet : Sous la forme d'un développement construit d'une vingtaine de lignes et en vous appuyant sur quelques exemples précis issus du cours, décrivez et expliquez les réactions des Français à l'invasion et à l'occupation allemandes pendant la Deuxième Guerre mondiale.

Conseils pour préparer son brouillon

Le premier travail à effectuer sur le brouillon concerne l'analyse et la délimitation du sujet. Ainsi l'invasion et l'occupation allemandes renvoient à une période particulière de la Deuxième Guerre mondiale (1940-1944). Les Français n'ont pas tous eu les mêmes réactions : vous devez définir les différents types d'acteurs dont vous parlerez dans le devoir.

Exercice 1   Analyser et comprendre des documents

1   Discours de Pierre Brossolette

Pierre Brossolette est un journaliste français engagé dans la Résistance dès 1940 en zone occupée. Il rejoint Londres au printemps 1942.

« Ces Français, ces Françaises, ils savent bien, certes, que ce n'est pas pour un homme que nous nous battons, mais pour une cause, que ce n'est pas un homme qui nous a rejetés dans la bataille, mais un geste, un sursaut – son geste, son sursaut – et que peu importe en principe le nom dont est signé le texte historique qu'aujourd'hui encore je ne puis relire sans que l'émotion me saisisse à la gorge, <u>le texte que vous devriez tous savoir par cœur, le texte qui, à la fin tragique de juin 1940, nous a tous rappelés de l'abime,</u> en nous disant : "La France a perdu une bataille mais la France n'a pas perdu la guerre… Il faut que la France soit présente à la victoire. Alors elle retrouvera sa liberté et sa grandeur…" Ils savent tout cela qui précisément donne à notre bataille son sens et sa splendeur. Mais je n'en connais pourtant pas beaucoup qui, malgré tout, ne se demandent pas avec une sorte de curiosité passionnée comment est l'homme en qui s'incarne depuis deux ans leur suprême espérance. Eh bien ! […] je vous dis à tous, à vous tous qu'a soulevés d'un même souffle le geste du 18 juin 1940 :

"Français, ne craignez rien, l'homme est à la mesure du geste, et ce n'est pas lui qui vous décevra lorsque, à la tête des chars de l'armée de la délivrance, au jour poignant de la victoire, il sera porté tout au long des Champs-Élysées, dans le murmure étouffé des grands sanglots de joie des femmes, par la rafale sans fins de vos acclamations."
Voilà ce que je voulais d'abord vous dire ce soir. Mais voici ce qu'il faut que je vous demande. À côté de vous, parmi vous, sans que vous le sachiez toujours, luttent et meurent des hommes – mes frères d'armes –, les hommes du combat souterrain pour la libération. Ces hommes, je voudrais que nous les saluions ce soir ensemble. Tués, blessés, fusillés, arrêtés, torturés, chassés toujours de leur foyer ; coupés souvent de leur famille, combattants d'autant plus émouvants qu'ils n'ont point d'uniformes ni d'étendards, régiment sans drapeau dont les sacrifices et les batailles ne s'inscriront point en lettres d'or dans le frémissement de la soie mais seulement dans la mémoire fraternelle et déchirée de ceux qui survivront ; saluez-les. La gloire est comme ces navires où l'on ne meurt pas seulement à ciel ouvert mais aussi dans l'obscurité pathétique des cales. C'est ainsi que luttent et que meurent les hommes du combat souterrain de la France. »

Pierre Brossolette, discours à la BBC, 22 septembre 1942.

1   **À qui s'adresse le discours de Pierre Brossolette et comment est-il diffusé ?**

2   **Qui est « l'homme en qui s'incarne depuis deux ans [l'] espérance suprême » ?**

3   **Quelle était la situation de la France en juin 1940 ? En vous appuyant sur vos connaissances, expliquez en quelques lignes la phrase soulignée.**

4   **Que nous apprend le texte sur la Résistance française en 1942 ?**

5   **Pierre Brossolette promet la « victoire » : l'avenir lui a-t-il donné raison ? Justifiez votre réponse.**

Exercice 2   Maitriser différents langages pour raisonner et se repérer

a   **Sujet : Sous la forme d'un développement construit d'une vingtaine de lignes et en vous appuyant sur quelques exemples précis issus du cours, présentez le régime de Vichy, ses caractéristiques et ses relations avec l'occupant nazi.**

b   **Recopiez la frise puis représentez la durée de la Deuxième Guerre mondiale et celle du régime de Vichy. Placez deux évènements liés à l'histoire de la France pendant la Deuxième Guerre mondiale et justifiez votre choix en montrant en quoi ils sont emblématiques de la période.**

Indépendances
et construction
de nouveaux États

L'indépendance du Ghana

Ancienne colonie britannique, le Ghana a obtenu son indépendance en 1957. Quatre ans plus tard, en 1961, la reine d'Angleterre, Élisabeth II, se rend dans le pays et y rencontre son Premier ministre, Kwame Nkrumah.

▶ Comment les colonies accèdent-elles à l'indépendance après 1945 ?

Photographie prise à Accra, capitale du Ghana, 1er décembre 1961.

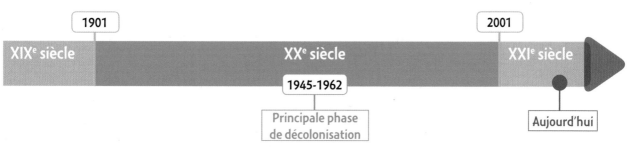

Se repérer dans le temps

1945   1950

guerre d'Indochine (1946-1954)

1947
Indépendance de l'Inde

Lord Mountbatten, haut fonctionnaire représentant les intérêts de la monarchie britannique en Inde, quitte le palais gouvernemental de New Delhi sous les acclamations de la foule, 15 août 1947.

À la fin de la Deuxième Guerre mondiale, les puissances européennes sont affaiblies et leur prestige terni. Les États-Unis, l'Union des républiques socialistes soviétiques (URSS) et l'Organisation des Nations unies (ONU) condamnent la colonisation. Certaines colonies revendiquent leur indépendance : l'Inde y accède le 15 août 1947, après un processus de négociation pacifique avec le Royaume-Uni.

1955
Conférence de Bandung

Le Premier ministre chinois Zhou Enlai s'exprime à la tribune de la conférence afro-asiatique de Bandung, en Indonésie, devant les drapeaux des États nouvellement indépendants, avril 1955.

En 1955, la conférence afro-asiatique de Bandung réunit les principaux chefs d'États décolonisés. Dans un contexte de guerre froide, ils appellent à l'indépendance de tous les peuples encore soumis à la colonisation. Cet évènement marque l'entrée de nombreuses anciennes colonies sur la scène internationale.

QUESTIONS

1 Quand la plupart des décolonisations ont-elles lieu ?

2 Quelle est l'attitude des deux superpuissances et de l'ONU à propos de la colonisation ?

3 Quel rôle les pays nouvellement indépendants entendent-ils jouer ?

4 Citez un exemple de décolonisation pacifique, et un exemple de décolonisation consécutive à une guerre.

1960   1962

guerre d'Algérie (1954-1962)

1960
Indépendance de 17 colonies d'Afrique subsaharienne

Le président camerounais Ahmadou Ahidjo avec le général de Gaulle lors de sa première visite en France depuis l'indépendance de son pays en janvier, 26 juillet 1960.

Au cours de l'année 1960, 17 pays d'Afrique subsaharienne, dont 14 anciennes colonies françaises, accèdent à l'indépendance. La plupart de ces émancipations s'opèrent pacifiquement, après un référendum et une concertation avec les autorités de la métropole.

1962
Indépendance de l'Algérie

La foule acclame Ahmed Ben Bella, secrétaire général du Front de libération nationale (FLN) et premier chef d'État de l'Algérie indépendante, 4 août 1962.

L'Algérie obtient son indépendance le 5 juillet 1962, à l'issue d'une longue guerre où chaque camp se rend coupable d'atrocités. De nombreux Français d'Algérie (les pieds-noirs) et Algériens enrôlés dans l'armée française (les harkis) sont rapatriés ou fuient vers la France.

VOCABULAIRE

La guerre froide : l'état d'hostilité permanent mais sans affrontement armé direct entre les États-Unis et l'URSS de 1947 à 1991.

La métropole : le territoire central d'un État, par opposition à ses colonies situées outre-mer.

Se repérer dans l'espace

Des empires coloniaux aux nouveaux États indépendants

1. Les acteurs mondiaux de la décolonisation

Le Royaume-Uni
et ses possessions coloniales
en 1945

La France
et ses possessions coloniales
en 1945

Les superpuissances
anticolonialistes

L'ONU

2. Les principales phases de la décolonisation

1945-1954

1955-1962

Après 1962

3. Les grands faits de la décolonisation

La conférence de Bandung
(1955)

Les principales guerres
de décolonisation

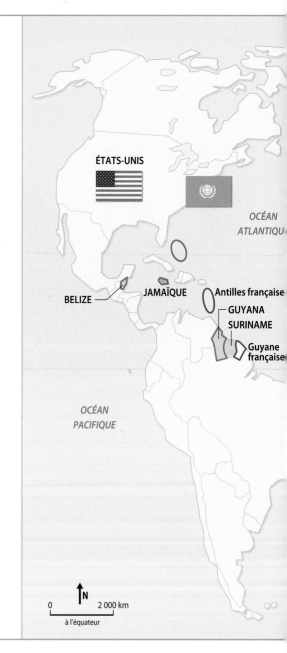

ÉTATS-UNIS

OCÉAN
ATLANTIQUE

BELIZE   JAMAÏQUE   Antilles française
GUYANA
SURINAME
Guyane
française

OCÉAN
PACIFIQUE

N

0   2 000 km
à l'équateur

QUESTIONS

1 Quel pays possède le plus vaste empire colonial en 1945 ?

2 Quel continent est le plus concerné par la colonisation ?

3 Durant quelle période la plupart des colonies s'émancipent-elles ?

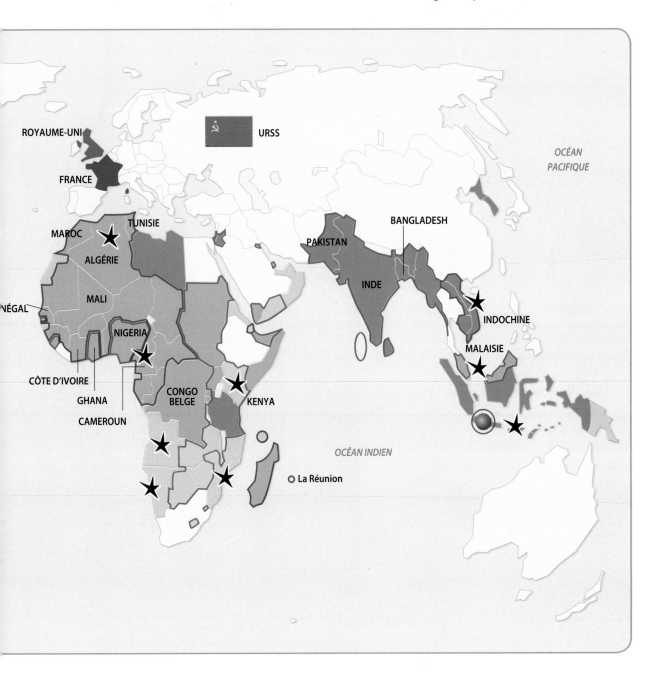

CARTE lienmini.fr/hgemc3-016

Saisissez cette adresse sur votre navigateur pour animer la carte.

ROYAUME-UNI

URSS

FRANCE

OCÉAN PACIFIQUE

MAROC   TUNISIE

ALGÉRIE

BANGLADESH

PAKISTAN

NÉGAL

MALI

INDE

INDOCHINE

NIGERIA

MALAISIE

CÔTE D'IVOIRE

GHANA

CONGO BELGE

CAMEROUN

KENYA

OCÉAN INDIEN

La Réunion

VOCABULAIRE

Anticolonialiste : opposé à la colonisation.

Une émancipation : ici, un processus d'accès à l'indépendance politique.

L'indépendance de l'Inde (1947)

CHINE

New Delhi
INDE

Mer d'Oman

Golfe du Bengale

▶ **L'Inde est-elle un exemple de décolonisation pacifique ?**

Possession britannique depuis le XVIIIe siècle, l'Inde est en majorité hindoue, avec une importante population musulmane. Dès les années 1920, un mouvement de contestation nationaliste se développe, emmené par Mohandas Karamchand Gandhi. Il revendique l'indépendance du pays mais refuse l'usage de la violence.

1 Le mouvement de désobéissance civile

« Chers amis,
[...] Mes principes sont clairs. Je ne peux porter atteinte à aucun être vivant, et encore moins à des êtres humains, même s'ils me causent du tort, ou en causent aux miens. Je ne saurais porter atteinte à aucun Anglais [...], bien qu'à mon sens la domination britannique soit un fléau. [...] Parce que sa politique d'administration et d'expansion militaire ruineuse a contribué à l'appauvrissement de millions d'Indiens ignorants [...]. Parce qu'elle ne nous laisse pas le droit de participer à la gestion de notre pays. Parce qu'elle sape les fondations même de notre culture. [...] Or, j'ai la conviction de plus en plus profonde que seule une opposition parfaitement non violente pourra enrayer la brutalité du gouvernement britannique. Nous manifesterons cette non-violence dans des mouvements de désobéissance civile. [...]
Bien à vous, Votre ami sincère. »

Mohandas Karamchand Gandhi,
Lettre au vice-roi Lord Irwin[1], 2 mars 1930,
© The British Library Board,
traduction Magnard, 2016.

1. Haut fonctionnaire représentant la monarchie britannique en Inde.

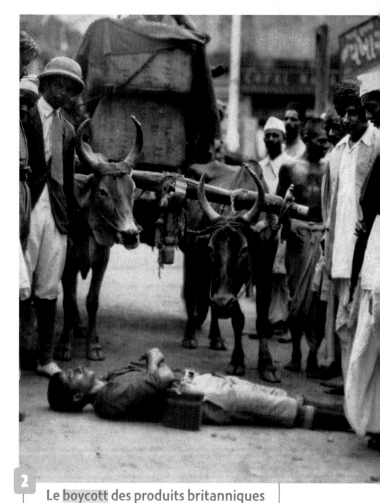

2 Le boycott des produits britanniques

Photographie d'un jeune Indien allongé sur le sol pour empêcher un convoi de vêtements britanniques de parvenir sur les marchés de Bombay, 1er septembre 1930.

Je situe

1 INTRO ET DOC. 1 Quand la lutte des nationalistes pour l'indépendance commence-t-elle ?

J'analyse un document

2 DOC. 1 Pourquoi Gandhi et ses partisans rejettent-ils la domination britannique ?

3 DOC. 1 ET 2 Quels moyens emploient-ils pour réclamer l'indépendance ?

4 DOC. 3 Quels sont les acteurs de cette indépendance négociée ?

3 Une indépendance négociée

Photographie de la conférence de New Delhi, 3 juin 1947.

4 La partition de l'Inde

1. Deux nouveaux États

Union indienne, à majorité hindoue

Pakistan, à majorité musulmane

2. Les conséquences de la partition

Territoire revendiqué par l'Inde et le Pakistan

Zone des principaux massacres

Réfugiés (en millions)
hindous
musulmans

① Lord Mountbatten, vice-roi des Indes.
② Jawaharlal Nehru, chef du parti du Congrès, mouvement nationaliste hindou.
③ Muhammad Ali Jinnah, président de la Ligue musulmane.

VOCABULAIRE

Le boycott : ici, le refus de consommer les produits importés d'un autre pays.

La désobéissance civile : le refus pacifique d'obéir aux lois considérées comme injustes.

Une partition : une séparation d'un ensemble géographique en plusieurs parties indépendantes.

Conseil Brevet

Je raisonne

5 DOC. 1 ET 3 Justifiez l'expression « indépendance négociée » à propos de l'Inde

6 DOC. 4 Montrez que cette indépendance ne se fait toutefois pas sans violence.

Analyser un document

Pour analyser le DOC. 1, identifiez bien les éléments de langage qui relèvent de la contestation politique, et ceux qui relèvent de la sympathie personnelle.

L'indépendance de l'Algérie (1962)

▶ **Comment expliquer la violence de la décolonisation de l'Algérie ?**

Conquise en 1830, l'Algérie est constituée de trois départements français. En 1945, la majorité des Algériens musulmans (9 millions de personnes) conteste de plus en plus violemment la domination sociale et économique des 800 000 Français d'Algérie et réclame l'indépendance. En 1954, la guerre débute.

1 Les revendications du FLN

« Peuple algérien, militants de la cause nationale,
[...] Nous considérons avant tout qu'après des décades[1] de lutte, le mouvement national a atteint sa phase de réalisation. [...] L'heure est grave ! Plaçant l'intérêt général au-dessus de toutes les considérations [...] de personnes et de prestige, conformément aux principes révolutionnaires, notre action est dirigée uniquement contre le colonialisme, seul ennemi et aveugle [...]. BUT : L'indépendance nationale par la restauration de l'État algérien souverain, démocratique et social dans le cadre des principes islamiques ; le respect de toutes les libertés fondamentales sans distinction de races et de confessions. [...] ; la continuation de la lutte par tous les moyens jusqu'à la réalisation de notre but. »

Déclaration du secrétariat général du FLN à la suite des attentats dits de la « Toussaint rouge », 1er novembre 1954.

1. Décennies.

2 La réaction du gouvernement français

Le 1er novembre 1954, le FLN lance une série d'attentats en Algérie. Le gouvernement français réagit avec fermeté, envoyant de plus en plus de troupes, sans jamais parler de « guerre » pour autant.

« Il y a quelques semaines à peine, je m'étais fait votre interprète, l'interprète de l'émotion ressentie par tous les Français devant la catastrophe qui, dans la région d'Orléansville, venait d'endeuiller l'Algérie. J'avais alors affirmé la solidarité de la nation entière avec les populations éprouvées. L'Algérie, hélas ! vient d'être frappée à nouveau, et cette fois la violence provient de la volonté criminelle de quelques hommes, mais elle n'est pas moins cruelle, inutile et aveugle. [...]
Vous pouvez être certains, en tout cas, qu'il n'y aura, de la part du Gouvernement, ni hésitation, ni atermoiement, ni demi-mesure dans les dispositions qu'il prendra pour assurer la sécurité et le respect de la loi. Il n'y aura aucun ménagement contre la sédition[1], aucun compromis avec elle, chacun ici et là-bas doit le savoir.
On ne transige pas lorsqu'il s'agit de défendre la paix intérieure de la nation, l'unité, l'intégrité de la République. Les départements d'Algérie constituent une partie de la République française. Ils sont français depuis longtemps et d'une manière irrévocable. »

Pierre Mendès France, président du Conseil, discours devant l'Assemblée nationale, 12 novembre 1954.

1. Rébellion contre une autorité établie.

Je situe

1 DOC. 1 **Quel évènement marque le début de la guerre d'Algérie ?**

2 DOC. 2 **Quel est le statut administratif de l'Algérie ?**

J'extrais des informations

3 DOC. 1 **Quels sont les objectifs et les méthodes du FLN ?**

4 DOC. 2 **Quelle est l'attitude du gouvernement français face à la rébellion ?**

5 DOC. 3 **Quelles méthodes l'armée française emploie-t-elle contre la rébellion ?**

6 DOC. 5 **Quelle est la conséquence de la décolonisation pour les Français d'Algérie ?**

L'engrenage de la violence

Photographie de l'arrestation d'Omar Mérouane par les parachutistes français, 14 mars 1957.

Pour lutter contre le FLN, l'armée française investit la vieille ville d'Alger en 1957. Suspectées d'avoir participé à des attentats, 3 000 personnes sont arrêtées. Nombre d'entre elles sont torturées.

L'exode des pieds-noirs

Photographie de rapatriés d'Algérie débarquant à Marseille, 20 juillet 1962.

Après l'indépendance de l'Algérie le 5 juillet 1962, des centaines de milliers de pieds-noirs quittent le pays pour la métropole. Au même moment, des milliers de harkis sont massacrés sur le sol algérien.

---

4 La terreur à Alger

Écrivain algérien favorable à l'indépendance mais non engagé au FLN, Mouloud Feraoun décrit les violences commises par l'OAS à Alger.

• Juillet 1961

« L'OAS a commencé par nous assommer, chaque soir, en tapant sur des casseroles, *ta-ta-ta-ta-ta*. [...] Puis l'OAS s'est mise à semer du plastic[1] un peu partout. »

• Décembre 1961

L'OAS tue. Et l'OAS tue [aussi] les siens qu'elle considère comme des traitres : tous ceux [...] qui sont prêts à accepter de vivre dans ce pays arabe, administré par des Arabes. [...] Depuis octobre [...] ils assassinent en plein jour, en pleine ville, tirent par derrière. »

• Janvier 1962

« Les attentats se multiplient, chaque matin on apprend la mort d'un ami, d'une connaissance, [...] d'un innocent. [...] C'est ainsi que des assassins sont allés abattre dans sa classe un collègue musulman, directeur d'école, père de famille. »

• Février 1962

« Maintenant, l'OAS ne prévient plus personne, elle abat à voiture, à moto, à la grenade, à la rafale, à l'arme blanche. »

Mouloud Feraoun, *Journal (1955-1962)*,
© Éditions du Seuil, 1962,
« Points Documents », 2011.

1. Puissant explosif.

VOCABULAIRE

L'OAS : l'Organisation armée secrète, un groupe terroriste qui emploie la violence pour maintenir l'Algérie française.

Le FLN : le Front de libération nationale, la principale organisation nationaliste algérienne.

Les harkis : les musulmans algériens servant dans l'armée française pendant la guerre.

Les pieds-noirs : les Français d'origine européenne vivant en Algérie.

Je pratique différents langages

7 À l'aide des documents et de vos réponses précédentes, recopiez et complétez le tableau ci-contre :

Acteurs de la violence	Armée française		
Victimes de la violence			Population musulmane
Formes de la violence		Attentats	

Étude

L'indépendance du Sénégal (1960)

▶ **Comment l'action de Léopold Sédar Senghor permet-elle une émancipation pacifique ?**

Durant la Deuxième Guerre mondiale, le Sénégal se bat aux côtés de la France contre l'Allemagne nazie. Dès 1945, cette colonie de l'Afrique occidentale française (AOF) revendique son indépendance. L'action du poète et homme politique Léopold Sédar Senghor permet de négocier une émancipation pacifique et démocratique avec la métropole.

1 L'émancipation selon Senghor

« Le problème, donc, n'est pas d'ordre sentimental [...] ; il est politique. Il s'agit d'examiner et de régler la nature des liens qui doivent désormais unir les peuples d'outre-mer au peuple de France. [...] Nous aussi nous sommes pour la communauté franco-africaine[1]. Des dizaines de milliers d'Africains l'ont prouvé pendant la guerre et l'Occupation en donnant leur vie [...]. Le territoire que j'ai l'honneur de représenter se bat pour la France depuis la révolution de 1789 [...]. Quand les enfants ont grandi, du moins en Afrique noire, ils quittent la case des parents et construisent à côté une case, leur case, mais dans le même carré. Le carré France, croyez-nous, nous ne voulons pas le quitter. Nous y avons grandi et il y fait bon vivre. Nous voulons simplement, monsieur le Ministre, mes chers collègues, y bâtir nos propres cases, qui élargiront et fortifieront en même temps le carré fami-lial, ou plutôt l'hexagone France. »

Léopold Sédar Senghor, discours prononcé devant l'Assemblée nationale française, 29 janvier 1957.

1. Association politique entre la France et ses colonies entre 1958 et 1960.

2 Des revendications populaires

Photographie prise à Dakar à l'occasion de la visite du président de la République Vincent Auriol, 1948.

Je situe

1 INTRO **À quel groupe de colonies françaises le Sénégal appartient-il avant l'indépendance ?**

J'analyse un document

2 DOC. 1 Recopiez et complétez le tableau ci-contre :

Phrases qui montrent l'attachement à la France	Phrases qui affirment une volonté d'indépendance

Une indépendance négociée sans rupture

• **Claude de Boislambert [représentant de l'administration française] à Léopold Sédar Senghor :**

« Monsieur le Président, c'est un honneur pour moi […] de vous apporter la reconnaissance par la République française de la République du Sénégal. Puissions-nous, en associant l'œuvre internationale de nos pays, unis par des liens de longue amitié […] concourir à l'œuvre de paix et de bonne entente de tous les peuples […]. »

• **Réponse de Léopold Sédar Senghor :**

« Monsieur le Haut représentant […], en cette année de l'Afrique, […] chaque jour se fait historique. […] La reconnaissance en ce jour de notre indépendance par la France est la consécration de cette même indépendance. Je le sais et je m'en réjouis. […] Nous ne nous posons pas en vainqueur, loin de là. […] Soyez mon interprète auprès du Général de Gaulle […] pour lui dire combien le peuple sénégalais et moi-même avons été sensibles à son geste. Car voilà renoués les liens d'amitié et de coopération qui depuis des siècles unissaient nos deux peuples. »

Extraits de l'allocution radiophonique proclamant la reconnaissance de l'indépendance du Sénégal par la France, 11 septembre 1960.

4

La permanence des liens culturels

Photographie de la cérémonie d'ouverture du XVe sommet de la Francophonie à Dakar, 29 novembre 2014.

Le président sénégalais Macky Sall ① accueille ses homologues, notamment le président François Hollande ②.

VOCABULAIRE

L'AOF : l'Afrique occidentale française. Avec l'Afrique équatoriale française (AEF), elle regroupe l'ensemble des colonies de la France en Afrique subsaharienne.

La Francophonie : ou Organisation internationale de la Francophonie, une association d'États partageant la langue française ainsi que certaines valeurs (démocratie, paix, diversité culturelle).

J'extrais des informations

3 DOC. 2 **Quels éléments révèlent que le peuple partage l'opinion de L. S. Senghor ?**

4 DOC. 3 ET 4 **Qu'est-ce qui montre que la France et le Sénégal indépendant souhaitent maintenir des liens d'amitié ?**

Maîtrise de la langue

J'écris en histoire

À l'aide des documents et de vos réponses précédentes, proposez une réponse argumentée à la problématique générale : « Comment l'action de L. S. Senghor permet-elle une émancipation pacifique ? »

Cours

||||||||||||||

Indépendances et construction de nouveaux États

▶ **Comment les colonies accèdent-elles à l'indépendance après 1945 ?**

VOCABULAIRE

Le colonialisme : la doctrine légitimant la colonisation.

Une colonie de peuplement : une colonie où s'installent durablement de nombreux ressortissants de la métropole.

Le Commonwealth : l'association commerciale et culturelle réunissant le Royaume-Uni et ses anciennes colonies.

Le non-alignement : la position des États refusant de soutenir les États-Unis ou l'URSS pendant la guerre froide.

PASSÉ **PRÉSENT**

Pieds-noirs

L'origine de l'expression « pieds-noirs » est incertaine. Selon certains, elle se réfère à la coloration en noir des pieds des premiers colons en raison de leur travail dans les marais ou dans les vignes. Pour d'autres, elle fait référence aux **chaussures de marche noires des premiers militaires** présents sur place, lesquelles déteignaient sur leurs pieds.

A L'indépendance négociée

▶ La Deuxième Guerre mondiale affaiblit les puissances coloniales européennes. **Les deux superpuissances, les États-Unis et l'Union soviétique, condamnent le colonialisme** tandis que l'Organisation des Nations unies (ONU) proclame le droit des peuples à disposer d'eux-mêmes.

▶ Dans ce contexte, certaines colonies parviennent à **négocier pacifiquement l'indépendance avec leur métropole**. C'est le cas en 1960 de 17 colonies d'Afrique subsaharienne, comme le Sénégal ou le Togo.

▶ Mais des violences peuvent éclater plus tardivement. Ainsi l'Inde négocie son émancipation du Royaume-Uni en 1947, mais la partition du pays provoque de nombreux massacres entre hindous et musulmans.

B L'émancipation par la guerre

▶ Par intérêt économique ou attachement culturel, **certaines métropoles refusent de se séparer de leur empire colonial**. L'Indonésie et l'Indochine s'émancipent ainsi respectivement en 1949 des Pays-Bas et en 1954 de la France après de longues guerres d'indépendance.

▶ L'Algérie constitue un cas particulier. Colonie de peuplement constituée de départements français, son indépendance est actée grâce aux accords d'Évian, à l'issue d'un conflit où **chaque camp commet de nombreuses atrocités** (1954-1962).

C Les relations avec l'ancienne métropole et le monde

▶ **Bon nombre d'États conservent des liens** commerciaux ou culturels fructueux avec leur ancienne métropole. C'est le cas des pays d'Afrique subsaharienne, qui revendiquent une proximité culturelle avec la France et une appartenance à la Francophonie, mais aussi de la majorité des anciennes colonies britanniques, réunies au sein du Commonwealth.

▶ Par ailleurs, dans un contexte de guerre froide jusqu'en 1991, **les nouveaux États peinent à influer sur la scène internationale**, malgré leur entrée à l'ONU et leur réunion à la conférence de Bandung en 1955. Certains adoptent alors une politique de non-alignement.

ÉLÉMENTS-CLÉS

▶ **Jawaharlal Nehru (1889-1964)**
Ami et allié de Gandhi dans la lutte nationaliste, il négocie l'indépendance de l'Inde avec le Royaume-Uni en 1947, puis devient Premier ministre du pays.

▶ **Léopold Sédar Senghor (1906-2001)**
Poète et homme politique, il est le principal artisan de l'indépendance négociée avec la France en 1960, puis du maintien des relations amicales entre les deux pays.

1 Les nouveaux États entrent à l'ONU

Photographie des drapeaux de 16 pays africains nouvellement indépendants hissés devant le siège de l'ONU à New York, 6 octobre 1960.

2 L'indépendance de l'Algérie

« Le peuple français a, par le référendum du 8 janvier 1961, reconnu aux Algériens le droit de choisir, par voie d'une consultation au suffrage direct et universel, leur destin politique par rapport à la République française. [...]

Un cessez-le-feu est conclu. Il sera mis fin aux opérations militaires et à la lutte armée sur l'ensemble du territoire algérien le 19 mars 1962, à 12 heures. [...]

La formation, à l'issue de l'autodétermination d'un État indépendant et souverain paraissant conforme aux réalités algériennes et, dans ces conditions, la coopération de la France et de l'Algérie répondant aux intérêts des deux pays, le gouvernement français estime avec le FLN[1], que la solution de l'indépendance de l'Algérie en coopération avec la France est celle qui correspond à cette situation. Le gouvernement et le FLN ont donc défini d'un commun accord cette solution dans des déclarations qui seront soumises à l'approbation des électeurs lors du scrutin d'autodétermination. »

Accords d'Évian, 18 mars 1962 (extraits).

1. Front de libération nationale.

▶ **Charles de Gaulle (1890-1970)**
Rappelé au pouvoir en 1958 pendant la guerre d'Algérie, il met un terme au conflit et à la domination coloniale française.

▶ **Nombre d'États membres de l'ONU**

51 En 1945   185 En 1995

carte mentale lienmini.fr/hgemc3-017

Saisissez cette adresse sur votre navigateur pour découvrir la carte mentale.

CARTE MENTALE

L'affirmation d'une place dans le monde (Bandung, 1955)

Une intégration au sein de l'ONU

Le colonialisme condamné par les États-Unis, l'URSS et l'ONU

Une Europe affaiblie par la guerre

Les nouveaux États indépendants

INDÉPENDANCES ET CONSTRUCTION DE NOUVEAUX ÉTATS

Le monde en 1945

Des liens avec la métropole (Francophonie, Commonwealth)

De nouveaux espoirs de paix et de liberté

La fin des empires coloniaux européens

L'indépendance par la guerre (Algérie, Indochine, Indonésie)

L'indépendance pacifique négociée (Inde, Afrique subsaharienne)

Réviser en ligne

Je teste mes connaissances

QUIZ lienmini.fr/hgemc3-018

Saisissez cette adresse sur votre navigateur pour lancer le quiz.

Le tuto pour créer ma carte mentale.

TUTO vidéo

lienmini.fr/hgemc3-001

MÉTHODE
Analyser une carte historique

Étape 1 ▶ Présentez la carte : identifiez l'espace représenté, le phénomène étudié et la période ou la date concernée.

Étape 2 ▶ Analysez la légende : distinguez bien les parties qui constituent la légende. Observez les différents figurés (couleurs, flèches, symboles…).

Étape 3 ▶ Expliquez : relevez les informations sur la carte, des plus générales et visibles aux plus rares. À l'aide de vos connaissances, trouvez des facteurs d'explication à ces informations.

1 La décolonisation de l'Afrique au XXᵉ siècle

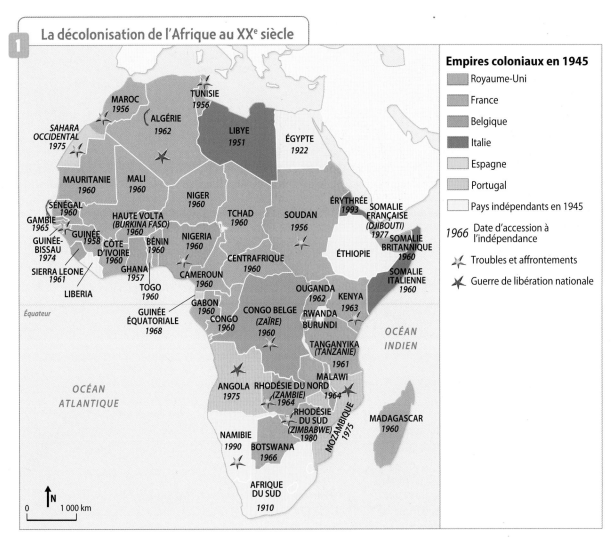

Empires coloniaux en 1945
- Royaume-Uni
- France
- Belgique
- Italie
- Espagne
- Portugal
- Pays indépendants en 1945

1966 Date d'accession à l'indépendance

✦ Troubles et affrontements

✦ Guerre de libération nationale

---

1 Présentez la carte
Quels sont l'espace représenté et la période concernée ?
Quel est le sujet de cette carte ?

2 Analysez la légende
Quels sont les grands thèmes présentés ici ?

3 Expliquez
Quels pays possèdent les plus grands empires coloniaux d'Afrique en 1945 ?
Durant quelle décennie la majorité des pays africains a-t-elle accédé à l'indépendance ?
Quels pays se sont émancipés à l'issue d'une guerre ?

Exercice 1   Analyser et comprendre des documents

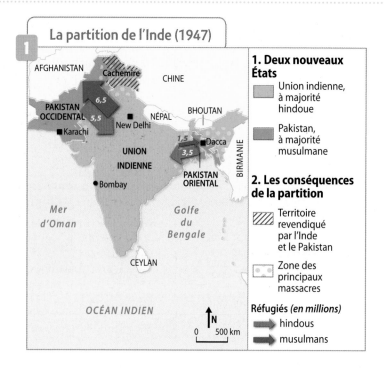

1 La partition de l'Inde (1947)

1. Deux nouveaux États

Union indienne, à majorité hindoue

Pakistan, à majorité musulmane

2. Les conséquences de la partition

Territoire revendiqué par l'Inde et le Pakistan

Zone des principaux massacres

Réfugiés *(en millions)*

hindous

musulmans

1 Présentez la carte.

2 Dans quel contexte la partition de l'Inde a-t-elle lieu ?

◀ Expliquez brièvement comment l'Inde est parvenue à l'indépendance.

3 Quelles informations la carte fournit-elle sur cet évènement ?

4 Sur la base de quels critères les deux nouveaux États ont-ils été formés ?

◀ Appuyez votre réponse sur la légende de la carte.

5 Quelles sont les conséquences humaines de cette partition ?

6 À l'aide de la carte et de vos connaissances, expliquez pourquoi l'Inde ne peut pas tout à fait être considérée comme un exemple de décolonisation pacifique.

◀ Présentez d'abord le cheminement pacifique de l'Inde vers l'indépendance, puis le caractère violent de la partition.

Exercice 2   Maîtriser différents langages pour raisonner

Sujet : Sous la forme d'un développement construit d'une vingtaine de lignes et en vous appuyant sur des faits étudiés en cours, présentez un exemple d'accession pacifique à l'indépendance.

◀ **Conseils pour la relecture**

On ne peut être vigilant sur le contenu de sa rédaction (le fond) et sur la correction des phrases (la forme) en même temps. Relisez-vous donc une première fois pour modifier les éventuelles erreurs de contenu historique, puis une seconde fois pour corriger vos éventuelles fautes d'orthographe.

Exercice 1   Analyser et comprendre des documents

> ### 1   L'indépendance négociée en Tunisie (1954)
>
> *Après une vague d'attentats indépendantistes, le chef du gouvernement français Pierre Mendès France se rend à Tunis, le 31 juillet 1954, pour informer le bey[1] des intentions de la République.*
>
> « Monseigneur,
>
> C'est un ami qui vient vous voir, ami de votre Altesse et ami de votre pays. C'est aussi le chef du gouvernement de la France [...]. Notre politique est une politique libérale, conforme aux traditions de notre histoire aussi bien qu'aux aspirations profondes du peuple tunisien et aux promesses qui lui ont été faites. L'autonomie interne de l'État tunisien est reconnue et proclamée sans arrière-pensée par le gouvernement français [...]. C'est pourquoi nous sommes prêts à transférer à des personnes et à des institutions tunisiennes l'exercice interne de la souveraineté. Dès maintenant, et tel est votre désir, un nouveau gouvernement peut être constitué [...]. Les Français, en échange de leurs services passés et présents, du rôle qu'ils peuvent et doivent jouer dans l'avenir, ont acquis le droit de vivre et de travailler en Tunisie [...]. Leur action doit non seulement se poursuivre, mais se développer dans un climat de confiance et d'amitié. [...] La meilleure garantie des intérêts des uns et des autres, la meilleure chance d'avenir pour la Tunisie entière et pour tous ceux qui contribuent à sa vie, n'est-elle pas, en effet, une intime coopération qui ne peut manquer de se confirmer entre Français et Tunisiens, réunis par tant de profondes affinités et de réelle sympathie ? »
>
> Pierre Mendès France, déclaration de Carthage, Tunis, 31 juillet 1954.
>
> 1. Souverain de Tunisie, en partie soumis au gouvernement français.

1 DOC. 1 Identifiez l'auteur du texte et sa fonction.

2 DOC. 1 Quel message apporte-t-il au bey de Tunisie ?

3 DOC. 1 Relevez dans le texte les mots ou membres de phrases qui témoignent d'une volonté d'amitié.

4 DOC. 2 Décrivez la scène représentée sur ce timbre.

5 DOC. 2 Quels éléments témoignent d'une permanence des liens culturels avec la France ?

6 À l'aide des documents et de vos connaissances, présentez l'exemple d'une ancienne colonie ayant conservé des liens (culturels ou commerciaux) avec son ancienne métropole.

2   La permanence des liens culturels avec la métropole

Timbre sénégalais, 1961.

Exercice 2   Maitriser différents langages pour raisonner

Sujet : Sous la forme d'un développement construit d'une vingtaine de lignes et en vous appuyant sur des faits étudiés en cours, présentez un exemple d'accession à l'indépendance par la guerre.

Un monde bipolaire
au temps de la guerre froide

La zone démilitarisée divisant la péninsule coréenne depuis 1953

1

2

3

AIDE VISUELLE

1 Au nord, la République populaire démocratique de Corée est une dictature communiste.

2 Une ligne de démarcation hérissée de barbelés s'étend sur 238 kilomètres.

3 Au sud, la République de Corée est une démocratie parlementaire.

▶ Comment la rivalité entre l'Est et l'Ouest redessine-t-elle l'ordre mondial ?

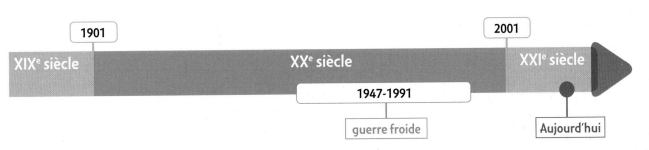

CORÉE DU NORD

CORÉE DU SUD

OCÉAN PACIFIQUE

Mer d'Oman

Photographie d'une patrouille sud-coréenne inspectant la frontière, juillet 1986.

1901

XIXᵉ siècle

XXᵉ siècle

XXIᵉ siècle

2001

1947-1991

guerre froide

Aujourd'hui

Se repérer dans le temps

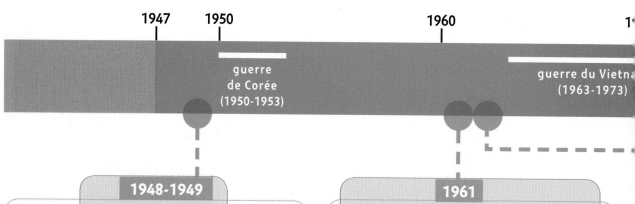

1947 **1950** **1960** 1

guerre
de Corée
(1950-1953)

guerre du Vietna
(1963-1973)

1948-1949

Blocus de Berlin

Berlinois de l'Ouest guettant un avion ravitailleur
occidental durant le blocus imposé par les Soviétiques,
juillet 1948.

**Dès 1947, la rupture idéologique entre les États-Unis et
l'Union des républiques socialistes soviétiques (URSS)
est actée. Un an plus tard, les Soviétiques tentent de
prendre le contrôle total de Berlin : ils coupent tous les
accès terrestres à la zone contrôlée par les Occidentaux.
Ce blocus échoue en mai 1949 grâce à un pont aérien.
Deux blocs, l'Ouest et l'Est, s'affrontent désormais.**

1961

Construction du mur de Berlin

Berlinois de l'Ouest massés près du mur
nouvellement construit pour éviter la fuite
des Berlinois de l'Est, août 1961.

**En 1961, le gouvernement communiste de la
République démocratique allemande (RDA)
construit un mur qui sépare Berlin entre Est et
Ouest, divisant familles et amis. Chaque partie de la
ville est dotée de son mode d'administration et de
son idéologie. Berlin devient alors le symbole de la
bipolarisation du monde.**

Questions

1 Quand la bipolarisation du monde commence-t-elle ?

2 Quelle ville en est le symbole ?

3 Quel évènement met officiellement fin à la guerre froide ?

1980

1990 1991

1962

Crise de Cuba

Le « bras de fer nucléaire » entre John Fitzgerald Kennedy et Nikita Khrouchtchev caricaturé par le *Daily Mail*, 29 octobre 1962.

L'affrontement entre les deux blocs donne lieu à de graves crises régionales. En 1962, les Soviétiques installent sur l'île de Cuba des missiles nucléaires capables de frapper Washington. Les États-Unis menacent alors l'URSS de représailles massives : le monde craint de sombrer dans une apocalypse nucléaire. La diplomatie permet finalement de négocier une sortie de crise pacifique.

1991

Dissolution de l'URSS

Une foule de jeunes Moscovites en liesse piétinent la statue abattue de Felix Dzerjinski, haut dignitaire communiste, 23 août 1991.

Dans les années 1980, la puissance soviétique s'essouffle et les peuples du bloc communiste aspirent à plus de liberté. Le 9 novembre 1989, les Allemands de l'Est franchissent le mur de Berlin sans que les forces armées n'interviennent. Peu à peu, les républiques socialistes déclarent leur indépendance : en décembre 1991, Mikhaïl Gorbatchev acte la dissolution de l'URSS et la fin de la guerre froide.

VOCABULAIRE

La bipolarisation : la division du monde en deux blocs rivaux.

L'Est : dans le contexte de la guerre froide, le mot désigne l'Union des républiques socialistes soviétiques (URSS) et ses alliés.

L'Ouest : dans le contexte de la guerre froide, le mot désigne les États-Unis et leurs alliés.

Se repérer dans l'espace

Le monde pendant la guerre froide (1947-1991)

1

1. Deux blocs face à face

- Les États-Unis
- Alliés des États-Unis
- Pays du Tiers Monde proches du bloc de l'Ouest
- L'Union des républiques socialistes soviétiques (URSS)
- Alliés de l'URSS
- Pays du Tiers Monde proches du bloc de l'Est

2. Les manifestations de la guerre froide

- Le « rideau de fer », symbole de la bipolarisation du monde
- ★ Principaux affrontements indirects et crises entre les deux Grands
- Pays dotés de l'arme nucléaire et participant de « l'équilibre de la terreur » (avec date d'acquisition)

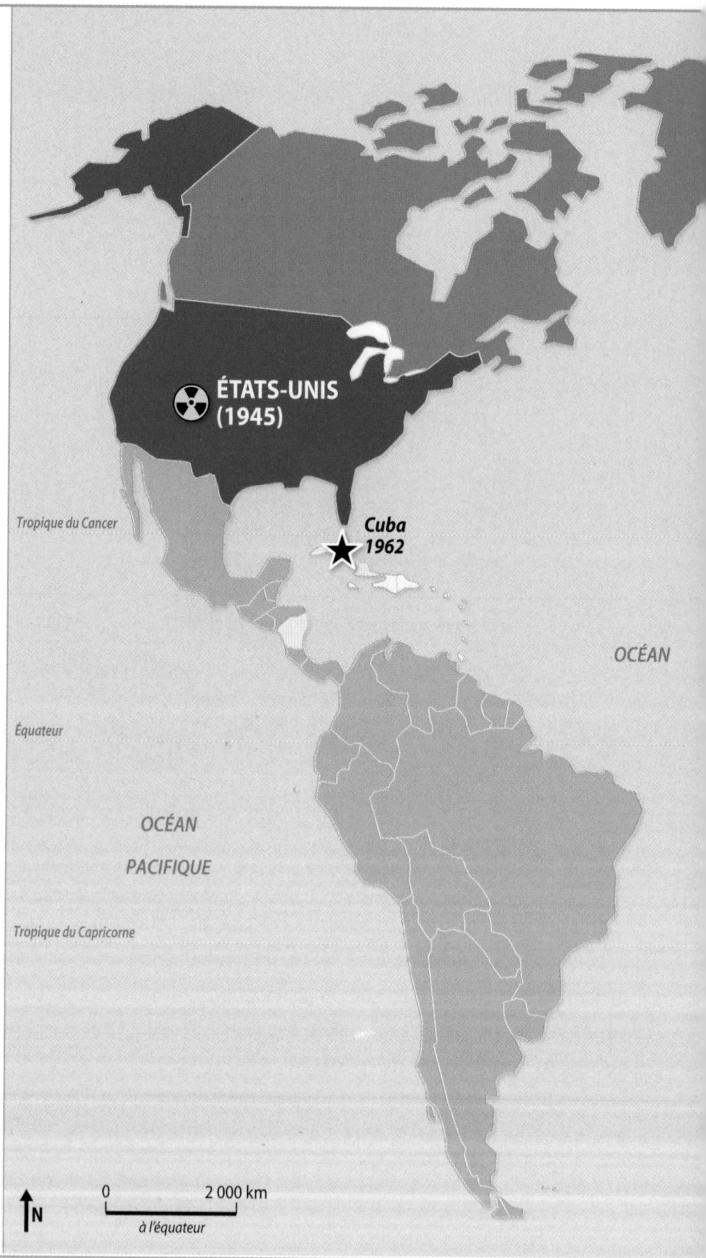

ÉTATS-UNIS (1945)
Tropique du Cancer
Cuba 1962
OCÉAN
Équateur
OCÉAN
PACIFIQUE
Tropique du Capricorne
N
0
2 000 km
à l'équateur

QUESTIONS

1. Quel élément sépare les deux blocs en Europe ?
2. Citez deux guerres opposant indirectement les États-Unis et l'URSS.
3. Expliquez les expressions « bloc de l'Est » et « bloc de l'Ouest ».

CARTE lienmini.fr/hgemc3-019

Saisissez cette adresse sur votre navigateur pour animer la carte.

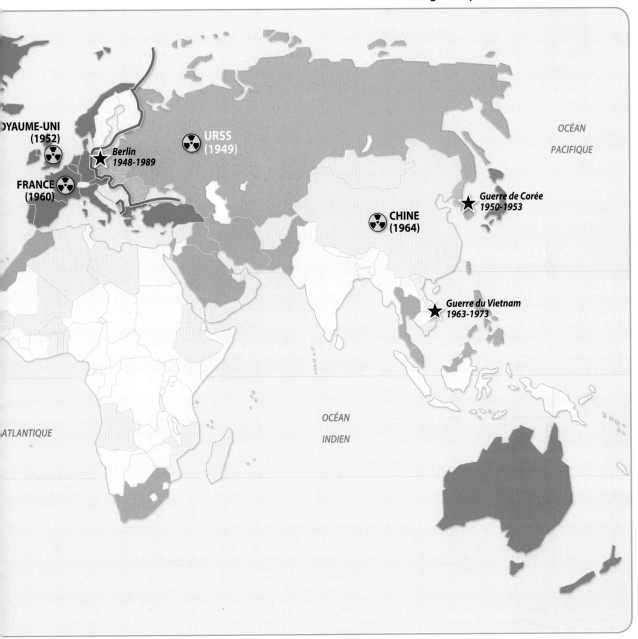

VOCABULAIRE

L'« **équilibre de la terreur** » : la paix armée maintenue par la peur d'une destruction mutuelle.

Le Tiers Monde : l'expression désignant les pays qui ne font pas officiellement partie de l'un des deux blocs.

Berlin : enjeu et symbole de la guerre froide (1)

▶ **Pourquoi l'histoire de Berlin reflète-t-elle un conflit de puissances ?**

Après 1945, Berlin est partagée en quatre secteurs d'occupation. Dès le début du blocus imposé par les Soviétiques sur la partie ouest en 1948, la ville devient une zone de forte tension entre les deux blocs. Berlin vit alors au rythme de la guerre froide, qui culmine en 1961 avec la construction d'un mur séparant la ville en deux.

1 Le blocus (1948-1949)

En 1948, Gail Halvorsen est un jeune pilote de l'US Air Force qui ravitaille les habitants de Berlin-Est lors du blocus. Il raconte sa première mission.

« Au moment où, sortant du cockpit, je déchargeai ma première cargaison de 9 000 kg de farine à l'aéroport de Tempelhof, le chef de l'équipe chargée de réceptionner les vivres vint à ma rencontre, au bord des larmes, les bras tendus en un geste d'amitié universelle. Ses mots m'étaient inintelligibles[1], mais l'expression de son visage disait tout ce qu'il y avait à dire. Il fixa longuement les sacs de farine, avant de poser à nouveau son regard sur nous comme si nous étions des anges tout droit descendus du paradis. Le peuple berlinois avait faim de nourriture et de liberté. Nous lui donnions l'une et l'autre, et il nous en remerciait. »

Gail S. Halvorsen, colonel de l'US Air Force, « Souvenirs d'un pilote américain durant le blocus de Berlin », © www.germany.info, 2007, traduction Magnard, 2016.

1. Qu'on ne peut comprendre.

2 La construction du mur

Photographie publiée dans *Life Magazine*, août 1961.

Dès 1949, des millions d'Allemands hostiles au régime communiste fuient la RDA pour la RFA en passant par Berlin. Pour mettre fin à cet exode, le gouvernement est-allemand décide en août 1961 la construction d'un mur séparant l'est et l'ouest de la ville.

VOCABULAIRE

Un blocus : une stratégie militaire destinée à couper une ville de toute communication avec l'extérieur, notamment pour l'empêcher de recevoir vivres et secours.

La RDA : fondée en octobre 1949 avec Berlin-Est pour capitale, la République démocratique allemande appartient au bloc de l'Est.

La RFA : fondée en mai 1949 avec Bonn pour capitale, la République fédérale d'Allemagne appartient au bloc de l'Ouest.

Je situe

1 DOC. 1 Quand l'affrontement à Berlin commence-t-il ?

2 INTRO ET DOC. 1 Quelles puissances oppose-t-il ?

Je comprends un document

3 DOC. 1 Quelle est la réaction du bloc de l'Ouest au blocus de Berlin ?

4 DOC. 2 Pourquoi le gouvernement de la RDA décide-t-il d'ériger un mur à Berlin ?

3 Une ville morcelée

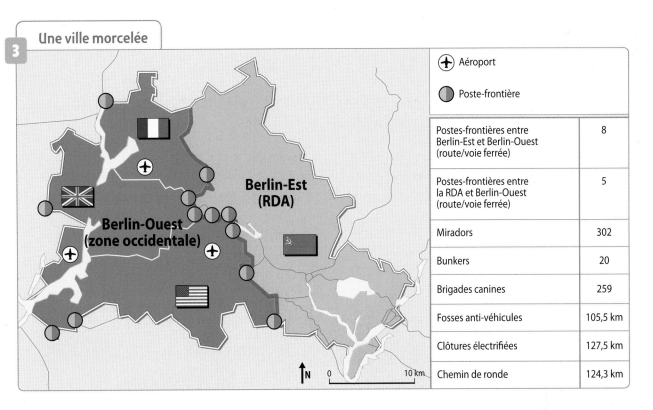

✈	Aéroport
◑	Poste-frontière

Postes-frontières entre Berlin-Est et Berlin-Ouest (route/voie ferrée)	8
Postes-frontières entre la RDA et Berlin-Ouest (route/voie ferrée)	5
Miradors	302
Bunkers	20
Brigades canines	259
Fosses anti-véhicules	105,5 km
Clôtures électrifiées	127,5 km
Chemin de ronde	124,3 km

Berlin-Est (RDA)

Berlin-Ouest (zone occidentale)

N   0   10 km

4 La chute du mur

Photographie prise à Berlin, 11 novembre 1989.

Dans les mois qui suivent la chute du mur de Berlin, plusieurs républiques soviétiques proclament leur indépendance et la fin du communisme.

Je raisonne

5 DOC. 2, 3 ET 4 **Montrez que la construction et la chute du mur constituent un bouleversement à la fois pour Berlin et pour le monde.**

Conseil Brevet

Analyser une photographie

Pour analyser le DOC. 4, identifiez bien les différents plans de la photographie et les éléments qu'ils comportent.

Berlin : enjeu et symbole de la guerre froide (2)

▶ **Pourquoi la ville de Berlin reflète-t-elle un conflit idéologique ?**

Au cœur d'un conflit de puissances, Berlin devient aussi le lieu d'affrontement de deux modèles de société : l'un démocratique et capitaliste, l'autre autoritaire et communiste. De part et d'autre du mur, les deux blocs cherchent à prouver leur supériorité par la propagande et l'architecture.

1 Le « mur de la honte » vu par le président Kennedy

« Il ne manque pas de personnes au monde qui ne veulent pas comprendre ou qui prétendent ne pas vouloir comprendre quel est le litige entre le communisme et le monde libre. Qu'elles viennent donc à Berlin. D'autres prétendent que le communisme est l'arme de l'avenir. Qu'ils viennent eux aussi à Berlin. Certains, enfin en Europe et ailleurs, prétendent qu'on peut travailler avec les communistes. Qu'ils viennent donc ceux-là aussi à Berlin. Notre liberté éprouve certes beaucoup de difficultés et notre démocratie n'est pas parfaite. Cependant nous n'avons jamais eu besoin, nous, d'ériger un mur pour empêcher notre peuple de s'enfuir. [...] Le mur fournit la démonstration éclatante de la faillite du système communiste. Cette faillite est visible aux yeux du monde entier. Nous n'éprouvons aucune satisfaction en voyant ce mur, car il constitue à nos yeux une offense non seulement à l'histoire mais encore une offense à l'humanité. [...] Tous les hommes libres, où qu'ils vivent, sont citoyens de cette ville de Berlin-Ouest et pour cette raison, en ma qualité d'homme libre, je dis : *Ich bin ein Berliner*[1]. »

John Fitzgerald Kennedy, discours à Berlin, 26 juin 1963.

1. « Je suis un Berlinois. »

2 À l'Est, une propagande constante

Timbre est-allemand commémorant les dix ans de la construction du mur de Berlin, 1971.

VOCABULAIRE

Le capitalisme : le modèle idéologique reposant sur la propriété privée et sur la liberté des échanges.

Le communisme : le modèle idéologique reposant sur une société sans classe et sur la propriété collective.

La propagande : l'action visant à influencer l'opinion des gens.

J'extrais des informations

1 DOC. 1 Quels arguments John Fitzgerald Kennedy emploie-t-il pour condamner le « mur de la honte » ?

2 DOC. 2 En quoi ce timbre peut-il être qualifié de document de propagande ?

J'analyse un document

3 DOC. 3 Pourquoi l'Europa-Center est-il un quartier d'affaires typiquement occidental ?

4 DOC. 4 Comment le régime communiste utilise-t-il l'architecture pour déployer sa propagande ?

① Inauguré en 1965, l'Europa-Center offre une galerie marchande répartie sur plusieurs étages, sur le modèle américain.
② La tour de verre est surmontée du sigle publicitaire Mercedes.

Photographie de l'Europa-Center, Berlin-Ouest, 2007.

3 Berlin-Ouest, symbole du capitalisme occidental

4 Berlin-Est, symbole du communisme soviétique

① Les grands immeubles de la Karl-Marx-Allee présentent des façades et des appartements construits sur un modèle identique.
② Des pancartes proclament « Notre OUI à la constitution socialiste de la RDA ».

Photographie de la Karl-Marx-Allee, Berlin-Est, 1968.

J'écris en histoire

5 À l'aide des documents et de vos réponses aux questions p. 134-137, rédigez un développement construit dans lequel vous expliquerez pourquoi Berlin est au cœur des affrontements de la guerre froide.

Aide pour rédiger

Vous rappellerez les principaux évènements qui s'y sont déroulés, avant de montrer que la ville elle-même est le théâtre d'un affrontement idéologique.

Cours 1

L'émergence de deux blocs antagonistes (1945-1961)

▶ **Comment les superpuissances rivales se partagent-elles le monde de l'après-guerre ?**

VOCABULAIRE

Le « rideau de fer » : l'expression, employée par Winston Churchill en 1946, désigne la frontière militarisée séparant les blocs de l'Est et de l'Ouest en Europe.

Une superpuissance : une nation qui est capable d'influer sur le monde par son rayonnement économique, culturel, politique et militaire.

PASSÉ PRÉSENT

L'expression « guerre froide »

Il s'agit d'un oxymore, c'est-à-dire d'une figure de style associant des termes contraires, qui reflète l'opposition armée des États-Unis et de l'URSS sans affrontement direct, entre 1947 et 1991. Aujourd'hui, l'expression est encore employée pour désigner un état d'hostilité permanent entre deux partis (États, personnes, etc.) qui refusent malgré tout l'affrontement direct.

A La bipolarisation du monde

▶ En 1945, les États-Unis et l'Union des républiques socialistes soviétiques (URSS) veulent étendre leur influence respective dans le monde : alliés pendant la Seconde Guerre mondiale, **ils deviennent très vite rivaux.**

▶ Les Soviétiques cherchent à prendre le contrôle de toute l'Europe de l'Est, et notamment de la ville de Berlin. **Un « rideau de fer » divise alors le continent.**

▶ Chaque camp cherche des alliés : les États-Unis avec le plan Marshall en 1947 et l'Organisation du traité de l'Atlantique nord (OTAN) en 1949, les Soviétiques avec le Conseil d'assistance économique mutuelle (CAEM) en 1949 et le pacte de Varsovie en 1955. **La bipolarisation du monde en deux blocs rivaux est ainsi consacrée.**

B Deux idéologies antagonistes

▶ Deux modèles s'opposent : **les États-Unis défendent un modèle capitaliste et démocratique, l'URSS est une dictature communiste.**

▶ En 1947, les États-Unis prônent l'endiguement du communisme par la voix du président Truman. La même année, Andreï Jdanov répond pour l'URSS en condamnant le modèle américain : c'est le début de la guerre froide.

▶ Les deux blocs cherchent alors à discréditer l'adversaire aux yeux du monde par une intense propagande.

C Éviter l'affrontement direct : l'« équilibre de la terreur »

▶ À partir de 1949, **l'URSS dispose comme les États-Unis de l'arme atomique.** Le monde craint alors un anéantissement nucléaire.

▶ Les deux superpuissances se lancent dans **une course aux armements** couteuse, et rivalisent également dans le domaine des arts, du sport et de la conquête spatiale.

▶ En 1961, afin d'empêcher la fuite des Berlinois de l'Est vers l'Ouest, les autorités de la République démocratique allemande (RDA) érigent un mur qui sépare les deux parties de la ville. Berlin incarne alors **la division politique et idéologique du monde.**

ÉLÉMENTS-CLÉS

▶ **Harry S. Truman (1884-1972)**
Président des États-Unis de 1945 à 1953, il condamne publiquement le système soviétique, prône l'endiguement du communisme et lance le plan Marshall.

▶ **Plan Marshall (1947-1952)**
Programme de prêts avantageux accordés par les États-Unis aux pays d'Europe pour la reconstruction après la Seconde Guerre mondiale.

• **Harry S. Truman, président des États-Unis, discours du 12 mars 1947**

« À ce stade de l'histoire du monde, presque toutes les nations doivent choisir entre deux modes de vie opposés. [L'un] repose sur la volonté du plus grand nombre, […] un gouvernement représentatif librement élu, […] des institutions indépendantes, […] des libertés individuelles, […] la liberté d'expression et de culte. [L'autre] repose sur la terreur et l'oppression, le contrôle des médias, le truquage des élections et la suppression des libertés individuelles. Je crois que les États-Unis doivent porter assistance aux peuples libres qui résistent aux tentatives d'oppression menées par des minorités armées ou des pays extérieurs. »

• **Andreï Jdanov, principal collaborateur de Joseph Staline, rapport du 22 septembre 1947**

« Deux camps se sont formés dans le monde : d'une part, le camp impérialiste et antidémocratique, qui vise la domination mondiale de l'impérialisme américain et l'écrasement de la démocratie ; d'autre part, le camp anti-impérialiste et démocratique, dont le but premier consiste à saper l'impérialisme, à renforcer la démocratie […]. Le camp impérialiste et sa force dirigeante, les États-Unis, déploient une activité particulièrement agressive […]. C'est pourquoi les partis communistes du monde doivent se mettre à la tête de la résistance dans tous les domaines. »

2 La propagande par les bandes dessinées

Magazine de bandes dessinées publié par Ace Comics, novembre 1952.

① « Seule une Amérique forte pourra éviter une guerre atomique ».
② Un « champignon » atomique, consécutif à une explosion nucléaire.
③ La ville de New York et ses immeubles symboles : l'Empire State Building et le Chrysler Building.

▸ **Nikita Khrouchtchev (1894-1971)**
Dirigeant de l'URSS de 1953 à 1964, il entretient la concurrence entre les deux blocs, mais accepte aussi l'ouverture d'un dialogue diplomatique avec les États-Unis.

▸ **Mao Zedong (1893-1976)**
Fondateur et dirigeant de la dictature communiste chinoise de 1949 à 1976, il prend ses distances avec l'URSS dès 1959.

La crise de Cuba (1962)

CUBA

OCÉAN
ATLANTIQUE

▶ Comment les deux blocs s'affrontent-ils à Cuba ?

Au large des États-Unis, l'île de Cuba est dirigée par Fidel Castro depuis 1959. S'étant rapproché de l'URSS et ayant instauré un régime communiste, celui-ci accepte l'installation dans son pays de missiles nucléaires soviétiques capables de frapper Washington. Dès octobre 1962, ceux-ci sont repérés par les avions espions américains. Le monde est au « bord du gouffre ».

1 L'Amérique et la menace nucléaire

CANADA

ÉTATS-UNIS

Chicago

Washington

New York

Saint-Louis

Atlanta

Nouvelle-Orléans

Houston

Cap Canaveral

Golfe du Mexique

Miami

MEXIQUE

La Havane

CUBA

OCÉAN ATLANTIQUE

Mexico

Porto Rico (États-Unis)

2 080 km / 15 minutes

PANAMA

VENEZUELA

OCÉAN PACIFIQUE

COLOMBIE

2 080 km / 15 minutes

0   1 000 km   N

État allié de l'URSS

Rayon d'action des missiles soviétiques

Bases militaires américaines

Bases de missiles soviétiques

Blocus américain

Navires soviétiques chargés de missiles

2 Les États-Unis se préparent à la guerre

« Mes chers compatriotes,
[...] Cette transformation précipitée de Cuba en importante base stratégique [...] constitue une menace à la paix et à la sécurité de toutes les Amériques. [...] Notre politique a été marquée par la patience [...], mais aujourd'hui il nous faut prendre de nouvelles initiatives [...]. Premièrement, une stricte "quarantaine"[1] sera appliquée sur tout équipement militaire offensif à destination de Cuba. [...] Troisièmement, toute fusée nucléaire lancée à partir de Cuba, contre l'une des nations de l'hémisphère occidental, sera considérée comme une attaque soviétique contre les États-Unis, attaque qui entrainerait des représailles massives contre l'Union soviétique. [...] Le prix de la liberté est toujours élevé, mais l'Amérique l'a toujours payé. Et il est un seul chemin que nous ne suivrons jamais : celui de la capitulation et de la soumission. »

John Fitzgerald Kennedy, discours télévisé, 22 octobre 1962.

1. Ici, interdiction de tout échange avec l'extérieur.

Je situe

1 INTRO ET DOC. 1
Identifiez les acteurs et la date de la crise de Cuba.

J'analyse un document

2 DOC. 1 ET 2 Pourquoi le président Kennedy affirme-t-il que le monde est « au bord du gouffre » à Cuba ?

3 DOC. 3 D'après cette scène, quelle menace pèse alors sur le monde ?

4 DOC. 4 Comment les deux blocs parviennent-ils à éviter l'affrontement ?

3 Un face-à-face

Photographie d'un avion américain surveillant un cargo soviétique au large de Cuba, octobre 1962.

4 Une issue diplomatique à la crise

• 26 octobre : lettre de Khrouchtchev

« Vous menacez de nous déclarer la guerre. Mais vous savez bien que notre riposte serait aussi destructrice que votre attaque. [...] Nous assumons l'affrontement idéologique entre nos deux nations [...] ; mais nous sommes convaincus que cet affrontement doit rester pacifique. [...] Car si une guerre éclatait entre nous aujourd'hui, elle [...] entrainerait le monde entier dans un anéantissement cruel. [...] Nous accepterions donc de retirer nos armements de Cuba [...] si vous décidiez en retour de renoncer à toute invasion de l'ile [et retiriez vos propres missiles installés en Turquie]. »

• 26 octobre : lettre de Kennedy

« Pour notre part, nous accepterions [...] de vous fournir des gages contre toute future invasion de l'ile. [...] L'établissement d'un tel accord pourrait ensuite conduire à une entente [...] sur l'arrêt général de la course aux armements. »

• 27-28 octobre : lettre de Khrouchtchev

« Nous accepterions de retirer nos armements de Cuba [...], parce qu'aujourd'hui le monde est plongé dans la terreur et attend beaucoup de nous. [...] Nous serions heureux de continuer les discussions avec vous pour limiter la course aux armements atomiques et détendre l'atmosphère internationale. »

• 28 octobre : déclaration officielle de Kennedy

« Je nourris l'immense espoir que, grâce aux leçons enseignées par la crise de Cuba, les gouvernements du monde se consacrent de manière immédiate et totale à [...] l'arrêt de la course aux armements et à l'apaisement des tensions mondiales. »

Nikita Khrouchtchev et John Fitzgerald Kennedy,
lettres et déclarations, fin octobre 1962,
documents déclassifiés par la CIA,
traduction Magnard, 2016.

Je pratique différents langages

5 À l'aide de vos réponses et des documents, recopiez et complétez le tableau ci-contre :

De fortes tensions	Le refus de l'affrontement direct	Une volonté de détente

Étude

La guerre du Vietnam (1963-1973)

▶ **Pourquoi et comment les deux Grands s'affrontent-ils au Vietnam ?**

VIETNAM DU NORD

Mer du Japon

OCÉAN INDIEN

VIETNAM DU SUD

Mer de Chine méridionale

En 1954, l'ancienne Indochine française est divisée en deux États : au nord, un régime communiste soutenu par la Chine et l'URSS ; au sud, un pays pro-occidental. Pour les unifier, Pékin et Moscou arment et financent la guérilla nord-vietnamienne. Appliquant une stratégie d'endiguement du communisme, Washington envoie dès 1963 des troupes soutenir le pouvoir sud-vietnamien.

1 L'Asie du Sud-Est, un espace disputé

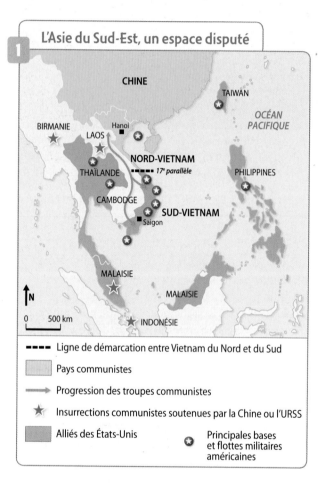

CHINE

TAIWAN

OCÉAN PACIFIQUE

BIRMANIE

Hanoï

LAOS

NORD-VIETNAM

---- *17ᵉ parallèle*

THAÏLANDE

PHILIPPINES

CAMBODGE

Saigon

SUD-VIETNAM

MALAISIE

MALAISIE

↑N

0   500 km

INDONÉSIE

---- Ligne de démarcation entre Vietnam du Nord et du Sud

Pays communistes

→ Progression des troupes communistes

★ Insurrections communistes soutenues par la Chine ou l'URSS

Alliés des États-Unis

⊛ Principales bases et flottes militaires américaines

МЫ СОЛИДАРНЫ С ТОБОЙ, ВЬЕТНАМ !

2 La propagande communiste contre l'intervention américaine

« Nous sommes avec toi, Vietnam ! » proclame cette affiche de propagande soviétique publiée dans les années 1960.

VOCABULAIRE

L'endiguement : la stratégie mondiale employée par les États-Unis et leurs alliés à partir de 1947 pour empêcher l'expansion du communisme.

Je situe

1 INTRO ET DOC. 1 **Quand la guerre du Vietnam débute-t-elle et quels sont ses principaux acteurs ?**

J'extrais des informations

2 DOC. 1 ET 4 **Pourquoi les États-Unis décident-ils de s'engager dans la guerre ?**

3 DOC. 2 **Relevez les symboles politiques présents sur cette affiche. À quelle idéologie se rattachent-ils ?**

4 DOC. 3 ET 4 **Quelles difficultés l'armée américaine rencontre-t-elle ?**

L'armée américaine en difficulté

Photographie prise par Larry Burrows en octobre 1966 et publiée dans *Life Magazine*.

Un ennemi insaisissable

« Si vous quittez Saigon [capitale du Sud-Vietnam] vers le sud-ouest, une autre guerre vous attend, une guérilla d'escarmouches et d'embuscades, un décor de petits postes abandonnés ou détruits, de villages perdus un jour et repris le lendemain, de hameaux qui changent parfois de mains la nuit, une guerre faite à la fois d'assassinats [et] de petits raids meurtriers. À My-Chanh, sur le front [nord], l'aviation américaine et les fusiliers marins sud-vietnamiens se battent contre [l'armée régulière] nord-vietnamienne équipée de blindés et de canons. [...] à Vi-Thanh, on se bat tour à tour contre un commando qui vient de balancer quelques roquettes ou des obus de mortier sur un district voisin, ou contre les collecteurs de taxes [...].

La guérilla n'avait jamais vraiment disparu de cette région [...]. Les Vietcongs[1] continuaient de se cacher et de circuler. "Nous ne nous sommes jamais sentis en sécurité, même quand tout était calme", nous explique le lieutenant-colonel Meese, conseiller américain.

[...] Le mois dernier, les Vietcongs ont amorcé deux autres mouvements. Sur la frontière cambodgienne, à la hauteur des provinces de Kien-Giang et de Chau-Doc, ils ont monté une opération avec l'appui, cette fois, d'un régiment de la première division nord-vietnamienne. [...] Cela illustre surtout la permanence des Vietcongs dans le Delta, où ils sont chez eux et où ils recrutent sur place. [La guerre] ne fait que se poursuivre et, dans certains secteurs, elle reprend. Elle n'est pas prêt de se terminer. »

Jean-Claude Pomonti, *Le Monde*, 8 juin 1972.

1. Terme péjoratif utilisé pour désigner les combattants de la guérilla communiste.

J'écris en histoire

5 À l'aide de vos réponses et des documents, rédigez un développement construit dans lequel vous expliquerez comment les deux blocs s'affrontent indirectement au Vietnam.

Conseil Brevet

Analyser une affiche

Pour analyser le **DOC. 2**, prêtez attention aux couleurs utilisées pour représenter les différents éléments.

Histoire des arts

La conquête de l'espace vue par la propagande soviétique

▶ **Comment l'espace est-il devenu un enjeu majeur du conflit idéologique ?**

À partir de 1957, les États-Unis et l'URSS se livrent à une course à l'espace pour montrer qu'ils peuvent chacun incarner l'avenir du monde. Il s'agit aussi d'un enjeu militaire, lié à la capacité à envoyer missiles et fusées de longue portée. Les deux camps déploient alors une intense propagande pour affirmer leur supériorité.

Cette affiche est publiée par l'Union soviétique entre 1957 et 1963 dans le cadre de son programme spatial qui permet la mise en orbite du premier satellite artificiel, *Spoutnik-1*.

① La faucille et le marteau sont les deux emblèmes de l'URSS, présents sur le drapeau, sur fond rouge.
② L'acronyme CCCP, en russe, signifie URSS.
③ « Sois fier, Homme soviétique : tu as ouvert la route des étoiles à toute l'humanité ! »

1 La course à l'espace

Un mois après le premier vol spatial habité réalisé par le Soviétique Youri Gagarine en 1961, le président Kennedy annonce la multiplication par dix du budget de l'Agence nationale aéronautique et spatiale (NASA) afin d'envoyer un Américain sur la Lune avant 1970.

« Nous vivons une époque extraordinaire. Et nous relevons un défi extraordinaire. Notre nation, par sa force et ses valeurs, se doit de porter la cause de la liberté dans le monde. Si nous voulons remporter la bataille qui fait rage entre la liberté et la tyrannie, nous devons prendre conscience que les évènements survenus dans l'espace ces dernières semaines [...], à l'image du lancement du Spoutnik en 1957, ont un impact considérable sur tous les esprits. [...] Désormais, il est temps pour nous d'accélérer le pas, [...] de montrer clairement notre suprématie dans le domaine de l'espace, sur lequel repose à bien des égards le futur de l'humanité. »

John Fitzgerald Kennedy, « Message spécial au Congrès sur les nécessités immédiates de la Nation », 25 mai 1961, traduction Magnard, 2016.

Je décris une œuvre

1 DOC. 2 Présentez cette œuvre en indiquant sa nature, sa période de publication, son contexte de production et les destinataires auxquels elle pourrait s'adresser.

J'analyse une œuvre

2 DOC. 2 Pourquoi la couleur rouge domine-t-elle sur l'affiche?

3 DOC. 2 Quel message les auteurs de cette affiche veulent-ils transmettre à « toute l'humanité » ?

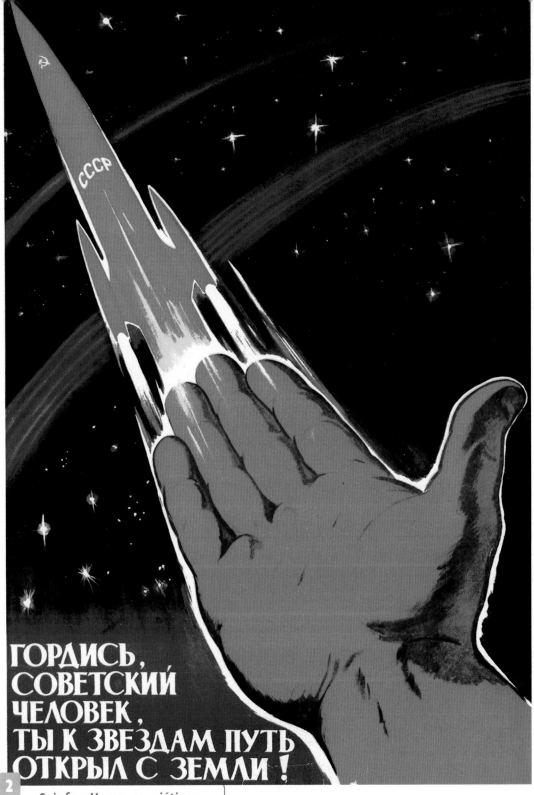

ГОРДИСЬ,
СОВЕТСКИЙ
ЧЕЛОВЕК,
ТЫ К ЗВЕЗДАМ ПУТЬ
ОТКРЫЛ С ЗЕМЛИ !

2 « Sois fier, Homme soviétique »

Je construis un exposé

4 Réalisez un exposé sur le sujet : « L'espace, enjeu de la guerre froide (1957-1991) ». Utilisez les DOC. 1 ET 2 et une chronologie de la conquête spatiale.

PASSÉ PRÉSENT

Les hommes de l'espace

La terminologie utilisée pour désigner les hommes envoyés dans l'espace varie. Les États-Unis utilisent « astronaute », les Russes « cosmonaute » et les Européens « spationaute ». Plus récemment, la Chine parle de « taïkonaute » et l'Inde de « vyomanaute ».

Cours 2

|||||||||||||||||||||

Un monde en équilibre précaire (1961-1989)

▶ **Comment les deux Grands parviennent-ils à éviter une nouvelle guerre mondiale ?**

A L'ouverture d'un dialogue diplomatique

▶ Au début des années 1960, **le monde redoute un conflit nucléaire global**. Les tensions s'exacerbent en 1962, avec l'installation à Cuba de missiles nucléaires capables de frapper Washington.

▶ Cette crise incite les États-Unis et l'URSS à rouvrir **un nécessaire dialogue** diplomatique.

B Entre détente et affrontements indirects

▶ En 1962, une période de détente commence, faite de négociations et de discussions. Les dirigeants des deux superpuissances multiplient les rencontres et **les accords de désarmement dans les années 1970**. En 1975, ils lancent la mission spatiale *Apollo-Soyouz*, symbole d'une nouvelle coopération pacifique.

▶ Pour autant, **leur affrontement se poursuit de façon indirecte**. Malgré les protestations de l'Organisation des Nations unies (ONU), les pays du Tiers Monde deviennent le nouveau théâtre de la guerre froide, comme en Asie (guerre du Vietnam de 1963 à 1973), mais aussi en Amérique latine (Nicaragua), en Afrique (Angola, Mozambique) et au Moyen-Orient.

C L'essoufflement de l'URSS et la fin de la guerre froide

▶ Dans les années 1970, à la suite de leur échec au Vietnam, les États-Unis reculent face à l'**URSS, qui propage le communisme dans le Tiers Monde**. Mais l'élection de Ronald Reagan en 1980 voit le retour de l'Amérique sur la scène internationale et la reprise de la course aux armements.

▶ L'URSS s'avère incapable de soutenir le rythme de cette nouvelle rivalité ; en outre, sa population aspire de plus en plus à un mode de vie occidentalisé. Dès 1985, Mikhaïl Gorbatchev tente de réformer le système soviétique et de mettre fin à la défiance avec les États-Unis. **Le 9 novembre 1989, la chute du mur de Berlin** annonce la fin de la bipolarisation du monde et l'effondrement de l'URSS deux ans plus tard.

PASSÉ PRÉSENT

Star Wars

Certains prétendent que la saga *Star Wars*, sortie entre 1977 et 1983, s'inspire de la guerre froide. L'Empire mené notamment par Dark Vador correspondrait à l'**URSS** et incarnerait le mal, tandis que l'action des rebelles pourrait être identifiée au combat des **États-Unis** pour la liberté.

ÉLÉMENTS-CLÉS

▶ **John Fitzgerald Kennedy (1917-1963)**
Président des États-Unis de 1961 à 1963, il est partisan de la paix et de l'équilibre des forces, mais il engage son pays au Sud-Vietnam et accélère la course à l'espace.

▶ **Ronald Reagan (1911-2004)**
Acteur puis président des États-Unis de 1981 à 1989, il relance une politique d'opposition frontale à l'URSS, mais collabore ensuite avec Mikhaïl Gorbatchev.

1 Communiquer | Photographie de George H. Bush et Mikhaïl Gorbatchev au Sommet de la paix à Moscou, juillet 1991.

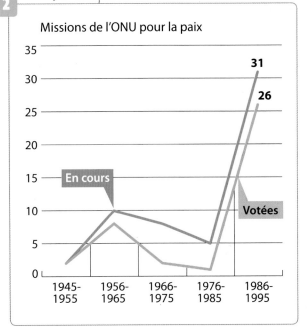

Missions de l'ONU pour la paix

En cours

Votées

Largement paralysée pendant la guerre froide, l'ONU acquiert un rôle sans précédent à partir de la fin des années 1980.

3 Réfléchir ensemble aux défis à venir

« Les méthodes de guerre froide, de confrontation, ont échoué [...]. Par conséquent, ensemble – URSS et États-Unis –, nous allons tout mettre en œuvre pour modifier radicalement nos manières de faire. [...] Voyez comme la confiance règne désormais entre nous. [...]

Un grand regroupement de forces est en train de s'opérer dans le monde. Il est clair que nous sommes passés d'un monde bipolaire à un monde multipolaire. [...] le Japon demeure un acteur central de la politique mondiale. Un jour, vous et moi discuterons au sujet de la Chine. C'est une évidence capitale : ni vous ni moi ne pouvons plus jouer l'un contre l'autre. [...] Et maintenant, l'Europe de l'Est [pose la question de son avenir]. Voyez comme nous sommes tous inquiets : quelles formes doivent revêtir nos actions, notre coopération ? Que va-t-il arriver sur le plan de l'économie, de l'environnement et dans d'autres domaines ? Là aussi il est nécessaire de réfléchir ensemble à tous ces sujets. [...] Nous arrivons à la conclusion que les États-Unis et l'URSS sont tout bonnement "condamnés" au dialogue et à la coopération. Il n'y a pas d'autre choix. »

Mikhaïl Gorbatchev, sommet de Malte, 2-3 décembre 1989, © Cold War International History Project, *Bulletin*, n° 12-13, 2001.

▶ **Mikhaïl Gorbatchev (né en 1931)**
Dirigeant de l'URSS à partir de 1985, il réforme le pays dans un sens plus démocratique et libéral, mais ne parvient pas à en contenir l'implosion en 1991.

Budget militaire en 1979
États-Unis — **196** milliards de dollars
URSS — **284** milliards de dollars

Missiles nucléaires longue portée en 1985
23 916 États-Unis
39 197 URSS

Réviser

carte mentale lienmini.fr/hgemc3-020

Saisissez cette adresse sur votre navigateur pour découvrir la carte mentale.

CARTE MENTALE

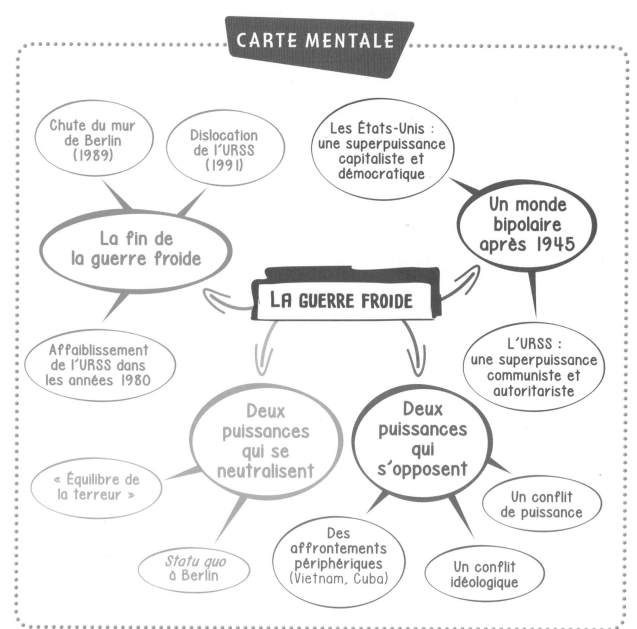

Chute du mur de Berlin (1989)

Dislocation de l'URSS (1991)

Les États-Unis : une superpuissance capitaliste et démocratique

La fin de la guerre froide

Un monde bipolaire après 1945

LA GUERRE FROIDE

Affaiblissement de l'URSS dans les années 1980

L'URSS : une superpuissance communiste et autoritariste

Deux puissances qui se neutralisent

Deux puissances qui s'opposent

« Équilibre de la terreur »

Un conflit de puissance

Statu quo à Berlin

Des affrontements périphériques (Vietnam, Cuba)

Un conflit idéologique

Réviser en ligne

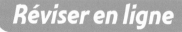

Je teste mes connaissances

QUIZ lienmini.fr/hgemc3-021

Saisissez cette adresse sur votre navigateur pour lancer le quiz.

Le tuto pour créer ma carte mentale.

TUTO vidéo

lienmini.fr/hgemc3-001

MÉTHODE IIIIIIIIIIIIIIIIIIIIIIIIIIIIIII Décrypter un dessin de presse

Étape ❶ **Présentez le dessin de presse :** identifiez l'auteur du dessin, le journal dans lequel il est publié ainsi que sa date de parution. Resituez le document dans son contexte historique.

Étape ❷ **Cherchez le sens :** observez et expliquez les différents éléments du dessin.

Étape ❸ **Interprétez :** décryptez le message de l'auteur du dessin. Relevez en particulier les éléments à caractère humoristique, ironique ou engagé.

OVER THE GARDEN WALL

1 « Par-dessus la clôture du jardin »

Caricature parue dans le magazine satirique *Punch*, 17 octobre 1962.

En pleine lecture d'un magazine titré *Trucs et astuces pour l'élagage*[1] *des arbres*, John Fitzgerald Kennedy et Nikita Khrouchtchev se surveillent mutuellement depuis leur jardin.

1. Élaguer : couper les branches inutiles ou dérangeantes.

❶ Présentez le dessin de presse
Quels sont l'auteur et la source du dessin ?
Dans quel contexte a-t-il été élaboré ?

❷ Cherchez le sens
Quels sont les deux personnages représentés ici ?
Qu'indiquent les inscriptions sur les branches des deux arbres ?

❸ Interprétez
À quel évènement fait allusion la colère du personnage de gauche à la vue de la branche dépassant de la clôture ?
Expliquez le sens général de la scène en lien avec cet évènement.

Exercice 1 Analyser et comprendre des documents

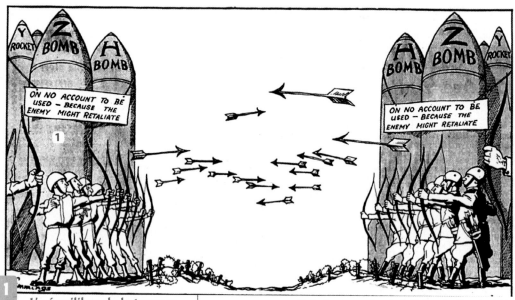

① « À ne surtout pas utiliser : l'ennemi pourrait répliquer. »

1 L'« équilibre de la terreur »

Caricature parue dans le *Daily Express*, 24 août 1953.

❶ Présentez le contexte historique dans lequel a paru cette caricature.

> Présentez le commencement de la guerre froide, sans aller au-delà des années 1950.

❷ Décrivez la scène représentée. Que remarquez-vous quant à l'attitude et aux armes des deux camps ?

❸ Quelle phrase est inscrite sur les pancartes ? Comment expliquer ce message ?

> Observez le contraste entre les armes disponibles et celles employées par les deux camps.

❹ A l'aide des réponses précédentes, expliquez l'ironie du caricaturiste.

❺ Pourquoi cette caricature représente-t-elle bien l'« équilibre de la terreur » durant la guerre froide ?

> Reliez les éléments de la caricature (personnages, armes, message, espace désert) aux éléments caractéristiques de la guerre froide.

Exercice 2 Maitriser différents langages pour raisonner et se repérer

ⓐ Sujet : Sous la forme d'un développement construit d'une vingtaine de lignes et en vous appuyant sur quelques exemples précis issus du cours, expliquez comment les deux blocs évitent l'affrontement militaire direct durant la guerre froide (1947-1989).

ⓑ Recopiez la frise, puis placez les dates de début et de fin de la guerre froide. Faites figurer deux évènements emblématiques de la période et justifiez votre choix.

Exercice 1   Analyser et comprendre des documents

À gauche : « Dans les pays capitalistes ».

À droite : « Dans les pays communistes ».

1 La promotion du modèle communiste

Affiche de propagande soviétique pendant la guerre froide.

2 L'enjeu du Tiers Monde

Aides américaines (1947-1965)	Aides soviétiques (1953-1956)
Corée du Sud : 2503,2	Inde : 1018,5
Inde : 2485,6	Égypte : 824,5
Sud-Vietnam : 2084,5	Afghanistan : 488,2
Turquie : 1608	Algérie : 228

Montant des aides financières accordées par les États-Unis et l'URSS à différents pays du Tiers Monde (en millions de dollars américains).
Source : Pierre Grosser, « La guerre froide », *Documentation photographique*, n° 8055, 2007.

1 DOC. 1 Décrivez l'affiche. Comment vante-t-elle les mérites du système communiste ?

2 DOC. 1 Pourquoi peut-on dire qu'il s'agit d'un document de propagande ?

3 DOC. 2 Quelle puissance fournit le plus d'aides financières aux pays du Tiers Monde ?

4 DOC. 2 Identifiez les quatre pays recevant le plus d'aides de la part des deux Grands.

5 DOC. 2 Comment expliquer la situation de l'Inde ?

6 À l'aide des documents et de vos connaissances, expliquez quels moyens emploient les États-Unis et l'URSS pour promouvoir leur modèle dans le monde.

Exercice 2   Maitriser différents langages pour raisonner

Sujet : Sous la forme d'un développement construit d'une vingtaine de lignes et en vous appuyant sur quelques exemples précis issus du cours, expliquez en quoi le Tiers Monde constitue un enjeu majeur de la guerre froide.

Affirmation
et mise en œuvre
du projet européen

Séance plénière au Parlement européen

Le Parlement européen est l'organe législatif de l'Union
européenne. Il est élu au suffrage universel tous les cinq ans.

Comment l'Europe s'affirme-t-elle de la guerre froide à nos jours ?

OCÉAN ATLANTIQUE

Strasbourg

Mer Méditerranée

Photographie grand angle de l'hémicycle du Parlement européen à Strasbourg, 8 mars 2016.

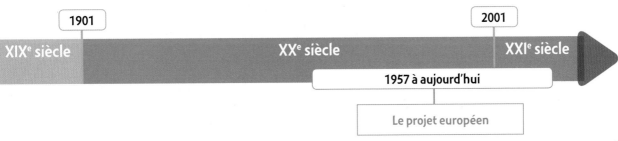

1901

2001

XIXᵉ siècle

XXᵉ siècle

XXIᵉ siècle

1957 à aujourd'hui

Le projet européen

Se repérer dans le temps

| 1951 | 1960 | 1970 | 1980 |

Communauté économique européen

1951

Création de la CECA

Jean Monnet, commissaire au Plan (à gauche) et Robert Schuman, ministre des Affaires étrangères (à droite), lors de la signature du traité de Paris, 18 avril 1951.

Après 1945, afin d'éviter une nouvelle guerre, la Belgique, la France, le Luxembourg, l'Italie, les Pays-Bas et la République fédérale d'Allemagne (RFA) décident de placer la production de charbon et d'acier sous une autorité commune. Cette Communauté européenne du charbon et de l'acier (CECA) symbolise la réconciliation franco-allemande et le début de l'« Europe des Six ».

1957

Signature des traités de Rome

Les traités de Rome sont signés entre les six États réunis dans la CECA depuis 1951, 25 mars 1957.

La Belgique, la France, le Luxembourg, l'Italie, les Pays-Bas et la RFA signent à Rome, en mars 1957, deux traités. Le premier crée la Communauté économique européenne (CEE) autour du projet de constitution d'un marché commun. Le second institue la Communauté européenne de l'énergie atomique (Euratom). Une Commission européenne voit alors le jour.

QUESTIONS

1 Quelle est la première étape de la construction européenne après guerre ?

2 Quel est l'objectif politique de la CECA ?

3 Comment le traité de Maastricht est-il ratifié en France ?

4 Combien d'États composent l'UE au 1er juillet 2013 ?

1990   2000   2010

Union européenne (1992-...)

(1957-1992)

1992
Signature du traité de Maastricht

Affiche appelant à voter au référendum sur le traité de Maastricht organisé en France le 20 septembre 1992.

Le traité de Maastricht fonde l'Union européenne (UE) qui réunit les 12 États membres de la CEE en 1992, auxquels s'ajoutent l'Autriche, la Suède et la Finlande en 1995. À partir du marché commun de la CEE, est ainsi créée une union à la fois économique (avec l'euro) et politique (avec la citoyenneté européenne). En France, le traité est approuvé par référendum.

2013
Entrée de la Croatie dans l'Union européenne

Le drapeau croate est hissé à côté du drapeau européen devant le Parlement européen, 1er juillet 2013.

Le 1er juillet 2013, la Croatie devient le 28e État membre de l'UE. Il s'agit d'une nouvelle étape de l'élargissement de l'Union. Celle-ci est en effet passée à 25 membres en 2004 puis à 27 en 2007, en intégrant en particulier les pays situés à l'est du continent. Sont actuellement candidats à l'adhésion : la Serbie, la Macédoine, le Monténégro et la Turquie.

VOCABULAIRE

L'« Europe des Six » : les pays fondateurs de la CECA puis de la CEE (la Belgique, la France, le Luxembourg, l'Italie, les Pays-Bas et la République fédérale d'Allemagne).

Le marché commun : l'espace économique européen dans lequel les pays membres de la CEE échangent librement des produits et des services.

Se repérer dans l'espace

CARTE lienmini.fr/hgemc3-022

Saisissez cette adresse sur votre navigateur pour animer la carte.

De la CEE à l'UE (1957-2013)
1

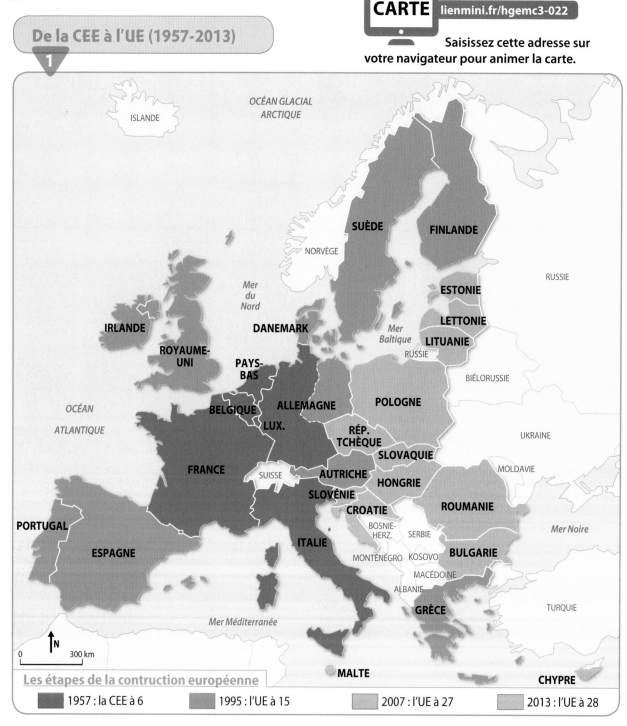

ISLANDE

OCÉAN GLACIAL ARCTIQUE

SUÈDE

FINLANDE

NORVÈGE

RUSSIE

Mer du Nord

ESTONIE

LETTONIE

Mer Baltique

LITUANIE

IRLANDE

DANEMARK

RUSSIE

BIÉLORUSSIE

ROYAUME-UNI

PAYS-BAS

BELGIQUE

ALLEMAGNE

POLOGNE

OCÉAN ATLANTIQUE

LUX.

RÉP. TCHÈQUE

UKRAINE

SLOVAQUIE

FRANCE

SUISSE

AUTRICHE

HONGRIE

MOLDAVIE

SLOVÉNIE

CROATIE

ROUMANIE

PORTUGAL

BOSNIE-HERZ.

SERBIE

Mer Noire

ESPAGNE

ITALIE

MONTÉNÉGRO

KOSOVO

BULGARIE

MACÉDOINE

ALBANIE

TURQUIE

Mer Méditerranée

GRÈCE

N
0   300 km

MALTE

CHYPRE

Les étapes de la contruction européenne

1957 : la CEE à 6	1995 : l'UE à 15	2007 : l'UE à 27	2013 : l'UE à 28

QUESTIONS

1 Expliquez l'expression « Europe des 15 » en 1995.

2 Dans quelle direction l'UE s'élargit-elle dans les années 2000 ?

3 Quels pays membres de l'UE ne font pas partie de la zone euro ?

4 Quels pays non membres de l'UE font partie de l'espace Schengen ?

Zone euro et espace Schengen

2

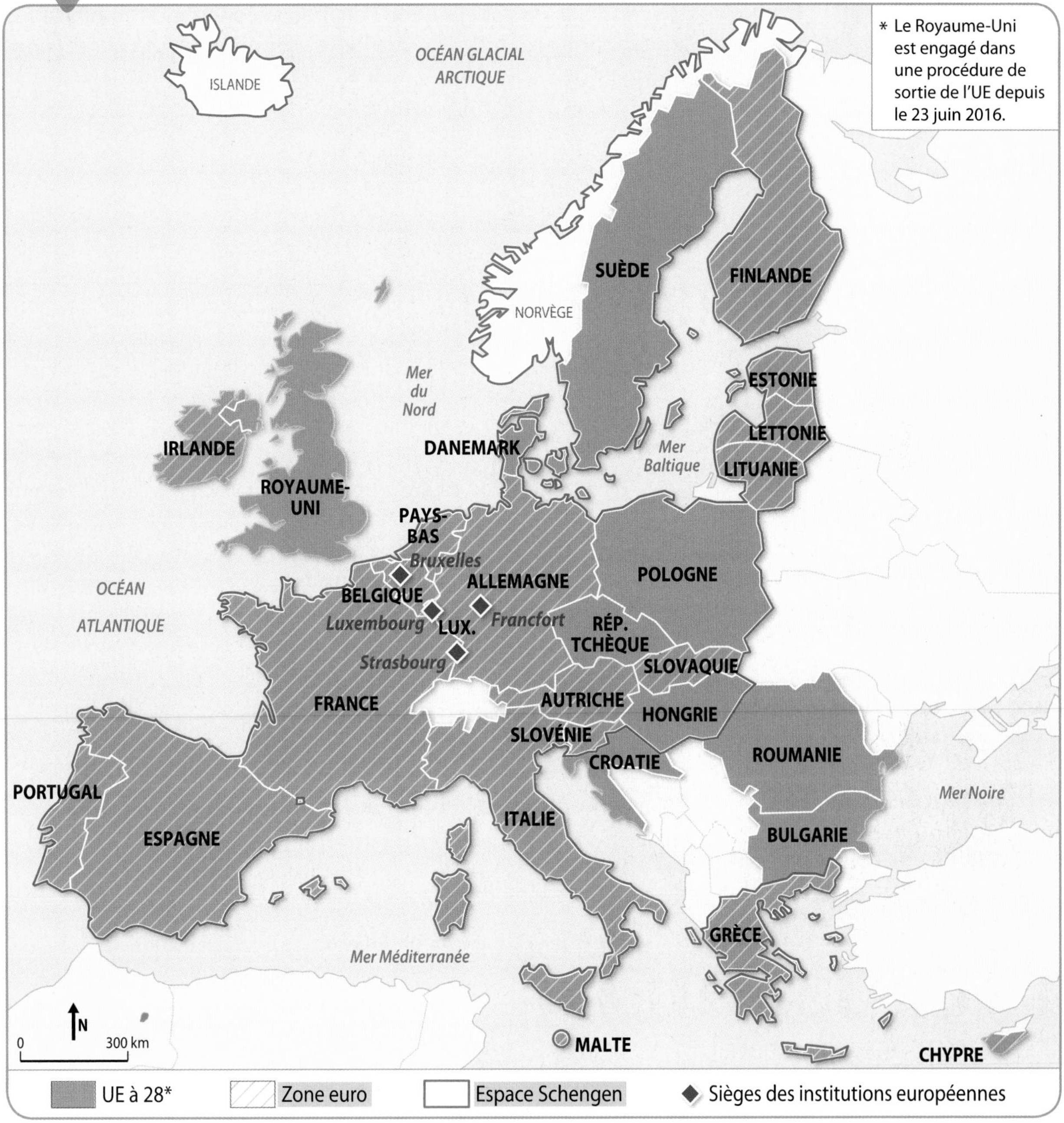

* Le Royaume-Uni est engagé dans une procédure de sortie de l'UE depuis le 23 juin 2016.

OCÉAN GLACIAL ARCTIQUE

ISLANDE

NORVÈGE

SUÈDE

FINLANDE

Mer du Nord

ESTONIE

LETTONIE

Mer Baltique

LITUANIE

IRLANDE

DANEMARK

ROYAUME-UNI

PAYS-BAS

Bruxelles

POLOGNE

OCÉAN ATLANTIQUE

BELGIQUE

ALLEMAGNE

Luxembourg

LUX.

Francfort

RÉP. TCHÈQUE

Strasbourg

SLOVAQUIE

FRANCE

AUTRICHE

HONGRIE

SLOVÉNIE

CROATIE

ROUMANIE

Mer Noire

PORTUGAL

ITALIE

ESPAGNE

BULGARIE

Mer Méditerranée

GRÈCE

N

0   300 km

MALTE

CHYPRE

| UE à 28* | Zone euro | Espace Schengen | ◆ Sièges des institutions européennes |

VOCABULAIRE

L'espace Schengen : la zone au sein de laquelle les personnes peuvent librement circuler. Créé en 1985, il compte aujourd'hui 26 pays.

La zone euro : l'espace au sein duquel l'euro est la monnaie unique. Créée en 1999, elle compte aujourd'hui 19 pays.

Les traités de Rome

1957 : CEE

▶ **Pourquoi six États européens décident-ils de s'unir en 1957 ?**

Au lendemain de la Deuxième Guerre mondiale, l'Europe doit se reconstruire. L'idée de s'unir autour d'un projet économique commun voit alors le jour entre six États d'Europe : c'est la Communauté européenne du charbon et de l'acier (CECA), née en 1951. Elle constitue la première étape de la construction européenne.

les états.unis d'EUROPE
vous éviteront
L'ÉCRASEMENT

1 Un enjeu de la guerre froide

Affiche du Comité d'action pour les États-Unis d'Europe, créé en 1955 par Jean Monnet, l'un des « pères de l'Europe », 1960.

2 « Un même idéal humain »

« Monsieur le Président, Messieurs,
Je voudrais essayer de modérer ma joie et de limiter mon enthousiasme, fondé cependant sur ma conviction et mon espoir.
Et pourtant, le 25 mars 1957, si nous parvenons à poursuivre et à achever l'œuvre dont nous consacrons aujourd'hui une étape essentielle, ce sera une des plus grandes dates de l'histoire de l'Europe. [...]
Dans un instant, par nos signatures, le Marché commun et l'Euratom vont naitre. Qu'est-ce que cela signifie ? Tant de choses. Et d'abord l'affirmation solennelle d'une solidarité profonde entre six peuples qui si souvent au cours des temps se sont trouvés dans des camps opposés, dressés les uns contre les autres sur les champs de bataille et qui maintenant se rejoignent et s'unissent, à travers la richesse de leur diversité, pour la défense d'un même idéal humain.
Car à travers l'économique et la technicité c'est bien de cela qu'il s'agit. »

Paul-Henri Spaak, ministre des Affaires étrangères belge, discours prononcé à l'occasion de la signature des traités de Rome, 25 mars 1957.

Je situe

1 DOC. 1 Dans quel contexte international la création de la CEE est-elle décidée ?

2 DOC. 2 À quels évènements l'auteur fait-il référence quand il évoque « les champs de bataille » ?

J'extrais des informations

3 DOC. 2 ET 4 Quelles sont les deux réalisations qui voient le jour par les traités de Rome ?

4 DOC. 3 Quels sont les pays qui participent à la Communauté européenne ?

3 S'unir pour être plus fort | Buvard d'écolier, 1957.

4 Le traité créant la CEE

« **Article premier.** Par le présent traité[1], les Hautes Parties contractantes instituent entre elles une Communauté économique européenne.
Article 2. La Communauté a pour mission, par l'établissement d'un marché commun et par le rapprochement progressif des politiques économiques des États membres, de promouvoir un développement harmonieux des activités économiques dans l'ensemble de la Communauté, une expansion continue et équilibrée, une stabilité accrue, un relèvement accéléré du niveau de vie et des relations plus étroites entre les États qu'elle réunit.
Article 3. Aux fins énoncées à l'article précédent, l'action de la Communauté comporte, dans les conditions et selon les rythmes prévus par le présent traité :

a) l'élimination, entre les États membres, des droits de douane et des restrictions quantitatives à l'entrée et à la sortie des marchandises, ainsi que de toutes autres mesures d'effet équivalent,
b) l'établissement d'un tarif douanier commun et d'une politique commerciale commune envers les États tiers[2],
c) l'abolition, entre les États membres, des obstacles à la libre circulation des personnes, des services et des capitaux,
d) l'instauration d'une politique commune dans le domaine de l'agriculture,
e) l'instauration d'une politique commune dans le domaine des transports. »

Traités de Rome, 1957 (extraits).

1. Un accord entre pays souverains.
2. Qui n'appartiennent pas à la CEE.

Je raisonne

5 À l'aide des documents et de vos réponses précédentes, rédigez un court texte qui décrit les buts de la CEE en 1957. Vous aborderez d'abord ses objectifs politiques, puis vous expliquerez ses objectifs économiques.

Maîtrise de la langue

J'explique une métaphore

En vous appuyant sur des recherches personnelles, expliquez le sens de la métaphore « père de l'Europe » employée notamment à l'égard de Jean Monnet ?

L'élargissement de la CEE vers le Sud

▶ **Pourquoi l'Espagne et le Portugal intègrent-ils la CEE en 1986 ?**

Aux six pays fondateurs de la CEE en 1957 se sont ajoutés le Royaume-Uni, l'Irlande et le Danemark en 1973. La Communauté s'élargit ensuite vers le Sud en intégrant la Grèce en 1981, puis l'Espagne et le Portugal en 1986. Ces deux États ont longtemps connu la dictature et ont une économie moins développée que le reste de l'Europe de l'Ouest.

1 L'adhésion portugaise

Photographie de la signature du traité d'adhésion du Portugal à la CEE à Lisbonne, 12 juin 1985.

2 Le contexte politique espagnol

« À 20h53 hier, l'Espagne a signé définitivement le traité d'adhésion à la Communauté économique européenne (CEE) et clôt ainsi une longue période d'isolement sur le continent. Le Premier ministre, Felipe González, a signé le texte au cours d'une cérémonie officielle, mais non sans tension du fait des actes terroristes commis hier[1]. À cet égard, il a terminé son discours par ces mots : "L'Espagne contribuera par ses efforts à la réalisation d'une Europe de paix et de justice. Et ni la contrainte ni la violence ne nous détourneront de ce chemin vers la paix." […] En attendant la ratification parlementaire, la Communauté européenne est passée de 10 à 12 membres hier. »

Extrait du journal espagnol *El País*, 13 juin 1985.

1. Le jour même, quatre personnes sont tuées lors de trois attentats commis par l'Euskadi Ta Askatasuna (ETA), une organisation armée qui lutte pour l'indépendance du pays basque.

Je situe

1 DOC. 1 ET 2 Quels évènements ont lieu le 12 juin 1985 ?

J'extrais des informations

2 INTRO, DOC. 2 ET 3 Décrivez le contexte politique espagnol de l'époque.

3 DOC. 3 Quelles sont les étapes officielles de l'élargissement en janvier 1986 ?

4 DOC. 4 Quelles sont alors les situations économiques de l'Espagne et du Portugal ?

Bienvenida a España y Portugal

M. PIERRE PFLIMLIN, PRESIDENT DU PARLEMENT EUROPEEN

SA MAJESTE JUAN CARLOS, ROI D'ESPAGNE

GENERAL ANTÓNIO RAMALHO EANES, PRESIDENT DE LA REPUBLIQUE DU PORTUGAL

Session du PARLEMENT EUROPEEN Strasbourg

STRASBOURG 13-1-86

« 1er JOUR » de la flamme spéciale de l'EUROPE des 12

1.1.1986 ENTRÉE OFFICIELLE DE L'ESPAGNE ET DU PORTUGAL DANS LA C.E.E.
13.1.1986 PREMIERE PARTICIPATION OFFICIELLE DES PARLEMENTAIRES ESPAGNOLS ET PORTUGAIS · SESSION DU PARLEMENT EUROPEEN ·
STRASBOURG: 13-17.1.1986

N° PE 108

N° 1218

TIRAGE LIMITÉ, numéroté de 1 à 2500   copyright

EDITIONS PHILATELIQUES EUROPEENNES P. STAEDEL - STRASBOURG

3 Les étapes officielles de l'élargissement

Enveloppe saluant l'adhésion de l'Espagne et du Portugal à la CEE, 1986, © www.historiaphil.com.

① La flèche de la cathédrale de Strasbourg, ville où siège le Parlement européen.
② Le Palais de l'Europe situé à Strasbourg et où se réunissent les députés européens jusqu'en 1999.

4 Un enjeu économique

« Le Portugal sera le pays le plus pauvre de la Communauté, il faudra lui venir en aide. L'Espagne, elle, a un niveau de vie inférieur de moitié au nôtre, c'est-à-dire équivalent à celui des Français d'il y a vingt-cinq ans. C'est déjà un gros potentiel économique malgré ses 20 % de chômeurs et ses 9 % d'inflation.

Certes, une partie de ses industries va souffrir de la concurrence des nôtres, tandis que nos agriculteurs tremblent devant ses vins et ses oranges. [...]

En réalité, la communauté d'intérêt et de valeur existait déjà entre le nord et le sud de l'Europe. Elle va s'intensifier non sans conflit bien sûr. Mais la concurrence vaut mieux que la guerre et l'on ne se dispute jamais qu'entre gens du même village. *Saludos amigos* ! »

Jean Boissonnat, *La Croix*, 3 janvier 1986.

Je raisonne

5 DOC. 4 Quelles sont les réserves de l'auteur à l'égard des adhésions espagnoles et portugaises ?

6 DOC. 2 ET 4 Écrivez un court texte dans lequel vous expliquez pourquoi l'Espagne et le Portugal ont souhaité intégrer la CEE.

Aide pour rédiger
Rappelez d'abord le contexte de leur intégration à la CEE puis décrivez les raisons économiques et politiques de cette intégration.

L'approfondissement de l'Union européenne

▶ Comment le projet européen s'approfondit-il ?

L'arrivée de nouveaux États membres permet à l'Europe d'orienter sa construction vers de nouveaux projets autant dans le domaine politique qu'économique. Cette approche n'est pourtant pas partagée par tous les Européens et la construction connait des moments de crise.

1

Une Europe plus démocratique

« L'Europe construit son Parlement », affiche allemande pour les premières élections directes du Parlement européen, 1979.

VOCABULAIRE

L'euroscepticisme : le sentiment d'hostilité à l'encontre de l'Union européenne.

Les institutions : les structures et les règles qui organisent le fonctionnement de l'Union européenne.

Le souverainisme : la doctrine qui défend la supériorité et l'indépendance nationales.

2

Une Europe monétaire

« Dès le 4 janvier 1999, les épargnants se familiariseront avec la monnaie unique [...] Les prix commenceront à être libellés en euros. Les consommateurs, avant même l'introduction des pièces et des billets (janvier 2002), pourront régler leurs achats dans la nouvelle monnaie sous forme de chèques et de paiements par carte.

[La monnaie unique] développera la concurrence et stimulera les échanges. [Elle] favorisera la croissance au sein d'un grand marché homogène, facilitera la modération des impôts et des taux d'intérêts bas. Elle bénéficiera aux investisseurs, aux consommateurs et aux entreprises qui pourront ainsi développer la recherche, l'activité et l'emploi. »

« L'Euro, une chance pour la France, une chance pour le monde », *Le Monde*, 28 octobre 1997.

« À quelques mois de l'arrivée de l'euro dans le porte-monnaie de la ménagère, Jean-Pierre Chevènement[1] a demandé solennellement, hier, "le report" de la mise en circulation de la monnaie unique, en raison de l'impréparation de la population et au nom "des retraités, des handicapés, des ouvriers, des employés" qui disposent "d'un petit budget" et à qui l'euro va poser, selon lui, d'innombrables problèmes de conversion. [Il a aussi] agité le spectre d'"une chute de croissance de 1 %", mais aussi d'une remontée de l'inflation. »

Brigitte Perucca, *Les Échos*, 25 avril 2001.

1. Ancien ministre de l'Intérieur, député souverainiste.

J'extrais des informations

1 DOC. 1 **Comment sont élus les députés européens à partir de 1979 ?**

2 DOC. 2 **Quelles sont les étapes du passage à l'euro ?**

3 DOC. 3 **Quel est le rôle du Parlement européen ?**

J'analyse

4 DOC. 2 **En quoi les opinions formulées dans ces extraits de presse s'opposent-elles ?**

5 DOC. 3 **Quelles sont les relations de la Commission avec les autres institutions européennes ?**

6 DOC. 4 **Expliquez le sens de cette caricature.**

CONSEIL EUROPÉEN

Chefs d'État et de gouvernement des pays membres + président de la Commission

Définit les orientations politiques générales de l'UE

Nomme

COMMISSION EUROPÉENNE

28 commissaires

A l'initiative des lois européennes et veille à leur bonne exécution

Navette des propositions de lois

Investit et contrôle

CONSEIL DE L'UNION EUROPÉENNE

Ministres des États membres

Décide et adopte les lois européennes

Codécision

PARLEMENT EUROPÉEN

751 députés élus au suffrage universel direct

Donne son avis sur les propositions de lois européennes et vote le budget

3 Les institutions européennes en 2015

Signé en 2004 par les chefs d'État et de gouvernement des pays de l'UE, le traité établissant une Constitution pour l'Europe vise à améliorer le fonctionnement des institutions de l'Union. Mais, consultés par référendum en mai et juin 2005, les électeurs néerlandais et français disent « non » à ce projet.

4 Le développement de l'euroscepticisme

Caricature de Plantu, *Le Monde*, 31 mai 2005.

Je raisonne

7 À l'aide des documents, recopiez et complétez le tableau ci-dessous :

Approfondissement économique	
Approfondissement politique	
Réaction des Européens	

Conseil Brevet

Comprendre une caricature

Pour décrypter une caricature, comme celle du **DOC. 4**, il faut bien analyser ses différents éléments : ici, le bateau à droite, le caractère insulaire du « O », les étoiles en bas à gauche.

L'affirmation et la mise en œuvre du projet européen

▶ **Depuis 1945, comment l'Europe s'est-elle reconstruite grâce au projet européen ?**

PASSÉ PRÉSENT

« Unie dans la diversité »

Utilisée pour la première fois en 2000, cette devise est celle de l'Union européenne. Elle rappelle la diversité des territoires, des nations et des cultures européennes (langues, religions, histoire). Et c'est le partage d'une perspective d'avenir commune qui les unit autour des valeurs de paix et de prospérité.

A La naissance d'un projet économique et politique

▶ Au lendemain de la Deuxième Guerre mondiale, **pour protéger une paix fragilisée par la guerre froide**, six États européens se rapprochent. Le 25 mars 1957, **ils signent à Rome l'acte de naissance de la CEE**.

▶ En plus du marché commun, des institutions politiques voient le jour, mais aussi un drapeau, un hymne, une devise qui doivent permettre aux Européens de construire une identité commune.

▶ **Entre 1957 et 1986, la CEE passe de 6 à 12 membres**.

B Une volonté d'approfondissement

▶ **Le traité de Maastricht, signé le 7 février 1992, institue l'Union européenne.** Il lance l'idée d'une monnaie commune : l'euro, introduite en 2002. Il crée également une citoyenneté européenne.

▶ La fin de la guerre froide permet à l'UE de s'ouvrir à l'Est en plusieurs étapes, jusqu'à former une Union de 28 États en 2013.

▶ Ce changement de dimension géographique est encouragé par la création de l'espace Schengen : **les Européens peuvent librement circuler entre les pays membres.**

C Contestations et crises

▶ Malgré les avancées, les citoyens européens ne sont pas tous favorables à la création d'une Europe fédérale. En 2005, le projet d'une Constitution européenne est ainsi rejeté par les électeurs français et néerlandais.

▶ De plus, **une Europe a plusieurs vitesses parait se dessiner** : certains États s'interrogent sur leur futur au sein de l'UE, comme le Royaume-Uni qui a voté pour le Brexit le 23 juin 2016.

▶ Enfin, les crises extérieures mettent à mal l'unité européenne. La crise économique survenue en 2008 a scindé l'UE et a même posé la question d'une sortie de la Grèce de l'Union. La situation géopolitique au Proche et Moyen-Orient ainsi que le terrorisme remettent aujourd'hui en cause la libre circulation au sein de l'UE.

PERSONNAGES-CLÉS

▶ **Jean Monnet (1888-1979)**
Commissaire général au Plan (de reconstruction) en France de 1946 à 1952, il crée avec Robert Schuman la CECA, dont il devient le premier président en 1952.

▶ **Konrad Adenauer (1876-1967)**
Premier chancelier de la RFA, il a travaillé à la réconciliation franco-allemande et à la mise en place de la CECA puis de la CEE.

1 La réconciliation franco-allemande

Photographie des dirigeants allemand et français Helmut Kohl et François Mitterrand lors d'une cérémonie d'hommage aux soldats morts pendant la Première Guerre mondiale, à l'ossuaire de Douaumont, 22 septembre 1984.

Erasmus est un programme d'échanges étudiants entre les universités de l'UE. Créé en 1987, il a permis à plus de 3 millions de jeunes Européens d'aller faire une partie de leurs études dans un autre pays de l'Union.

2 Erasmus

Photographie d'une manifestation en faveur du maintien du budget Erasmus, 2015.

▶ **Jacques Delors (né en 1925)**
Économiste français, il devient président de la Commission européenne de 1985 à 1995. Il relance la construction européenne, notamment *via* le traité de Maastricht.

▶ **Margaret Thatcher (1925-2013)**
Premier ministre du Royaume-Uni de 1979 à 1990, elle défend les intérêts de son pays au sein de l'Europe et est considérée comme le symbole de l'euroscepticisme.

Réviser

carte mentale lienmini.fr/hgemc3-023

Saisissez cette adresse sur votre navigateur pour découvrir la carte mentale.

CARTE MENTALE

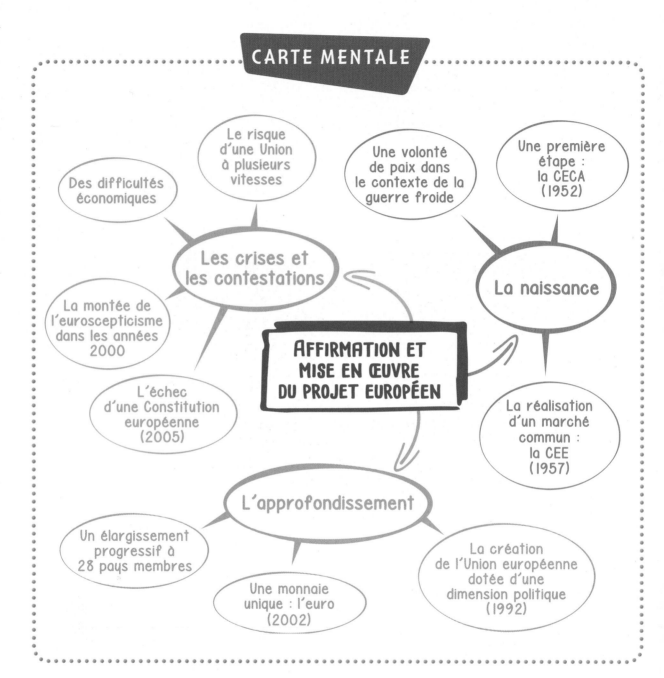

Des difficultés économiques

Le risque d'une Union à plusieurs vitesses

Une volonté de paix dans le contexte de la guerre froide

Une première étape : la CECA (1952)

Les crises et les contestations

La naissance

La montée de l'euroscepticisme dans les années 2000

AFFIRMATION ET MISE EN ŒUVRE DU PROJET EUROPÉEN

L'échec d'une Constitution européenne (2005)

La réalisation d'un marché commun : la CEE (1957)

L'approfondissement

Un élargissement progressif à 28 pays membres

Une monnaie unique : l'euro (2002)

La création de l'Union européenne dotée d'une dimension politique (1992)

Réviser en ligne

Je teste mes connaissances

QUIZ lienmini.fr/hgemc3-024

Saisissez cette adresse sur votre navigateur pour lancer le quiz.

Le tuto pour créer ma carte mentale.

TUTO vidéo

lienmini.fr/hgemc3-001

MÉTHODE |||||||||||||||||||||||||||||||||||||||| Analyser une photographie

Étape 1 **Présentez la photographie :** identifiez le lieu, l'auteur, la source, la date et le sujet principal de la photographie.

Étape 2 **Observez en détail :** repérez et hiérarchisez les informations. Il faut analyser d'abord le premier plan puis le second plan et/ou l'arrière-plan afin de dégager l'information centrale et les informations secondaires.

Étape 3 **Interprétez :** identifiez l'information qui marque un changement ou nuance ce que l'on a l'habitude de savoir sur le sujet.

En décembre 2015, suite aux migrations de réfugiés venant du Moyen-Orient et d'Afrique, certains pays de l'Union européenne renforcent leurs frontières.

1 Aux frontières de l'Union européenne

Photographie de la frontière entre la Slovénie et la Croatie, 16 décembre 2015.

1 Présentez la photographie

Quel est le lieu photographié ?

Dans quel contexte international la photographie a-t-elle été prise ?

2 Observez en détail

Les pays de part et d'autre de cette frontière font-ils partie de l'UE ?

Relevez les éléments qui vous semblent s'opposer ici.

3 Interprétez

Pourquoi ce que vous voyez sur la photographie semble contradictoire avec le projet européen d'origine ?

Selon vous, quel peut en être l'impact sur l'avenir de l'Europe ?

Exercice 1   Analyser et comprendre des documents

1 La crise grecque

Photographie prise devant le parlement
grec à Athènes, 22 juin 2015.

En juin 2015, des Grecs manifestent contre les mesures
économiques que l'Union européenne impose à la Grèce.

1 Où la photographie a-t-elle été prise ? À quel
moment ?

2 Décrivez la photographie.

◀ Décomposez l'image plan par plan.

3 Pourquoi ce document montre-t-il que les
Grecs sont divisés sur le projet européen ?

4 Que révèle la crise économique sur les liens
des citoyens grecs avec l'UE ?

◀ N'oubliez pas que la Grèce fait partie de la zone euro.

5 Selon vous, cette crise grecque n'est-elle que
de nature économique ?

◀ Pensez à la présence du drapeau européen.

Exercice 2   Maîtriser différents langages pour raisonner

Sujet : Sous la forme d'un développement construit d'une vingtaine de lignes et en vous appuyant sur quelques
exemples précis issus du cours, vous montrerez comment les peuples d'Europe sont concernés au quotidien par leur
appartenance à l'Union européenne.

Exercice 1   Analyser et comprendre des documents

1 Le rejet d'une Constitution européenne

En mai et juin 2005, les Néerlandais et les Français rejettent par référendum un projet de Constitution de l'Union européenne, censé améliorer et renforcer le fonctionnement communautaire.
Les deux personnages tenant la banderole (au premier plan) sont le président de la République française Jacques Chirac et le Premier ministre néerlandais Jan Peter Balkenende.

Caricature du dessinateur luxembourgeois Schneider, 2005.

1 Quelle est la nature du document ?

2 Présentez le contexte européen en mai-juin 2005.

3 Qui sont les quatre personnages dessinés ici ?

4 Quelle attitude les personnages au second plan mettent-ils en avant vis-à-vis de l'Europe ?

5 À l'aide de vos connaissances, expliquez en quoi le document présente deux visions du projet européen ?

Exercice 2   Maîtriser différents langages pour raisonner et se repérer

a **Sujet :** Sous la forme d'un développement construit d'une vingtaine de lignes et en vous appuyant sur quelques exemples précis issus du cours, vous montrerez que le projet européen a suscité et suscite encore des débats entre les peuples et leurs dirigeants politiques.

b Recopiez la frise, puis placez les dates de la signature des traités de Rome, des entrées du Portugal et de la Croatie et enfin de l'introduction de l'euro.

Enjeux et conflits
dans le monde après 1989

La bataille de Kobané (juillet 2014-janvier 2015), premier échec de l'expansion de Daech

AIDE VISUELLE

1 Réfugiés kurdes en Turquie.

2 La ville de Kobané dans le nord de la Syrie.

3 Combats entre Daech et les combattants kurdes soutenus par les Occidentaux.

▶ Quels sont les territoires et la nature des conflits actuels ?

Photographie prise depuis la province turque de Sanliurfa, 26 octobre 2014.

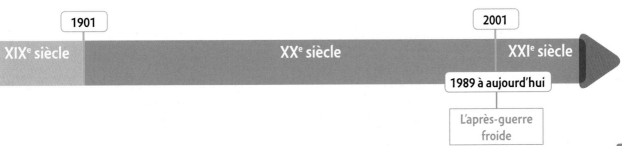

Se repérer dans le temps

1989   1990   2000

guerre de
Bosnie-Herzégovine
(1992-1995)

1991
Première guerre du Golfe

Une escadrille américaine survole le Koweït et ses puits de pétrole en feu durant l'opération *Tempête du désert*, janvier 1991.

En 1989, la chute du mur de Berlin annonce la fin de la guerre froide, suscitant des espoirs de paix mondiale. Mais, un an plus tard, l'Irak de Saddam Hussein envahit le Koweït. Les États-Unis, désormais seule superpuissance mondiale, prennent en 1991 la tête d'une coalition internationale qui gagne rapidement la guerre du Golfe. Le pays apparait comme le « gendarme du monde ».

11 septembre 2001
Attentats aux États-Unis

L'effondrement des tours jumelles du World Trade Center à New York, 11 septembre 2001.

Les interventions occidentales au Moyen-Orient depuis la fin de la guerre froide nourrissent un fort sentiment anti-américain. Le 11 septembre 2001, une série d'attentats islamistes commandités par Al-Qaida frappe New York et Washington. L'évènement traumatise le monde entier et marque l'émergence de conflits d'un type nouveau.

QUESTIONS

❶ Quel évènement marque la fin de la guerre froide et la naissance d'espoirs de paix mondiale ?

❷ Quel pays occidental est frappé le premier par le terrorisme islamiste ?

❸ Dans le monde contemporain, identifiez un conflit ancien mais toujours actuel et un conflit d'un type nouveau.

2010

seconde guerre d'Afghanistan (2001-2014)

seconde guerre du Golfe (2003-2011)

2002
Construction de la barrière de séparation israélienne

La « barrière antiterroriste » israélienne, ici entre Jérusalem et les territoires palestiniens de Cisjordanie, 20 mars 2013.

Depuis 1948, la question de la création d'un État palestinien aux côtés de l'État hébreu d'Israël suscite tensions, violences et guerres au Proche-Orient. En 2002, un an après un attentat terroriste à Tel-Aviv, les autorités israéliennes commencent à ériger aux frontières une « barrière antiterroriste », contestée par une grande partie de l'opinion internationale.

13 novembre 2015
Attentats à Paris

Une du quotidien espagnol *El Mundo* le 15 novembre 2015, après une série d'attaques meurtrières à Paris.

Le 13 novembre 2015, dix mois après l'attaque contre des journalistes de *Charlie Hebdo*, des terroristes islamistes liés à Daech assassinent 130 personnes à Paris. Face à l'exportation du djihadisme en France, les autorités déclarent la guerre au terrorisme. Mais l'ennemi reste difficile à identifier, à localiser et à neutraliser.

VOCABULAIRE

Le djihadisme : la doctrine qui prône l'utilisation de la violence et de l'assassinat pour la réalisation des objectifs islamistes.

L'islamisme : au sens actuel, l'idéologie religieuse et politique fondée sur une interprétation radicale du Coran et le rejet brutal de l'Occident.

Le terrorisme : des actes de violence destinés à créer un climat de terreur au sein des populations.

Se repérer dans l'espace

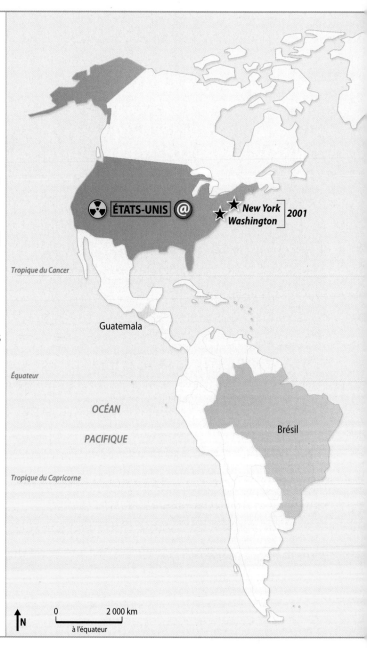

Puissances, rivalités et conflits depuis 1989

1. La nouvelle hiérarchie des puissances

- Grandes puissances militaires
- Principales puissances militaires émergentes
- CHINE État membre permanent du Conseil de sécurité de l'ONU
- ☢ État doté de l'arme nucléaire ou suspecté de l'être

2. Un renouveau des rivalités et conflits anciens

- Principaux pays ou régions touchés par la guerre civile depuis 1989
- Principaux conflits frontaliers ouverts ou latents
- L'« arc des crises » : une zone d'insécurité chronique

3. De nouveaux types de conflits

- ★ Principaux attentats terroristes depuis 1989
- @ État investissant dans la cyberguerre

ÉTATS-UNIS @

★ New York
★ Washington 2001

Tropique du Cancer

Guatemala

Équateur

OCÉAN

PACIFIQUE

Brésil

Tropique du Capricorne

0   2 000 km

N

à l'équateur

QUESTIONS

1 Quelles sont les principales puissances militaires mondiales ?

2 Sur quel continent se situent la plupart des guerres civiles ?

3 Où se concentre la majorité des crises et des tensions globales ?

CARTE lienmini.fr/hgemc3-025

Saisissez cette adresse sur votre navigateur pour animer la carte.

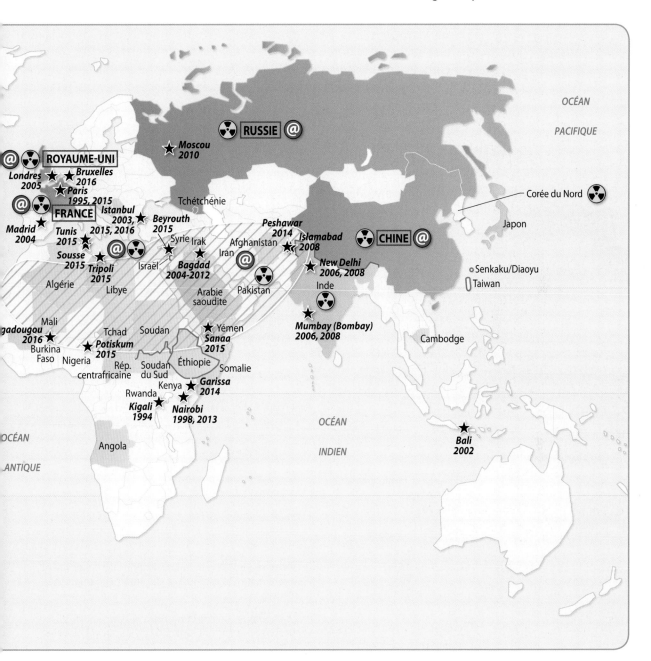

OCÉAN PACIFIQUE

☢ RUSSIE @

★ Moscou 2010

@ ☢ ROYAUME-UNI

Londres 2005

★ ★ Bruxelles 2016

★ Paris 1995, 2015

@ ☢ FRANCE

Tchétchénie

Corée du Nord ☢

Japon

★ Madrid 2004

★ Tunis 2015

Istanbul 2003, 2015, 2016

★ Beyrouth 2015

Syrie ★ Irak

Peshawar ★ 2014

★ Islamabad 2008

☢ CHINE @

★ Sousse 2015

★ Tripoli 2015

Israël

Afghanistan ★★

Iran

@

Bagdad 2004-2012

Algérie

Libye

☢

★ New Delhi 2006, 2008

Senkaku/Diaoyu

Pakistan

Arabie saoudite

Inde

Taiwan

★ Mumbai (Bombay) 2006, 2008

Cambodge

Mali

gadougou 2016

Tchad

Soudan

★ Yémen

☢

Burkina Faso

Nigeria

Potiskum 2015

Rép. centrafricaine

Soudan du Sud

Sanaa 2015

Éthiopie

Somalie

Kenya ★ Garissa 2014

Rwanda ★

Kigali 1994

★ Nairobi 1998, 2013

OCÉAN INDIEN

OCÉAN ATLANTIQUE

Angola

★ Bali 2002

Étude
|||||||||||||

Le siège de Sarajevo (1992-1995)

▶ **Comment expliquer la complexité de la guerre à Sarajevo ?**

En 1991, l'effondrement de l'Union soviétique entraine la dislocation de la Yougoslavie, fédération peuplée de trois principales nationalités aux religions différentes (Serbes majoritairement orthodoxes, Croates catholiques, Bosniaques musulmans). Mais les nationalistes serbes refusent le morcellement du pays. Ils assiègent alors Sarajevo, capitale de la Bosnie.

1 Des rivalités ethniques et territoriales

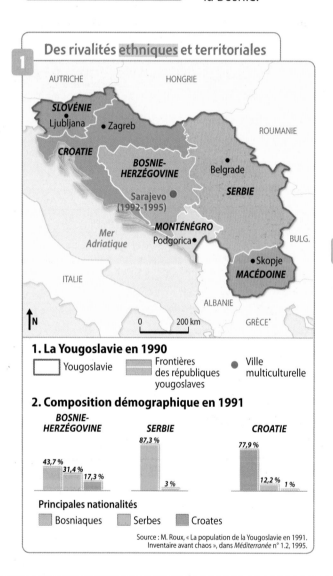

1. La Yougoslavie en 1990

☐ Yougoslavie   ▨ Frontières des républiques yougoslaves   ● Ville multiculturelle

2. Composition démographique en 1991

BOSNIE-HERZÉGOVINE : 43,7 %   31,4 %   17,3 %
SERBIE : 87,3 %   3 %
CROATIE : 77,9 %   12,2 %   1 %

Principales nationalités
▨ Bosniaques   ▨ Serbes   ▨ Croates

Source : M. Roux, « La population de la Yougoslavie en 1991. Inventaire avant chaos », dans *Méditerranée* n° 1.2, 1995.

2 Une rivalité religieuse

Photographie prise devant une mosquée au nord-ouest de Sarajevo, 27 avril 1993.

VOCABULAIRE

Une ethnie : un groupe dont les membres se reconnaissent une origine et une culture communes.

Une fédération : un État divisé en plusieurs territoires plus ou moins autonomes, capables d'élaborer leurs propres lois.

Le nationalisme : la théorie qui affirme la supériorité de l'intérêt national par rapport aux autres appartenances ou identités.

L'orthodoxie : une des trois branches principales du christianisme, surtout répandue en Europe de l'Est et en Russie.

Je situe

1 DOC. 1 Où se situe Sarajevo au sein de la Yougoslavie ?

J'analyse un document

2 DOC. 1 Qu'est-ce qui différencie les populations yougoslaves entre elles ?

3 DOC. 2 ET 3 Face à la violence du conflit, quelle est l'attitude de la communauté internationale ?

« L'enfer de Sarajevo »

« Voilà ma vie : celle d'une innocente écolière de 11 ans [...], plongée dans la guerre. Je suis le témoin d'une guerre horrible, dégoutante. [...] Aujourd'hui, des obus terrifiants sont tombés sur Bascarsija, le vieux centre-ville. Dubrovnik est attaquée, des gens meurent. [...] Des nouvelles terrifiantes arrivent d'un peu partout. [...] Ici, même les enfants ne ressemblent plus à des enfants. [...] Sarajevo meurt lentement, elle disparait. La vie disparait. [...] L'horreur a remplacé le temps qui passe. »

Zlata Filipovic, *Le Journal de Zlata*,
© Kyobo Bookcenter, 1993.

« Je suis sûr d'avoir entendu [les combattants] hurler les ordres et s'encourager durant les attaques. J'ai la certitude d'avoir entendu les cris des blessés et les appels au secours. [...] Les combats ont lieu juste derrière notre bâtiment à cent cinquante mètres de l'entrée de l'aéroport. Des gens crèvent à quelques pas de nous et nous ne pouvons rien faire. Nous n'avons pas le droit de bouger, d'intervenir [car nous devons protéger l'aéroport]. Pour nous, simples soldats de l'ONU, ce mois de janvier nous aura montré toute notre impuissance. »

Laurent Boulay, *Sniper avenue : journal d'un casque bleu,
Sarajevo, septembre 1992 – mars 1993*, © Thélès, 2005.

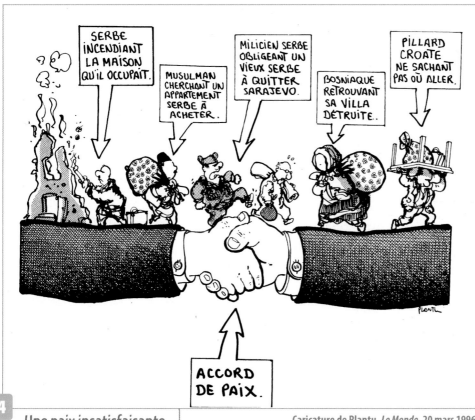

En 1995, l'intervention militaire des États-Unis permet la signature des accords de paix de Dayton, qui prévoient la division de la Yougoslavie selon des critères ethniques artificiels. Cette paix fragile entraine un déplacement de populations massif.

Une paix insatisfaisante

Caricature de Plantu, *Le Monde*, 20 mars 1996.

Je raisonne

4 DOC. 2 ET 3 Justifiez l'expression « l'enfer de Sarajevo ».

5 DOC. 4 Expliquez l'ironie du caricaturiste face aux accords de paix.

Conseil Brevet

Comprendre une caricature

L'ironie est une manière décalée de faire passer un message. Pour comprendre la caricature du DOC. 4, il faut donc en décoder l'ironie.

Cours 1
||||||||||||||

Un nouvel ordre mondial (1991-2001)

▶ **Comment la fin de la guerre froide recompose-t-elle les rivalités mondiales ?**

VOCABULAIRE

Le droit d'ingérence : pour l'ONU, c'est le droit d'intervenir directement dans un pays si les droits de l'homme y sont bafoués.

Une guerre civile : une guerre entre des populations appartenant au même État.

L'« hyperpuissance » : le terme a été créé à la fin du xxe siècle pour désigner la suprématie incontestable des États-Unis sur le monde.

Une intifada : ce terme arabe désigne le soulèvement des Palestiniens des territoires occupés contre Israël.

A Le triomphe de l'« hyperpuissance » américaine

▶ Après la disparition de l'Union des républiques socialistes soviétiques (URSS) en 1991, **les États-Unis demeurent la seule superpuissance** mondiale. Lors de la guerre du Golfe en 1991, ils conduisent ainsi une coalition rapidement victorieuse contre l'Irak de Saddam Hussein, qui avait tenté d'annexer le Koweït.

▶ L'action des États-Unis et de leurs alliés suscite alors **l'espoir d'un nouvel ordre mondial** plus juste et pacifique.

B L'espoir d'une paix mondiale sous le signe du droit

▶ La fin de la guerre froide semble favoriser la résolution pacifique des tensions. **En 1990, les deux Allemagne sont réunifiées sans heurt.** En 1993, l'action diplomatique des États-Unis permet d'initier un processus de paix historique entre Israéliens et Palestiniens avec les accords d'Oslo.

▶ Dans les années 1990, l'Organisation des Nations unies (ONU), soutenue par les États-Unis, devient un acteur incontestable de la paix dans le monde. Elle met en place de nouveaux outils qui accroissent son efficacité : le droit d'ingérence ou encore la Cour pénale internationale créée en 1998.

C La résurgence des conflits anciens

▶ **La disparition du bloc soviétique provoque le réveil de conflits anciens en Europe.** Ainsi, entre 1992 et 1995, la Yougoslavie se disloque dans une guerre civile et ethnique marquée par de nombreuses atrocités. La communauté internationale échoue à y rétablir une paix durable.

▶ Dans le reste du monde, **les guerres civiles se multiplient**, déclenchées par des rivalités nationalistes, ethniques ou religieuses. En 1994, au Rwanda, l'ethnie des Hutus organise ainsi le génocide de la minorité tutsie, faisant près de 800 000 victimes. Dès 2000, le conflit israélo-palestinien reprend avec la seconde intifada.

PERSONNAGES- CLÉS

▶ **George H. Bush (né en 1924)**
Président entre 1989 et 1993, il engage les États-Unis dans la guerre du Golfe en 1991 avec l'aval de l'ONU, promouvant l'image d'un pays au service du droit international.

▶ **Saddam Hussein (1937-2006)**
Dictateur au pouvoir en Irak à partir de 1979, il tente d'envahir l'Iran en 1980 puis le Koweït en 1990. Arrêté en 2003, il est condamné à mort en 2006.

1 Israël-Palestine : un conflit persistant

Photographie de jeunes Palestiniens faisant face à des soldats israéliens près de la ville de Tulkarem en Cisjordanie, 9 janvier 2009.

2 Le monde face à des périls nouveaux

« Un terme a été mis à la "guerre froide". Le danger d'une guerre nucléaire mondiale a pratiquement été écarté. [...] Bien entendu, la progression vers la civilisation du XXIe siècle ne sera ni simple, ni facile [...]. On distingue déjà bien les obstacles et les périls sur la voie qui conduit à une paix durable :

- la recrudescence du nationalisme, du séparatisme, des processus de désintégration dans différents pays et régions du monde ;

- la différence grandissante de niveau et de qualité de développement socio-économique entre pays "riches" et pays "pauvres" : les conséquences redoutables de la pauvreté de centaines de millions d'êtres humains en un temps où les médias permettent de voir le mode de vie des pays développés. D'où la violence et la férocité inouïes, disons le fanatisme des mouvements massifs de protestation. Cela offre un terrain propice au développement du terrorisme, à l'émergence et au maintien des régimes dictatoriaux, dont le comportement dans les relations interétatiques est imprévisible. [...] Comment la communauté mondiale peut-elle faire face à toutes ces tâches, qui sont d'une incroyable complexité ? »

Mikhaïl Gorbatchev, discours prononcé lors de la remise de son prix Nobel de la paix, 5 juin 1991.

▶ **Yitzhak Rabin (1922-1995)**
En tant que Premier ministre d'Israël à partir de 1992, il œuvre activement pour la paix avec la Palestine en signant les accords d'Oslo, mais il est assassiné par un extrémiste juif en 1995.

▶ **Yasser Arafat (1929-2004)**
Principale figure du mouvement palestinien dès 1969, il combat Israël par les armes avant de s'engager dans un processus de négociation aboutissant aux accords d'Oslo.

Étude

Les attentats du 11 septembre 2001

▶ **En quoi le 11 septembre révèle-t-il l'émergence d'un nouveau type de conflit ?**

Alaska

ÉTATS-UNIS · New York Washington

OCÉAN ATLANTIQUE

Le 11 septembre 2001, l'organisation islamiste terroriste Al-Qaida s'attaque à des symboles de la puissance américaine : les tours du World Trade Center à New York et le quartier général du département de la Défense à Washington, faisant plus de 3 000 morts.

1 L'Amérique frappée en plein cœur

Photographie du deuxième avion percutant la tour sud du World Trade Center à New York, 11 septembre 2001.

Unes de journaux aux lendemains des attentats du 11 septembre 2001.

2 Une « nouvelle guerre » mondiale ?

Je situe

1 INTRO ET DOC. 1 Quelles sont les cibles des terroristes ? Pourquoi ce choix ?

J'extrais des informations

2 DOC. 1 ET 2 Montrez que les objectifs et les conséquences de l'attaque justifient l'emploi du terme « terrorisme ».

3 DOC. 1, 2 ET 3 Présentez l'impact immédiat des attentats sur le monde.

4 DOC. 3 Comment le président américain appelle-t-il à répliquer aux attaques ?

Répliquer au terrorisme

« Mes chers compatriotes,
Le 11 septembre, des ennemis de la liberté ont commis un acte de guerre envers notre pays. Les Américains ont déjà connu la guerre ; mais jamais, depuis 136 ans, sur notre territoire national. Les Américains ont déjà vu les leurs tomber au combat ; mais jamais au cœur d'une grande ville par une paisible matinée. Les Américains ont déjà subi des attaques-surprises ; mais jamais à l'encontre de centaines de civils innocents. Tout cela est arrivé en un seul jour ; et la nuit s'est couchée sur un monde changé, un monde où désormais la liberté elle-même est attaquée. [...] Notre guerre contre le terrorisme commence d'abord avec Al-Qaida [...]. Ces terroristes ne tuent pas seulement pour voler des vies, mais pour ébranler et détruire un mode de vie. [...] Or, la guerre ne ressemblera pas à celle que nous avons menée en Irak il y a dix ans, où nous avions pu libérer un territoire précis et mettre un terme au conflit en peu de temps [...]. Les Américains doivent s'attendre non pas à une grande bataille, mais à une campagne longue, sans pareille avec celles que nous avons connues. [...] Mais ce combat n'est pas seulement celui de l'Amérique. C'est celui du monde entier. »

George W. Bush, discours au Congrès, 21 septembre 2001,
traduction Magnard, 2016.

4

L'échec de la guerre conventionnelle

Photographie de soldats américains après un attentat-suicide à Kaboul (Afghanistan), 10 février 2014.

Maîtrise de la langue

Je raisonne

5 À l'aide des documents et de vos réponses précédentes, justifiez l'expression médiatique « nouvelle guerre ».

Je définis un mot

Cherchez le sens de l'adjectif « conventionnel ». Employez-le ensuite dans une phrase à propos de la guerre d'Afghanistan.

Étude
||||||||||||

Daech, un groupe terroriste d'influence mondiale

SYRIE
Mer Méditerranée
IRAK
OCÉAN INDIEN

▶ **Quels sont les territoires et les stratégies de Daech dans le monde ?**

Daech naît dans les années 2000 en Irak de la fusion de divers mouvements islamistes, dont certaines cellules d'Al-Qaida. L'organisation cherche à dominer une partie du Moyen-Orient : en 2014, Abu Bakr Al-Baghdadi se proclame chef d'un vaste califat entre l'Irak et la Syrie. Il appelle alors les musulmans du monde à massacrer les « infidèles ».

1 Daech au Moyen-Orient

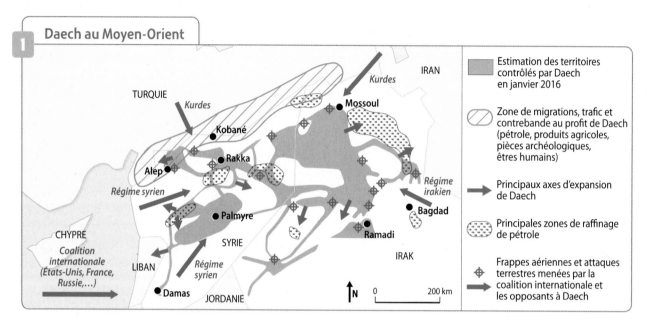

Estimation des territoires contrôlés par Daech en janvier 2016

Zone de migrations, trafic et contrebande au profit de Daech (pétrole, produits agricoles, pièces archéologiques, êtres humains)

Principaux axes d'expansion de Daech

Principales zones de raffinage de pétrole

Frappes aériennes et attaques terrestres menées par la coalition internationale et les opposants à Daech

2 Le projet de Daech

« En accord avec la Charia[1], notre gestion de la barbarie doit permettre :
- d'accroitre le niveau de piété et de préparation au combat de la jeunesse [...], et de former une société où chaque individu sera un combattant [...] ;
- d'unifier [...] le monde sous un régime fondé sur la Charia ;
- d'étendre au maximum notre territoire et d'attaquer nos ennemis pour les faire reculer, piller leurs biens, les plonger dans un état de peur permanent et les contraindre à demander grâce.

[...] Notre plan implique donc une stratégie médiatique dirigée vers [...] les masses, à qui le djihad doit être présenté de manière positive pour inciter un grand nombre de personnes à rejoindre nos rangs. [...] »

« Guide à destination des chefs et des combattants de Daech », 2004, traduction anglaise John M. Olin Institute for Strategic Studies, 2006, traduction française Magnard, 2016.

1. Ensemble de principes encadrant la vie privée et la société musulmanes, ici détournés par les terroristes.

Je situe

1 DOC. 1 **Sur les territoires de quels pays Daech étend-il son emprise ?**

J'analyse un document

2 DOC. 1 **De quoi Daech tire-t-il ses ressources financières ?**

3 DOC. 2 **Quels sont ses objectifs ?**

4 DOC. 3 ET 4 **Quels moyens emploie-t-il pour les atteindre ?**

LE FIGARO

La guerre en plein Paris

...érie d'attaques terroristes sans précédent se sont produites hier soir à Paris, et aux ...ls du stade de France, faisant plusieurs dizaines de morts et de blessés. François ...nde a annoncé à minuit qu'il décrétait l'état d'urgence et ordonnait la fermeture des ...ères. Un conseil des ministres extraordinaire a été convoqué dans la nuit. Ces attentats ...rovoqué une immense émotion dans le monde. Barack Obama, intervenant à la ...sion, a estimé que ces attaques frappaient *« toute l'humanité et nos valeurs universelles »*.

3 Le terrorisme en Occident

Une du journal *Le Figaro* après les attentats commis à Paris par des partisans de Daech, 14-15 novembre 2015.

---

4 L'épuration ethnique et religieuse au Moyen-Orient

« Les attaques de l'EI contre la minorité yézidie[1] en Irak, "un génocide" selon l'ONU.

Meurtres, tortures, viols et enrôlement d'enfants, un rapport de l'Organisation des Nations unies (ONU) fait état jeudi 19 mars des exactions de l'État islamique (EI)[2] depuis juin dernier "contre de nombreux groupes ethniques et religieux en Irak, dont certaines pourraient constituer un génocide. [...] Le schéma manifeste des attaques contre les yézidis a indiqué l'intention de l'EIIL[3] de détruire les yézidis en tant que groupe." [...]

Les enquêteurs dénoncent aussi le "traitement brutal" infligé à d'autres groupes ethniques, dont les chrétiens, Turkmènes, sabéens, mandéens, Kaka'e, Kurdes et chiites. »

« Les attaques de l'État islamique contre la minorité yézidie en Irak, "un génocide" selon l'ONU », *Le Monde* avec AFP, 19 mars 2015.

1. Communauté possédant sa propre religion et vivant depuis plus de 4 000 ans au Moyen-Orient.
2. Traduction de « Daech ».
3. État islamique en Irak et au Levant, ancien nom de Daech.

VOCABULAIRE

Un califat : un territoire soumis à un calife, chef religieux et politique musulman.

Daech : cet acronyme arabe signifie « État islamique » et désigne l'organisation terroriste djihadiste basée au Moyen-Orient.

Je raisonne

5 À l'aide des documents et de vos réponses précédentes, expliquez comment l'action de Daech déstabilise à la fois le Moyen-Orient et le monde.

Conseil Brevet

Analyser un article de presse

Pour analyser le DOC. 4, identifiez bien les différentes victimes de Daech et prenez en compte le sens du terme « génocide ».

Cours 2

Nouveaux conflits et nouvelles rivalités depuis 2001

▶ **Quels sont les formes et les territoires du nouveau désordre mondial ?**

PASSÉ PRÉSENT

La guerre des drones

De même que l'invention de la poudre et de l'arme atomique, les drones militaires bouleversent aujourd'hui le visage de la guerre. Depuis les années 2000, ces **machines de combat automatisées** se répandent à grande échelle : les États-Unis disposeraient ainsi aujourd'hui de plus de 9 000 drones, tandis que l'Europe investit massivement dans ces appareils.

A L'affirmation mondiale du terrorisme

▶ **Les attentats du 11 septembre 2001 sur le sol américain** ouvrent une nouvelle ère géopolitique : les États-Unis, dont la puissance est contestée, ne peuvent plus se poser en arbitre des relations internationales.

▶ **De nombreux groupes terroristes prospèrent au Moyen-Orient**, en Asie et en Afrique. C'est le cas d'Al-Qaida et de ses multiples réseaux à travers le monde mais aussi de Daech, implanté en Irak et en Syrie. Ces groupes sont à l'origine de nombreux attentats : à Madrid en 2004, à Londres en 2005, à Paris en 2015.

B Le déclin de la guerre conventionnelle

▶ Face à ces menaces, les puissances traditionnelles durcissent leur politique étrangère. Après le 11 septembre, les États-Unis interviennent contre les « États voyous » qu'ils soupçonnent d'abriter des terroristes (Afghanistan en 2001, en Irak en 2003), mais ils se heurtent à **des guérillas**.

▶ Ces opérations donnent lieu à des dommages collatéraux dramatiques pour les civils. Elles semblent avoir peu d'impact sur la menace terroriste et contribuent en outre à ternir l'image de l'Occident.

C Un monde multipolaire en équilibre précaire

▶ L'affirmation de nouvelles puissances attise **les rivalités territoriales dans de nombreuses régions du monde**, comme en Ukraine entre la Russie et l'Occident, ou en mer de Chine méridionale entre la Chine et ses voisins.

▶ **Les tensions se concentrent au sein d'un « arc des crises »** allant de l'Afrique au Pakistan en passant par le Proche et le Moyen-Orient. Touché par de nombreuses guerres civiles, ethniques et nationalistes, celui-ci abrite aussi les acteurs-clés de divers groupes terroristes.

▶ Les cyberguerres constituent une nouvelle forme de conflictualité à l'échelle mondiale, **bouleversant les logiques de guerre traditionnelles**.

PERSONNAGES- CLÉS

▶ **Oussama Ben Laden (1957-2011)**
À la tête d'Al-Qaida, il prône le djihadisme anti-occidental et commandite les attentats du 11 septembre 2001. Il est abattu par un commando américain en 2011.

▶ **Abu Bakr Al-Baghdadi (né en 1971)**
Dirigeant l'un des principaux groupes terroristes d'Irak, il se proclame calife de Daech en 2014 et appelle à commettre de nombreuses atrocités.

1 Le conflit en Ukraine en 2014

Photographie de la place de l'Indépendance (Maïdan), à Kiev, ravagée par les affrontements entre les manifestants pro-européens et le régime politique pro-russe, 19 février 2014.

2 La cyberguerre, nouvel enjeu des rivalités mondiales

« Les cyber-attaques peuvent servir à trois choses. Elles peuvent servir à espionner, voler de l'information pour préparer des plans ou rattraper son retard en recherche [...]. Par ailleurs, elles peuvent servir à paralyser des systèmes d'information cruciaux de souveraineté comme la banque, l'énergie, les communications. Dans ce cas-là, il s'agirait d'une action de sabotage pour paralyser un pays ou un système militaire pendant un certain temps. [...] Enfin, une cyber-attaque peut servir à faire de la propagande [...]. Il y a évidemment un risque d'escalade important. D'abord, les États-Unis – et l'OTAN[1] en général – prennent les cyber-attaques très au sérieux et ont annoncé [...] qu'elles pourraient être considérées comme aussi graves que des attaques par des missiles [...] et attirer des répliques avec des missiles, des bombes. [...] Ensuite, il y a aussi la possibilité de manipulation : des pirates informatiques peuvent faire attribuer à un pays une attaque qu'il n'a pas menée en réalité dans le but de créer de la tension et du chaos. »

François-Bernard Huyghe, « La cyberguerre, c'est maintenant », atlantico.fr, 23 octobre 2015.

1. L'Organisation du traité de l'Atlantique nord.

▶ **Vladimir Poutine (né en 1952)**
Il dirige la Russie depuis 1999 de manière autoritaire et cherche à redonner à son pays la puissance internationale perdue depuis la chute de l'URSS en 1991.

▶ **Barack Obama (né en 1961)**
Premier président noir des États-Unis de 2009 à 2017, il cherche sur la scène internationale un règlement diplomatique des conflits internationaux mais utilise la force armée contre le terrorisme.

carte
mentale   lienmini.fr/hgemc3-026

Saisissez cette adresse sur votre
navigateur pour découvrir la carte mentale.

CARTE MENTALE

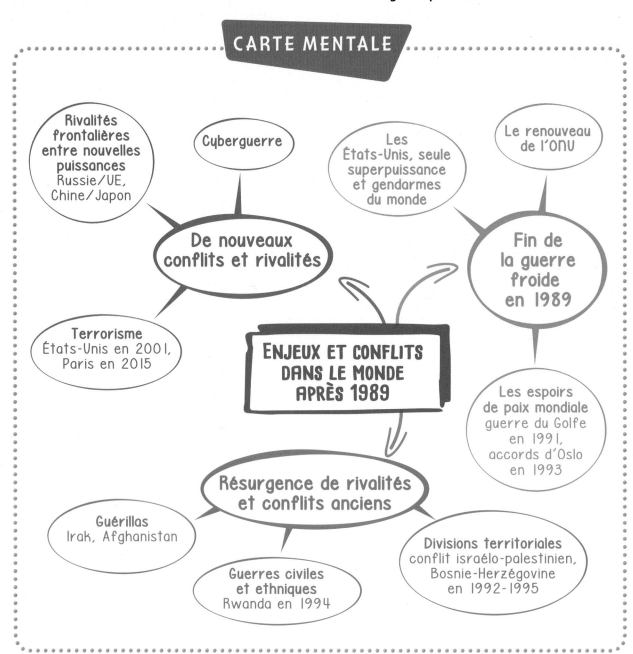

Rivalités frontalières entre nouvelles puissances Russie/UE, Chine/Japon

Cyberguerre

Les États-Unis, seule superpuissance et gendarmes du monde

Le renouveau de l'ONU

De nouveaux conflits et rivalités

Terrorisme États-Unis en 2001, Paris en 2015

ENJEUX ET CONFLITS DANS LE MONDE APRÈS 1989

Fin de la guerre froide en 1989

Les espoirs de paix mondiale guerre du Golfe en 1991, accords d'Oslo en 1993

Résurgence de rivalités et conflits anciens

Guérillas Irak, Afghanistan

Guerres civiles et ethniques Rwanda en 1994

Divisions territoriales conflit israélo-palestinien, Bosnie-Herzégovine en 1992-1995

Réviser en ligne

Je teste mes connaissances

QUIZ   lienmini.fr/hgemc3-027

Saisissez cette adresse
sur votre navigateur pour lancer le quiz.

Le tuto pour créer
ma carte mentale.

TUTO
vidéo

lienmini.fr/hgemc3-001

MÉTHODE

Étudier un article de presse

Étape 1 ► **Présentez l'article de presse :** identifiez l'auteur de l'article, le journal dans lequel il est publié et le lectorat qui est visé, ainsi que sa date de parution. Resituez le document dans son contexte historique.

Étape 2 ► **Cherchez le sens :** dégagez l'idée principale, puis les idées secondaires. Relevez les termes-clés.

Étape 3 ► **Interprétez :** expliquez les idées présentées dans l'article en indiquant s'il s'agit d'une opinion, si les faits sur lesquels elles s'appuient sont exacts ou si d'autres sont passés sous silence.

1

Une rivalité en mer de Chine orientale

« Le différend[1] territorial qui oppose le Japon et la Chine autour de la souveraineté d'ilots inhabités de mer de Chine orientale, appelés Senkaku à Tokyo et Diaoyu à Pékin, va-t-il entrainer les deux géants asiatiques dans un conflit ouvert ? [...] La crise sino-nipponne est montée d'un cran, jeudi 13 décembre, avec le survol de cet archipel par un avion chinois [...].

Depuis 1971, Taiwan (territoire indépendant de fait, mais dont la Chine revendique la souveraineté) et la République populaire de Chine revendiquent leur souveraineté sur ces iles. [...]

Bien qu'inhabitées, ces iles sont l'objet de toutes les convoitises, car elles sont entourées d'eaux très poissonneuses, mais surtout parce que leurs fonds marins pourraient renfermer des hydrocarbures. [...] En outre, l'emplacement de ces iles est stratégique pour la marine chinoise, qui considère la mer de Chine du Sud comme une "zone d'intérêt vital". [...]

L'archipel des Diaoyu-Senkaku a déjà été la cause de nombreux incidents diplomatiques entre les deux pays. [...] "Si le Japon cède sous l'effet des tensions, le risque est qu'il n'y ait plus de limites aux velléités[2] de la Chine sur d'autres territoires situés en mer de Chine. Les autres pays asiatiques et les États-Unis n'ont donc pas intérêt à ce que le Japon cède", estime Valérie Niquet, responsable du pôle Asie à la Fondation pour la recherche stratégique. »

« Ces iles qui enveniment les relations entre la Chine et le Japon », *Le Monde*, 11 septembre 2012.

1. Désaccord.
2. Convoitises.

---

1 Présentez l'article de presse
Dans quel journal l'article est-il publié ? À quelle date ?

2 Cherchez le sens
Quels sont les acteurs du différend ? À propos de quoi s'opposent-ils ?
Quelles sont les causes de leur rivalité ?
Pourquoi concerne-t-elle en réalité une grande partie du monde ?

3 Interprétez
Peut-on dire que cet article est plutôt neutre ou orienté ? Justifiez votre réponse.

Brevet

|||||||||||||||||||||||||||||||||||||||||||||||||||||||||||||||||||||||||||||||||||||||||||||||||||||||||||||||||||||||| Sujet guidé

Exercice 1   Analyser et comprendre des documents

Une « nouvelle guerre froide » ?

1

« Le 27 mai 1997, la Russie et l'Otan[1] signaient à Paris un acte fondateur dans lequel, pour la première fois depuis la guerre froide, elles affirmaient qu'elles ne se considéraient "plus comme des adversaires". [...] Près de deux décennies plus tard, les [experts] passent leur temps à se demander si depuis l'annexion de la Crimée[2], arrachée à l'Ukraine au printemps 2014, Moscou n'envisage pas de nouveau de se mesurer à l'Occident. La nouvelle doctrine militaire russe, codifiée dans un document publié en décembre, fait en effet de nouveau de l'Otan la "principale menace" pesant sur la sécurité du pays. [...] L'aventure ukrainienne a soudé l'opinion russe autour de Vladimir Poutine. Selon une étude [...], huit Russes sur dix pensent que la politique étrangère de Poutine vis-à-vis des États-Unis et de l'Europe est bonne. [...] Dans le même temps, le nombre de Russes qui déplorent l'éclatement de l'Union soviétique, "la catastrophe du XXe siècle", selon les mots de [Poutine], a lui aussi tendance à augmenter (69 %). [...] La bonne vieille [propagande] a été remise au gout du jour, avec des moyens plus modernes (télévision, Internet). »

Hélène Despic-Popovic, « En Russie, un parfum de guerre froide », *Libération*, 11 août 2015.

1. Organisation du traité de l'Atlantique nord.
2. Région d'Ukraine récemment conquise par la Russie malgré l'opposition des Européens et des États-Unis.

1 Présentez cet article de presse.

2 Quels sont les acteurs de cette rivalité renouvelée ?

> N'oubliez pas le principal territoire sur lequel prend place cette rivalité.

3 Quelle récente manœuvre de la Russie en est-elle la cause principale ?

4 Quelle semble être l'opinion générale des Russes quant à la politique de leur pays ?

> Repérez bien les chiffres avancés par l'étude citée dans le texte.

5 Cet article peut-il être considéré comme neutre ? Justifiez votre réponse.

6 À l'aide de vos connaissances et des éléments du texte, justifiez l'expression de « nouvelle guerre froide ».

> Faites appel à vos connaissances pour expliquer en quoi consiste la guerre froide. Appuyez-vous ensuite sur le texte pour montrer que l'expression peut s'appliquer à la rivalité actuelle entre Russie et Occident.

Exercice 2   Maitriser différents langages pour raisonner et se repérer

a **Sujet :** Sous la forme d'un développement construit d'une vingtaine de lignes et en vous appuyant sur des faits étudiés en cours, présentez un exemple de conflit armé directement issu de la guerre froide.

b Recopiez la frise, puis placez la date de la fin de la guerre froide, ainsi que celle des attentats du 11 septembre 2001. Faites figurer deux exemples de conflits ou d'attaques révélateurs des nouveaux conflits mondiaux, et justifiez votre choix.

Exercice 1   Analyser et comprendre des documents

1 Le monde face au terrorisme

« En 1989, contrairement aux espérances populaires, la chute du mur de Berlin entraine le monde dans une nouvelle insécurité. [...] Les attentats terroristes du 11 septembre 2001 mettent fin à [la suprématie] des États-Unis. [...] Ils [offrent] l'avantage au faible contre le fort, à la souris face au chat. [...] Les pick-up automobiles et les kalachnikovs l'emportent bien souvent en efficacité sur les tanks, les canons et les missiles. [...] Ce type de conflits [peut] se dérouler sur deux théâtres d'opération à la fois : l'un où l'affrontement est militaire, et l'autre où le terrorisme importe la violence dans une zone pourtant très éloignée des combats. [...] On remarque une grande variation du nombre d'hommes engagés entre les deux camps, d'un côté des milliers de soldats face à quelques centaines de combattants [...] La guerre est aussi [déséquilibrée] [...] entre des terroristes décidés à tuer et lourdement armés d'une part, et leurs ennemis désignés, simples citoyens désarmés d'autre part. [...] Les terroristes cherchent à imposer la terreur à la population civile, pour qu'elle fasse pression sur son gouvernement afin qu'il change de politique, voire pour le contraindre à abandonner le pouvoir. »

Yves Jeanclos, « L'ère des conflits asymétriques »,
Le Monde, 19 janvier 2015.

2 La cyberguerre, nouvel enjeu des conflits modernes

« Cyberguerre, la menace venue d'internet », couverture de l'hebdomadaire britannique *The Economist*, 3 juillet 2010.

1 DOC. 1 **Dans une guerre contre le terrorisme, quelles sont généralement les forces en présence ?**

2 DOC. 1 **Quels territoires sont touchés par ce type de guerre ?**

3 DOC. 1 **Identifiez les objectifs des terroristes. Quels moyens emploient-ils pour y parvenir ?**

4 DOC. 2 **En quoi la cyberguerre constitue-t-elle un exemple de conflit d'un type nouveau ?**

5 DOC. 2 **Comment l'auteur de la couverture suggère-t-il son potentiel dévastateur ?**

6 DOC. 1 ET 2 **Expliquez en quoi le terrorisme et la cyberguerre bouleversent les logiques de guerre traditionnelles.**

Exercice 2   Maitriser différents langages pour raisonner

Sujet : Sous la forme d'un développement construit d'une vingtaine de lignes et en vous appuyant sur des faits étudiés en cours, présentez un exemple de conflit armé non directement issu de la guerre froide.

Refonder
la République, 1944-1947

Scène de joie à la Libération

AIDE VISUELLE

1 Le drapeau français porte la croix de Lorraine, symbole de la France libre.

2 Les chars de la 2e division blindée (DB) du général Leclerc, intégrés aux forces armées alliées, sont entrés dans Paris le 24 août 1944.

3 Aux fenêtres, le drapeau français se mêle à ceux des alliés américains, britanniques et soviétiques.

Comment la République est-elle refondée dans la France libérée ?

Photographie prise devant l'hôtel de ville de Paris, 26 août 1944.

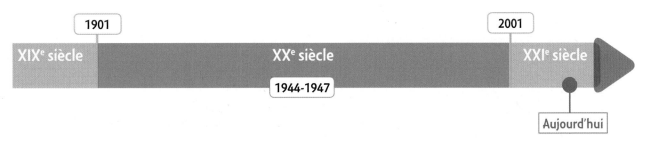

1901

XIXᵉ siècle

XXᵉ siècle

2001

XXIᵉ siècle

1944-1947

Aujourd'hui

Se repérer dans le temps

1944   1945

Une refondation

2 juin 1944
Mise en place du GPRF

Affiche éditée sous l'occupation allemande par le Gouvernement provisoire de la République française (GPRF), août 1944.

À Alger, quelques jours avant le débarquement allié en Normandie, la Résistance conduite par le général de Gaulle se dote d'un Gouvernement provisoire de la République française (GPRF). Présidé par de Gaulle, le GPRF s'installe à Paris fin août et prend ses premières décisions alors que l'est du pays n'est pas encore libéré.

5 octobre 1944
Ordonnance sur le vote féminin

Vérification des listes électorales lors des élections municipales du 29 avril 1945. Les femmes françaises sont électrices et participent à l'organisation du scrutin.

L'une des premières ordonnances du GPRF concerne le droit de vote des femmes. Cette décision s'inspire d'une idée du communiste Fernand Grenier, député de l'Assemblée consultative de la Résistance à Alger, qui souhaitait imposer dans la nouvelle République le vote féminin « dans les mêmes conditions que les hommes », dès les premières élections au lendemain de la Libération.

QUESTIONS

1 Qui est président du Gouvernement provisoire de la République française ?

2 Quel droit est donné aux femmes par la Résistance ?

3 De quelle manière est adoptée la Constitution de la IVe République ?

1946

1947

républicaine

Référendum sur la nouvelle Constitution

Appel du parti communiste à voter en faveur de la rédaction d'une nouvelle Constitution au référendum d'octobre 1945.

La **Constitution** de la IVe République est adoptée par **référendum**. Écrite par une Assemblée constituante, établie elle-même par référendum en octobre 1945, elle est soutenue par la majorité de la classe politique française mais critiquée par le général de Gaulle. Le scrutin ne passionne pas : un tiers des électeurs ne s'est pas déplacé pour voter.

16 janvier 1947

Élection de Vincent Auriol

Portrait officiel de Vincent Auriol, premier président de la IVe République.

Vincent Auriol est élu premier président de la IVe République par le Parlement réuni en congrès à Versailles. Il promet d'être un arbitre des nouvelles institutions. Mais ses pouvoirs restent faibles face à la Chambre des députés élue au suffrage universel.

VOCABULAIRE

La Constitution : le texte fixant l'organisation et le fonctionnement de la République. Toutes les lois doivent être conformes à la Constitution.

Une ordonnance : un texte de loi édicté par un gouvernement.

Un référendum : un vote par lequel les électeurs répondent par « oui » ou par « non » à une proposition.

Étude

||||||||||||

La restauration de la République

▶ **Comment la Résistance rétablit-elle un fonctionnement démocratique ?**

À la Libération, la Résistance veut rétablir l'autorité et les principes de la République sur l'ensemble du territoire. Cette refondation républicaine et démocratique s'accompagne d'un mouvement d'épuration des collaborateurs.

1 L'ordonnance du 9 août 1944

« **Article 1.** La forme du Gouvernement de la France est et demeure la République. En droit celle-ci n'a pas cessé d'exister.

Article 2. Sont, en conséquence, nuls et de nul effet tous les actes constitutionnels législatifs ou règlementaires, ainsi que les arrêtés pris pour leur exécution, sous quelque dénomination que ce soit, promulgués sur le territoire continental postérieurement au 16 juin 1940 et jusqu'au rétablissement du Gouvernement provisoire de la République française. Cette nullité doit être expressément constatée.

Article 10. Sont immédiatement dissous les groupements suivants et tous les organismes similaires et annexes. [...]
La milice,
Le groupe collaboration,
La milice antibolchévique,
La légion tricolore,
Le parti franciste, [...]
Le parti populaire français[1]. »

Ordonnance du 9 août 1944 relative au rétablissement de la légalité républicaine sur le territoire continental, promulguée par le Gouvernement provisoire de la République française

1. Organisations françaises ayant collaboré avec l'Allemagne.

2 Le vote du 21 octobre 1945

Photographie prise lors du référendum et des élections législatives du 21 octobre 1945.

1. Urne pour le référendum sur le maintien ou le rejet des institutions de la IIIe République.
2. Urne pour l'élection d'une Assemblée nationale constituante.
3. Les femmes et les militaires votent pour la première fois dans l'histoire de la République.

VOCABULAIRE

L'épuration : la répression contre les individus ayant collaboré avec les nazis durant la Deuxième Guerre mondiale.

Je comprends un document

1 DOC. 1 Qui a rédigé cette ordonnance ?

2 DOC. 1 Quel régime politique est considéré comme légal et permanent ? Que vise l'article 2 ?

J'extrais des informations

3 DOC. 2 ET 3 Comment les citoyens sont-ils associés au processus de refondation républicaine ?

4 DOC. 4 Quelle information nous montre que l'épuration a d'abord été « sauvage » ?

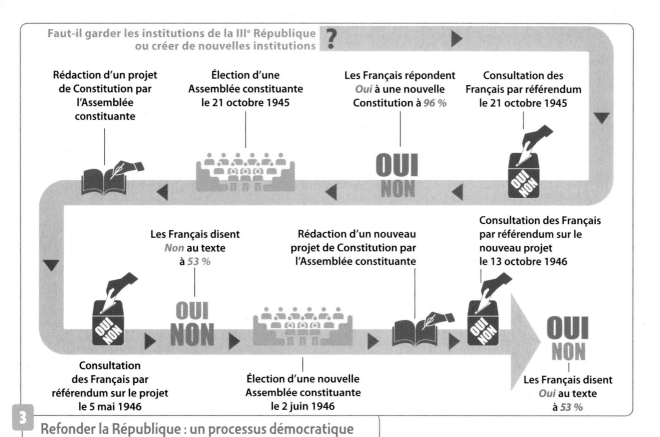

Faut-il garder les institutions de la IIIᵉ République ou créer de nouvelles institutions ❓

Rédaction d'un projet de Constitution par l'Assemblée constituante

Élection d'une Assemblée constituante le 21 octobre 1945

Les Français répondent *Oui* à une nouvelle Constitution à *96* %

Consultation des Français par référendum le 21 octobre 1945

OUI NON

OUI NON

Les Français disent *Non* au texte à *53* %

Rédaction d'un nouveau projet de Constitution par l'Assemblée constituante

Consultation des Français par référendum sur le nouveau projet le 13 octobre 1946

OUI NON

OUI NON

OUI NON

Consultation des Français par référendum sur le projet le 5 mai 1946

Élection d'une nouvelle Assemblée constituante le 2 juin 1946

Les Français disent *Oui* au texte à *53* %

3 Refonder la République : un processus démocratique

4 L'épuration

Exécutions sommaires durant la Libération (été 1944)	10 000
Personnes faisant l'objet d'une enquête judiciaire	350 000
Personnes mises à l'abri des vengeances expéditives	126 000
Procès	171 000
Condamnations à de la prison pour collaboration avec l'ennemi	90 000
Condamnations à la dégradation nationale[1]	50 000
Fonctionnaires sanctionnés	Entre 22 000 et 28 0000
Femmes incarcérées pour collaboration	6 000

Source : Peter Novick, *L'Épuration française (1944-1949)*, Éditions du Seuil, 1991.

1. Entraine l'exclusion du droit de vote, l'inéligibilité aux élections, l'exclusion de la fonction publique et des emplois de cadre dans la presse ou les entreprises.

5 Le procès de Philippe Pétain

Photographie de Philippe Pétain devant la Haute Cour de justice de Paris, juillet-août 1945.

Le maréchal Pétain est jugé pour son rôle dans la collaboration avec l'Allemagne. Condamné à mort, il voit sa peine commuée en emprisonnement à vie par le général de Gaulle.

Je raisonne

5 À l'aide des documents et de vos réponses précédentes, expliquez comment le fonctionnement démocratique a été rétabli à la Libération. Ordonnez votre réponse en trois points.

Conseil Brevet

Écrire en histoire

Pour rédiger une réponse longue (question **5**), il faut bien organiser ses idées afin de produire un texte argumenté. Les trois idées sont données par les documents :

Rétablir un fonctionnement démocratique, c'est

...... (DOC. 1)   ...... (DOC. 4 et 5)   ...... (DOC. 2 et 3)

Cours 1 — La refondation de la République

▶ **Comment la République a-t-elle été refondée à la Libération ?**

VOCABULAIRE

Une Assemblée constituante : une assemblée élue par le peuple et chargée de rédiger une Constitution.

Le pouvoir exécutif : le pouvoir chargé de faire appliquer la loi. Il est détenu par le président de la République et par le gouvernement.

Le pouvoir législatif : le pouvoir chargé de voter la loi. Il est détenu par le Parlement.

PASSÉ · PRÉSENT

Les assemblées constituantes

En 2011, en Tunisie, après une révolution et la chute de la dictature, une assemblée élue par le peuple a rédigé une constitution durant trois ans. Malgré de graves tensions, le texte a été adopté par les Tunisiens à une large majorité. **Le pays est devenu une république démocratique.**

A Une République provisoire dans la France libérée

▶ Durant la guerre, **la Résistance fonctionne de manière démocratique**. En 1943, un gouvernement de la France libre siège à Alger. Il prend le nom de Gouvernement provisoire de la République française (GPRF).

▶ Il s'installe à Paris en août 1944, alors que le territoire est en pleine libération. Le GPRF est présidé par le général de Gaulle et composé d'hommes politiques de gauche (communistes, socialistes, radicaux) et démocrates-chrétiens (du Mouvement républicain populaire, le MRP).

▶ **En août 1944, les décisions du régime de Vichy sont annulées.** Des représentants du GPRF sont envoyés dans les régions libérées pour restaurer l'autorité de la République. Les forces résistantes sont intégrées à l'armée régulière afin de continuer le combat contre l'Allemagne nazie. **Une épuration légale des collaborateurs est mise en place.** Philippe Pétain est jugé et condamné en août 1945.

B Une difficile refondation de la République

▶ Pour le GPRF, la Constitution de la nouvelle République doit être écrite par des représentants élus et approuvée par le peuple consulté par référendum. **Au nom de la souveraineté populaire qui fonde la démocratie, il s'agit d'associer les Français au processus de refondation républicaine.**

▶ En octobre 1945, une Assemblée constituante élue est chargée de rédiger un texte de Constitution. Composée de nombreux hommes politiques de la IIIᵉ République, elle propose **un régime qui privilégie le pouvoir législatif** sur le pouvoir exécutif.

▶ L'adoption du projet est difficile. De Gaulle souhaite un pouvoir exécutif fort, mais il n'est pas entendu. Il quitte le GPRF en janvier 1946. Un premier texte est rejeté par le peuple. Une nouvelle Assemblée élue rédige alors un nouveau projet de Constitution, peu différent, qui est adopté en octobre 1946. La IVᵉ République est née.

ÉLÉMENTS-CLÉS

▶ **Charles de Gaulle (1890-1970)**
Chef de la France libre à Londres puis à Alger, il revient en France en août 1944. Il préside le GPRF jusqu'en 1946, rétablissant la République.

▶ **Philippe Pétain (1856-1951)**
Chef du régime de Vichy, il fuit la France au moment de la Libération en août 1944. Rentré en avril 1945, il est jugé pour haute trahison.

1 La République victorieuse

Photographie du défilé à l'Arc de Triomphe avec au premier plan le géneral de Gaulle et le Premier ministre britannique, Winston Churchill, 11 novembre 1944.

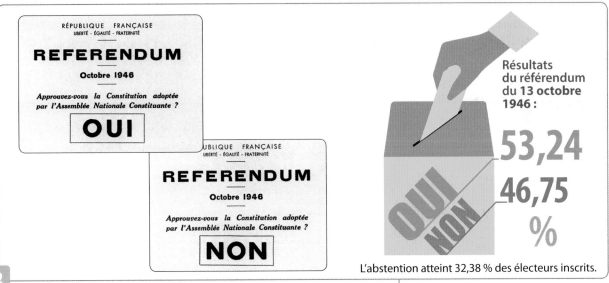

RÉPUBLIQUE FRANÇAISE
LIBERTÉ - ÉGALITÉ - FRATERNITÉ

REFERENDUM

Octobre 1946

Approuvez-vous la Constitution adoptée par l'Assemblée Nationale Constituante ?

OUI

...UBLIQUE FRANÇAISE
LIBERTÉ - ÉGALITÉ - FRATERNITÉ

REFERENDUM

Octobre 1946

Approuvez-vous la Constitution adoptée par l'Assemblée Nationale Constituante ?

NON

Résultats du référendum du **13 octobre 1946** :

53,24
46,75
%

OUI
NON

L'abstention atteint 32,38 % des électeurs inscrits.

2 Une nouvelle Constitution issue d'un processus démocratique

À gauche, les bulletins de vote lors du référendum d'octobre 1946.

▶ Le GPRF

Le Gouvernement provisoire de la République française issu la Résistance s'installe à Paris en août 1944, alors que les Alliés continuent à libérer le territoire.

▶ La IVᵉ République

En privilégiant le pouvoir législatif, ce régime politique mis en place de manière démocratique reprend les grands traits de la IIIᵉ République.

Étude
|||||||||||||

Les femmes, citoyennes dans la République d'après-guerre

▶ **Quelle place les femmes françaises prennent-elles dans la République en reconstruction ?**

Depuis la fin du XIXe siècle, nombre de Françaises souhaitaient voter et être élues. Une partie du personnel politique masculin s'y est longtemps opposée. À la Libération, la Résistance veut élargir la citoyenneté : le suffrage devient alors réellement universel.

1 Le droit de vote, déjà un combat avant-guerre

Une manifestation de suffragettes à Paris en 1935.

VOCABULAIRE

L'Assemblée consultative provisoire : l'assemblée basée à Alger en 1943 et 1944, représentant les mouvements résistants et les partis politiques de la France libre.

Le Comité français de Libération nationale (CFLN) : le gouvernement de la Résistance française basé à Alger en 1943 et 1944 et dirigé par le général De Gaulle.

Une suffragette : une militante réclamant le droit de vote.

2 Un droit issu de la Résistance

• **Discours du général de Gaulle devant l'Assemblée consultative provisoire à Alger, le 18 mars 1944**

« C'est la démocratie, renouvelée dans ses organes et surtout dans sa pratique que notre peuple appelle de ses vœux. Pour y répondre, le régime nouveau devrait comporter une représentation élue par tous les hommes et toutes les femmes de chez nous [...], s'astreignant à un fonctionnement politique et législatif très différent de celui qui finit par paralyser le Parlement de la Troisième République. »

• **Ordonnance du 21 avril 1944 promulguée par le Comité français de Libération nationale**

« Article 17. Les femmes sont électrices et éligibles dans les mêmes conditions que les hommes. »

• **Préambule de la Constitution du 27 octobre 1946**

« La loi garantit à la femme, dans tous les domaines, des droits égaux à ceux de l'homme. »

J'extrais des informations

1 DOC. 1 Que réclament ces femmes ? À quelle époque ?

2 DOC. 2 Expliquez par quel processus la Résistance accorde le droit de vote aux femmes.

Je comprends un document

3 DOC. 4 Pourquoi peut-on dire d'Odette Roux qu'elle est une femme engagée en politique ?

4 DOC. 4 Quelles réactions son élection à la mairie des Sables-d'Olonne suscite-t-elle ?

FEMMES de FRANCE

POUR LA RENAISSANCE DE NOTRE PAYS
POUR LE BONHEUR DE NOS FOYERS

Unissez-vous **OUVRIÈRES**
qui voulez défendre les avantages acquis, assurer au pays une production accrue, garantie de notre indépendance et du bien-être familial.

Unissez-vous **PAYSANNES**
qui voulez assurer la sécurité de notre ravitaillement par la terre de France dans la juste rémunération de vos efforts.

Unissez-vous **MÉNAGÈRES et COMMERÇANTES**
qui voulez arrêter la course à la hausse des prix, défendre le budget familial contre les intermédiaires parasites, les fauteurs de vie chère et les naufrageurs du franc.

Unissez-vous **MAMANS**
qui voulez assurer à vos enfants le droit de vivre, qui voulez les préserver de nouveaux Oradour et voir créer pour eux, crèches, garderies et autres institutions sociales si nécessaires à leur santé physique et morale.

Unissez-vous **toutes, Femmes Patriotes et Républicaines**
qui voulez défendre la démocratie, la paix, la vie des êtres chers contre tout pouvoir personnel, évocateur des années tragiques que nous avons vécues.

FAITES CONFIANCE AU PARTI COMMUNISTE FRANÇAIS

LE PARTI
DES TRAVAILLEURS, DES MÈRES, DES CITOYENNES
DE LA PROTECTION DE LA FAMILLE ET DE L'ENFANCE
DE LA PAIX ET DE LA SÉCURITÉ FRANÇAISE
DE LA RÉPUBLIQUE ET DE LA FRANCE

ADHÉREZ AU PARTI COMMUNISTE FRANÇAIS, AU SIÈGE DE LA SECTION LOCALE, AU SIÈGE DE LA FÉDÉRATION OU AU SIÈGE DU COMITÉ CENTRAL, 44, RUE LE PELETIER. PARIS 9ᵉ

3 Séduire l'électorat féminin

Affiche du Parti communiste français (PCF), 1946.

---

4 Odette Roux, élue maire des Sables-d'Olonne, en février 1945

« Odette Roux est née en 1917 en Vendée. Marquée par la guerre d'Espagne, Odette veut s'engager dans les Brigades internationales[1]. Mais elle n'est pas acceptée comme combattante. Elle adhère aux Jeunesses socialistes. En 1941, Odette et son mari communiste entrent dans la Résistance. Elle adhère au parti communiste clandestin. Elle participe à la libération de la Vendée en août-septembre 1944. Pour la récompenser, le préfet de Vendée la nomme conseillère municipale des Sables-d'Olonne. La mairie est alors tenue par un conseil municipal hostile, nommé par le maréchal Pétain. En février 1945, Odette Roux se présente aux élections municipales sur une liste communiste. La campagne est difficile : "Dans l'esprit des gens bornés être une femme et faire de la politique, c'était forcément être une femme dont la vie n'était pas correcte. Quand je me promenais sur le remblai, j'étais la curiosité. J'entendais parler derrière moi. Parfois je me retournais et leur disais : Je suis une femme comme vos femmes, je fais la vaisselle quand je rentre chez moi, je fais mon lit le matin." Victorieux, les quinze élus de la liste communiste demandent à Odette de prendre le poste de maire. Dès lors, elle se bat pour faire comprendre que les femmes peuvent avoir une plus grande place dans la société et ne sont pas réduites au travail domestique. »

D'après une interview d'Odette Roux réalisée par la Fondation pour l'innovation politique (Fondapol), avril 2014, © www.fondapol.org.

1. Armée de volontaires ayant combattu durant la guerre d'Espagne au côté des républicains espagnols.

Piste EPI

Je justifie

5 DOC. 3 ET 4 Justifiez, en vous appuyant sur ces documents, que si les femmes obtiennent des droits politiques en 1944, la société leur attribue encore des fonctions traditionnelles.

Histoire - Anglais

Comparez la lutte des femmes pour le droit de vote en France et au Royaume-Uni. Réalisez une exposition au CDI.

Information, communication, citoyenneté

Étude

Les réformes économiques et sociales

▶ **Comment les réformes de 1944-1947 fondent-elles une nouvelle démocratie sociale ?**

Dès 1943, la Résistance réfléchit à la reconstruction de la France et à la refondation de la République. Le Conseil national de la Résistance (CNR) rédige un programme de réformes économiques et sociales qui sert de base aux grandes décisions du Gouvernement provisoire de la République française et de la IVᵉ République.

1 Des réformes prévues pendant la guerre

« Mesures à appliquer dès la libération du territoire [...]
- l'instauration d'une véritable démocratie économique et sociale [...]
- le retour à la nation des grands moyens de production monopolisée, fruits du travail commun, des sources d'énergie, des richesses du sous-sol, des compagnies d'assurances et des grandes banques [...]
- le droit d'accès, dans le cadre de l'entreprise, aux fonctions de direction et d'administration, pour les ouvriers possédant les qualifications nécessaires, et la participation des travailleurs à la direction de l'économie [...]
- le droit au travail et le droit au repos [...]
- un rajustement important des salaires et la garantie d'un niveau de salaire et de traitement qui assure à chaque travailleur et à sa famille la sécurité, la dignité et la possibilité d'une vie pleinement humaine [...]
- la reconstitution, dans ses libertés traditionnelles, d'un syndicalisme indépendant [...]
- un plan complet de sécurité sociale, visant à assurer à tous les citoyens des moyens d'existence, dans tous les cas où ils sont incapables de se le procurer par le travail [...]
- une retraite permettant aux vieux travailleurs de finir dignement leurs jours. »

Programme du Conseil national de la Résistance, mars 1944.

2 Les réalisations en 1944-1947

Mesures économiques

Nationalisation des grandes banques, du secteur de l'énergie (charbon, électricité, gaz), des transports aériens (création d'Air France), de la marine marchande, de l'entreprise Renault (1944-1946).

Préambule de la Constitution d'octobre 1946 : une entreprise assurant une mission de service public national doit devenir la propriété de la collectivité.

Mesures sociales

Rétablissement de la liberté syndicale (juillet 1944).

Comités d'entreprise (février 1945 et avril 1946).

Établissement de la Sécurité sociale (octobre 1945) et d'un système de retraite généralisé (avril 1946).

Préambule de la Constitution d'octobre 1946 : garantie par la République de moyens convenables d'existence en cas de maladie, de vieillesse, de chômage.

Rétablissement de la loi des quarante heures de travail par semaine (février 1946).

Préambule de la Constitution d'octobre 1946 : garantie du repos et des loisirs.

VOCABULAIRE

Une nationalisation : la prise de contrôle par l'État d'une entreprise privée ou d'un secteur économique entier.

Je situe

1 DOC. 1 **Dans quel contexte le CNR rédige-t-il son programme de réformes ?**

2 INTRO ET DOC. 2 **Qui met en place les réformes entre 1944 et 1947 ?**

J'extrais des informations

3 DOC. 2 ET 4 **Quelles réalisations contribuent à garantir une meilleure existence aux travailleurs ainsi que leurs droits au sein de l'entreprise ?**

4 DOC. 3 **Quels sont les éléments justifiant que « la voie de la santé, c'est la voie du bonheur » ?**

LA VOIE DE LA SANTÉ...

Examens de Santé · Examens prénuptiaux · Protection de la mère et de l'enfant · Dépistage systématique de la tuberculose · Vaccination · Dépistage précoce des tumeurs · Consultations d'hygiène mentale

Prévention · Éducation Sanitaire

CENTRES MÉDICO-SOCIAUX · CENTRES DE SOINS · CONSULTATIONS MÉDICALES

...C'EST LA VOIE DU BONHEUR

CAISSE RÉGIONALE DE SÉCURITÉ SOCIALE DE PARIS
ET CENTRE INTERDÉPARTEMENTAL D'ÉDUCATION SANITAIRE DE PARIS

1.58 – AS 264

3 L'action de la Sécurité sociale

Affiche de la caisse régionale de Sécurité sociale de Paris et du centre interdépartemental d'éducation sanitaire de Paris, 1958.

4 Témoignage de Jean Wroblewski, mineur du Nord

« La nationalisation [des Houillères du Nord et du Pas-de-Calais en 1946] et le statut du mineur ont permis que les mineurs gagnent 20 % de plus que la moyenne des salaires de la métallurgie parisienne, et en ce qui concerne ceux du fond[1] 42 %. Et le régime de sécurité sociale minière où nous avons eu pratiquement la gratuité des soins, des produits pharmaceutiques et l'hospitalisation, enfin toute la protection sanitaire gratuite. Ensuite, il y a eu le comportement des ingénieurs. Disons que les ingénieurs recevaient des délégations syndicales. On pouvait aller discuter des revendications et il y a une certaine concertation qui s'établissait. »

Mémoires de la mine, documentaire de Jacques Renard, © TF1, 1980.

1. Les mineurs qui travaillent à l'extraction du charbon dans les galeries souterraines.

Je pratique différents languages

5 À l'aide des documents et de vos réponses précédentes, recopiez et complétez le schéma ci-contre :

sur les salaires : .... — **Les réformes de la Libération** — sur la santé : ....

sur la démocratie dans l'entreprise : ....

De la démocratie politique à la démocratie sociale

▶ **Quels sont les nouveaux droits garantis aux citoyens par la République ?**

A Les femmes, enfin citoyennes de plein droit

▶ Depuis la fin du XIXe siècle, les citoyennes françaises réclament le droit de vote. Malgré l'implication des femmes pendant la Première Guerre mondiale ou l'activité des militantes féministes, une partie des hommes politiques de la IIIe République a bloqué toute réforme. Ces responsables jugeaient les femmes pas assez mures ou trop influencées par l'Église pour accéder à une citoyenneté complète.

▶ **Le Gouvernement provisoire de la République française (GPRF) élargit le droit de vote aux femmes en octobre 1944.** Il veut ainsi récompenser leur action dans la Résistance et refonder la République sur **un suffrage vraiment universel**. Les femmes françaises participent en masse aux élections municipales et législatives de 1945. Mais peu sont élues à l'Assemblée constituante. Les maires femmes et les conseillères municipales sont rares.

B Des réformes inspirées par le CNR

▶ Durant la guerre, le Conseil national de la Résistance (CNR) a écrit un programme de réformes économiques et sociales qui doit accompagner la refondation de la République. Le GPRF puis la IVe République mettent en œuvre certaines de ces réformes, fondant l'État-providence.

▶ Dans le domaine économique, **la nation prend le contrôle de secteurs essentiels à la reconstruction du pays**. L'État procède à des nationalisations dans l'énergie, les transports ou la finance. Des entreprises ayant collaboré avec l'Allemagne sont également nationalisées (Renault).

▶ Dans le domaine social, **les lois de 1936 adoptées par le Front populaire sont rétablies et complétées**. Les comités d'entreprise donnent aux salariés un droit de regard sur le fonctionnement de leur entreprise. **La Sécurité sociale se met en place en 1945**. Elle garantit une protection des Français face aux risques de la vie (maladie, vieillesse). Elle fonctionne sur le principe de la solidarité nationale, grâce aux cotisations des salariés et des entreprises.

PASSÉ PRÉSENT

L'inégalité des sexes en politique

En 1945, les femmes se déplacent en masse pour voter mais peu sont élues à l'Assemblée nationale ou dans les communes. Aujourd'hui, les femmes françaises participent autant que les hommes aux diverses élections de la République. Mais elles sont toujours moins représentées. À l'Assemblée nationale en 2012, 155 députés sur 577 sont des femmes. En 2014, à peine 16 % des maires sont des femmes.

ÉLÉMENTS·CLÉS

▶ **Le CNR**
Le Comité national de la Résistance représente résistants, syndicats et partis d'avant-guerre. Il coordonne les actions de la Résistance et réfléchit à une nouvelle République.

▶ **Les nationalisations**
L'État prend le contrôle des secteurs de l'énergie (Houillères du Nord, EDF-GDF), des transports (Renault, Air France) et de la finance.

LA SALLE DES SÉANCES EST TROP PETITE, ON SE RÉUNIT DANS L'ÉCOLE. Mᵐᵉ CHARPY (MAIRE) EST DEBOUT AU BUREAU. A SA DROITE, SON ADJOINTE, JEANNE SAUVIN, CADETTE DU CONSEIL.

A Echigeÿ, premier village de France dirigé par les femmes
a interviewé

MADAME LE MAIRE

1 Les femmes au cœur de la République

Photographie du conseil municipal d'Échigey (Côte-d'Or), mai 1945.

---

2 La Sécurité sociale en 1945, une protection des Français fondée sur un principe de solidarité

Caisses de Sécurité sociale :
- représentant les salariés
- représentant les patrons

Nomment →

← *Cotisent*

Syndicats de salariés et patrons

Salariés Entreprises

↓

- Assurance maladie (remboursement des frais médicaux)
- Prestations familiales (allocations familiales de maternité)
- Assurance vieillesse (versement d'une pension de retraite) *

* L'assurance chômage n'est ajoutée qu'en 1959.
À la Libération, en période de plein emploi, le chômage n'est en effet pas vu comme un risque social.

▶ **Madeleine Braun (1907-1980)**
Ancienne résistante et députée communiste de la Seine, elle est la première vice-présidente de l'Assemblée nationale en 1946.

▶ **Le droit de vote des femmes dans le monde**
- Avant 1914 : Australie, Finlande, Norvège
- 1918 : Allemagne, Autriche, Royaume-Uni
- 1919 : États-Unis, Pays-Bas, Belgique
- 1934 : Turquie

Réviser

carte
mentale   **lienmini.fr/hgemc3-028**

Saisissez cette adresse sur votre
navigateur pour découvrir la carte mentale.

CARTE MENTALE

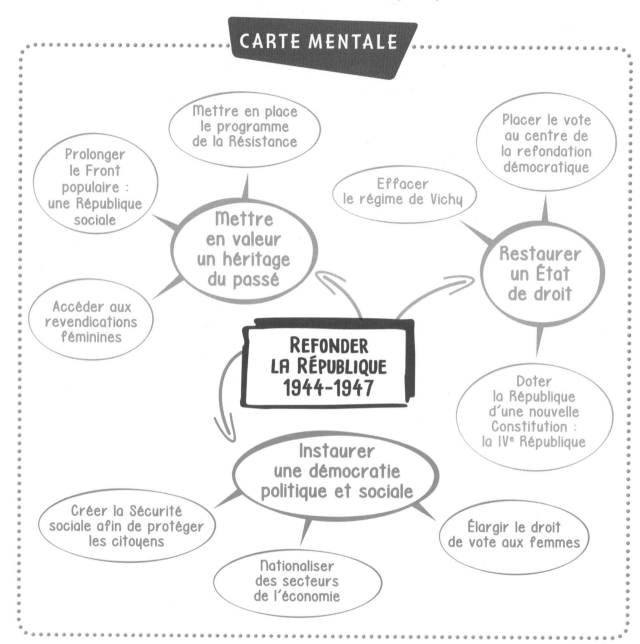

- Mettre en place le programme de la Résistance
- Prolonger le Front populaire : une République sociale
- Accéder aux revendications féminines
- Effacer le régime de Vichy
- Placer le vote au centre de la refondation démocratique

Mettre en valeur un héritage du passé

Restaurer un État de droit

REFONDER LA RÉPUBLIQUE 1944-1947

- Doter la République d'une nouvelle Constitution : la IVe République

Instaurer une démocratie politique et sociale

- Créer la Sécurité sociale afin de protéger les citoyens
- Nationaliser des secteurs de l'économie
- Élargir le droit de vote aux femmes

Réviser en ligne

Je teste mes connaissances

QUIZ   **lienmini.fr/hgemc3-029**

Saisissez cette adresse
sur votre navigateur pour lancer le quiz.

Le tuto pour créer
ma carte mentale.

TUTO vidéo

lienmini.fr/hgemc3-001

MÉTHODE

Confronter deux points de vue

Étape 1 ▶ **Présentez les documents :** relevez l'identité des auteurs, la nature et la date des documents. Identifiez le sujet principal, commun aux deux documents.

Étape 2 ▶ **Dégagez les arguments :** à partir du sujet commun identifié dans les deux documents (une idée, un projet, etc.), repérez les éléments (extraits de phrases, symboles d'une image, etc.) qui le présentent, le justifient ou le critiquent.

Étape 3 ▶ **Comparez :** établissez la liste des arguments relevés dans chaque document à propos du sujet commun et comparez-les pour identifier les accords et/ou les oppositions entre les deux auteurs.

1 Le discours de Bayeux

« Du Parlement, composé de deux Chambres et exerçant le pouvoir législatif, il va de soi que le pouvoir exécutif ne saurait procéder, sous peine d'aboutir à cette confusion des pouvoirs dans laquelle le Gouvernement ne serait bientôt plus rien qu'un assemblage de délégations. [...] En vérité, l'unité, la cohésion, la discipline intérieure du Gouvernement de la France doivent être des choses sacrées, sous peine de voir rapidement la direction même du pays impuissante et disqualifiée. Or, comment cette unité, cette cohésion, cette discipline, seraient-elles maintenues à la longue si le pouvoir exécutif émanait de l'autre pouvoir auquel il doit faire équilibre, et si chacun des membres du Gouvernement, lequel est collectivement responsable devant la représentation nationale tout entière, n'était, à son poste, que le mandataire d'un parti ? C'est donc du chef de l'État, placé au-dessus des partis, élu par un collège qui englobe le Parlement mais beaucoup plus large et composé de manière à faire de lui le président de l'Union française en même temps que celui de la République, que doit procéder le pouvoir exécutif. »

Charles de Gaulle, ancien chef de la France libre et chef démissionnaire du Gouvernement provisoire de la République française (GPRF), 16 juin 1946.

2 L'appel du 1er juin 1946

« Les hommes de la réaction sont parvenus à faire repousser une Constitution où s'inscrivaient de généreux principes répondant aux aspirations populaires vers toujours plus de liberté, de progrès et de justice sociale : droits égaux à la femme et à l'homme ; intégrité et dignité de la personne humaine ; protection de la famille, de la mère et de l'enfant ; droit à l'instruction pour tous, droit au travail et au repos ; droit à la sécurité sociale ; participation des salariés à la gestion des grandes entreprises. [...] Les communistes, tenant compte loyalement des indications du suffrage universel, rechercheront-ils, avec tous les républicains, les formules d'accord quant à l'aménagement des pouvoirs publics.

Toutefois, nous croyons nécessaire de maintenir dans la nouvelle Constitution :
- les droits économiques et sociaux ;
- la souveraineté sans partage de l'Assemblée élue par le suffrage universel ;
- la laïcité de l'État et de l'école. »

Maurice Thorez, secrétaire général du Parti communiste français et vice-président du Conseil, *L'Humanité*, 2 juin 1946.

1 Présentez les documents
Présentez les auteurs des deux textes.

2 Dégagez les arguments
Dans le document 1, qui doit exercer le pouvoir législatif et le pouvoir exécutif ?
Expliquez ce que redoute l'auteur du document 1 en vous appuyant sur la phrase soulignée.
Pour l'auteur du document 2, quels sont les avantages de la Constitution ?
En quoi l'auteur du document 2 s'oppose à l'auteur du document 1 ?

3 Comparez
Recopiez le tableau et classez les arguments principaux des auteurs des deux textes.

Contre la Constitution (document 1)	Pour la Constitution (document 2)

Exercice 1   Analyser et comprendre des documents

1 Discours de Fernand Grenier à l'Assemblée consultative provisoire d'Alger

Fernand Grenier est membre du Parti communiste français.

« La femme doit avoir le droit et le devoir de s'occuper de la chose publique. Je suis ravi que l'Assemblée consultative ait déclaré la femme française "électrice et éligible", afin de manifester notre solidarité et notre volonté de ne plus la traiter en mineure et en inférieure.

De nombreux hommes, prisonniers ou déportés, éloignés de leurs foyers, ont été remplacés dans leurs tâches par leurs femmes. Cette situation confère à ces dernières un droit encore plus fort de voter dès les prochaines élections.

Nous ne réclamons pas le vote féminin pour faciliter je ne sais quelles fraudes […]. Pour établir les listes électorales incluant les femmes, il suffit que les mairies emploient suffisamment de personnel. On l'a bien fait pour les cartes de vêtements et d'alimentation. »

Journal officiel des débats de l'Assemblée consultative provisoire d'Alger, 21 janvier 1944.

2 Discours de Paul Giacobbi à l'Assemblée consultative provisoire d'Alger

Paul Giacobbi est membre du Parti radical.

« En temps normal, les femmes sont déjà les plus nombreuses. Qu'en sera-t-il aujourd'hui, alors que les prisonniers et les déportés ne sont pas encore rentrés ? Quels que soient les mérites des femmes, est-il bien indiqué de remplacer le suffrage universel masculin par le suffrage universel féminin ? Le principe du vote des femmes a été adopté, mais je pense que la réalisation de nouvelles listes électorales, où elles figureront pour la première fois, demandera beaucoup de temps. […]

Autoriser les femmes à voter aux premières élections qui suivront la Libération, c'est ouvrir la porte à toutes sortes d'irrégularités. Pour les hommes, il sera possible de retrouver les listes de recrutement. Mais cet élément n'existe pas pour les femmes, et se référer aux listes de cartes d'alimentation ne suffira pas à éviter les fraudes. »

Journal officiel des débats de l'Assemblée consultative provisoire d'Alger, 24 mars 1944.

1 **À quelle assemblée les deux auteurs appartiennent-ils ? À quel moment de la guerre les débats de cette assemblée ont-ils lieu ?**

> Regardez la source des deux documents.

2 **Relevez deux raisons qui conduisent Fernand Grenier à défendre le droit de vote des femmes.**

> Concentrez-vous sur les deux premiers paragraphes du document 1.

3 **Quel est le point de vue de Paul Giacobbi sur le droit de vote des femmes ?**

4 **Relevez des arguments montrant que, selon Paul Giacobbi, ce nouveau droit de vote n'est pas applicable dans l'immédiate après-guerre. Que répond Fernand Grenier à ces arguments ?**

> Dans les deux textes, observez l'utilisation des expressions : « fraudes », « listes électorales », « premières élections », « listes de recrutement », « listes de cartes d'alimentation ».

5 **Recopiez le tableau ci-contre et classez les arguments des deux élus à propos du droit de vote des femmes.**

	Un droit de vote féminin souhaitable ?	Un droit de vote féminin applicable tout de suite ?
Fernand Grenier		
Paul Giacobbi		

Exercice 2   Maitriser différents langages pour raisonner

Sujet : Sous la forme d'un développement construit d'une vingtaine de lignes et en vous appuyant sur quelques exemples précis issus du cours, vous montrerez comment les femmes françaises ont accédé à une citoyenneté entière dans la République refondée.

Exercice 1 Analyser et comprendre des documents

1

> **Ordonnance du 4 octobre 1945 sur l'organisation de la Sécurité sociale**
>
> « Article 1 : Il est institué une organisation de la sécurité sociale destinée à garantir les travailleurs et leurs familles contre les risques de toute nature susceptibles de réduire ou de supprimer leur capacité de gain[1], à couvrir les charges de maternité et les charges de famille qu'ils supportent.
> L'organisation de la sécurité sociale assure dès à présent le service des prestations [...] concernant les assurances sociales, l'allocation aux vieux travailleurs salariés, les accidents du travail et maladies professionnelles et les allocations familiales.
> Article 5 : La caisse primaire de sécurité sociale est administrée par un conseil d'administration désigné pour cinq ans, comprenant :
> Pour les trois quarts, des représentants élus des travailleurs relevant de la caisse ;
> Pour un quart, des représentants élus des employeurs.
> Article 30 : La couverture des charges de la sécurité sociale et des prestations familiales est assurée [...] par des cotisations.
> Article 31 : Les cotisations des assurances sociales, des allocations familiales et des accidents du travail sont assises[2] sur l'ensemble des rémunérations ou gains perçus par les bénéficiaires.
> Article 32 : La moitié de la cotisation est à la charge de l'employeur, l'autre moitié à la charge du salarié. »
>
> 1. Avoir un revenu financier (un salaire).
> 2. Prélevées.

1 Quelle est la nature et la date du document ?

2 Quel est l'objectif de la Sécurité sociale ? Qui en sont les bénéficiaires ?

3 Relevez les différentes prestations assurées par la Sécurité sociale.

4 Montrez que la Sécurité sociale fonctionne de façon démocratique.

5 Montrez que le financement de la Sécurité sociale est fondé sur un principe de solidarité.

Exercice 2 Maîtriser différents langages pour raisonner

Sujet : Sous la forme d'un développement construit d'une vingtaine de lignes et en vous appuyant sur quelques exemples précis issus du cours, vous montrerez comment le programme du Comité national de la Résistance (CNR) a été mis en œuvre entre 1944 et 1947 dans la France libérée.

Le général de Gaulle, premier président de la Ve République

À l'occasion de ce déplacement en province, le général de Gaulle annonce l'organisation d'un référendum sur la réorganisation du territoire et la réforme du Sénat. Lors de la campagne, le président indique que si son appel au peuple est rejeté, il démissionnera.

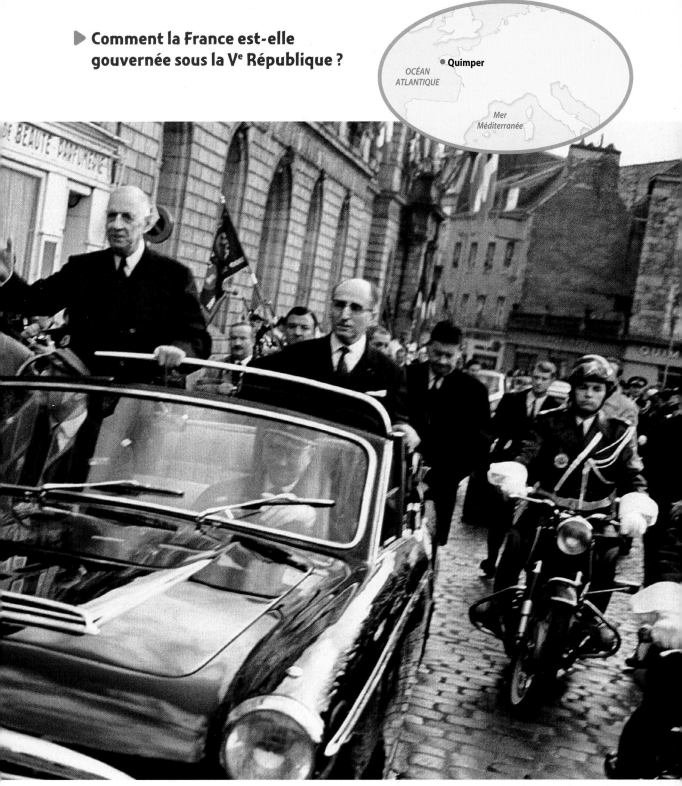

► Comment la France est-elle gouvernée sous la Ve République ?

OCÉAN
ATLANTIQUE

● Quimper

Mer
Méditerranée

Photographie prise à Quimper, 2 février 1969.

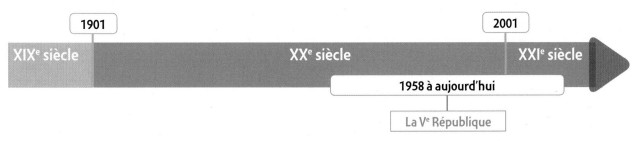

1901		2001

XIXe siècle   XXe siècle   XXIe siècle

1958 à aujourd'hui

La Ve République

Se repérer dans le temps

|||||||||||||||||||||||||||||||||||||||||||||||||||||||||||||||||||||||||||||||||||||||||||||||||||||||||||||||||||||||||

1958	1960	1970	1980

présidence de Charles de Gaulle
(1958-1969)

présidence de Valéry
Giscard d'Estaing
(1974-1981)

présidence de
Georges Pompidou
(1969-1974)

présidence de
François Mitterrar

1958
Une nouvelle Constitution

Affiche du Comité d'action commune
pour le référendum du 28 septembre
1958.

Le mouvement de contestation en Algérie, le 13 mai 1958,
provoque la fin de la IVᵉ République et la mise en place
d'un nouveau régime fondé par le général de Gaulle : c'est
la Vᵉ République dont la Constitution est approuvée par
plus de 80 % des Français lors d'un référendum organisé le
28 septembre 1958.

28 avril 1969
Démission du général de Gaulle

Une du journal *L'Aurore*,
28 avril 1969.

Par l'ampleur de la contestation étudiante
et de la grève générale, le mouvement de
mai 1968 fragilise le pouvoir du général de
Gaulle. Celui-ci démissionne le 28 avril 1969
après le rejet de réformes – concernant le
Sénat et les régions – qu'il avait soumises aux
Français par référendum.

QUESTIONS

1 Quand la Vᵉ République commence-t-elle ?

2 Quel évènement politique se produit en 1969 ?

3 En quoi l'élection de François Mitterrand est-elle inédite ?

4 Qu'est-ce que la cohabitation en politique ?

990   **2000**   **2010**

présidence de Jacques Chirac
(1995-2007)

81-1995)

présidence de
Nicolas Sarkozy
(2007-2012)

présidence de
François
Hollande
(2012-...)

10 mai 1981

Élection de François Mitterrand

François Mitterrand saluant ses partisans
après son élection à la Présidence de la
République, 21 mai 1981.

Le 10 mai 1981, François Mitterrand devient
le premier président de la Ve République issu
de la gauche : c'est l'alternance. Il entreprend
d'importantes réformes sociales, telles l'abolition
de la peine de mort, la retraite à 60 ans, la
cinquième semaine de congés payés.

1997-2002

Troisième cohabitation

Jacques Chirac et Lionel Jospin lors du défilé
du 14 juillet 1997.

Suite à la défaite de son camp aux élections législatives
de 1997, le président de la République Jacques Chirac
doit nommer comme Premier ministre Lionel Jospin, issu
d'une majorité opposée. C'est la troisième cohabitation.
Pour mettre fin à cette situation où chef de l'État et
gouvernement appartiennent à des partis politiques
opposés, la réforme du quinquennat est adoptée.

VOCABULAIRE

La IVe République : le régime politique de la France entre 1946 et 1958,
caractérisé par d'importants pouvoirs accordés au Parlement.

Un quinquennat : l'exercice d'une charge ou d'un mandat dont la durée
est de cinq ans.

Un référendum : un vote par lequel les électeurs répondent par « oui »
ou par « non » à une proposition.

La crise du 13 mai 1958

▶ **Dans quelles conditions la Ve République est-elle fondée ?**

En mai 1958, la IVe République, en place depuis 1946, doit faire face aux divisions politiques et à la guerre d'Algérie. Sur ce territoire, les partisans de l'Algérie française s'opposent à ceux qui souhaitent l'indépendance. Le 13 mai, ils manifestent en masse à Alger : la guerre civile menace.

1 Un mouvement de contestation en Algérie

Photographie de partisans de l'Algérie française défilant dans le centre d'Alger, le 17 mai 1958.

VOCABULAIRE

La Constitution : le texte fixant l'organisation et le fonctionnement de la République. Toutes les lois doivent être conformes à la Constitution.

Le pouvoir exécutif : le pouvoir chargé de faire appliquer la loi. Il est détenu par le président de la République et par le gouvernement.

Le pouvoir législatif : le pouvoir chargé de voter la loi. Il est détenu par le Parlement.

2 Le retour au pouvoir du général de Gaulle

« La dégradation de l'État [...]. L'unité française immédiatement menacée. L'Algérie plongée dans la tempête [...] Telle est la situation du pays. [...] C'est dans ces conditions que je me suis proposé pour tenter de conduire une fois de plus au salut le pays, l'État, la République [...]. Le Gouvernement que je vais former moyennant votre confiance vous saisira sans délai d'un projet de réforme [...] de la Constitution, de telle sorte que l'Assemblée nationale donne mandat au Gouvernement d'élaborer, puis de proposer au pays par la voie du référendum, les changements indispensables [...]. Le Gouvernement précisera les trois principes qui doivent être en France la base du régime républicain et auxquels il prend l'engagement de conformer son projet. Le suffrage universel est la source de tout pouvoir. Le pouvoir exécutif et le pouvoir législatif doivent être effectivement séparés de façon que le Gouvernement et le Parlement assument, chacun pour sa part et sous sa responsabilité, la plénitude de ses attributions. Le Gouvernement doit être responsable vis-à-vis du Parlement. »

Charles de Gaulle, discours d'investiture devant l'Assemblée nationale, 1er juin 1958.

Je situe

1 DOC. 1 **Où les manifestations ont-elles lieu en mai 1958 ?**

2 INTRO, DOC. 1 ET 2 **Quelle est la situation de l'Algérie et du gouvernement français à cette date ?**

J'extrais des informations

3 DOC. 2 **Quelle responsabilité de Gaulle reçoit-il le 1er juin 1958 ?**

4 DOC. 2 **Relevez les expressions qu'il utilise pour décrire la situation de la France.**

5 DOC. 2 ET 3 **Que propose-t-il aux Français ?**

① Marianne, symbole de la République, est libérée des chaines qui la retenaient.
② En arrière-plan apparait la silhouette du général de Gaulle.
③ La communauté est l'union créée en 1958 entre la métropole et les anciens territoires d'outre-mer.
④ Le « système » renvoie ici au régime de la IVᵉ République.

Vers une nouvelle Constitution

Affiche pour le « oui » au référendum du 28 septembre 1958 sur le projet de Constitution de la Vᵉ République.

4 Des oppositions à de Gaulle

« Quoiqu'il en coute aux sentiments que j'éprouve pour la personne et pour le passé du général de Gaulle, je ne voterai pas en faveur de son investiture ; et il n'en sera ni surpris, ni offensé. Tout d'abord, je ne puis admettre de donner un vote contraint par l'insurrection et la menace d'un coup de force militaire (applaudissements à l'extrême gauche et à gauche) car la décision que l'Assemblée va prendre – chacun ici le sait – n'est pas une décision libre [...]. Le peuple français nous croit libres ; nous ne le sommes plus. »

Pierre Mendès France[1],
discours à l'Assemblée nationale, 1ᵉʳ juin 1958.

1. Président du Conseil de la IVᵉ République de 1954 à 1955.

Je raisonne

6 DOC. 2 Sur quels principes de Gaulle fonde-t-il une nouvelle République ?

7 DOC. 4 Pourquoi Pierre Mendès France s'oppose-t-il à l'investiture du général de Gaulle ?

Conseil Brevet

Interpréter une affiche

Pour comprendre une affiche (DOC. 3), il faut identifier les symboles qui y figurent et remettre les slogans dans leur contexte historique.

La pratique gaullienne du pouvoir et l'élection présidentielle de 1965

▶ **Comment le général de Gaulle gouverne-t-il ?
Quels changements l'élection présidentielle de 1965
apporte-t-elle ?**

Après une modification de la Constitution en 1962, le président de la République est désormais élu directement par les Français. Cette réforme renforce le pouvoir exécutif, et le général de Gaulle donne une place très importante à la fonction de chef de l'État. En 1965 a lieu la première élection présidentielle au suffrage universel direct et au scrutin majoritaire à deux tours.

1 Au contact avec les Français

Photographie du général de Gaulle à Lille, avril 1966.

VOCABULAIRE

Un scrutin majoritaire à deux tours : un mode de scrutin par lequel seul le candidat qui a obtenu le plus de voix est élu. Si aucun n'a franchi la barre des 50 % des suffrages au premier tour, un deuxième tour est organisé entre les deux candidats arrivés en tête.

2 « Le coup d'État permanent »

« Qu'est-ce que la Vᵉ République sinon la possession du pouvoir par un seul homme dont la moindre défaillance est guettée avec une égale attention par ses adversaires et par le clan de ses amis ? [...] Et qui est-il, lui, de Gaulle ? Duce, führer, caudillo[1] [...] ? J'appelle le régime gaulliste dictature parce que, tout compte fait, c'est à cela qu'il ressemble le plus, parce que c'est vers un renforcement continu du pouvoir personnel [...] qu'il tend [...]. Ce n'est pas la première fois qu'un homme d'un grand éclat suscite l'amour des foules. Un passé glorieux, une bonne technique de la propagande et une police vigilante représentent trois atouts maitres qui dans la même main, l'Histoire l'a cent fois prouvé, balaient les autres jeux. »

François Mitterrand,
Le Coup d'État permanent, 1964,
© Les Belles Lettres, 2010.

1. Titres donnés à Benito Mussolini, Adolf Hitler et Francisco Franco.

J'extrais des informations

1 DOC. 1 **De quelle manière le général de Gaulle cherche-t-il à entretenir un lien avec les Français ?**

Je comprends un document

2 DOC. 2 Que reproche François Mitterrand à la Vᵉ République de De Gaulle ?

3 DOC. 2 À quel type de régime compare-t-il la République dirigée par de Gaulle ?

4 DOC. 4 Quels changements la campagne présidentielle de 1965 apporte-t-elle ?

① Charles de Gaulle est le président sortant.
② Jean Lecanuet est un candidat du centre.
③ Marcel Barbu est un candidat indépendant.
④ François Mitterrand est le candidat unique de la gauche.
⑤ Jean-Louis Tixier-Vignancour est un candidat d'extrême droite.

Une de l'hebdomadaire
Paris Match, novembre 1965.

3 Les candidats à l'élection présidentielle de 1965

4 Une campagne électorale différente

« Au soir du 19 novembre [ouverture de la campagne à la télévision], c'est l'électrochoc. La télévision qui offrait inlassablement depuis sept ans les mêmes visages, les mêmes images, les mêmes propos satisfaits […] semble soudain secouée par un vent de folie. Des inconnus viennent dire à des millions de Français stupéfaits que tout ne va pas pour le mieux, que de Gaulle n'a pas toujours raison, que le gouvernement n'est pas le meilleur qui puisse être. […] Pendant deux semaines, chaque jour, à midi et soir après soir, ces cinq hommes [les candidats adversaires du général de Gaulle] vont, tantôt seuls, tantôt dialoguant avec un journaliste ou un de leurs amis, assener à l'opinion de rudes secousses. Très vite, deux d'entre eux se détachent du lot […], MM. Mitterrand et Lecanuet. »

Pierre Viansson-Ponté, *Histoire de la République gaullienne*,
© Librairie Arthème Fayard, 1970.

5 Les résultats

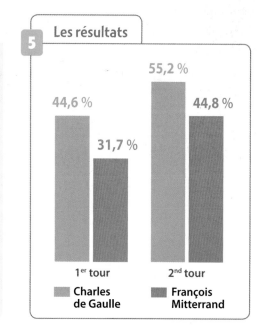

Je raisonne

5 DOC. 4 **À quoi voit-on que les Français se sont passionnés pour cette élection ?**

6 DOC. 3, 4 ET 5 **Que nous apprend cette élection sur l'exercice du pouvoir par de Gaulle en 1965 ?**

7 **À l'aide de vos réponses précédentes, complétez le schéma sur les changements apportés par l'élection présidentielle de 1965 :**

...... (INTRO)   ...... (DOC. 3 et 4)   ...... (DOC. 5)

Histoire des arts

Le centre Georges-Pompidou, un projet culturel présidentiel à Paris

▶ **En quoi le centre Georges-Pompidou symbolise-t-il la politique culturelle menée par l'État sous la Vᵉ République ?**

1 Un chantier impressionnant

Photographie du chantier de construction du centre Georges-Pompidou, 1973.

Les travaux de construction du centre Georges-Pompidou durent de 1972 à 1977 et sont l'occasion d'une réhabilitation du quartier de Beaubourg dans le 4ᵉ arrondissement de Paris.

Je décris une œuvre

1 DOC. 2 Décrivez cette vue du quartier de Beaubourg par plans successifs.

2 DOC. 2 Décrivez le centre Georges-Pompidou en insistant sur les formes et les couleurs qui ont été choisis.

J'analyse une œuvre

3 DOC. 1 ET 2 Quels contrastes observez-vous entre le centre Georges-Pompidou et le quartier où il a été construit ?

4 DOC. 2 En quoi le bâtiment illustre-t-il cette citation de Georges Pompidou : « L'art doit discuter, doit contester, doit protester » ?

2 Le centre Georges-Pompidou

Photographie de la façade est du centre Georges-Pompidou, 2015.

Décrié au départ pour son modernisme, le centre Georges-Pompidou est aujourd'hui la troisième institution la plus visitée en France.

La pyramide du Louvre, conçue par Ieoh Ming Pei en panneaux de verre et structure métallique et inaugurée en 1989, s'inscrit dans le projet « Grand Louvre », voulu par le président de la République François Mitterrand, et réalisé entre 1981 à 1999.

Photographie de la cour Napoléon avec au centre la pyramide du Louvre et en arrière-plan le musée du Louvre, Paris, 2003.

3 Un autre projet présidentiel

Je construis un exposé

5 DOC. 3 Réalisez un exposé sur le projet du « Grand Louvre » et comparez cette réalisation à celle du centre Georges-Pompidou.

PASSÉ **PRÉSENT**

Une politique de délocalisation

Le Centre national d'art et de culture Georges-Pompidou a créé des annexes à Metz en 2010 et à Malaga (Espagne) en 2015, où sont également exposées des œuvres de l'institution. Cette politique de délocalisation permet une implantation sur d'autres territoires afin de toucher des publics différents.

Cours 1   La République gaullienne

▶ **Comment le général de Gaulle transforme-t-il le système républicain ?**

VOCABULAIRE

L'instabilité gouvernementale : les renversements successifs de gouvernements, obligés de démissionner, dans un temps court.

La dissolution : la procédure qui permet au président de la République de mettre fin au mandat des députés et d'organiser de nouvelles élections.

Un gaulliste : une personne, ou une politique, inspirée par les idées du général de Gaulle.

PASSÉ PRÉSENT

L'élection présidentielle

L'élection présidentielle au **suffrage universel direct** est inscrite dans la Constitution depuis 1962 et a été appliquée la première fois en 1965. Depuis, il y a eu **huit scrutins** : en 1969, 1974, 1981, 1988, 1995, 2002, 2007 et 2012. C'est l'élection à laquelle les Français participent le plus.

A Une nouvelle République

▶ En 1958, **la IVᵉ République est fragilisée par l'instabilité gouvernementale** et par la guerre d'Algérie. Elle s'effondre après la crise du 13 mai 1958.

▶ Le général de Gaulle est alors chargé de former un gouvernement et de **rédiger une nouvelle Constitution**. Le texte est approuvé par les Français en septembre 1958 lors d'un référendum. Ainsi nait la Vᵉ République.

B Un renforcement du pouvoir exécutif avec de Gaulle

▶ La nouvelle Constitution met en place un régime républicain au sein duquel le président de la République détient d'importants pouvoirs. Il dispose d'un droit de dissolution de l'Assemblée nationale et il peut consulter les Français par référendum. Le scrutin majoritaire permet de dégager des majorités fortes.

▶ **Élu chef de l'État en décembre 1958, de Gaulle** fait approuver l'élection du président de la République au suffrage universel en 1962. La première élection présidentielle sous cette forme a lieu en 1965.

▶ Par sa pratique du pouvoir, le général de Gaulle **renforce encore la fonction présidentielle** : il prend en charge les dossiers importants, utilise beaucoup les médias et effectue de nombreux voyages pour entretenir un lien avec les Français.

C La Vᵉ République sans son fondateur

▶ Cependant, **en mai 1968, une partie de la population conteste le pouvoir de De Gaulle,** jugé trop personnel, et souhaite plus de libertés. Suite au rejet d'un référendum qu'il avait proposé, le général démissionne en avril 1969. Son ancien Premier ministre, Georges Pompidou, lui succède.

▶ À la mort de ce dernier en 1974, les Français élisent Valéry Giscard d'Estaing : c'est la première fois qu'un non-gaulliste est président de la République. En fonction jusqu'en 1981, il cherche à moderniser la vie politique française.

ÉLÉMENTS-CLÉS

▶ **Charles de Gaulle (1890-1970)**
Revenu au pouvoir en 1958, il est le fondateur de la Vᵉ République. Jusqu'en 1969, il assume de manière personnelle la fonction de président de la République.

▶ **Georges Pompidou (1911-1974)**
Conseiller du général de Gaulle à partir de 1944, puis son Premier ministre de 1962 à 1968, il lui succède comme président de la République en 1969.

① La statue de la République.
② Le « V » de la victoire qui évoque aussi le « V » de la Ve République.
③ Les sigles « RF » signifient « République française ».
④ Les gardes républicains forment également un « V ».
⑤ Le général de Gaulle présente la Constitution aux Français.

1 Présentation de la Constitution de la Ve République

Photographie de la place de la République à Paris, 4 septembre 1958.

2 Les pouvoirs du président de la Ve République

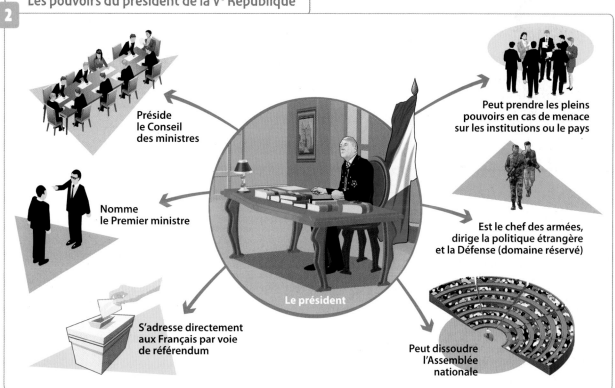

Préside le Conseil des ministres

Nomme le Premier ministre

S'adresse directement aux Français par voie de référendum

Le président

Peut prendre les pleins pouvoirs en cas de menace sur les institutions ou le pays

Est le chef des armées, dirige la politique étrangère et la Défense (domaine réservé)

Peut dissoudre l'Assemblée nationale

▶ **Valéry Giscard d'Estaing (né en 1926)**
Après avoir été ministre des Finances du général de Gaulle et de Georges Pompidou, il est le premier non-gaulliste élu à la Présidence de la République en 1974.

▶ **Le palais de l'Élysée**
Siège de la Présidence de la République depuis 1848, ce lieu, au cœur de Paris, est l'un des symboles du pouvoir exécutif en France.

François Mitterrand et la première cohabitation

▶ **Comment la République fonctionne-t-elle sous le premier septennat de François Mitterrand ?**

Le 10 mai 1981, la Vᵉ République connait sa première alternance avec l'élection d'un président socialiste, François Mitterrand. Cependant, en 1986, le Parti socialiste perd les élections législatives et le président doit partager le pouvoir avec un Premier ministre issu d'une majorité opposée, Jacques Chirac. C'est la première cohabitation.

1 La victoire de François Mitterrand en 1981

Photographie de François Mitterrand lors de la cérémonie d'investiture à Paris après sa victoire à l'élection présidentielle, 21 mai 1981.

2 Les élections législatives de 1986

132
214
158
35
32
6
majorité
577 députés

- Parti communiste
- Parti socialiste, Mouvement des radicaux de gauche, divers gauche
- Union pour la démocratie française
- Rassemblement pour la République
- Front national
- Non-inscrits

VOCABULAIRE

Les élections législatives : les élections au suffrage universel afin de désigner les députés à l'Assemblée nationale.

Un septennat : l'exercice d'une charge ou d'un mandat dont la durée est de sept ans.

J'identifie

1 INTRO ET DOC. 1 Qui remporte l'élection présidentielle le 10 mai 1981 ? Quelle force politique représente-t-il ?

2 DOC. 2 Quels partis composent la majorité parlementaire en 1986 ?

J'extrais des informations

3 DOC. 3 Quelles prérogatives le président perd-il en période de cohabitation ?

4 DOC. 3 Qu'est-ce que le domaine réservé du chef de l'État ?

« Ainsi, quelles que soient la durée et la nature des différentes cohabitations, celles-ci entrainent systématiquement un effacement temporaire de la fonction présidentielle au profit du Premier ministre.

– Tout d'abord, le président perd certaines de ses prérogatives[1] par rapport aux périodes de fonctionnement normal du régime.

S'il nomme toujours le chef du Gouvernement, il doit impérativement le choisir dans les rangs de la majorité parlementaire […].

Le président perd en outre tout pouvoir sur la composition de l'équipe gouvernementale, à l'exception, ce qui n'est pas négligeable, des ministres ayant des responsabilités dans le domaine dit "réservé" du chef de l'État (Défense et Affaires étrangères). […]

– Mais le chef de l'État, devenu chef de l'opposition parlementaire, dispose toujours d'importants pouvoirs.

Outre le droit de dissolution, il garde un rôle d'impulsion et de décision dans le domaine dit "réservé". »

Extrait du site www.vie-publique.fr/, consulté en 2016, © La Documentation française.

1. Droits attachés à certaines fonctions.

4 Les deux têtes de l'exécutif

Photographie du Premier ministre Jacques Chirac et du président de la République François Mitterrand au Conseil européen à Bruxelles, 12 février 1988.

Je raisonne

5 DOC. 3 **En quoi la phrase soulignée illustre-t-elle la photographie du DOC. 4 ?**

6 DOC. 4 **Pourquoi Jacques Chirac est-il présent au Conseil européen ?**

Conseil Brevet

Analyser un graphique

Pour analyser le DOC. 2, identifiez bien les forces politiques qui ne font plus partie de la majorité en 1986 par rapport à 1981.

▶ **Comment l'alternance et les cohabitations modifient-elles le fonctionnement de la Ve République ?**

A L'alternance et les cohabitations (1981-2002)

▶ Le 10 mai 1981, le socialiste François Mitterrand est élu président de la République. C'est la première fois sous la Ve République qu'**une alternance se produit au sommet de l'État**. Des réformes sociales sont alors mises en place : retraite à 60 ans, cinquième semaine de congés payés, abolition de la peine de mort.

▶ En 1986, le Parti socialiste perd les élections législatives et le président Mitterrand est obligé de nommer un Premier ministre issu d'une majorité politique opposée, Jacques Chirac : c'est **la première cohabitation de la Ve République**. Deux autres suivront : entre 1993 et 1995, puis entre 1997 et 2002.

▶ Afin de parer à cette situation politique qui tend à paralyser le pouvoir exécutif, est adoptée en septembre 2000, par référendum, **la réforme du quinquennat** : le mandat présidentiel est désormais fixé à cinq ans, comme celui des députés dont l'élection suit celle du chef de l'État.

B La Ve République depuis 2002

▶ À partir des années 1980, **le Front national s'installe durablement dans la vie politique**. En 2002, son leader, Jean-Marie Le Pen, arrive deuxième au premier tour de l'élection présidentielle. Suite à une large mobilisation des électeurs, il est néanmoins largement battu par Jacques Chirac lors du second tour.

▶ Après le quinquennat de Nicolas Sarkozy, le Parti socialiste revient au pouvoir en 2012 avec l'élection à la Présidence de la République de François Hollande : **l'alternance semble être devenue la voie normale de l'exercice du pouvoir**.

▶ Aujourd'hui, les partis politiques traditionnels paraissent bousculés par certaines revendications. C'est le cas des préoccupations écologiques, portées par de nombreux acteurs de la société civile. Les partis rencontrent également **une défiance de la part des électeurs**, laquelle se traduit par une forte abstention lors des scrutins.

1 Une troisième cohabitation (1997-2002)

Photographie du président de la République Jacques Chirac et du Premier ministre Lionel Jospin lors du 2e Sommet européen à Strasbourg, 10 octobre 1997.

2 Manifestation contre le Front national

Photographie prise à Paris entre les deux tours de l'élection présidentielle, 1er mai 2002.

▶ **Nicolas Sarkozy (né en 1955)**
Tour à tour maire, député, plusieurs fois ministre, porte-parole du gouvernement d'Édouard Balladur, il est le 23e président de la République française, entre 2007 et 2012.

▶ **François Hollande (né en 1954)**
Socialiste, il est élu en 2012 à la Présidence de la République rétablissant ainsi l'alternance en politique, 17 ans après François Mitterrand.

Réviser

carte mentale lienmini.fr/hgemc3-030

Saisissez cette adresse sur votre navigateur pour découvrir la carte mentale.

CARTE MENTALE

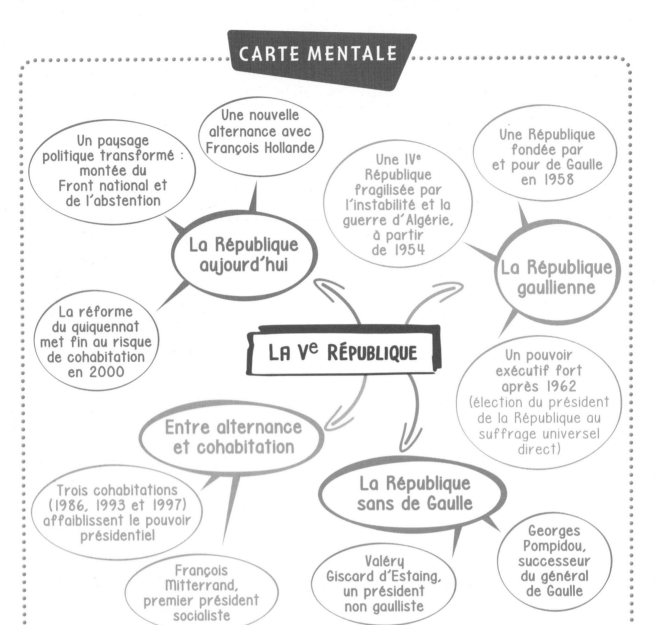

Une nouvelle alternance avec François Hollande

Un paysage politique transformé : montée du Front national et de l'abstention

Une IVᵉ République fragilisée par l'instabilité et la guerre d'Algérie, à partir de 1954

Une République fondée par et pour de Gaulle en 1958

La République aujourd'hui

La réforme du quiquennat met fin au risque de cohabitation en 2000

LA Vᵉ RÉPUBLIQUE

La République gaullienne

Un pouvoir exécutif fort après 1962 (élection du président de la République au suffrage universel direct)

Entre alternance et cohabitation

Trois cohabitations (1986, 1993 et 1997) affaiblissent le pouvoir présidentiel

La République sans de Gaulle

Georges Pompidou, successeur du général de Gaulle

François Mitterrand, premier président socialiste

Valéry Giscard d'Estaing, un président non gaulliste

Réviser en ligne

Je teste mes connaissances

QUIZ lienmini.fr/hgemc3-031

Saisissez cette adresse sur votre navigateur pour lancer le quiz.

Le tuto pour créer ma carte mentale.

TUTO vidéo

lienmini.fr/hgemc3-001

Étape 1 ▶ **Présentez l'œuvre :** identifiez le nom de l'artiste et le lieu où se trouve l'œuvre. Insistez sur le contexte historique à partir de la source.

Étape 2 ▶ **Observez en détail :** décrivez l'œuvre par plans successifs, du premier (le plus proche du spectateur) jusqu'au dernier. Il faut bien penser à évoquer les formes, les couleurs et les impressions qui se dégagent.

Étape 3 ▶ **Interprétez :** expliquez le message général de l'œuvre et l'intention de son auteur ou de son commanditaire.

Les différentes parties du plafond font référence à des œuvres jouées à l'Opéra Garnier. Par exemple :
① en bleu, les opéras *La Flute enchantée* de Mozart et *Boris Godounov* de Moussorgski.
② en jaune, les ballets *Le Lac des cygnes* de Tchaïkovski, et *Giselle* d'Adam.
③ en vert les opéras *Tristan et Isolde* de Wagner et *Roméo et Juliette* de Berlioz .

Marc Chagall (1887-1985) est un peintre, sculpteur et poète d'origine russe qui s'est établi en France en 1922. André Malraux (1901-1976) est un écrivain et un homme politique. Il est le ministre des Affaires culturelles, sous la présidence de Charles de Gaulle, de 1959 à 1969.

1 Une commande culturelle de l'État

Plafond amovible de l'opéra de Paris de 220 m², peinture de Marc Chagall sur toile et plastique, commandée par André Malraux, Paris, 1964.

1 Présentez l'œuvre
Dans quelle ville et dans quel monument cette œuvre se situe-t-elle ?
Qui l'a conçue et à la demande de qui ?

2 Observez en détail
Décrivez les personnages peints dans les compartiments bleu, jaune et vert du plafond.
Identifiez les monuments représentés.

3 Interprétez
Pourquoi cette œuvre est-elle un hommage à la musique et à la danse ?
En quoi cette œuvre est-elle représentative de la politique culturelle de la France au début de la Vᵉ République ?

Exercice 1　Analyser et comprendre des documents

Derrière une palissade de verre qui fait écran visuel à la rue, un jardin vallonné, conçu à l'image de végétations indisciplinées et lointaines, permet d'accéder au bâtiment du musée, juché sur pilotis. Sa façade nord est plantée de boites multicolores de tailles variées, évoquant autant de cabanes suspendues dans la forêt.

Le musée du quai Branly, réalisé par l'architecte Jean Nouvel, à Paris, 2006.

1 Un musée des arts et civilisations d'Afrique, d'Asie, d'Océanie et des Amériques

2 Un projet culturel présidentiel

« L'inauguration du musée du quai Branly, le 20 juin 2006, a été un des moments les plus heureux de ma présidence et l'une des grandes joies de ma vie. Par-delà la consécration d'un rêve personnel […], elle marquait l'aboutissement d'un long combat au service d'une juste cause : la reconnaissance de tout ce que les plus vieilles civilisations du monde ont apporté d'essentiel à l'histoire de la création humaine. »

Jacques Chirac, *Le Temps présidentiel*, © Nil, 2011.

1 DOC. 1 **Qui est l'architecte de ce bâtiment ? Où est-il situé ?**

> C'est la légende qui donne ces informations.

2 DOC. 2 **Quand et par qui a-t-il été inauguré ?**

3 DOC. 1 **Quel lieu culturel abrite-t-il ?**

> Donnez le nom mais aussi l'objet du musée.

4 DOC. 1 **Décrivez le bâtiment.**

> Commencez la description par la rue, puis le jardin et enfin le musée lui-même.

5 DOC. 1 **Quelle impression générale donne-t-il ?**

6 DOC. 1 **En quoi cette architecture correspond-elle au projet muséal ?**

> Reliez les éléments architecturaux et l'objet des collections du musée.

7 DOC. 2 **Pourquoi peut-on dire qu'il s'agit d'une réalisation culturelle présidentielle ?**

Exercice 2　Maîtriser différents langages pour raisonner

Sujet : Sous la forme d'un développement construit d'une vingtaine de lignes et en vous appuyant sur quelques exemples précis issus du cours, expliquez en quoi « les années de Gaulle » ont marqué l'histoire de la Ve République.

Exercice 1   Analyser et comprendre des documents

L'EST RÉPUBLICAIN

FONDÉ EN 1889
66e ANNÉE — N° 24.910
Mercredi 14 Mai 1958
PRIX : 20 FRANCS

LE PLUS FORT TIRAGE DES JOURNAUX DE L'EST

HE-ET-MOSELLE ♦ MEUSE ♦ MOSELLE ♦ VOSGES ♦ HAUTE-MARNE ♦ HAUTE-SAONE ♦ DOUBS ♦ TERRITOIRE DE BELFORT

¹COUP D'ETAT A ALGER

enant en main le pouvoir sur place
énéral MASSU exige la création d'un gouvernement
salut public à Paris

me à Oran et à Constantine
estations préventives à Paris

Rupture des relations aériennes
et postales avec l'Algérie

**Investiture accordée
à Pflimlin** par 283 voix
contre 126
les communistes s'étant abstenus

1 Le 13 mai 1958 vu dans la presse

Une de *l'Est républicain*,
14 mai 1958.

① Un coup d'État est la prise du pouvoir par la force.

1 Présentez chacun des documents en insistant sur leur nature, l'identité de leurs auteurs et leur date.

2 Que se passe-t-il exactement sur le plan politique en France à ce moment-là ?

3 DOC. 1 Quel est le titre principal de cette « une » ? Indiquez qui a pris le pouvoir en Algérie.

4 DOC. 2 Comment l'auteur présente-t-il la situation ? Relevez un passage montrant que c'est, pour lui, l'occasion de changer le système politique.

5 DOC. 1 ET 2 Expliquez en quoi ces deux documents proposent deux visions d'un même évènement.

---

2 Le 13 mai 1958 vu par le général de Gaulle

« Ce qui se passe en ce moment en Algérie par rapport à la Métropole et dans la Métropole par rapport à l'Algérie peut conduire à une crise nationale extrêmement grave. Mais aussi, ce peut être le début d'une sorte de résurrection. Voilà pourquoi le moment m'a semblé venu où il pourrait m'être possible d'être utile encore une fois directement à la France [...] Utile, aussi, parce que c'est un fait que le régime exclusif des partis n'a pas résolu, ne résout pas, ne résoudra pas, les énormes problèmes avec lesquels nous sommes confrontés [...] Si la tâche devait m'incomber de tirer de la crise l'État et la Nation [...] j'aurais, alors, besoin des Françaises et des Français ! J'ai dit ce que j'avais à dire. À présent, je vais rentrer dans mon village et m'y tiendrai à la disposition du pays. »

Charles de Gaulle, conférence de
presse, 19 mai 1958.

Exercice 2   Maitriser différents langages pour raisonner et se repérer

a Sujet : Sous la forme d'un développement construit d'une vingtaine de lignes et en vous appuyant sur quelques exemples précis issus du cours, expliquez comment la Vᵉ République s'est transformée depuis l'alternance de 1981.

b Recopiez la frise puis placez les dates de début de la Vᵉ République, de la première alternance et de la troisième cohabitation.

Femmes et hommes
dans la société des années 1950
aux années 1980

Les luttes féministes dans les années 1970

Dans les années 1970, les femmes deviennent
des actrices incontournables de la vie politique
et sociale et luttent pour l'égalité des droits.

▶ Quelles sont les transformations de la société française ?

OCÉAN
ATLANTIQUE

● Paris

Mer
Méditerranée

Photographie d'une manifestation du Mouvement de libération des femmes (MLF) à Paris, 1er mai 1971.

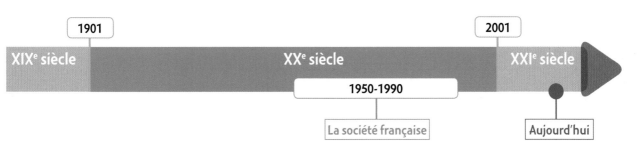

1901

2001

| XIXe siècle | XXe siècle | XXIe siècle |

1950-1990

La société française

Aujourd'hui

Se repérer dans le temps

1950   1960

Trente Glorieuses (1945-1975)

1949
Une société en mouvement

Le Deuxième Sexe, œuvre féministe de Simone de Beauvoir parue en 1949.

Si les femmes ont acquis en 1944 le droit de vote, elles n'ont que peu de droits sociaux. Dans son ouvrage *Le Deuxième Sexe*, Simone de Beauvoir montre qu'elles peuvent s'affirmer dans la société et dans la République.

Parallèlement, la France rajeunit grâce au baby-boom et accueille une importante population immigrée en raison d'un besoin économique de main-d'œuvre, lié à la reconstruction d'après-guerre.

1968
La jeunesse cherche sa place dans la société

Une affiche étudiante, sur laquelle on reconnait le profil du général de Gaulle, mai 1968.

Le printemps 1968 est marqué par une intense mobilisation sociale. La génération du baby-boom et les salariés veulent de nouveaux droits, dans le contexte des Trente Glorieuses. La révolte étudiante, bientôt rejointe par une grève générale, débouche sur les accords de Grenelle signés entre les syndicats et le gouvernement et prévoyant notamment une augmentation des salaires.

QUESTIONS

1 Quels changements sociaux interviennent à partir des années 1950 ?

2 Quel groupe social est à l'origine de Mai 68 ?

3 Pourquoi les années 1974-1975 peuvent-elles apparaitre comme une rupture ?

1980　　　　　　　　　　　　　　　1990

chômage de masse (1975-années 1980)

1974-1975

Des changements sociaux majeurs

Le Télégramme de Brest évoque les débats à l'Assemblée nationale autour de la proposition de Simone Veil d'autoriser l'avortement, 27 novembre 1974.

Le vote de plusieurs lois permet de répondre à certaines attentes sociales de la part des jeunes et des femmes. Les années 1974-1975 sont ainsi marquées par des lois sur l'école, l'âge de la majorité, l'autorité parentale, l'avortement et le divorce.
Après le premier choc pétrolier de 1973, dans un contexte de hausse importante du chômage, les pouvoirs publics limitent l'arrivée des immigrés.

1981

Une nouvelle politique sociale

L'association SOS Racisme mobilise dans la rue contre la montée des discriminations, 31 mars 1985.

Premier président socialiste de la Ve République, François Mitterrand met en œuvre une nouvelle politique sociale, en faveur des jeunes, des femmes, des travailleurs, des immigrés. L'âge de la retraite est abaissé à 60 ans.
Mais la crise économique et la hausse du chômage limitent l'impact de cette politique. Les années 1980 sont alors marquées par de nombreuses mobilisations sociales.

Étude

Simone Veil, une femme engagée

▶ **Comment Simone Veil a-t-elle contribué à l'évolution de la société française ?**

Simone Veil est un témoin clé des changements de la société française durant la seconde moitié du XXᵉ siècle. Victime de la politique d'extermination mise en place par les nazis à l'encontre des Juifs pendant la Deuxième Guerre mondiale, elle est déportée avec sa famille au camp d'Auschwitz en 1944. De retour en France, elle entame des études de droit avant de faire carrière dans la Justice. Elle occupe par la suite plusieurs fonctions politiques majeures aux niveaux national et européen.

1 Une magistrate

« [Ma mère] avait fait des études de chimie qu'elle avait interrompues pour s'occuper de son foyer et elle se sentait très dépendante de son mari. Du coup, mes sœurs et moi avons toutes entrepris des études. Moi-même, j'ai fait Sciences-Po[1]. Et puis, je voulais être avocate mais, là, j'ai eu un gros problème avec mon mari. [...]
Il voulait que je reste à la maison. En plus, il tenait en piètre estime le métier d'avocat, ce n'était pas fait pour les femmes, selon lui. [...] Mais moi, je lui avais toujours dit que je travaillerais, ce n'était pas négociable. Heureusement, un de ses amis lui a expliqué que, contrairement au métier d'avocat, la magistrature était une profession convenable pour une femme. Mon mari est allé voir le directeur des affaires civiles à la chancellerie, qui l'a rassuré : "Ne vous inquiétez pas, dans nos bureaux, nous séparons les hommes et les femmes !" Du coup, j'ai accepté de renoncer à ma vocation d'avocate pour la magistrature. »

Interview de Simone Veil,
Elle, 25 octobre 2007.

1. Institut d'études politiques de Paris.

2 Une ministre féministe

Députés de droite · Députés centristes · Députés de gauche

(Graphique : axe vertical gradué de 0 à 180)

- Pour : droite ≈ 72, centristes ≈ 27, gauche ≈ 179
- Contre : droite ≈ 153, centristes ≈ 25
- Nuls, exclus ou absents : droite ≈ 14, centristes ≈ 2, gauche ≈ 1

Source : d'après un décompte du journal *Le Parisien*, 30 novembre 1974.

Le 28 novembre 1974, l'Assemblée nationale vote, en première lecture, la loi autorisant l'interruption volontaire de grossesse (IVG). Ministre de la Santé d'un gouvernement de centre-droit, Simone Veil a défendu le projet face à une Chambre hostile et même sous les insultes de la part de certains députés.

J'extrais des informations

1 DOC. 1 **Quels obstacles Simone Veil a-t-elle dû surmonter pour pouvoir travailler ?**

2 DOC. 2 **Quelle loi importante Simone Veil défend-elle ?**

3 DOC. 4 **Comment Simone Veil participe-t-elle au devoir de mémoire ?**

Je raisonne

4 DOC. 2 **À quelles difficultés Simone Veil a-t-elle été confrontée pour faire voter cette loi ?**

5 DOC. 3 **Montrez que Simone Veil conçoit l'action politique à une échelle qui dépasse la France.**

3 La présidente du Parlement européen

Photographie du discours inaugural de Simone Veil
au Parlement européen, Strasbourg, 17 juillet 1979.

4 Le devoir de mémoire

Photographie d'une visite au camp d'Auschwitz par Simone Veil (à gauche), avec le président de la
République Jacques Chirac (au centre) et le ministre de l'Intérieur polonais Ryszard Kalisz (à droite), 2005.

VOCABULAIRE

**Le devoir de
mémoire** : l'obligation
morale de se souvenir
de souffrances du
passé.

Le féminisme : le
mouvement qui
promeut les droits des
femmes et l'égalité
avec les hommes.

Un magistrat : une
personne membre du
corps judiciaire.

J'écris en histoire

6 Rédigez un court texte présentant les
différents engagements de Simone
Veil.

Parcours
avenir

Je découvre les métiers du droit

Faites des recherches sur les métiers du droit

Mai 1968

▶ **Comment le mouvement de Mai 68 place-t-il la jeunesse au cœur de la société ?**

La France des années 1960 est marquée par une forte croissance démographique. Cette situation entraine des changements et crée des demandes nouvelles au sein de la société. Mais le pouvoir politique ne semble pas en tenir compte. C'est dans ce contexte qu'une révolte étudiante et une grève générale éclatent au printemps 1968.

1 Un témoin des évènements

« En 68 j'avais 20 ans, mère d'un enfant de 2 ans, sténodactylo[1]. Avant 68 les jeunes n'avaient que des devoirs (exemples : on ne critiquait en aucun cas les professeurs ; pas le droit pour les filles de porter des pantalons en classe…). […]

J'ai envié ceux et celles qui pouvaient aller manifester car j'étais pour un changement des mentalités, pour plus de liberté d'expression, mais je devais nous nourrir mon fils et moi avec 1000 Frs[2] (ce qui était bien peu à l'époque).

C'est grâce à ces changements de mentalités que quelques années plus tard les femmes ont pu avorter […] ; qu'on a pu développer le syndicalisme dans les entreprises et notamment le droit des femmes. […] On pouvait rêver alors d'un monde qui ne serait plus "machiste"[3]. Un monde plus libre. […]. »

Témoignage de Jeanne Bailleul,
Le Nouvel Observateur, 19 mars 2008.

1. Secrétaire qui retranscrit un discours oral à l'écrit.
2. Équivaut à environ 1 200 euros.
3. Comportement fondé sur l'idée que l'homme occupe une place dominante dans la société.

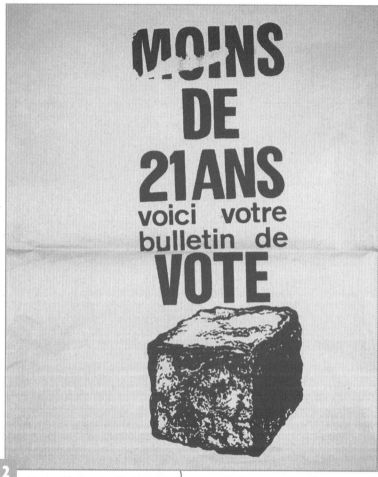

2 Une affiche de Mai 1968

Atelier populaire de l'École nationale supérieure des beaux-arts, mai 1968.

En 1968, le droit de vote n'est possible qu'à partir de 21 ans.

VOCABULAIRE

Une grève générale : un mouvement social touchant toutes les catégories professionnelles.

Je comprends

1 INTRO ET DOC. 2 **Pourquoi la jeunesse se soulève-t-elle en mai 1968 ?**

2 INTRO ET DOC. 3 **Qui se joint au mouvement des étudiants ?**

J'extrais des informations

3 DOC. 1 **Relevez les changements qui interviennent avec Mai 68.**

4 DOC. 2 **De quelle manière la jeunesse fait-elle de la rue un espace politique ?**

3 De la révolte étudiante à la grève générale

Photographie d'une manifestation à Paris, 13 mai 1968.

4 Une réponse politique au mouvement de mai 68 ?

Jacques Chaban-Delmas, nommé Premier ministre, présente son projet politique de « nouvelle société ».

« […] je suis certain que nous devons aujourd'hui nous engager à fond dans la voie du changement. […] Nous sommes, en effet, une société fragile, encore déchirée par de vieilles divisions et, faute de pouvoir maintenir notre équilibre dans la routine et la stagnation, nous devons le trouver dans l'innovation et le développement.

La seconde raison, la raison positive, c'est que la conquête d'un avenir meilleur pour tous justifie à elle seule tous les efforts, tous les changements. […] Le nouveau levain[1] de jeunesse, de création, d'invention qui secoue notre vieille société peut faire lever la pâte de formes nouvelles et plus riches de démocratie et de participation, dans tous les organismes sociaux comme dans un État assoupli, décentralisé, désacralisé. Nous pouvons donc entreprendre de construire une nouvelle société. »

Jacques Chaban-Delmas, discours de politique générale
devant l'Assemblée nationale, 16 septembre 1969.

1. Organisme qui permet la fermentation dans l'alimentation.

Piste EPI

J'analyse un document

5 DOC. 4 **Expliquez comment le pouvoir politique tente de répondre au défi qui lui est lancé en mai 1968.**

Histoire - Arts plastiques

Comment les artistes portent-ils les contestations sociales de la jeunesse dans les années 1960-1970 ?

Réalisez un catalogue d'une exposition virtuelle où vous rassemblerez et analyserez des œuvres contestataires.

Culture et création artistiques

L'État, la société et l'immigration (années 1970-1980)

▶ **Quelle place la société française fait-elle à ses immigrés ?**

Pendant les Trente Glorieuses, la France fait appel à une main-d'œuvre immigrée. En 1975, le pays compte 3,9 millions d'étrangers, contre 1,8 million en 1945. Mais, avec la crise économique, l'État décide de limiter l'immigration. Alors que la question divise la société, l'État peine à y apporter une réponse satisfaisante.

1 Des immigrés très représentés dans l'industrie

Photographie d'une chaine de montage à l'usine Renault de Flins, 1975.

2 La crise économique

Une gestionnaire de HLM[1] dans la banlieue lyonnaise témoigne des conditions de vie des immigrés touchés par la crise économique dans les années 1980.

« Les pères de famille [d'origine immigrée] licenciés pour raison économique n'avaient pas retrouvé de travail : en vingt ans, ils n'avaient jamais été formés, et le métier étant particulièrement dur, ils étaient physiquement éprouvés. Il aurait fallu pouvoir les reconvertir à des métiers moins durs mais, faute de formation adéquate pendant leur temps de travail en France, ils se retrouvaient sans réelle possibilité de reconversion.

Leurs compagnes n'avaient pas été non plus prises en charge et demeuraient mal à l'aise avec notre langue écrite. Elles étaient restées isolées [...]. Il me revenait d'améliorer ces conditions de vie et leur corollaire inévitable, la dégradation du patrimoine. Je me suis entourée du centre social local, de l'école, de l'ANPE[2], et j'ai redonné du tonus à l'association des locataires. »

Témoignage de Marie-Jeanne Goze, ancienne conseillère prud'hommale et présidente du Conseil des Prud'hommes de Bourgoin-Jallieu, sur agoravox.fr, 3 mai 2006.

1. Habitations à loyer modéré.
2. Agence nationale pour l'emploi, créée en 1967.

Je situe

1 DOC. 1 Dans quel secteur d'activité ces immigrés travaillent-ils ?

2 DOC. 2 Qu'arrive-t-il à ce secteur d'activité à partir de 1975 ?

J'extrais des informations

3 DOC. 2 Décrivez les problèmes auxquels sont confrontés les immigrés.

4 DOC. 3 Quelles sont les revendications des participants à la marche ?

3 Une mobilisation contre le **racisme**

Photographie des représentants de la Marche pour l'égalité et contre le racisme (ou « Marche des **beurs** ») reçus par le président de la République, François Mitterrand, 3 décembre 1983.

VOCABULAIRE

Un beur : ce terme, familier, désigne une personne d'origine maghrébine née en France de parents immigrés.

La crise économique : la France connaît à partir de 1974 une baisse de la croissance, une réduction de l'emploi industriel et une forte augmentation du chômage.

L'immigration : l'installation dans un pays de personnes originaires d'un autre pays.

L'intégration : l'insertion sociale au sein d'une société.

Le racisme : l'idéologie reposant sur l'idée fausse de l'existence de races et d'une supposée inégalité entre elles.

Azouz Begag raconte, au travers du livre dont est tiré le film, les joies et les malheurs d'un fils d'immigrés qui trouve sa place grâce à l'école de la République. Azouz Begag a été ministre de 2005 à 2007.

AÏSSA DJABRI, FARID LAHOUASSA, MANUEL MUNZ
PRÉSENTENT

FESTIVAL DE BASTIA 97
OLIVIER D'OR
«GRAND PRIX»
OLIVIER DE BRONZE
«PRIX DU PUBLIC»

QUAND JE SERAI GRAND, JE SERAI PRÉSIDENT DE LA RÉPUBLIQUE !

LE GOSSE DU QUARTIER, LE MÔME DU BLED, LE GAMIN D'À CÔTÉ, L'ENFANT DU BIDONVILLE...

LE GONE DU CHAÂBA

UN FILM DE CHRISTOPHE RUGGIA

D'APRÈS LE ROMAN DE AZOUZ BEGAG "LE GONE DU CHAÂBA" PUBLIÉ AUX ÉDITIONS DU SEUIL

4 Le défi de l'**intégration**

Affiche du film
Le Gone du Chaâba, 1997.

J'analyse

5 DOC. 2 ET 3 De quelles manières l'État tente-t-il de répondre à la crise d'intégration qui affecte les immigrés ?

6 DOC. 4 Expliquez pourquoi l'enfant peut prononcer cette phrase.

Maîtrise de la langue

Je distingue les termes

Attention à ne pas confondre émigration et immigration :
Émigrer, c'est aller à l'**e**xtérieur.
Immigrer, c'est venir à l'**i**ntérieur.

Cours

De nouveaux enjeux sociaux et culturels

▶ **Comment la République s'adapte-t-elle aux changements de la société française ?**

VOCABULAIRE

Les accords de Grenelle : les accords signés en mai 1968 sur des augmentations de salaires et la place des syndicats dans les entreprises.

Le MLF : le Mouvement de libération des femmes est l'une des principales organisations féministes en France.

Les services : le secteur d'activité, public ou privé, qui ne concerne pas la production matérielle.

PASSÉ PRÉSENT

L'âge de la retraite

En 1945 le principe d'un droit à la retraite pour l'ensemble de la population est fixé, ainsi, que l'âge de départ : **65 ans**. En 1982, la gauche abaisse cet âge à **60 ans**. Mais dans un contexte de crise économique et de vieillissement de la population, le système est réformé en 2010 et l'âge de départ à la retraite passe à **62 ans**.

A Les mutations de la société française dans l'après-guerre

▶ Après 1945, le baby-boom entraine des besoins nouveaux et **une présence massive de la jeunesse dans la société**. Les emplois dans les services se développent et intègrent les femmes qui, à partir de 1965, n'ont plus besoin de l'autorisation de leur mari pour travailler.

▶ L'immigration, ancienne en France, est relancée après 1945 car la main-d'œuvre manque dans l'industrie, le bâtiment et l'agriculture. Originaires d'Europe puis d'Afrique, **les immigrés se concentrent dans les métropoles**.

B Les enjeux sociaux et culturels des années 1960-1970

▶ **La jeunesse et les travailleurs revendiquent plus de démocratie politique**, économique, sociale et culturelle. D'abord étudiant, le mouvement de Mai 68 s'étend à la population active. Le gouvernement et les syndicats signent alors les accords de Grenelle.

▶ Les jeunes, les femmes, les immigrés s'organisent au sein d'associations qui veulent améliorer voire changer la société. **Le MLF lutte ainsi pour les droits des femmes à partir de 1970.**

C Les réponses politiques des années 1970-1980

▶ **L'État met en place une politique libérale :** en 1974, il abaisse à 18 ans l'âge de la majorité légale, et donc du droit de vote, avant d'autoriser l'interruption volontaire de grossesse (IVG), puis le divorce par consentement mutuel en 1975. Cependant la crise économique crée des tensions au sein de la société et aggrave le racisme.

▶ Avec **l'arrivée du Parti socialiste au pouvoir en 1981, la politique se fait plus sociale :** abolition de la peine de mort, régularisation des sans-papiers, extension des congés payés, dépénalisation de l'homosexualité, retraite à 60 ans.

▶ Mais les réformes ont des limites sur le plan économique : **le chômage touche 2 millions de personnes en 1985**. De plus, la fin du baby-boom et les progrès de l'espérance de vie entrainent un vieillissement de la population, rendant le cout des retraites de plus en plus lourd.

PERSONNAGES-CLÉS

▶ **Daniel Cohn-Bendit (né en 1945)** Jeune étudiant allemand, il est l'une des figures du mouvement de Mai 68. Sa volonté de transformer la société l'amène ensuite à s'engager dans l'écologie politique.

▶ **Gisèle Halimi (née en 1927)** Militante féministe, avocate et femme politique, elle est l'une des signataires du « Manifeste des 343 », déclarant avoir avorté et appelant à légaliser l'IVG.

1 La crise de la sidérurgie lorraine

Affiche de la Confédération générale du travail (CGT) contre la fermeture des usines, 1979.

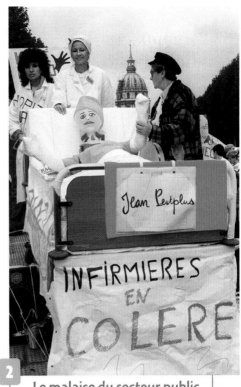

2 Le malaise du secteur public

Manifestation du personnel hospitalier à Paris, 13 octobre 1988.

3 La population française, des années 1950 aux années 1980

	1954	1962	1968	1975	1982	1990
Population totale	43 057 000	46 998 000	49 915 000	52 699 000	54 492 000	56 709 000
Natalité	810 754	832 353	835 796	745 065	797 223	762 467
Espérance de vie (à la naissance, en années)	68,1	70,45	71,5	72,95	74,8	76,85
Immigrés	2 293 000	2 861 000	3 281 000	3 887 000	4 037 000	4 166 000
Plus de 60 ans (en % de la population totale)	16,3	16,7	17	18,9	18,5	19

Sources : Institut national de la statistique et des études économiques (INSEE) et Institut national d'études démographiques (INED).

▶ **Robert Badinter (né en 1928)**
Avocat, défenseur de l'abolition de la peine de mort dans les années 1970, il est choisi par le président Mitterrand pour mettre en œuvre les réformes sociétales de 1981.

▶ **Harlem Désir (né en 1959)**
Militant d'abord dans un syndicat étudiant, il rejoint SOS Racisme qu'il préside de 1984 à 1992. Il se lance par la suite dans une carrière politique.

carte mentale · lienmini.fr/hgemc3-032
Saisissez cette adresse sur votre navigateur pour découvrir la carte mentale.

CARTE MENTALE

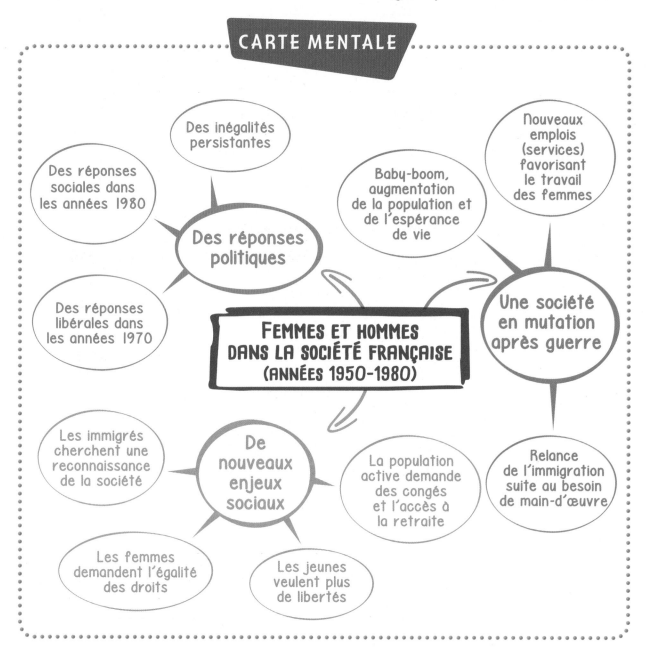

Des inégalités persistantes

Des réponses sociales dans les années 1980

Baby-boom, augmentation de la population et de l'espérance de vie

Nouveaux emplois (services) favorisant le travail des femmes

Des réponses politiques

Des réponses libérales dans les années 1970

FEMMES ET HOMMES DANS LA SOCIÉTÉ FRANÇAISE (ANNÉES 1950-1980)

Une société en mutation après guerre

Les immigrés cherchent une reconnaissance de la société

De nouveaux enjeux sociaux

La population active demande des congés et l'accès à la retraite

Relance de l'immigration suite au besoin de main-d'œuvre

Les femmes demandent l'égalité des droits

Les jeunes veulent plus de libertés

Réviser en ligne

Je teste mes connaissances

QUIZ · lienmini.fr/hgemc3-033
Saisissez cette adresse sur votre navigateur pour lancer le quiz.

Le tuto pour créer ma carte mentale.

TUTO vidéo
lienmini.fr/hgemc3-001

Étape 1 **Présentez le graphique :** identifiez sa source et son contexte, ainsi que les critères qui ont permis la construction du graphique.

Étape 2 **Observez en détail :** décrivez les données ainsi que leurs variations dans le temps et/ou dans l'espace. Il faut mettre en évidence des tendances.

Étape 3 **Interprétez :** confrontez les données collectées à vos connaissances.

---

1 La pyramide des âges de la population française pour l'année 1990

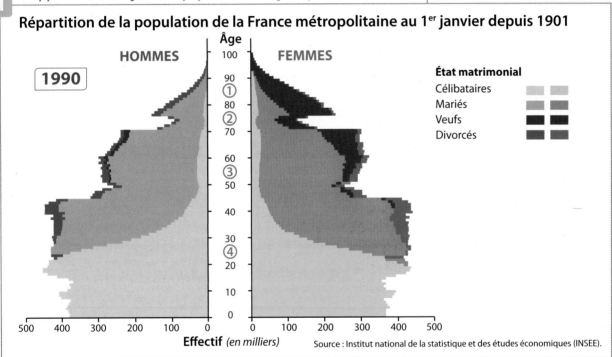

Répartition de la population de la France métropolitaine au 1er janvier depuis 1901

① Classe d'âge 75-100 ans : espérance de vie des femmes supérieure à celle des hommes.
② Creux 70-75 ans : impact de la Première Guerre mondiale sur la natalité.
③ Creux 50 ans : impact de la Deuxième Guerre mondiale sur la natalité.
④ Classe d'âge 15-45 ans : impact du baby-boom et des Trente Glorieuses.

---

1 Présentez le graphique

Quelle est la source du document ? Quelle est l'année de référence ?
Justifiez l'expression « pyramides des âges ».

2 Observez en détail

Identifiez les classes d'âges sous-représentées. Les classes d'âges sur-représentées.
Quelles classes d'âges sont les plus concernées par le divorce ? Le veuvage ?

3 Interprétez

Quels contextes historiques expliquent les creux et les pleins de la population française ?
Expliquez les évolutions de la population française de 1950 à 1990 en tenant compte des différences entre les femmes et les hommes.

Brevet

Sujet guidé

Exercice 1   Analyser et comprendre des documents

> **1** Le nombre d'étrangers résidant en France (1945-2008)

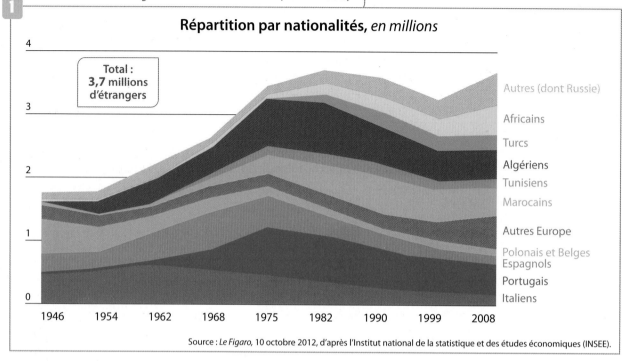

Répartition par nationalités, *en millions*

Total :
**3,7 millions
d'étrangers**

Autres (dont Russie)

Africains

Turcs

Algériens

Tunisiens

Marocains

Autres Europe

Polonais et Belges
Espagnols

Portugais

Italiens

1946   1954   1962   1968   1975   1982   1990   1999   2008

Source : *Le Figaro*, 10 octobre 2012, d'après l'Institut national de la statistique et des études économiques (INSEE).

1 Identifiez la nature et la source du document.

2 Décrivez la courbe de l'immigration en distinguant plusieurs périodes chronologiques entre les années 1950 et les années 1980.

> Identifiez deux périodes entre les années 1950 et les années 1980.

3 Quel changement intervient dans l'origine géographique des immigrés ?

> Ne vous attardez pas sur chaque pays, mais considérez les aires géographiques.

4 Montrez que l'immigration est un phénomène qui a des conséquences dans la composition de la population française des années 1950 aux années 1980.

5 Montrez que l'évolution de l'immigration est liée au contexte économique des années 1950 aux années 1980.

> Pour les questions 4 et 5, répondez en confrontant le document à vos connaissances.

Exercice 2   Maîtriser différents langages pour raisonner

Sujet : Sous la forme d'un développement construit d'une vingtaine de lignes et en vous appuyant sur quelques exemples précis issus du cours, décrivez les revendications des femmes et de la jeunesse entre les années 1950 et les années 1980.

||| 242

Exercice 1   Analyser et comprendre des documents

1 Pour l'union des travailleurs

Affiche, Atelier populaire de l'École nationale
supérieure des beaux-arts, mai-juin 1968.

2 Contre le contrôle des médias

Affiche, Atelier populaire de l'École nationale supérieure
des beaux-arts, mai-juin 1968.

L'ORTF : l'Office de radiodiffusion-télévision française,
créé en 1964, est chargé de la gestion de deux chaines de
télévision.

1 DOC. 1 ET 2 Présentez les documents en indiquant qui en sont les auteurs.

2 DOC. 1 Quelle est la revendication affichée ? Comment est-elle mise en scène ?

3 DOC. 2 Qui est critiqué à travers cette affiche ? Par qui ?

4 DOC. 1 ET 2 Expliquez comment Mai 68 réunit plusieurs acteurs et plusieurs
revendications.

5 Expliquez dans quel contexte le mouvement de Mai 68 intervient et quelles sont ses
conséquences.

Exercice 2   Maitriser différents langages pour raisonner

Sujet : Sous la forme d'un développement construit d'une vingtaine de lignes et en vous
appuyant sur quelques exemples précis issus du cours, décrivez l'immigration en France et
expliquez quels défis elle pose à la société française.

GÉOGRAPHIE

L'EVOLUTION DU TERRITOIRE DEPUIS 50 ANS

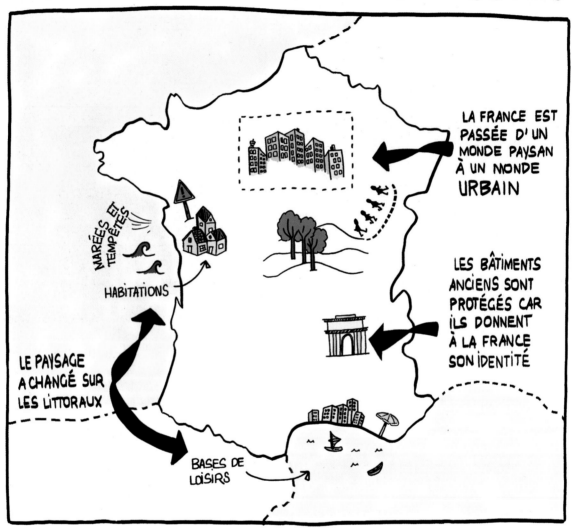

LA FRANCE EST PASSÉE D'UN MONDE PAYSAN À UN MONDE URBAIN

MARÉES ET TEMPÊTES

HABITATIONS

LE PAYSAGE A CHANGÉ SUR LES LITTORAUX

LES BÂTIMENTS ANCIENS SONT PROTÉGÉS CAR ILS DONNENT À LA FRANCE SON IDENTITÉ

BASES DE LOISIRS

QUESTIONS

1 **Écoutez l'interview.** Les Français habitent-ils majoritairement en ville ou à la campagne ?

2 Pourquoi les campagnes ont-elles évolué ?

3 Quels éléments communs trouve-t-on dans le paysage français et dans n'importe quelle autre partie du monde ?

4 Est-ce que le paysage français perd pour autant son identité ?

> Depuis une cinquantaine d'années, la société française s'est profondément transformée.
>
> Cela est dû à un évènement très ancien qui est l'exode rural. La France qui était essentiellement un monde paysan est devenue un monde urbain. Depuis une quarantaine d'années, les urbains sont revenus autour des villes : c'est la périurbanisation. Ces urbains utilisent des voitures et vivent dans des pavillons. Même si aujourd'hui on observe une diminution de l'utilisation des automobiles, le Français est essentiellement urbain ou périurbain. "

Découvrez une autre interview dans la partie Géographie.

• **Jean-Luc Charles**, directeur général de la SAMOA (société d'aménagement de la métropole ouest atlantique), p. 307

EXOS lienmini.fr/hgemc3-134

Saisissez cette adresse sur votre navigateur pour télécharger les exercices.

Les aires urbaines
en France

Le centre-ville de Nice

La construction du tramway, achevée en 2007, a permis de réduire la circulation automobile, d'élargir les trottoirs pour les piétons et ainsi d'améliorer le cadre de vie des habitants.

Comment l'étalement des aires urbaines modifie-t-il l'organisation du territoire et la vie des Français ?

OCÉAN ATLANTIQUE

• Paris

FRANCE
Nice

Mer Noire

Mer Méditerranée

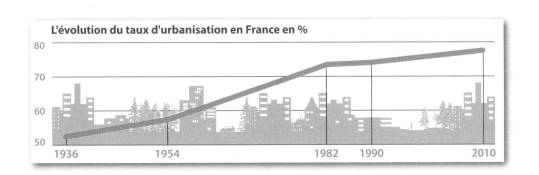

L'évolution du taux d'urbanisation en France en %

Étude de cas

L'aire urbaine de **Bordeaux** (1)

▶ **Comment s'organise le territoire d'une aire urbaine ?**

AQUITAINE
LIMOUSIN
POITOU-CHARENTE

Aire urbaine de Bordeaux

FRANCE

Bordeaux est la ville-centre de son aire urbaine. Son territoire se compose d'un centre-ville, d'un péricentre, de quartiers suburbains entourés d'une couronne périurbaine qui s'étale sur d'autres communes.

1 L'organisation du territoire

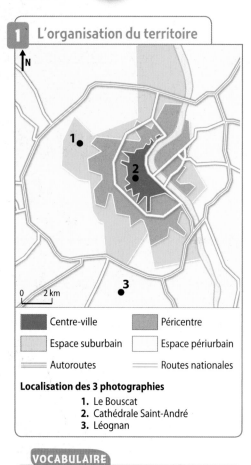

N

0   2 km

- **Centre-ville**
- **Péricentre**
- **Espace suburbain**
- **Espace périurbain**
- ═══ Autoroutes
- ━━━ Routes nationales

Localisation des 3 photographies
1. Le Bouscat
2. Cathédrale Saint-André
3. Léognan

VOCABULAIRE

Le centre-ville : le noyau historique de la ville.
Le péricentre : le territoire à proximité du centre-ville.
Périurbain : en périphérie de la ville.
Suburbain : entre le péricentre et le périurbain.

2
La cathédrale Saint-André dans le centre-ville

Je situe

1 DOC. 1 **Quels sont les différents espaces qui constituent une aire urbaine ?**

Je prélève des informations

2 DOC. 1,2, 3 ET 4 **Reproduisez et complétez le tableau :**

Quartiers	Cathédrale	Le Bouscat	Léognan
Nom du territoire			
Distance par rapport au centre			
Densité et forme du bâti			

3 Le Bouscat, une commune suburbaine

4 Un quartier de Léognan, une commune périurbaine située à environ 30 km de la ville-centre de Bordeaux

Je rédige

3 Rédigez en quelques lignes une définition complète d'une « aire urbaine », en énonçant les différents espaces et leurs caractéristiques principales.

Maîtrise de la langue

Je comprends le sens d'un mot

Cherchez dans le dictionnaire le sens du préfixe « péri », puis du terme « urbanisation ». Vous pouvez donc rédiger une définition simple du terme « périurbanisation ».

Étude de cas

L'aire urbaine de Bordeaux (2)

▶ **Comment vivent les habitants de l'aire urbaine de Bordeaux ?**

L'aire urbaine de Bordeaux compte 1,16 million d'habitants. Ils y vivent et s'y déplacent différemment selon les espaces qu'ils occupent.

1 La rue Sainte-Catherine, dans le centre-ville de Bordeaux

2 L'attractivité du péricentre

Mathieu et Rebecca, un jeune couple parisien avec une enfant en bas âge, s'installent dans un lotissement à Floirac, à côté de Bordeaux.

« Jeunes parents, la vie parisienne ne nous convenait plus. La perspective de l'entrée à l'école de notre fille mit en évidence notre souhait de nous rapprocher de la mer. [...]

Une exigence : ne pas subir les bouchons. Nous avons trouvé une école [...] qui accepte les enfants à partir de 2 ans et une maison en location à Floirac. Nous apprécions ce coin pour sa proximité du tram, du centre de Bordeaux, de la gare. En revanche cette ville manque de commerces de bouche, prendre la voiture pour aller chercher son pain est agaçant. »

« Pour Rebecca et Mathieu : objectif Mer », www.vivre-bordeaux.com, consulté en 2016.

VOCABULAIRE

Un lotissement : un ensemble de pavillons.
La mobilité : les déplacements de population.
La périurbanisation : l'étalement des villes sur les territoires périurbains.

Je situe

....
....
Quartiers suburbains
....

1 DOC. 1, 2 ET 3 **En vous aidant des documents, recopiez et complétez le schéma de l'aire urbaine.**

Je prélève des informations

2 DOC. 1 À 5 **Comment se loge-t-on et se déplace-t-on en centre-ville ? Dans une commune périurbaine ?**

3 DOC. 1, À 5 **Comparez les activités dans le centre-ville à celles dans l'espace périurbain.**

3 Mérignac, une commune **périurbaine** de Bordeaux

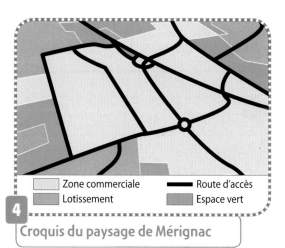

Légende :
- Zone commerciale
- Lotissement
- Route d'accès
- Espace vert

4 Croquis du paysage de Mérignac

5 Des périurbains de plus en plus **mobiles**

« En Aquitaine, les actifs occupés sont de plus en plus nombreux, en part comme en nombre, à travailler loin de chez eux. En 2009, sur les 1 300 000 actifs aquitains ayant un emploi, 66 % déclarent travailler hors de leur commune de résidence. Ils n'étaient que 61 % en 1999 (44 % en 1982). [...] En Aquitaine, lorsque leur profession s'exerce hors de leur commune de résidence, la moitié des actifs occupés parcourt plus de 12 km pour arriver au travail et pour un temps de trajet supérieur à 22 minutes. [...]. L'unité urbaine de Bordeaux attire 80 000 navetteurs résidant hors unité urbaine dont la moitié habitent à plus de 30 kilomètres. »

« Déplacements domicile-travail en 2009. Bordeaux, Bayonne et Pau concentrent la moitié du flux », Jérôme Scarabello, Philippe Nevilly, Inseee, janvier 2013.

Je raisonne

4 DOC. 1 À 5 **Rédigez un récit dans lequel vous comparez les avantages et inconvénients du centre-ville de Bordeaux et des communes périurbaines au niveau des conditions de logement, de circulation et des activités proposées.**

Conseil Brevet

Analyser un schéma

Pour analyser le schéma de l'organisation d'une aire urbaine, commencez par définir toutes les notions de la légende : centre-ville, péricentre, espace suburbain, espace périurbain.

L'aire urbaine de Paris (1)

▶ **Comment les Parisiens habitent-ils leur aire urbaine ?**

Paris
ILE-DE-FRANCE

Aire urbaine
de Paris

FRANCE

L'aire urbaine de Paris, avec plus de 12,3 millions d'habitants, est la plus grande et la plus peuplée du territoire français.

1 La place Saint-Michel, dans le **centre-ville** historique de Paris

VOCABULAIRE

Une aire urbaine : un ensemble constitué par une ville-centre avec son centre-ville, son péricentre, des communes suburbaines et des communes périurbaines.
Le centre-ville : le noyau historique de la ville.
Une commune périurbaine : un territoire qui se situe en périphérie de la ville.

2 Louvres, une **commune périurbaine** qui se peuple

« Dans moins de 15 ans, la ville de Louvres (Val d'Oise) aura presque doublé sa population. [...] C'est un peu loin de tout et en même temps très proche de Roissy [...], à 25 km de Paris.
[...] Avec le développement de la plate-forme portuaire de Roissy depuis 10 ans, le taux de création d'emploi y est sept fois plus rapide que partout ailleurs en Île-de-France. À chaque million de passagers supplémentaires, ce sont 1 500 postes qui se créent. [...] Mais si la ville espère capter les populations salariées de Roissy, ne craint-elle pas un effet ville-dortoir ? "C'est une image qui colle aux communes de deuxième couronne parisienne, mais elle ne me parle pas", répond Jean-Marie Fossier [maire de Louvres]. "Dans ce cas, toutes les villes sont des villes-dortoirs. La réalité est qu'aujourd'hui la plupart des Franciliens travaillent ailleurs que dans leur ville de résidence". [...]
Reste un souci : le transport. Louvres n'y coupe pas : sa dimension périurbaine, la ville la doit à l'usage excessif de la voiture. »

Olivier Delahaye, « Louvres : passer du périurbain à la ville à la campagne », sur le site gpmetropole.fr, 10 juillet 2014.

Je situe

1 DOC. 1 ET 2 **En vous aidant des documents, complétez le schéma de l'aire urbaine.**

....
Péricentre
Quartiers suburbains
....

Je prélève des informations

2 DOC. 1 À 4 **Comment se loge-t-on et se déplace-t-on en centre-ville ? dans une commune périurbaine ?**

3 DOC. 2, 3 ET 4 **Quels sont les inconvénients pour les habitants de ces communes périurbaines et que doit permettre le projet du Grand Paris ?**

Champdeuil, commune périurbaine de l'aire urbaine parisienne

Champdeuil, à 55 km à l'est de Paris, s'organise autour du centre du village et de son église, et comporte des maisons individuelles, quelques pavillons de lotissement, ainsi qu'une entreprise et des terres agricoles.

Les attentes des habitants du Grand Paris

Le Grand Paris est un projet d'aménagement de l'aire urbaine parisienne, qui comprend la création d'un nouveau réseau de transports en commun pour faciliter les déplacements des habitants du centre-ville et des communes périurbaines.

« "Moi, le Grand Paris, en tant que banlieusarde qui a toujours vécu dans le 93, ça me fait espérer être parisienne demain." Dahvia, 25 ans, grande parisienne depuis 25 ans, habite à Stains et travaille à Sevran.

- *C'est quoi, pour toi, le Grand Paris ?*
- Le Grand Paris, ce serait un projet pour rééquilibrer ces contrastes, entre la banlieue et le centre.
- *Qu'est-ce que le Grand Paris va changer pour toi ?*
- Le Grand Paris est pour moi avant tout un projet de transport. Mais si c'est juste faire de nouvelles lignes de transport avec des projets de constructions de promoteurs, je ne me sentirai pas concernée.
- *Si tu étais maire du Grand Paris, quelle serait ta première mesure ?*
- Faire un effort tarifaire pour le transport ! »

« Dahvia, Sevran », témoignage sur le site lesgrandsparisiens.fr, consulté en 2016.

Piste EPI

Géographie - SVT

Un nouveau centre commercial s'installe dans votre commune périurbaine : écrivez un argumentaire pour défendre son installation ou pour l'empêcher au nom de la défense de la biodiversité.

Transition écologique et développement durable

Je rédige

4 **DOC. 1 À 4** **Rédigez un récit dans lequel vous :**
- **comparez d'abord le mode de vie dans le centre-ville de Paris et dans les communes périurbaines ;**
- **expliquez l'ambition du projet du Grand Paris.**

Étude de cas

L'aire urbaine de Paris (2)

▶ **En quoi l'aire urbaine de Paris participe-t-elle au rayonnement de la France dans le monde ?**

La France est aujourd'hui mondialisée. La mondialisation lui impose de faire face à la concurrence politique, économique, scientifique des pays du monde entier. Dans ce contexte, l'aire urbaine de Paris s'impose comme le cœur du territoire national.

1 Aéroville, un centre commercial à Roissy-Charles-de-Gaulle

Le centre commercial Aéroville, dans la zone de l'aéroport de Roissy-Charles-de-Gaulle, a ouvert en octobre 2013. Souhaitant tirer parti des plus de 63 millions de voyageurs qui transitent annuellement par l'aéroport de Paris-Roissy, il comprend plus de 200 boutiques, 30 restaurants et un cinéma.

VOCABULAIRE

La mondialisation : la multiplication des échanges et des flux de population, de marchandises et de services dans le monde.
Un quartier des affaires : un quartier qui rassemble des immeubles de bureaux.
Une ville-monde : une ville qui regroupe des fonctions qui lui assurent un rôle important dans le monde.

2 Bienvenue à Paris La Défense !

« [Tout est fait pour] faciliter l'installation des entreprises dans le quartier d'affaires de La Défense avec un accueil sur mesure. Premier quartier d'affaires européen par sa densité urbaine et son nombre de sièges sociaux, La Défense dispose d'un parc immobilier flexible et en constant renouvellement. [...] Ces projets contribuent à affirmer le caractère emblématique et international de Paris La Défense, seul quartier d'affaires du Grand Paris à proposer un parc de cette nature. [...]

Si La Défense est le premier quartier d'affaires européen, c'est aussi un lieu de vie animé tout au long de l'année. Defacto propose un livret d'accueil à chaque salarié arrivant à La Défense. Festivals, centre commercial, promenades au vert, restaurants, réseaux de transports, commerces de proximité, services publics, œuvres d'art... »

« Bienvenue à Paris La Défense », Defacto (Établissement public de gestion du quartier d'affaires de la Défense), 2016.

Je comprends un document

1 DOC. 1 **Comment le centre commercial Aéroville tire-t-il avantage de l'aéroport ?**

2 DOC. 3 **Relevez les informations qui montrent que Paris est la capitale politique du pays.**

Je mets en relation deux documents

3 DOC. 2 ET 3 **Relevez les informations qui montrent le rayonnement économique du quartier de La Défense dans le monde.**

4 DOC. 3 ET 4 **Relevez les informations qui montrent le rayonnement culturel de Paris dans le monde.**

3 Paris, une ville-monde

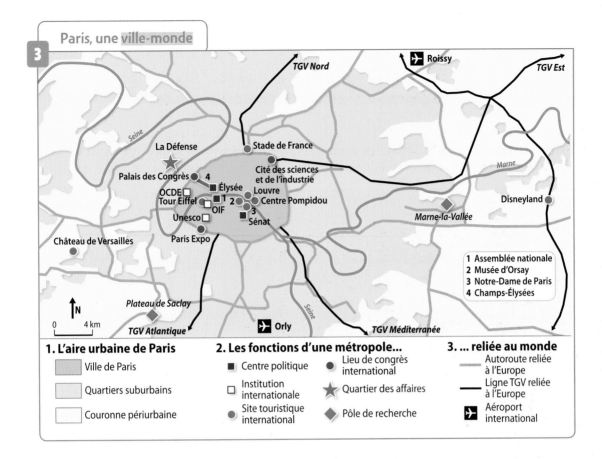

1. L'aire urbaine de Paris
- Ville de Paris
- Quartiers suburbains
- Couronne périurbaine

2. Les fonctions d'une métropole...
- ■ Centre politique
- □ Institution internationale
- ● Site touristique international
- ● Lieu de congrès international
- ★ Quartier des affaires
- ◆ Pôle de recherche

3. ... reliée au monde
- Autoroute reliée à l'Europe
- Ligne TGV reliée à l'Europe
- ✈ Aéroport international

1 Assemblée nationale
2 Musée d'Orsay
3 Notre-Dame de Paris
4 Champs-Élysées

4 Paris, l'une des métropoles les plus attractives du monde

« Dans la compétition que se livrent les grandes capitales pour séduire les meilleurs talents, Paris se défend bien. [...]

Paris, 3ᵉ ville la plus attractive pour les étudiants [...] grâce à la qualité de la vie étudiante et au cout relativement peu élevé des études. Les 96 782 étudiants internationaux qui ont choisi d'étudier en France l'an passé ont également été attirés par les opportunités de carrière et de rémunération offertes par la capitale. Des atouts qui, couplés au grand projet de Saclay, permettent à la région Paris Ile-de-France de devancer les campus américains réputés de New York, San Francisco, Boston et Los Angeles. Paris, 3ᵉ pour les classes créatives. [...] Il s'agit des scientifiques, ingénieurs, architectes, designers, les artistes, une catégorie qui recherche avant tout le dynamisme culturel et technologique à Paris [...]

Paris, 5ᵉ ville pour les dirigeants d'entreprise. [...] L'expatriation est motivée par les opportunités de carrière, le niveau de rémunération et le traitement fiscal, 3 critères sur lesquels Paris n'est pas aussi compétitive que Londres. [...] Malgré tout, le Grand Paris possède des atouts comme la diversité de son économie et la concentration de sièges mondiaux dans des secteurs historiques comme l'énergie, le luxe ou les transports. »

Charlyne Legris, « Paris, l'une des métropoles les plus attractives du monde », bfmbusiness.com, 27 novembre 2014.

Je réalise une production graphique

5 DOC. 1 À 4 **Pourquoi peut-on affirmer que Paris participe fortement au rayonnement de la France dans le monde ?**

Paris, le cœur d'une France mondialisée

- sur le plan politique
- sur le plan économique
- sur le plan culturel

Deux exemples :
– ....
– ....

Deux exemples :
– ....
– ....

Deux exemples :
– ....
– ....

Changer d'échelle

Les aires urbaines

L'évolution de la population des 10 aires urbaines les plus peuplées (2000-2012)

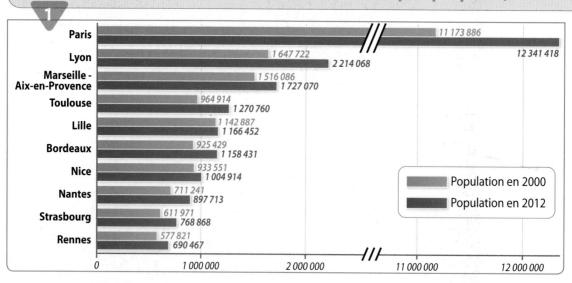

1

Paris : 11 173 886 — 12 341 418
Lyon : 1 647 722 — 2 214 068
Marseille - Aix-en-Provence : 1 516 086 — 1 727 070
Toulouse : 964 914 — 1 270 760
Lille : 1 142 887 — 1 166 452
Bordeaux : 925 429 — 1 158 431
Nice : 933 551 — 1 004 914
Nantes : 711 241 — 897 713
Strasbourg : 611 971 — 768 868
Rennes : 577 821 — 690 467

Population en 2000
Population en 2012

Axe : 0 — 1 000 000 — 2 000 000 — 11 000 000 — 12 000 000

L'évolution de l'urbanisation en France

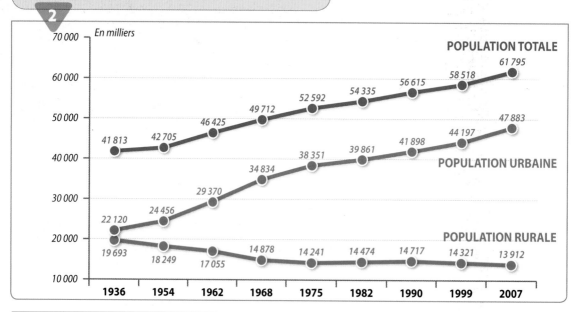

2

En milliers

POPULATION TOTALE
41 813 / 42 705 / 46 425 / 49 712 / 52 592 / 54 335 / 56 615 / 58 518 / 61 795

POPULATION URBAINE
22 120 / 24 456 / 29 370 / 34 834 / 38 351 / 39 861 / 41 898 / 44 197 / 47 883

POPULATION RURALE
19 693 / 18 249 / 17 055 / 14 878 / 14 241 / 14 474 / 14 717 / 14 321 / 13 912

Années : 1936 / 1954 / 1962 / 1968 / 1975 / 1982 / 1990 / 1999 / 2007

Des études de cas...

1 Où se situe Bordeaux dans la hiérarchie des aires urbaines françaises ?

Bordeaux, p. 248

2 Quel est le poids démographique d l'aire urbaine de Paris ?

Paris, p. 252

en France

CARTE lienmini.fr/hgemc3-103

Saisissez cette adresse sur votre navigateur pour animer la carte.

Les principales aires urbaines en France

3

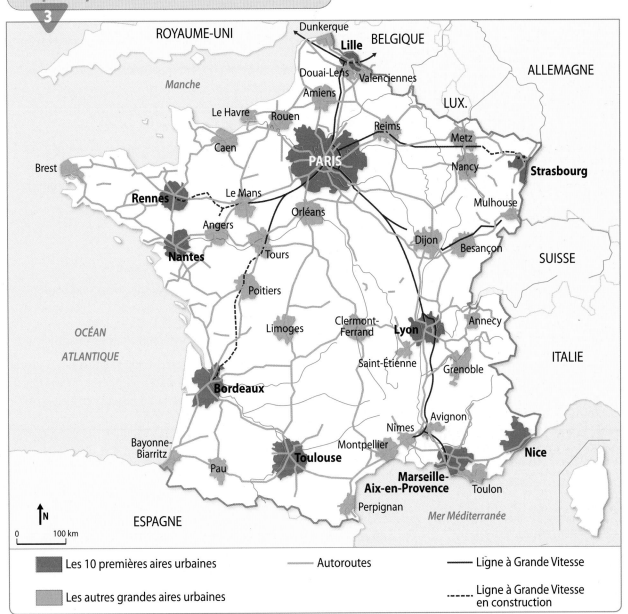

ROYAUME-UNI

Manche

Dunkerque
Lille BELGIQUE

Douai-Lens Valenciennes
ALLEMAGNE

Amiens

LUX.

Le Havre Rouen
Reims
Metz

Caen
PARIS
Nancy
Strasbourg

Brest

Mulhouse

Rennes Le Mans

Angers Orléans
Dijon Besançon
SUISSE

OCÉAN ATLANTIQUE

Nantes Tours

Poitiers

Limoges
Clermont-Ferrand
Lyon
Annecy

Bordeaux
Saint-Étienne
Grenoble
ITALIE

Avignon

Bayonne-Biarritz
Nîmes
Nice

Pau
Montpellier
Toulouse
Marseille-Aix-en-Provence Toulon

Perpignan
Mer Méditerranée

ESPAGNE

N

0   100 km

▮ Les 10 premières aires urbaines	─── Autoroutes	─── Ligne à Grande Vitesse
▮ Les autres grandes aires urbaines		----- Ligne à Grande Vitesse en construction

AEROVILLE

... au territoire national

3 DOC. 1 **Quelle a été l'évolution du nombre d'habitants dans les aires urbaines ?**

4 DOC. 2 **Décrivez l'évolution de la population urbaine et de la population rurale en France.**

5 DOC. 3 **Sur quelles parties du territoire national se situent les principales aires urbaines ?**

Les aires urbaines dans une France mondialisée

▶ **Comment l'étalement des aires urbaines modifie-t-il l'organisation du territoire et la vie des Français ?**

A Les aires urbaines regroupent des populations sur différents espaces

▶ **La population française est très urbanisée** : les aires urbaines regroupent près de **85 % des habitants**, soit plus de 55 millions de personnes.

▶ **Chaque aire urbaine a une ville-centre**, dont le centre-ville est le cœur historique. Il est densément peuplé, mais **de nombreux habitants en sont partis pour s'installer dans les espaces suburbains et périurbains**.

▶ Cette périurbanisation se caractérise par l'étalement urbain vers les campagnes.

B Les aires urbaines dominent un territoire

▶ **Les aires urbaines concentrent les lieux de pouvoir** : administratif (siège des institutions), politique (conseils régionaux, mairies…), économique (sièges des entreprises…). Elles sont attractives pour leur territoire environnant : elles ont une aire d'influence (par leurs services et emplois).

▶ **Les emplois y sont nombreux** : sites touristiques, bureaux, zones commerciales… Les déplacements (transports en commun en centre-ville, automobile en zones périurbaines) sont omniprésents et font de la mobilité un enjeu de l'organisation de leur territoire : pour aller travailler en centre-ville quand on habite un quartier périurbain, faire des achats dans les grandes zones commerciales périurbaines, etc.

C Les aires urbaines participent au rayonnement de la France dans le monde

▶ **Les autoroutes et les lignes TGV, en reliant les grandes aires urbaines du pays, les rendent attractives** au niveau national et international. Pour améliorer leur compétitivité, elles financent des aménagements, comme le projet Grand Paris Express.

▶ **Certaines de ces aires urbaines sont devenues des métropoles.** L'aire urbaine de Paris, la plus importante de France, est celle d'une ville-monde.

CHIFFRES-CLÉS

Les villes occupent **119 000 km²**, soit **20 % du territoire métropolitain**.

95% de la population vit dans une ville ou sous l'influence d'une ville.

3/4 des communes rurales sont sous influence des villes, dans lesquelles réside **1/5 des habitants**.

1 MuCEM
2 Cathédrale
3 Tour CMA-CGM
4 Grand Port

1 Le MuCEM (Musée des Civilisations de l'Europe et de la Méditerranée) dans le centre-ville de Marseille

La gare du Nord : une gare européenne

- **1ʳᵉ gare européenne**
- **3ᵉ gare du monde** (après Tokyo et Chicago)
- **4 pays européens desservis** par l'**Eurostar** (Grande-Bretagne) et **le Thalys** (Belgique, Pays-Bas, Allemagne)

Très connectée

- 3 lignes de RER
- 3 lignes de métro
- 12 lignes de bus
- 7 lignes de bus de nuit

Très fréquentée

- **700 000 voyageurs** par jour
- **2 100 trains** par jour
- **3 000 personnes** travaillant dans la gare
- **1 000 agents** SNCF

2 La gare du Nord, à Paris, en chiffres

85% des Français, soit **55 millions** de personnes vivent dans une aire urbaine en France.

Paris est plus peuplée que les 9 plus grandes villes françaises réunies :

Paris					
Lyon	Toulouse	Bordeaux	Nantes	Rennes	
Marseille Aix-en-Provence	Lille	Nice	Strasbourg		

La densité de population est de **118 habitants par km²** en moyenne en France.

carte mentale lienmini.fr/hgemc3-104

Saisissez cette adresse sur votre navigateur pour découvrir la carte mentale.

CARTE MENTALE

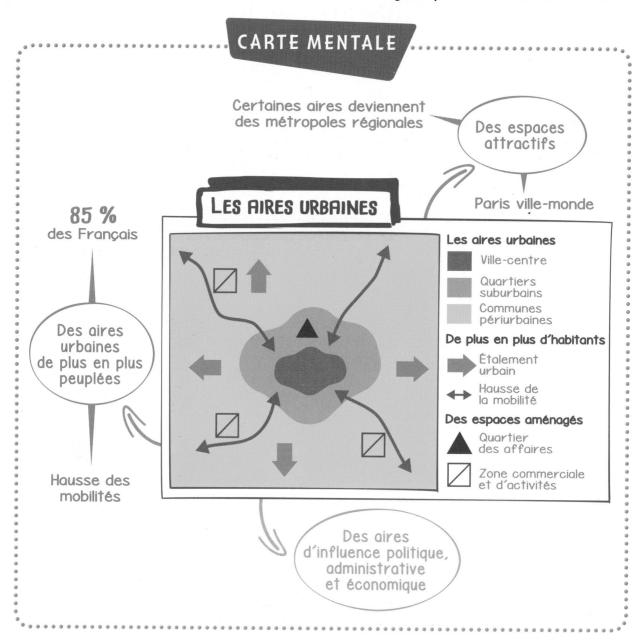

Certaines aires deviennent des métropoles régionales

Des espaces attractifs

Paris ville-monde

LES AIRES URBAINES

85 % des Français

Des aires urbaines de plus en plus peuplées

Hausse des mobilités

Les aires urbaines
- Ville-centre
- Quartiers suburbains
- Communes périurbaines

De plus en plus d'habitants
- Étalement urbain
- Hausse de la mobilité

Des espaces aménagés
- Quartier des affaires
- Zone commerciale et d'activités

Des aires d'influence politique, administrative et économique

Réviser en ligne

Je teste mes connaissances

QUIZ lienmini.fr/hgemc3-105

Saisissez cette adresse sur votre navigateur pour lancer le quiz.

Le tuto pour créer ma carte mentale.

TUTO vidéo

lienmini.fr/hgemc3-001

MÉTHODE

Lire une carte géographique

Étape 1 ▶ **Présentez :** identifiez le thème de la carte (aidez-vous du titre et de la légende), sa source, sa date et le territoire étudié (une région, un pays, le monde, etc.).

Étape 2 ▶ **Prélevez des informations :** étudiez la légende pour voir les informations fournies par les figurés : les figurés ponctuels (des cercles ou des carrés par exemple) permettent de localiser des lieux précis, les figurés fléchés représentent les flux, les figurés de surface (de couleur) différencient et hiérarchisent les espaces. Repérez ainsi les informations importantes.

Étape 3 ▶ **Analysez :** montrez les principaux contrastes entre les différents espaces à l'échelle de la carte, aidez-vous des connaissances du cours.

Plus un phénomène est important, plus le cercle est de grande taille.

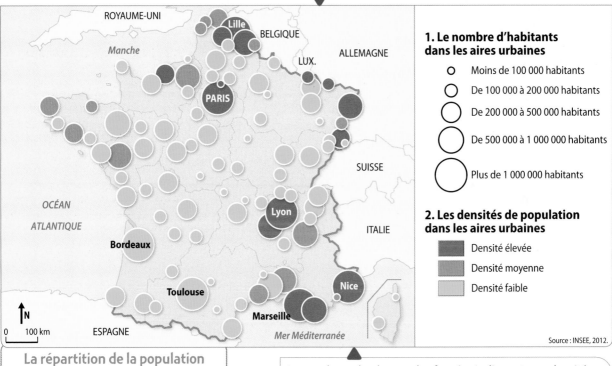

1. Le nombre d'habitants dans les aires urbaines

○ Moins de 100 000 habitants

○ De 100 000 à 200 000 habitants

○ De 200 000 à 500 000 habitants

○ De 500 000 à 1 000 000 habitants

○ Plus de 1 000 000 habitants

2. Les densités de population dans les aires urbaines

▮ Densité élevée

▮ Densité moyenne

▮ Densité faible

Source : INSEE, 2012.

La répartition de la population dans les aires urbaines en France métropolitaine

Les couleurs de plus en plus foncées indiquent une densité de plus en plus forte.

1 Présentez
Indiquez la source et la date de cette carte. Que peut-on étudier avec cette carte ?

2 Prélevez des informations
Quelles sont les 7 villes les plus peuplées ?
Où se situent les villes les plus peuplées ?
Comparez la densité de population dans les villes les plus peuplées et dans celles qui sont moins peuplées.

3 Analysez
Expliquez quelle est la répartition de la population dans les aires urbaines françaises.

Exercice 1   Analyser et comprendre des documents

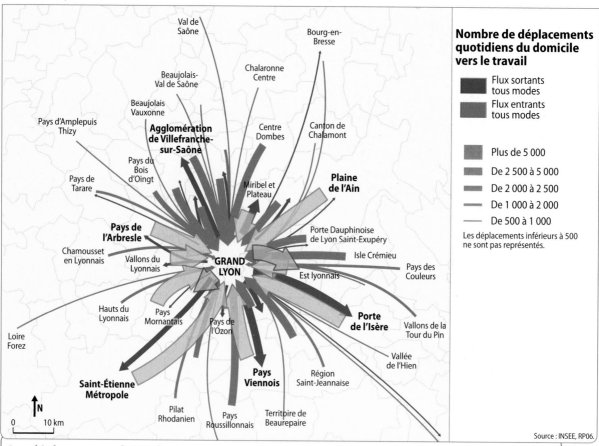

Les déplacements domicile-travail entre l'aire urbaine de Lyon et les aires urbaines voisines

Source : INSEE, RP06.

Nombre de déplacements quotidiens du domicile vers le travail

- Flux sortants tous modes
- Flux entrants tous modes

- Plus de 5 000
- De 2 500 à 5 000
- De 2 000 à 2 500
- De 1 000 à 2 000
- De 500 à 1 000

Les déplacements inférieurs à 500 ne sont pas représentés.

---

1 Que peut-on étudier avec cette carte ?

> Utilisez le titre. Il faut aussi connaitre ce qu'est un flux.

2 Décrivez les flux entre Lyon et Saint-Étienne.

> Les couleurs différentes et l'épaisseur des flèches donnent des informations sur l'importance des flux.

3 Comparez plus généralement les flux sortant et les flux entrant dans Lyon.

4 Expliquez, à l'aide de vos connaissances, quelles sont les conséquences de la périurbanisation sur la mobilité quotidienne des habitants.

> Utilisez vos connaissances sur les mobilités des habitants entre et à l'intérieur des aires urbaines.

Exercice 2   Maitriser différents langages pour raisonner

Sujet : Sous la forme d'un développement construit d'une vingtaine de lignes et en vous appuyant sur des exemples concrets, expliquez comment vivent les habitants d'une aire urbaine.

> Rappelez la définition d'une aire urbaine.

Exercice 1 Analyser et comprendre des documents

1 Une rue du centre-ville de Nantes

2 Le centre-ville, « Cœur de Nantes 2015 »

« Avec le projet Cœur de Nantes 2015, il s'agit de faire en sorte que le centre-ville soit à l'image d'une agglomération qui se développe, qui accueille de plus en plus d'habitants, de salariés, mais également de touristes. Notre objectif est de faire en sorte que le centre-ville puisse offrir des espaces publics de qualité, des commerces, être un lieu de shopping, de promenade, de rencontre, de culture, que l'on puisse y voir des animations, y rencontrer des amis, se balader dans un cadre agréable. L'activité commerciale est une priorité. C'est ce qui distingue le centre-ville de tous les autres quartiers, c'est le plus grand centre commercial, un centre commercial à ciel ouvert, avec des petits commerces comme les grandes marques. »

Extrait de l'interview du maire adjoint de la ville de Nantes, www.mavilledemain.fr, 2016.

En vous aidant des deux documents, répondez aux questions suivantes.

1 Quelles sont les activités dans le centre-ville ?

2 Comment se loge-t-on et se déplace-t-on en centre-ville ?

3 À l'aide de vos connaissances, expliquez pourquoi le maire de la ville doit mettre en place des projets pour redynamiser le centre-ville.

4 Expliquez comment ces projets peuvent participer au développement durable de l'aire urbaine nantaise. Utilisez vos connaissances pour compléter les informations fournies par les documents.

Exercice 2 Maitriser différents langages pour raisonner et se repérer

a Sujet : Sous la forme d'un développement construit d'une vingtaine de lignes et en vous appuyant sur l'exemple concret d'une aire urbaine française, montrez comment le développement des aires urbaines françaises a modifié l'organisation du territoire français.

b Construisez la légende du schéma ci-contre d'une aire urbaine.

Les espaces productifs
et leurs évolutions

École polytechnique sur le plateau de Saclay

AIDE VISUELLE

1 École polytechnique

2 Thales (entreprise spécialisée dans l'aéronautique et la défense)

3 ENSAE (École Nationale de la Statistique et de l'Administration Économique)

4 Centre de recherche de Danone

Comment les espaces productifs français s'adaptent-ils à la mondialisation ?

Le « Plateau de Saclay » se situe dans l'Ouest francilien sur les départements des Yvelines et de l'Essonne, à environ 20 km de la capitale. Il accueille depuis le 31 décembre 2014 l'Université Paris-Saclay et 21 établissements d'enseignement supérieur. S'y s'installent également des centres de développement et de recherche ainsi que des centres de formation de grandes entreprises.

La filière laitière en Normandie

▶ **Quel est l'avenir du lait français dans un marché mondialisé ?**

Manche
**Isigny
Sainte-Mère**
NORMANDIE

FRANCE

Les Français sont les plus gros consommateurs mondiaux de fromages et de beurre. Ce sont les fromages français qui s'exportent le plus dans le monde. Avec 250 000 emplois répartis sur tout le territoire, la filière française du lait génère un chiffre d'affaires de 27 milliards d'euros. Elle se place en 2ᵉ position dans le secteur agroalimentaire, après la filière viande. La Normandie est un espace productif important de ce secteur.

1 Isigny Sainte-Mère ouvre une usine de lait infantile en 2015

La coopérative laitière Isigny Sainte-Mère s'est alliée à l'un de ses clients chinois pour ouvrir une nouvelle usine de production de poudre de lait infantile en Normandie. Elle a créé 80 emplois.

VOCABULAIRE

L'agriculture biologique : l'agriculture qui refuse d'utiliser des pesticides ou des engrais chimiques.
Une filière : l'ensemble des phases d'un processus de production qui permettent de passer de la matière première au produit fini vendu sur le marché.
Un quota : un nombre déterminé que l'on ne peut pas dépasser.

Je situe

1 DOC. 1 Localisez l'entreprise d'Isigny Sainte -Mère.

Je prélève des informations

2 DOC.2 Pourquoi peut-on dire que la filière laitière est importante dans l'économie normande ?

3 DOC. 3 Dans quel type de production l'entreprise Les 2 Vaches s'est-elle engagée ?

4 DOC. 3 Expliquez pourquoi cette entreprise a lancé le programme Reine Mathilde.

Basse-Normandie

Cheptel de vaches laitières

448 863 têtes

Troupeau moyen
56 vaches laitières

1re région productrice
de beurre, crème, fromages au lait de vache, fromages à pâte molle et fromages frais de vache

2 637 milliards de litres de lait collectés

4 909 emplois dans l'industrie laitière, soit 10 % du nombre de salariés de l'industrie laitière française.

Source : Espace de Valorisation Économique, Basse-Normandie, 2015

2 La filière laitière en Basse-Normandie

3 Le bio : une production d'avenir

« *Les 2 Vaches*, vous connaissez ? Une petite marque de yaourt bio au look artisanal et au marketing décalé… Mais saviez-vous que derrière ce nom se cache en réalité le géant français des produits laitiers, Danone ? […]

C'est en Normandie que l'histoire débute. Dans le petit village de Saint-Jean-des-Baisants (Manche), 90 vaches laitières broutent paisiblement au milieu des champs de luzerne et graminées. La ferme d'Éric Lepage produit 350 000 litres de lait bio par an. Aujourd'hui, quelques 25 éleveurs travaillent en direct pour *Les 2 Vaches*, produisant 8 millions de litres de lait par an, soit 80 % des besoins de la marque. Le reste est fourni par la coopérative Biolait, premier collecteur de lait bio en France.

La "PME" a lancé le programme Reine Mathilde pour assurer ses approvisionnements en bio dans les années à venir. Son objectif ? "Donner envie aux jeunes agriculteurs". Car si le bio a le vent en poupe auprès des consommateurs, ce n'est pas le cas dans la sphère agricole. Un changement de mentalité auquel doivent s'atteler *Les 2 Vaches*. »

Adrien Cahuzac, « *Les 2 Vaches*, la pépite bio de Danone », *L'Usine Nouvelle*, n° 3430, 2 juillet 2015.

4 Une filière tournée vers l'exportation

Dessin de Robin Vergonjeanne
publié sur web-agri.fr le 16 mars 2015.

En 1984, l'Union européenne met en place des quotas pour limiter la production de lait et maintenir le prix du litre. Le 1er avril 2015, du fait de la demande mondiale croissante, notamment chinoise, l'Union Européenne met fin aux quotas laitiers, ce qui provoque la chute des prix et met en difficulté de nombreuses exploitations.

Je construis des hypothèses

Parcours avenir

5 DOC. 1 ET 4 **Comment la filière laitière normande est-elle intégrée à la mondialisation ?**

6 DOC. 4 **Quels éléments peuvent fragiliser ces succès ? Quelles réponses peuvent apporter les éleveurs ?**

Les métiers de l'agriculture

Organisez un concours de photographies sur les métiers de l'agriculture. Proposez une photographie portant sur l'élevage ou les métiers autour des cultures et des végétaux. Elle comportera une ou plusieurs personnes et sera accompagnée d'une phrase de description.

Étude de cas

Metal'Valley, un espace industriel en recomposition

▶ **Comment un pôle industriel ancien peut-il rester compétitif dans la mondialisation ?**

Le pôle industriel de Montbard est un espace productif industriel ancien puisque depuis le XVIIe siècle, cette région est connue pour ses forges et sa fonderie. Dans les années 1980, les industries métallurgiques perdent des marchés et doivent licencier. Pour surmonter la crise, ces entreprises se sont regroupées et se sont orientées vers une production de haute valeur ajoutée.

1 Des liens entre apprentissage et industrie

« Joël Bourgeot, sous-préfet, Laurence Porte, maire et conseillère départementale, Véronique Jobic, présidente du Club des entrepreneurs, André Palazy, son vice-président, et plusieurs entrepreneurs ont pu apprécier les présentations *in situ* par les professeurs des principales formations dispensées au lycée.

Ils ont assisté à la projection du film promotionnel *Destination Montbard* produit par la Ville et par Metal'Valley. Pour Rémy Heyte[proviseur du lycée professionnel de Montbard], "le lycée a pour mission de préparer les élèves à intégrer le monde du travail", ce qui nécessite des investissements nombreux et constants afin de suivre l'évolution des technologies. Il remercie les entreprises qui contribuent à cet effort du lycée grâce à la collecte de 63 000 euros de taxe d'apprentissage[1].

Pour sa part, le sous-préfet Joël Bourgeot [a déclaré que] "face à la nécessité de travailler ensemble, le lycée est une interface très active entre ses élèves et le monde du travail, ici représenté par les membres du Club des entrepreneurs de l'Auxois et par les industries de Metal'Valley." »

« Lycée : le bac pro a 30 ans », bienpublic.com, édition Côte d'Or, 19 octobre 2015.

1. La taxe d'apprentissage : la taxe imposée aux employeurs, qui contribue au financement de l'enseignement technologique et professionnel.

2 Les effets induits par l'installation d'un cluster

« "Deux cents emplois c'est sûr !"

Mais pour cela, il faut un bassin dynamique... et des logements. Et c'est sur ces deux points notamment que Yann Fouquet, au nom de la Metal'Valley, tire la sonnette d'alarme : "Des emplois, ce sont des familles qui s'installent, de nouveaux besoins... Et pour cela, il faut un bassin attractif, des structures, des logements. [...]

Notre objectif est non seulement d'éviter de faire fuir les compétences locales, mais aussi d'attirer des gens de l'extérieur, et non d'être obligés un jour de débaucher les compétences des autres sociétés" [...] L'enjeu est d'importance. Car la Metal'Valley, ce n'est pas seulement le poumon économique de la sous-préfecture. Pour citer l'un de ses dirigeants, "c'est une grosse vague qui part de Montbard et s'étend sur tout le territoire". »

« Métallurgie : dans la vallée de la haute technologie », bienpublic.com, édition Côte d'Or, 5 novembre 2009.

J'analyse des documents

1. **DOC. 3 ET 5** Quelle région Metal'Valley a-t-elle choisie pour s'installer ?

2. **DOC. 3** Relevez les éléments du paysage qui caractérisent cet espace productif.

J'extrais des informations

3. **DOC. 3** Quelles sont les activités de Metal'Valley ?

4. **DOC. 1** Identifiez les différents acteurs intervenant dans le partenariat apprentissage - industrie.

5. **DOC. 2** Comment se traduit l'influence de Metal'Valley dans la région de Montbard ?

268

Vue de Montbard, 2015.

1 Métal Deployé Résistor
2 Stainless Tubes France
3 Vallourec Nucléaire
4 Lycée professionnel régional

Le regroupement baptisé Metal'Valley, situé entre Montbard et Venarey-les-Laumes, associe sept sociétés spécialisées dans la métallurgie de pointe : il produit des tubes à destination des centrales énergétiques, des plateformes offshore ou des industries chimiques. Metal'Valley emploie 1700 salariés pour un chiffre d'affaires de 500 millions d'euros.

4 Un territoire qui communique

Un TER de Bourgogne au couleurs de la Metal'Valley en 2012.

5 Un territoire connecté

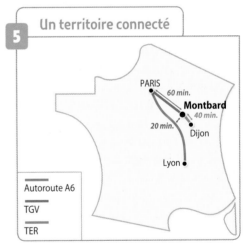

PARIS — 60 min. — **Montbard** — 40 min. — Dijon — 20 min. — Lyon

Autoroute A6
TGV
TER

VOCABULAIRE

Un cluster : un groupe d'entreprises d'un même secteur d'activités installées sur un même lieu et mettant en commun leurs moyens pour être plus compétitives.

Je raisonne

Conseil Brevet

Décrire un paysage

Pour décrire un paysage, il faut repérer les différents plans de la photographie et identifier les caractères de chacun d'eux.

6 DOC. 4 ET 5 **Montrez en quoi la ligne de chemin de fer a une importance cruciale dans le développement de Metal'Valley et de sa région.**

Étude de cas

Le quartier Manufacture Plaine-Achille à Saint-Étienne

AUVERGNE RHÔNE-ALPES
Saint-Étienne
FRANCE

▶ **Comment une ancienne ville industrielle essaie-t-elle de redynamiser son territoire ?**

Le quartier Manufacture Plaine-Achille a été créée en 2009 sur 107 hectares de zones d'activités, de friches industrielles et d'espaces délaissés. L'objectif est de redynamiser ce quartier, de le rendre attractif pour de futurs habitants, entreprises ou pôles de recherche. Il illustre les efforts de reconversion d'un espace productif industriel en crise.

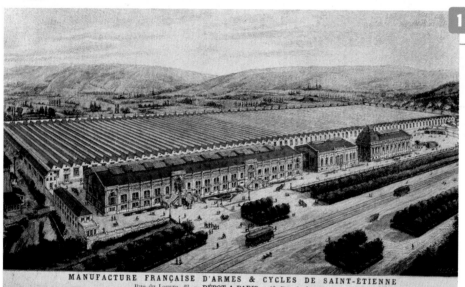

MANUFACTURE FRANÇAISE D'ARMES & CYCLES DE SAINT-ÉTIENNE
Rue du Louvre, 42. — DÉPÔT A PARIS — 42, Rue du Louvre.

1 L'héritage industriel

Carte postale, début XXe siècle.

La Manufacture d'armes et de cycles de Saint-Étienne, ici au début du XXe siècle, a fait son succès sur la vente par correspondance de fusils mais aussi de machines à coudre et de bicyclettes. En 1979, elle est placée en liquidation judiciaire (l'entreprise est vendue et l'argent sert à payer les dettes).

2 La métropole de Saint-Étienne obtient le label « French Tech »[1] en juin 2015

« Cette reconnaissance place l'agglomération de Saint-Étienne et son écosystème entrepreneurial parmi les territoires leaders dans le domaine du numérique, du design et de l'innovation, leviers de croissance pour toute l'économie. [...] La labellisation French Tech nous permettra de franchir une étape importante. Saint-Étienne et son territoire sont désormais identifiés et reconnus officiellement comme Design Tech, notre marque de fabrique au sein des métropoles françaises labellisées French Tech. C'est donc une double victoire et cela constitue un atout supplémen-

taire pour tous les acteurs locaux dont l'activité est en lien direct ou indirect avec le design. Notre ambition est de devenir, dans les prochaines années, une plateforme de référence numérique-design, permettant la création à terme de quelque 4 000 emplois directs ou indirects, liés à l'économie numérique. »

Gaël Perdriau, maire de Saint-Étienne et président de Saint-Étienne Métropole, « Saint-Étienne labellisée French Tech », site zoomdici.fr, 25 juin 2015.

1. Le label « French Tech » est une initiative du gouvernement français pour « positionner la France sur la carte du monde des principales nations numériques ».

Je situe

1 DOC. 3 Quel est le quartier de Saint-Étienne qui a été réhabilité ?

2 DOC. 1 Que trouvait-on sur ce site avant sa réhabilitation ?

J'extrais des informations

3 DOC. 2 Qu'est-ce que le label « French Tech » ?

4 DOC. 2 Quels sont les avantages que tirent Saint-Étienne de sa labellisation « French Tech » ?

5 DOC. 4 À quel type de professions forme-t-on dans les écoles du quartier ?

3 La cité du design

La cité du design

La cité du Design s'est installée sur le site de l'ancienne manufacture d'armes réhabilitée. Trois anciens bâtiments de la manufacture **1** ont été réaménagés et deux nouveaux bâtiments ont été créés : la Platine **2** et la Tour de l'Observatoire **3**. On y trouve aujourd'hui une pépinière d'entreprises, regroupant des start-up.

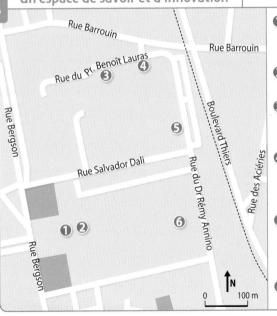

Un espace de savoir et d'innovation

4

Rue Barrouin
Rue Barrouin
Rue du Pt. Benoît Lauras **3** **4**
Rue Bergson
Boulevard Thiers
Rue des Aciéries
5
Rue Salvador Dali
Rue du Dr Rémy Annino
1 **2**
6
Rue Bergson
N
0   100 m

1 École supérieure d'art et design de Saint-Étienne

2 Cité du design

3 Laboratoire Hubert Curien (rattaché au CNRS)

4 Pôle optique Rhône Alpes et antenne de l'Institut d'optique Graduate School

5 Télécom Saint-Étienne et Use'In (laboratoire de l'Université de Saint-Étienne)

6 Centre des savoirs pour l'innovation

VOCABULAIRE

Une pépinière d'entreprises : une structure destinée à faciliter la création d'entreprises en apportant un soutien technique et financier, des conseils et des services.
La réhabilitation : l'action de réaménager un local, un bâtiment ou un lieu.
Une start-up (ou jeune pousse) : une jeune entreprise innovante, dans le secteur des nouvelles technologies.

Je raisonne

6 DOC. 1 ET 4 **Quels sont les deux types d'activité dans lesquels Saint-Étienne investit pour redynamiser son territoire ?**

Maîtrise de la langue

Je comprends une métaphore

Une pépinière est le lieu qui accueille des start-up. Expliquez pourquoi on a choisi ce mot.

Les espaces productifs

CARTE lienmini.fr/hgemc3-106

Saisissez cette adresse sur votre navigateur pour animer la carte.

Les espaces agricoles
1

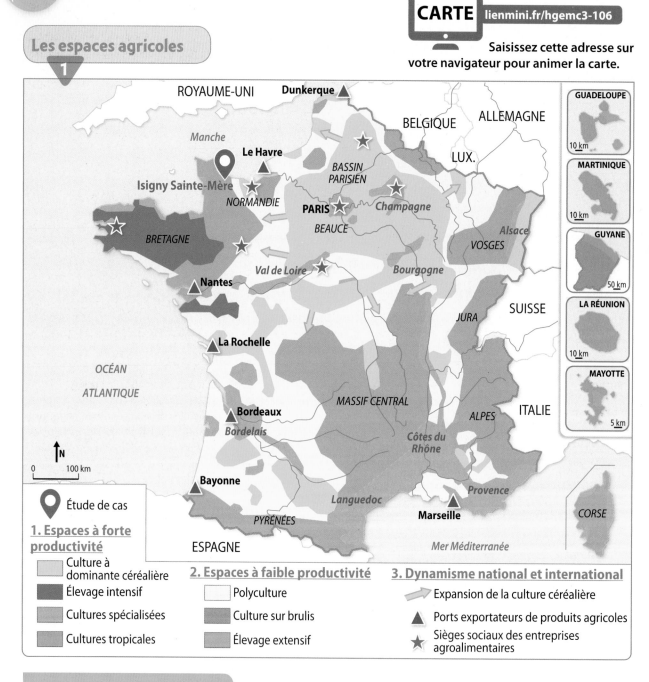

ROYAUME-UNI — Dunkerque

BELGIQUE — ALLEMAGNE

LUX.

Manche

Le Havre

BASSIN PARISIEN

Isigny Sainte-Mère

NORMANDIE

PARIS — Champagne

BEAUCE — Alsace — VOSGES

BRETAGNE

Val de Loire — Bourgogne

Nantes

JURA — SUISSE

La Rochelle

OCÉAN ATLANTIQUE

MASSIF CENTRAL

Bordeaux — *Bordelais*

ALPES — ITALIE

Côtes du Rhône

N — 0 — 100 km

Bayonne — Provence

Languedoc — Marseille — CORSE

PYRÉNÉES

ESPAGNE — Mer Méditerranée

GUADELOUPE — 10 km
MARTINIQUE — 10 km
GUYANE — 50 km
LA RÉUNION — 10 km
MAYOTTE — 5 km

Légende :

Étude de cas

1. Espaces à forte productivité
- Culture à dominante céréalière
- Élevage intensif
- Cultures spécialisées
- Cultures tropicales

2. Espaces à faible productivité
- Polyculture
- Culture sur brulis
- Élevage extensif

3. Dynamisme national et international
- Expansion de la culture céréalière
- ▲ Ports exportateurs de produits agricoles
- ★ Sièges sociaux des entreprises agroalimentaires

Des études de cas...

1 À quel type d'espace Isigny Sainte-Mère appartient-t-elle ?

 Normandie, p. 266

2 À quel type d'espace Montbard appartient-il ?

 Montbard, p. 268

français et leurs évolutions

CARTE lienmini.fr/hgemc3-107

Saisissez cette adresse sur votre navigateur pour animer la carte.

Espaces industriels et métropolisation des services

2

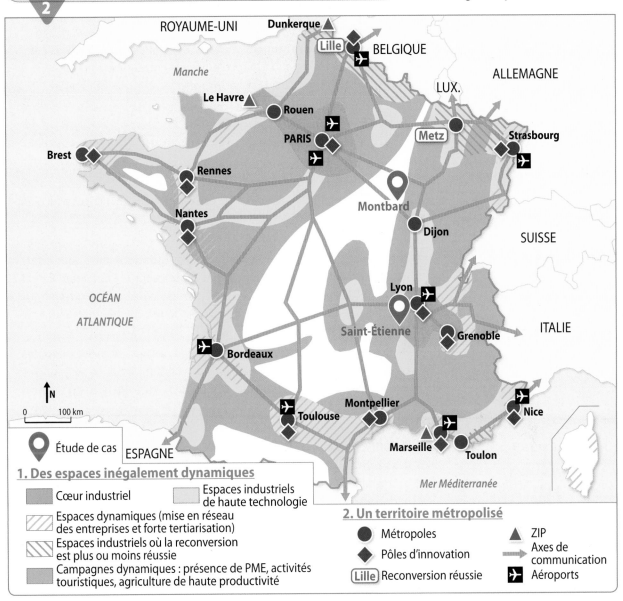

ROYAUME-UNI
Dunkerque ▲
Lille ✈
BELGIQUE
LUX.
ALLEMAGNE
Manche
Le Havre ▲
Rouen
PARIS ✈
Metz
Strasbourg ✈
Brest
Rennes
Montbard
Dijon
SUISSE
Nantes
OCÉAN
ATLANTIQUE
Lyon ✈
Saint-Étienne
Grenoble
ITALIE
↑N
0   100 km
Bordeaux ✈
Montpellier
Toulouse ✈
Nice
Marseille ▲ ✈
Toulon
ESPAGNE
Mer Méditerranée

📍 Étude de cas

1. Des espaces inégalement dynamiques

- ▮ Cœur industriel
- ▮ Espaces industriels de haute technologie
- ▨ Espaces dynamiques (mise en réseau des entreprises et forte tertiarisation)
- ▨ Espaces industriels où la reconversion est plus ou moins réussie
- ▮ Campagnes dynamiques : présence de PME, activités touristiques, agriculture de haute productivité

2. Un territoire métropolisé

- ● Métropoles
- ◆ Pôles d'innovation
- Lille Reconversion réussie
- ▲ ZIP
- ⇒ Axes de communication
- ✈ Aéroports

... à l'échelle de la France

3 Quelle est la situation de Saint-Étienne par rapport aux grands axes de communication ?

📍 Saint-Étienne, p. 270

4 Comment les espaces productifs s'organisent-ils sur le territoire français ?

5 Quels sont les moteurs de l'installation des entreprises sur le territoire ?

6 Quels éléments prouvent que l'agriculture française est reliée aux marchés national et international ?

Cours

||||||||||||||||||

Les espaces productifs et leurs évolutions

▶ **Comment les espaces productifs français s'adaptent-ils à la mondialisation ?**

A Un espace agricole spécialisé

▶ **4e puissance agricole mondiale**, la France est intégrée aux marchés internationaux. Les exploitations agricoles s'appuient sur une forte mécanisation, l'emploi d'engrais ou de pesticides et la recherche agronomique.

▶ **La productivité entraine une spécialisation des espaces** : bassins céréaliers, régions d'élevage et régions de cultures spécialisées. Cette productivité a des conséquences, souvent négatives, sur l'environnement.

▶ Aujourd'hui, la demande en produits bio et la volonté de limiter les transports entre lieux de production et de consommation contribuent à faire émerger des pratiques plus durables et à redistribuer les espaces agricoles.

B Un espace industriel en recomposition

▶ **Les espaces industriels connaissent des mutations liées aux effets de la mondialisation.** Certains espaces subissent un fort mouvement de désindustrialisation. Mais ces territoires en crise se sont ouverts aux investissements étrangers et ont reconverti leurs activités en s'adaptant à la demande mondiale.

▶ Aujourd'hui, **les industries regroupent les centres de production, les centres de recherche et les écoles de formation** dans des technopôles ou des pôles de compétitivité. Ces espaces industriels se trouvent à proximité des villes et sont connectés à des infrastructures de transports.

C Une tertiarisation inégale

▶ **Les services se concentrent surtout dans les aires urbaines.** Les services nécessitant une vaste emprise au sol et des accès rapides se situent à la périphérie. Les espaces touristiques (littoraux, montagnes…) concentrent également de nombreuses activités de service.

▶ Dans certaines villes d'anciennes régions industrielles, **les friches industrielles sont réhabilitées** pour accueillir des activités de service, comme le quartier Manufacture à Saint-Étienne.

▶ Dans les espaces ruraux, le maintien de services publics ou commerciaux est un enjeu pour fixer les populations.

CHIFFRES-CLÉS

Il y a **2 fois moins** d'agriculteurs **en 2015 qu'il y a** 20 ans

L'industrie représente **3,1 millions** de travailleurs

1 La vente directe du producteur agricole au consommateur urbain

De plus en plus d'agriculteurs proposent aux consommateurs des aliments produits localement et majoritairement issus de l'agriculture biologique : c'est la vente directe (sans passer par les grandes surfaces).

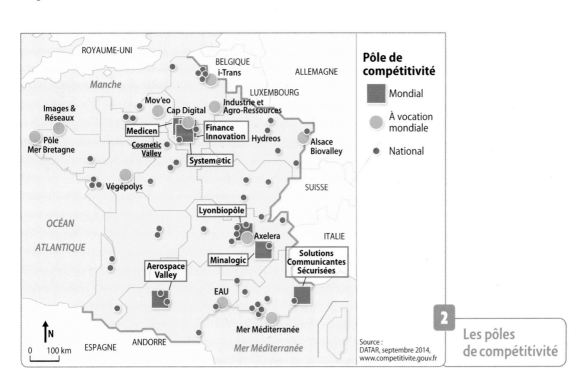

Pôle de compétitivité

- Mondial
- À vocation mondiale
- National

ROYAUME-UNI
BELGIQUE
i-Trans
ALLEMAGNE
Manche
LUXEMBOURG
Mov'eo
Industrie et
Agro-Ressources
Images &
Réseaux
Cap Digital
Medicen
Finance
Innovation
Hydreos
Alsace
Biovalley
Pôle
Mer Bretagne
Cosmetic
Valley
System@tic
Végépolys
SUISSE
OCÉAN
Lyonbiopôle
ATLANTIQUE
Axelera
ITALIE
Aerospace
Valley
Minalogic
Solutions
Communicantes
Sécurisées
EAU
N
0   100 km   ESPAGNE   ANDORRE
Mer Méditerranée
Mer Méditerranée

Source :
DATAR, septembre 2014,
www.competitivite.gouv.fr

2 Les pôles de compétitivité

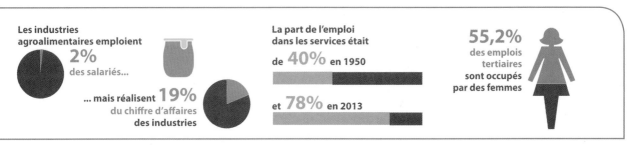

Les industries agroalimentaires emploient
2% des salariés...

... mais réalisent **19%** du chiffre d'affaires des industries

La part de l'emploi dans les services était
de **40%** en 1950

et **78%** en 2013

55,2% des emplois tertiaires sont occupés par des femmes

Réviser

carte mentale — lienmini.fr/hgemc3-108

Saisissez cette adresse sur votre navigateur pour découvrir la carte mentale.

CARTE MENTALE

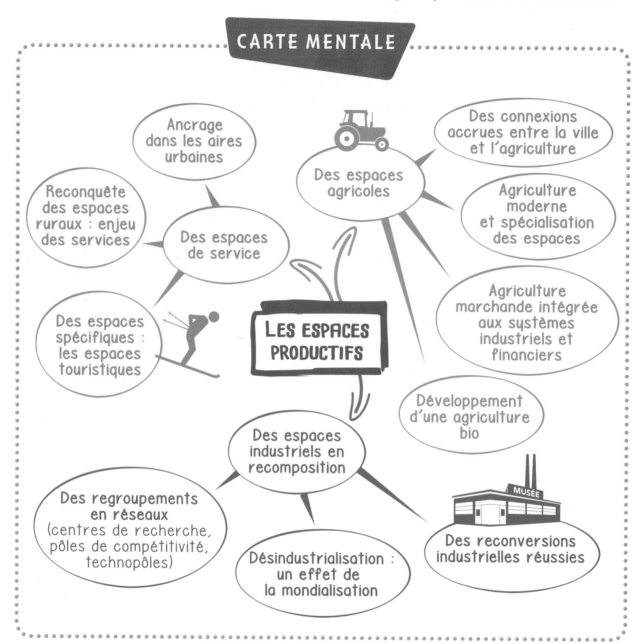

- Ancrage dans les aires urbaines
- Des connexions accrues entre la ville et l'agriculture
- Des espaces agricoles
- Agriculture moderne et spécialisation des espaces
- Reconquête des espaces ruraux : enjeu des services
- Des espaces de service
- Des espaces spécifiques : les espaces touristiques
- **LES ESPACES PRODUCTIFS**
- Agriculture marchande intégrée aux systèmes industriels et financiers
- Développement d'une agriculture bio
- Des espaces industriels en recomposition
- Des regroupements en réseaux (centres de recherche, pôles de compétitivité, technopôles)
- Désindustrialisation : un effet de la mondialisation
- Des reconversions industrielles réussies

Réviser en ligne

Je teste mes connaissances

QUIZ — lienmini.fr/hgemc3-109

Saisissez cette adresse sur votre navigateur pour lancer le quiz.

Le tuto pour créer ma carte mentale.

TUTO vidéo

lienmini.fr/hgemc3-001

MÉTHODE

Lire un paysage

Étape **1** **Identifiez et localisez** le paysage. Indiquez, à l'aide de la carte, la région, le pays, le continent dans lequel se trouve le paysage proposé.

Étape **2** **Observez** en détail : identifiez les principales composantes du paysage et donnez les caractéristiques de chacune d'elles.

Étape **3** **Interprétez :** en vous aidant de vos connaissances, construisez des hypothèses sur la manière dont le territoire représenté est organisé.

1 La raffinerie de pétrole de Normandie (Gonfreville l'Orcher)

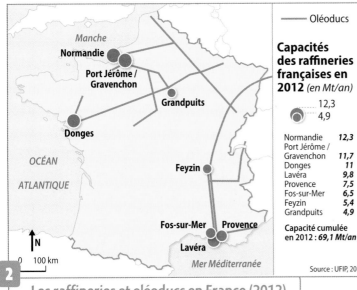

Oléoducs

Capacités des raffineries françaises en 2012 *(en Mt/an)*

12,3
4,9

Normandie	**12,3**
Port Jérôme / Gravenchon	**11,7**
Donges	**11**
Lavéra	**9,8**
Provence	**7,5**
Fos-sur-Mer	**6,5**
Feyzin	**5,4**
Grandpuits	**4,9**

Capacité cumulée en 2012 : *69,1 Mt/an*

Source : UFIP, 2012.

2 Les raffineries et oléoducs en France (2012)

1 Identifiez et localisez
Localisez ce paysage. De quel type de photographie s'agit-il ?

2 Observez
Comment ce paysage est-il organisé ? Après en avoir identifié les composantes, faites un schéma et sa légende.

3 Interprétez
Indiquez à quel endroit sont situées ces activités. À l'aide du document 2 et de vos connaissances, expliquez-en les raisons.

Exercice 1   Analyser et comprendre des documents

1 Lyon Part-Dieu, le quartier des affaires de la métropole lyonnaise

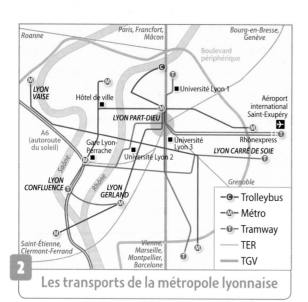

2 Les transports de la métropole lyonnaise

1 Situez le quartier de Lyon Part-Dieu.

▲ Croisez les informations données par les deux documents.

2 Identifiez les éléments du document 1 permettant de définir Lyon Part-Dieu comme un quartier d'affaires.

▲ Repérez les particularités du paysage urbain de Lyon Part-Dieu par rapport au reste de la ville.

3 Comment a-t-on rendu le quartier de Lyon Part-Dieu accessible ?

Exercice 2   Maitriser différents langages pour raisonner

Sujet : Sous la forme d'un développement construit d'une vingtaine de lignes et en vous appuyant sur les cas et les exemples étudiés en classe, décrivez et expliquez les mutations des espaces productifs français.

▲ N'oubliez pas de définir les termes principaux du sujet : « espaces productifs », « mutations ».

Brevet

Sujet blanc

Exercice 1   Analyser et comprendre des documents

> **La reconversion d'une friche industrielle en pépinière d'entreprises**

« Entre Roubaix et Tourcoing, la friche d'une ancienne usine de textile a été transformée en pépinière d'entreprises, notamment pour le jeu vidéo. [...]
La Plaine Images, pépinière d'entreprises du numérique, occupe 5 hectares. Une zone qui correspond à l'ancienne manufacture de la maison F-Vanoutryve et Cie, créée en 1860. [...] La grue, qui surplombe toute la zone, est devenue de fait un symbole de la réussite de ce pari qui trouve ses origines dans un grand projet d'aménagement de l'écoquartier de l'Union (80 hectares entre Roubaix, Tourcoing et Wattrelos). Initié en 2007, il se concentre sur l'habitat, la création d'un grand parc urbain et un développement économique axé sur deux filières : le textile, avec le Centre européen des textiles innovants (Ceti) et une autre, un peu fourre-tout, intitulée "Images, Culture, Médias". [...]

"La Plaine Images se base sur trois piliers : les entreprises, la formation et la recherche", détaille Laurent Tricart, coordinateur stratégique de Plaine Images. L'axe formation inclut Pôle IIID, une école d'animation dont la moitié des étudiants est sur place, dans le même bâtiment qu'Ankama [entreprise de jeux vidéo], et Le Fresnoy, établissement réputé de formation sur l'audiovisuel et les arts interactifs, qui, s'il n'est pas structurellement lié à la Plaine Images, a intégré l'écosystème de par sa proximité géographique. Le pôle recherche, qui se concentre sur le sujet de la perception des images, est porté par le CNRS et les universités de Lille-I et Lille-III. Quant aux entreprises, qui vont de la TPE avec le dirigeant seul ou presque à Ankama et ses 400 salariés, elles sont bien évidemment au cœur du dispositif. »

Erwan Cario, « Dans le Nord, le numérique pris en filature », liberation.fr, 15 janvier 2016.

1 Présentez la nature et le sujet du document.

2 À partir de l'exemple de la Plaine Images, définissez ce qu'est une pépinière d'entreprises.

3 En citant des éléments précis du document, montrez que la zone de l'Union est un espace productif et présentez les activités économiques qui s'y sont implantées.

4 Comment peut-on expliquer la localisation de ces activités économiques dans la zone de l'Union ?

5 Pourquoi peut-on parler pour la zone de l'Union d'un espace productif en mutation ?

Exercice 2   Maitriser différents langages pour raisonner et se repérer

a **Sujet :** Sous la forme d'un développement construit d'une vingtaine de lignes et en vous appuyant sur les cas et les exemples étudiés en classe, montrez comment les espaces productifs français s'adaptent à la mondialisation.

b Maitrisez le langage cartographique
   – Quel est la région **A** ? Quel type d'exploitation agricole y pratique-t-on ?
   – Quelle est l'ancienne région industrielle en reconversion au point **B** ?
   – Quel est l'espace touristique **C** ?
   – Quelle est la ville **D** ? Quelle industrie de pointe trouve-t-on dans la région ?

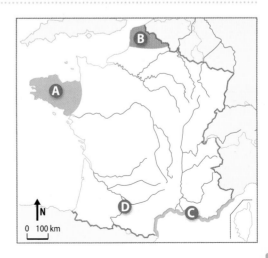

0   100 km

Les espaces de faible densité et leurs atouts

Les vendanges dans le Sancerrois aujourd'hui

Le vignoble de Sancerre (village du Cher, que l'on voit en arrière-plan à gauche, à 45 km de Bourges) compte parmi les vignobles d'excellence français.

Quels sont les atouts des espaces de faible densité ?

OCÉAN ATLANTIQUE

Sancerre
FRANCE

Mer Noire

Mer Méditerranée

Espaces de faible densité
30 hab/km²

Moyenne française
118 hab/km²

Densité parisienne
24 258 hab/km²

La Beauce, un espace agricole peu peuplé et très dynamique

▶ **Pourquoi la Beauce, peu peuplée, est-elle un espace dynamique du territoire ?**

La Beauce est une région de plaine peu peuplée. La densité de population est d'environ 20 à 30 habitants au km² (la densité moyenne en France est de 118 hab./km²). Mais elle est la première région productrice de céréales du pays et l'une des plus importantes au niveau européen.

FRANCE — PARIS — Chartres — Étampes — BEAUCE — Pithiviers — Châteaudun — Orléans — FRANCE

1 Les champs céréaliers en plaine de Beauce, Eure-et-Loir

Les champs sont de même couleur car la production est spécialisée. Les grandes parcelles facilitent l'utilisation des machines nombreuses et volumineuses. Les grains sont stockés dans des silos avant commercialisation.

Je comprends un document

1 DOC. 1 Décrivez le paysage et montrez que la densité de population est faible en Beauce.

2 DOC. 3 Décrivez l'évolution de la population agricole de la Beauce.

J'extrais des informations

3 DOC. 1 ET 2 Décrivez les modes de production utilisés par les agriculteurs.

4 DOC. 3 ET 4 Quelles performances montrent le dynamisme de la Beauce ?

2 « Une agriculture de précision »

De plus en plus d'agriculteurs gèrent informatiquement leur exploitation.

3 De moins en moins de jeunes agriculteurs

« Selon l'étude d'Eurostat, sur les 10,8 millions d'exploitations européennes, près de 3,5 millions (soit 31 %) sont gérées par des personnes de 65 ans et plus et 2,6 millions (25 %) par des agriculteurs qui ont entre 55 et 65 ans.

Les agriculteurs de moins de 35 ans ne dirigent quant à eux que 6 % des exploitations, un chiffre qui n'augure rien de bon pour l'avenir du secteur. [...]

L'étude d'Eurostat indique également que plus de 4 millions d'exploitations européennes ont disparu entre 2003 et 2013. La superficie des terres dédiées à l'agriculture n'a cependant pas diminué.[...]

"Le nombre d'exploitations diminue parce que la taille des exploitations augmente. Donc, si un agriculteur ou une agricultrice cesse ses activités, pour prendre sa retraite, ses terres sont en général intégrées à une ou plusieurs autres fermes", explique une source au sein des institutions européennes, qui ajoute que la réduction du nombre d'exploitations signifie une augmentation de la compétitivité. »

Sarantis Michalopoulos, traduit par Manon Flausch, « Les jeunes agriculteurs, une espèce en voie de disparition ? », euractiv.fr, 2016.

4 La filière céréales en région Centre

La filière céréales, c'est :

30 millions de tonnes/an de céréales

6 millions de tonnes de produits transformés exportées

De nombreuses entreprises de transformation : moulins, fabricants d'aliments pour animaux, malteries, boulangeries

Au niveau national :

 1ʳᵉ région céréalière

 **1ʳᵉ** région productrice de blé dur

 2ᵉ région productrice de blé tendre

Au niveau international :

L'exemple de l'entreprise Axéréal :
4 Mt céréales produites en Beauce,
5 bureaux commerciaux à l'étranger ;
40 % du CA réalisé à l'étranger

VOCABULAIRE

L'agriculture de précision : l'agriculture qui utilise les hautes technologies.
La densité : le nombre moyen d'habitants sur un territoire de 1 km².

Je rédige

5 DOC. 1 À 4 Rédigez un texte de quelques phrases expliquant les atouts de la Beauce malgré les faibles densités de population.

Pour préparer votre texte, recopiez et remplissez ce tableau avec les idées importantes :

Un territoire agricole	Une agriculture moderne	Une filière céréalière importante

Le Morvan, des campagnes peu peuplées et fragiles

Morvan
BOURGOGNE-FRANCHE-COMTÉ
FRANCE

▶ Pourquoi le Morvan perd-il des habitants ?

Le Morvan est un espace rural situé en Bourgogne. C'est un territoire agricole fragile, enclavé, qui perd des habitants et subit le vieillissement de sa population.

1 Un territoire d'élevage extensif

Le Morvan est un territoire agricole où l'élevage se pratique dans des petites exploitations. Le bétail se nourrit une grande partie de l'année dans les prairies.

2 Une population morvandelle qui diminue et vieillit

Nombre d'habitants

52 083 — 1968
43 031 — 1982
39 859 — 1990
36 946 — 2007
35 697 — 2012

Source : Insee, 2015

Les habitants de plus de 65 ans et de moins de 25 ans, en 2012

11 273
7 223

J'analyse des documents

1 DOC. 1 ET 3 Décrivez les paysages du Morvan.

2 DOC. 1 ET 3 Décrivez le peuplement.

J'extrais des informations

3 DOC. 2 Quelle est l'évolution de la population ?

4 DOC. 2, 3 ET 4 Comment peut-on expliquer que de nombreux jeunes quittent le Morvan ?

5 DOC. 5 Quelles activités peuvent participer à la valorisation du Morvan ?

3 Vézelay, une commune du Morvan

Vézelay est un village de 438 habitants (2013), situé à 277 mètres d'altitude.
La densité de population dans la commune est de 20 hab. /km².
Le plus grand village des environs, Châtel-Censoir (647 habitants), est à 11 km.

4 Un territoire pénalisé par l'isolement

« Quatre-vingt-treize [habitants de Fâchin] ont signé une pétition, qui vient d'être remise au maire, Marc Bonnot. Ils estiment que la ruralité, qu'ils vivent au quotidien, ne doit être synonyme ni d'isolement, ni d'exclusion. Les pétitionnaires réclament, un "accès réel à la téléphonie et à internet, à Fâchin". [...] "Nous sommes, régulièrement, les victimes d'un réseau téléphonique, fixe et mobile, de très mauvaise qualité parfois même inexistant et d'un accès internet d'une grande défaillance, lui aussi souvent impraticable", explique Gilbert Robin, un habitant. »

« À Fâchin, des habitants en colère réclament un "accès réel à la téléphonie et à internet" », *Le Journal du Centre*, 14 septembre 2015.

Couverture du guide des Grands Lacs du Morvan, 2014.

5 Les atouts du Morvan

Je réalise un schéma de synthèse

6 Complétez le schéma avec les termes suivants : un espace peu peuplé, une population qui diminue, un espace peu dynamique, un espace agricole extensif, de moins en moins de jeunes, une population qui vieillit, un espace isolé, un espace qui possède des atouts.

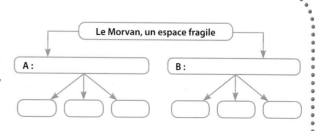

Le Morvan, un espace fragile

A :

B :

Étude de cas

Sarlat, les atouts touristiques d'une ville de Dordogne

OCÉAN
ATLANTIQUE

AQUITAINE
LIMOUSIN
POITOU-CHARENTE

Sarlat

FRANCE

▶ **Quels sont les éléments de dynamisme d'une petite ville située au cœur d'une campagne peu peuplée ?**

Sarlat est une ville d'environ 10 000 habitants qui se situe dans une région peu densément peuplée. Elle est entourée de nombreux villages qui sont parmi les plus beaux villages de France. Le patrimoine y est très riche et les campagnes offrent la possibilité de faire du tourisme vert.

1 Le marché de Sarlat participe à la réputation de la ville

Deux fois par semaine, le marché de Sarlat attire habitants et touristes venus acheter des produits locaux qui font la renommée de la région (foie gras, truffes, noix, confits et magrets, cèpes, châtaignes).

2 Le « Dordogneshire » : de nouveaux habitants

« C'était durant la première partie des années 2000. Les Anglais se poussaient du coude pour trouver en Dordogne de jolies maisons de campagne dans lesquelles ils pourraient passer une retraite heureuse au pays du bien vivre. Relativement fortunés, ils retapaient de vieilles bâtisses qui retrouvaient ainsi leur charme d'antan. Et les prix gonflaient en même temps qu'enflait la demande […]. Il y a environ quatre ans, les Anglais de France ont vu leur pouvoir d'achat dégringoler […], ils ont dû faire face en 2008-2009 à une quasi-parité entre l'euro et la livre[1]. […] Beaucoup de retraités ont été touchés de plein fouet car ils recevaient leur retraite en livres. […]

Tous les "British" n'ont évidemment pas déserté le Périgord. Loin s'en faut. Et le département continue encore d'accueillir de nouveaux exilés. "Il existe encore un flux d'acheteurs anglais, mais il est ralenti." »

Pierre-Manuel Réault, « Immobilier : ces Anglais tentés de repartir au pays », publié sur le site sudouest.fr, 19 avril 2013.

1. Monnaie britannique.

Je situe

1 DOC. 1 ET 3 Dans quelle région se situent Sarlat et la vallée de la Dordogne ?

2 DOC. 3 Décrivez les formes du peuplement.

J'extrais des informations

3 DOC. 2 Relevez les informations qui montrent l'augmentation de la population.

4 DOC. 1 À 4 Quels sont les atouts qui assurent l'attractivité de la ville et de sa région ?

3 Un patrimoine exceptionnel : les châteaux de Castelnaud et Beynac

La vallée de la Dordogne est célèbre pour son patrimoine historique médiéval qui attire les touristes.

4 Le tourisme : un secteur économique porteur

« Grâce à la richesse de son patrimoine culturel, historique et préhistorique, la Dordogne est un département à vocation touristique. Le tourisme y génère 5 % de l'emploi salarié et près d'un emploi sur deux lié au tourisme se situe dans l'hôtellerie et la restauration. La ville de Sarlat et les grottes de Lascaux II comptent parmi les sites les plus visités.

Au cours de la saison d'été 2011, la Dordogne a enregistré dans ses hôtels et ses campings, 3,6 millions de nuitées de touristes, dont 80 % passées dans les campings et 60 % dans le Périgord noir. Plus de 40 % des nuitées sont le fait de la clientèle étrangère, provenant essentiellement des Pays-Bas et du Royaume-Uni. Dans les campings, cette clientèle est en majorité néerlandaise avec les deux tiers des nuitées étrangères, tandis que dans les hôtels, il s'agit principalement de Britanniques avec le quart des nuitées étrangères. »

« La Dordogne en bref », publié sur le site insee.fr, avril 2012.

VOCABULAIRE

Le patrimoine : l'ensemble des sites historiques, des monuments hérités du passé.
Le tourisme vert : le tourisme à la campagne.

Je m'informe sur Internet

5 DOC. 1 À 4 Allez sur le site de l'office de tourisme de la ville de Sarlat : www.sarlat-tourisme.com. Indiquez quelles sont les activités qui assurent l'attractivité de la ville.

Reproduisez le tableau et classez-y les informations prélevées dans l'étude.

Activités culturelles	Activités de plein air	Autres activités

Les espaces de faible

CARTE lienmini.fr/hgemc3-110

Saisissez cette adresse sur votre navigateur pour animer la carte.

Les densités de population

1

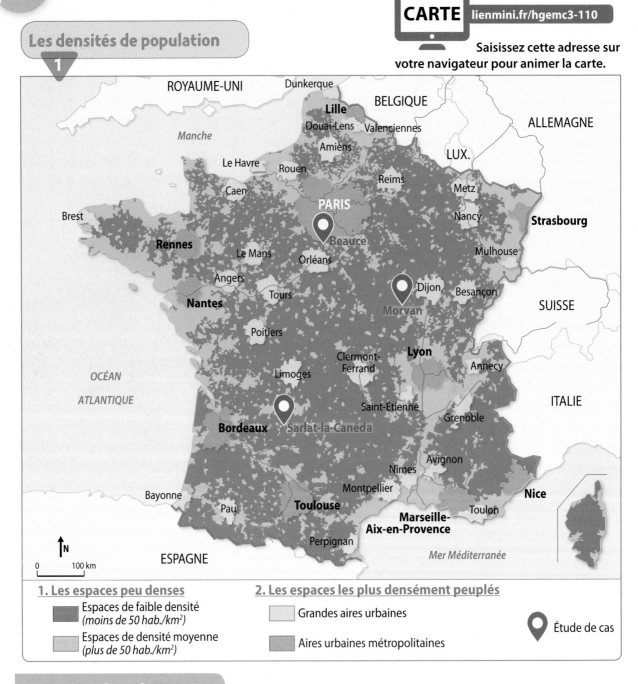

ROYAUME-UNI
Dunkerque
BELGIQUE
ALLEMAGNE
Lille
Douai-Lens   Valenciennes
LUX.
Manche
Amiens
Le Havre   Rouen
Reims
Metz
Caen
Nancy
Strasbourg
PARIS
Brest
Beauce
Mulhouse
Rennes
Le Mans   Orléans
Angers
Dijon   Besançon
SUISSE
Tours
Nantes
Morvan
Poitiers
Lyon
Clermont-Ferrand
Annecy
Limoges
ITALIE
OCÉAN
ATLANTIQUE
Saint-Étienne
Grenoble
Bordeaux   Sarlat-la-Canéda
Avignon
Nîmes
Montpellier
Nice
Bayonne
Toulouse
Toulon
Pau
Marseille-Aix-en-Provence
Perpignan
Mer Méditerranée
ESPAGNE

N
0   100 km

1. Les espaces peu denses
- Espaces de faible densité *(moins de 50 hab./km²)*
- Espaces de densité moyenne *(plus de 50 hab./km²)*

2. Les espaces les plus densément peuplés
- Grandes aires urbaines
- Aires urbaines métropolitaines

Étude de cas

Des études de cas...

1 Quelle est la principale activité en Beauce ?

La Beauce, p. 282

2 Quelle densité domine dans le Morvan ?

Le Morvan, p. 284

densité et leurs atouts

CARTE lienmini.fr/hgemc3-111

Saisissez cette adresse sur votre navigateur pour animer la carte.

Quelques atouts des espaces peu denses

2

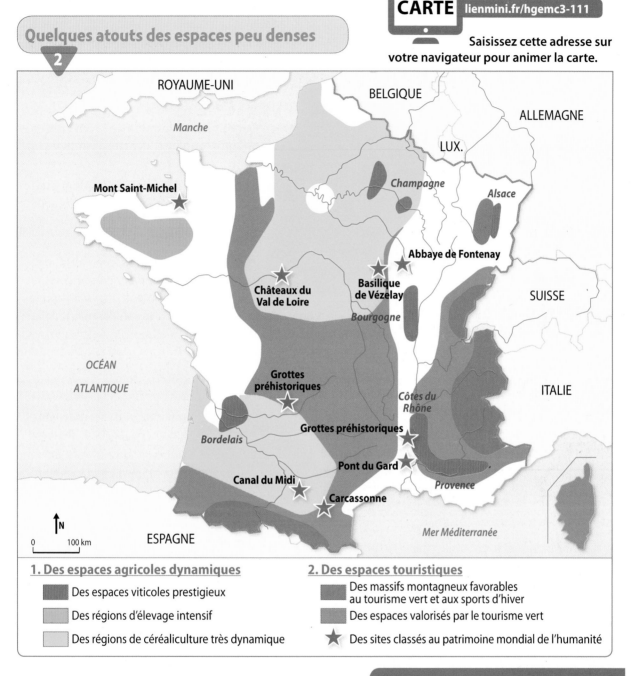

1. Des espaces agricoles dynamiques

- Des espaces viticoles prestigieux
- Des régions d'élevage intensif
- Des régions de céréaliculture très dynamique

2. Des espaces touristiques

- Des massifs montagneux favorables au tourisme vert et aux sports d'hiver
- Des espaces valorisés par le tourisme vert
- ★ Des sites classés au patrimoine mondial de l'humanité

... au territoire national

3 Quels sont les atouts de la Dordogne ?

 Sarlat, p. 286

4 DOC. 1 Où se situent les régions les moins densément peuplées du territoire ?

5 DOC. 2 Quel est l'atout des espaces peu denses en Bretagne ?

6 DOC. 2 Quelles activités assurent le dynamisme de ces espaces de faible densité ?

Les espaces de faible densité et leurs atouts

▶ **Quels sont les dynamiques et les atouts des espaces de faible densité ?**

A Les espaces peu peuplés sont multiples

▶ La densité de population en France est en moyenne de 118 habitants par km². **Les espaces peu peuplés ont une densité inférieure à 30 habitants par km².**

▶ **Les espaces les moins peuplés sont d'abord les massifs montagneux** : les Alpes, les Pyrénées, le Massif Central, les Vosges, le Jura. Les pentes de ces massifs, leur altitude, l'enneigement en hiver sont des obstacles au peuplement.

▶ Les espaces éloignés des littoraux ou des frontières sont aussi peu densément peuplés. Les axes de transport rapide indispensables à la mobilité des populations y sont moins nombreux. Les campagnes éloignées des villes ont aussi des faibles densités, **le vieillissement de la population y est plus marqué**.

B Les espaces peu peuplés bénéficient de nombreux atouts

▶ Les espaces peu peuplés **accueillent de plus en plus de nouveaux habitants** désireux de s'éloigner des aires urbaines, pour habiter des lieux plus calmes et plus proches de la nature.

▶ Ces espaces de faible densité **peuvent bénéficier d'une activité agricole très performante** : les régions d'élevage intensif, de céréaliculture, les espaces viticoles, par exemple. Les exploitations agricoles y sont très dynamiques. D'autres régions ont réussi à maintenir une activité agricole qui participe à la protection des paysages naturels et qui valorise le patrimoine local.

▶ **Les campagnes profitent aussi de l'essor du tourisme.** Les massifs montagneux sont occupés par des stations de sports d'hiver, qui attirent des touristes en masse (surtout dans les Alpes et dans les Pyrénées). De plus en plus de personnes y pratiquent aussi un tourisme vert, à la découverte de la nature et des terroirs (randonnées, VTT, tourisme à la ferme).

CHIFFRES-CLÉS

Les espaces de faible densité :

Environ **250 000 km²**, soit **42 %** de la **superficie** du territoire.

4 millions de personnes, soit **6,5 %** de la **population** du pays.

15 579 communes, soit **42 %** des **communes** du territoire.

1 Randonneurs dans le parc naturel des Cévennes

Les 10 parcs naturels nationaux français couvrent des domaines terrestres et maritimes variés et représentent par leurs périmètres maximum près de 9,5 % du territoire français (60 728 km²). Avec 8,5 millions de visiteurs par an, ils sont un atout touristique important.

2 Les espaces de faible densité

« La France de la faible densité forme un ensemble territorial réduit sur le plan démographique (6,5 % de la population métropolitaine) mais prépondérant quant à la surface utile qu'il recouvre (plus de 42 %). Elle se caractérise par une occupation humaine discrète (≤ 30 hab/km²), une faible empreinte des infrastructures, des activités productives dominées par la valorisation de l'agriculture et de la forêt, des paysages ouverts. Elle est présente dans toutes les régions françaises mais significativement dans les zones de montagne, les plateaux agricoles ou les arrière-pays.

Faible densité n'est pas synonyme de difficulté socio-économique même si des situations de fragilité persistent. L'arrivée de nouvelles populations dans ces espaces génère des situations de cohabitations inédites, sources de tensions mais aussi d'une sociabilité locale réinventée. »

« Les espaces de la faible densité - Systèmes et Scénarios à 2040 », DATAR, 2012.

DOCUMENTS CLÉS

Espaces agricoles français

- ▪ Région d'élevage intensif
- ▪ Espace viticole prestigieux
- ▪ Région de céréaliculture très dynamique
- ▪ Espaces favorables au tourisme vert et aux sports d'hiver

Diversité des densités de population

- ▪ Aire urbaine métropolitaine
- ▪ Grande aire urbaine
- ▪ Espace de faible densité

Réviser

carte mentale lienmini.fr/hgemc3-112

Saisissez cette adresse sur votre navigateur pour découvrir la carte mentale.

CARTE MENTALE

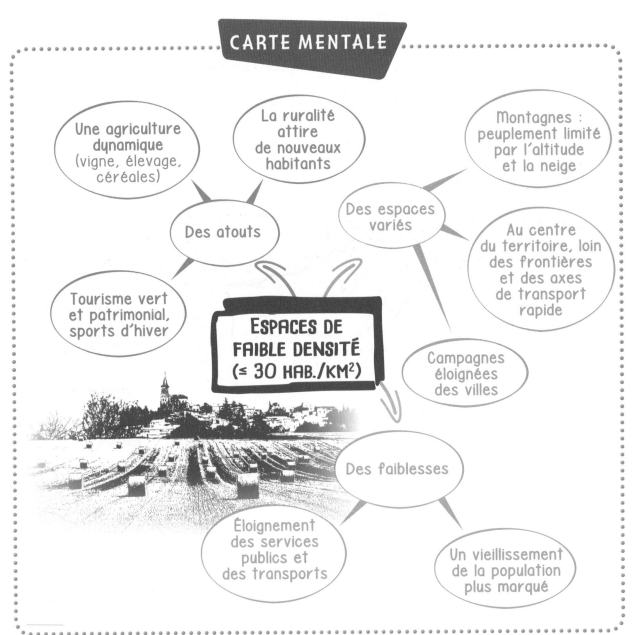

ESPACES DE FAIBLE DENSITÉ (≤ 30 HAB./KM²)

- Des atouts
  - Une agriculture dynamique (vigne, élevage, céréales)
  - La ruralité attire de nouveaux habitants
  - Tourisme vert et patrimonial, sports d'hiver
- Des espaces variés
  - Montagnes : peuplement limité par l'altitude et la neige
  - Au centre du territoire, loin des frontières et des axes de transport rapide
  - Campagnes éloignées des villes
- Des faiblesses
  - Éloignement des services publics et des transports
  - Un vieillissement de la population plus marqué

Réviser en ligne

Je teste mes connaissances

QUIZ lienmini.fr/hgemc3-113

Saisissez cette adresse sur votre navigateur pour lancer le quiz.

Le tuto pour créer ma carte mentale.

TUTO vidéo

lienmini.fr/hgemc3-001

Comprendre une publicité

Étape 1 **Identifiez :** il faut repérer le titre, la date et le territoire de la publicité, ainsi que son destinataire.

Étape 2 **Décrivez :** il faut montrer comment l'image est composée et identifier son slogan.

Étape 3 **Analysez :** demandez-vous quel message les auteurs de la publicité veulent transmettre.

Affiche publicitaire réalisée par le département de la Lozère (région Languedoc-Roussillon-Midi-Pyrénées)

1 Identifiez le document
Comment le département de la Lozère a-t-il décidé de communiquer auprès de la population ?

2 Décrivez le document
Décrivez l'affiche : à quoi ressemblent les paysages ? Qui est ciblé par cette affiche ? À quel type d'activités le label « French Tech » fait-il référence ?

Vous pouvez vous aider de l'étude de cas du chapitre 13 page 270-271.

3 Analysez le document
Comment ce département espère-t-il améliorer son dynamisme économique ?
En mobilisant vos connaissances, expliquez quels sont les autres atouts dont bénéficie ce territoire situé dans le Massif Central.

Exercice 1   Analyser et comprendre des documents

Affiche publicitaire réalisée par le département de Haute-Loire (région Auvergne-Rhône-Alpes)

1 Comment le département de Haute-Loire communique-t-il auprès de la population ?

2 Décrivez l'affiche : à quoi ressemblent les paysages ? Quel est le peuplement du territoire ?

3 Expliquez le message inscrit sur cette affiche.

4 En mobilisant vos connaissances, expliquez quels sont les autres atouts dont bénéficie ce territoire.

Exercice 2   Maitriser différents langages pour raisonner

Sujet : Sous la forme d'un développement construit d'une vingtaine de lignes et en vous appuyant sur des exemples concrets, montrez que les espaces de faible densité peuvent être des espaces dynamiques.

> Rappelez les critères qui définissent les espaces de faible densité.

Exercice 1 Analyser et comprendre des documents

1. Décrivez le paysage naturel et le peuplement de ce territoire.

2. Relevez les passages du document 2 qui montrent la pluriactivité du Beaufortain.

3. Quelles sont les activités qui assurent le dynamisme du territoire ?

4. En mobilisant vos connaissances, expliquez pourquoi le Beaufortain est un territoire qui illustre les dynamiques actuelles de nombreux espaces de faible densité.

1 Les Saisies, une station de ski à 1650 m d'altitude dans le Beaufortain (Alpes)

2

Le Beaufortain, entre tourisme et agriculture

« Après la vie en alpage et la rentrée des foins en été, l'automne arrive avec les multiples travaux d'entretien dans les prairies et la descente progressive des troupeaux que la neige pousse progressivement dans les étables.

En hiver, les agriculteurs gèrent leur troupeau mais certains profitent aussi de cette période pour travailler dans le tourisme : ils seront alors pisteurs, perchmen ou moniteurs, au même titre que leurs parents partaient travailler en usine dans la vallée.

C'est ce que l'on appelle la pluriactivité. [...]
L'été, dans la montagne, les bergers et les fromagers racontent avec passion leur vie et celle de leur troupeau aux promeneurs curieux.
À côté de ces métiers liés à la saisonnalité, de nombreux éleveurs ont également su diversifier leurs exploitations pour un accueil touristique été comme hiver, en aménageant des gites dans les anciennes granges. »

Site jaimelebeaufort.fr, 2016.

Exercice 2 Maitriser différents langages pour raisonner

Sujet : Sous la forme d'un développement construit d'une vingtaine de lignes et en vous appuyant sur des exemples concrets, montrez la diversité des espaces de faible densité et leurs différences de dynamiques.

CHAPITRE 15

Aménager pour répondre aux inégalités

Le projet de campus universitaire Artem à Nancy, prévu pour 2017

Trois grandes écoles de Nancy (Beaux-Arts, ICN Business School, École des Mines) se sont rassemblées sur le campus Artem, au cœur d'un quartier réaménagé sur le site des anciennes casernes Molitor et Manutention. Le but de cet aménagement est de revitaliser le centre-ville.

Comment des aménagements peuvent-ils contribuer à réduire les inégalités entre les territoires français ?

OCÉAN ATLANTIQUE

Nancy
FRANCE

Mer Noire

Mer Méditerranée

Image de perspective du quartier Artem à Nancy. Architecte/urbaniste : ANMA – Agence Nicolas Michelin & associés, © Artefactory.

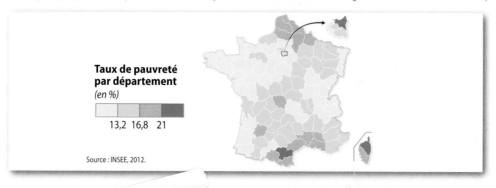

Taux de pauvreté par département
(en %)

13,2 16,8 21

Source : INSEE, 2012.

Le Louvre-Lens (1)

▶ **Pourquoi la ville de Lens a-t-elle choisi un musée pour relancer son activité ?**

Au début des années 2000, l'État souhaite décentraliser certains aménagements culturels parisiens en région. Située au cœur d'un ancien bassin minier en crise et en reconversion, la ville de Lens est choisie pour accueillir une annexe du musée du Louvre sur une ancienne fosse.

1 « Nos yeux sont maintenant ouverts vers d'autres horizons. »

Panneau d'information à Lens, 2009.

	Lens (2012)	Nord-Pas-de-Calais (2015)
Nombre d'habitants	32 663	4,05 millions
Chômage	27 %	12,9 %
Taux de pauvreté	31 %	19 %
Taux de non-diplômés	27 %	25 %

2 Une ville en crise

Source : INSEE.

VOCABULAIRE

Décentraliser : rétablir un équilibre entre Paris et les régions en transférant en province certains établissements publics.

Une reconversion : un changement d'activités d'un espace.

J'extrais des informations

1 DOC. 3 Quelles sont les traces de l'ancienne activité minière ?

2 DOC. 1 ET 4 Quels sont les signes d'un renouveau de la ville de Lens ?

Je justifie

3 DOC. 2 Montrez que la population de l'agglomération lensoise est en crise.

4 DOC. 4 Montrez que le Louvre-Lens stimule le développement de projets d'aménagement locaux à différentes échelles.

3
3 Un site culturel installé
à proximité d'anciens terrils

1 Louvre-Lens (musée, jardin, esplanade, aire de stationnement)

2 Base (centre culturel, pôle économique de développement durable) et terrils jumeaux du 11/19 de Loos-en-Gohelle classés au patrimoine de l'UNESCO

3 Institut Universitaire de Technologie (IUT) de Lens

4 Cité minière

▪▪▪▪▪▪▪▪▪▪ Voie ferrée (TER et TGV Paris-Dunkerque)

━━━━━━━ A21 (Rocade minière reliant Lens à Lille, Bruxelles et Paris)

4 Une dynamique de projets locaux autour du Louvre-Lens

« [À la suite du Louvre-Lens] on attend d'ici mars 2013 le dépôt des premiers permis de construire sur trois opérations initiées par la ville :
- un hôtel et des logements (8000 m² au total) sur le site de l'ancien cinéma Apollo,
- 13 800 m² de bureaux et logements près de la gare,
- un hôtel 4 étoiles sur le site Garin.
Un concours d'architecture a été organisé pour la restructuration de la cité minière du 12/14 près du musée. [...] Euralens¹ s'apprête à lancer une étude stratégique pour décliner à l'échelle des trois agglomérations de Lens Liévin, Hénin Carvin et Artois Comm le concept d'archipel vert [verdir les quartiers ouvriers comme autour du Louvre-Lens]. »

Alix de Vogüé avec AFP, « Louvre-Lens : une mutation urbaine laborieuse », lagazettedescommunes.com, 4 décembre 2012.

1. Euralens : une association d'acteurs politiques (élus de Lens, Liévin, Loos-en-Gohelle et de la Communauté d'agglomération Lens-Liévin) et économiques.

Je raisonne

Coopérer

5 DOC. 3 **Pourquoi la ville de Lens attendait-elle le projet du Louvre sur son territoire ?**

Travail de groupe

Faites un exposé sur l'industrie minière et expliquez en quoi ce secteur d'activité a marqué la région Nord-Pas-de-Calais-Picardie.

Le Louvre-Lens (2)

▶ Quels sont les différents acteurs qui ont porté l'aménagement du Louvre-Lens ?

Porté par les acteurs locaux et une grande partie de la population de l'agglomération Lens-Liévin, le Louvre-Lens a ouvert ses portes en 2012. À la fin 2014, le musée a accueilli plus d'un million de visiteurs venus de l'ancienne région Nord-Pas-de-Calais, de France et d'Europe.

1 Un musée au cœur du bassin minier

Le bâtiment a été conçu par le cabinet d'architecture japonais Sanaa. Les jardins ont été conçus par la paysagiste Catherine Mosbach.

2 Un projet porté par des acteurs publics et privés

Part du financement global du projet (150 millions d'euros) *en %*

60	20	6	6	4	4
Conseil régional Nord-Pas-de-Calais	Union européenne	Communauté d'agglomération Lens-Liévin et ville de Lens	Conseil général du Pas-de-Calais	Mécènes (entrepreneurs privés)	État

Source : missionbassinminier.org / Louvre-Lens, Chiffres clés et impacts 2014.

VOCABULAIRE

Un acteur : un groupe de personnes ou une organisation qui agit sur l'espace en aménageant un territoire. On distingue acteurs publics (État, régions, communes…) et privés (entreprises).

Un bassin minier : un territoire marqué par l'exploitation intensive du charbon.

J'extrais des informations

1 DOC. 1 Décrivez le Louvre-Lens et ses jardins.

2 DOC. 1 Quel élément du passé minier de la ville est visible sur cette image ?

J'identifie un document

3 DOC. 2 Quels acteurs ont financé le Louvre-Lens ?

4 DOC. 4 En quoi l'exemple de « Chez Cathy » montre que l'arrivée du Louvre crée des emplois dans la région ?

3 Visite scolaire lors d'une exposition temporaire du musée

4 Lens en mutation : l'exemple d'un restaurateur local et voisin du musée

« À l'angle des rues La Pérouse et Paul-Bert, le café "Chez Cathy" est connu de tous dans le quartier de la fosse 9. Jusqu'au 4 décembre dernier, le lieu était considéré comme simple friterie de quartier. Depuis, c'est la brasserie face au Louvre-Lens. Mercredi 6 février. [...] La veille, l'établissement était fermé. Comme le musée. Depuis le 4 décembre dernier, c'est devenu la règle, le week-end n'est plus chômé comme autrefois. [...] La pose de la première pierre du Louvre-Lens et le chantier qui en découle laisse augurer des lende-mains heureux. "On a vu débarquer les différents corps de métiers", rappelle Mathieu. Plus le temps passe, plus l'équipe du Louvre-Lens s'étoffe et vient manger dans la brasserie. [...] Deux mois après l'ouverture, la réussite est totale : "C'est une renaissance ! Avant, on ne travaillait qu'avec les gens du chantier et du musée. Désormais, c'est avec les touristes, ce n'est pas la même chose", s'enthousiasme Cathy. Surtout quand on sait qu'ils sont 180 000 à avoir poussé les portes du musée... »

Maxime Pruvost, « La renaissance, c'est aussi chez Cathy », lavenirdelartois.fr, 7 février 2013.

Je raisonne

5 DOC. 3 ET 4 Quel rayonnement le Louvre-Lens a-t-il acquis ?

6 DOC. 3 ET 4 Quelles sont les conséquences du Louvre-Lens sur la population et l'économie de l'ancienne région Nord-Pas-de-Calais ?

Piste EPI

Géographie – Arts plastiques

Présentez les choix architecturaux et paysagers du musée et de ses jardins.

Culture et création artistique

Étude de cas

IIIIIIIIIIIIII

Le Center Parcs de Roybon

▶ **Quelle place les citoyens prennent-ils dans l'aménagement du territoire ?**

AUVERGNE RHÔNE-ALPES
Roybon
FRANCE

En 2008, la société Center Parcs Europe, filiale de Pierre & Vacances, prévoit de construire un village de vacances dans le Bois des Avenières, à proximité de la commune rurale de Roybon (Isère, 1 700 habitants). Les travaux de construction, lancés en 2014, doivent s'achever en 2017. Mais la justice les interrompt en 2015 pour préserver des espaces naturels protégés. Le site prévu pour l'aménagement est occupé par des opposants au projet.

VOCABULAIRE

Un aménagement : un ensemble d'actions menées sur un espace pour améliorer son fonctionnement.

Une ZAD (Zone à Défendre) : l'occupation illégale d'un terrain à aménager par les opposants du projet.

Une zone humide : un terrain, exploité ou non, régulièrement gorgé d'eau, à préserver pour réguler les flux d'eau et prévenir les inondations.

NOUS AVONS DES TAS D'AUTRES IDÉES POUR NOTRE AVENIR !

LE TEMPS OÙ LES Z'ÉLUS DÉCIDENT À NOTRE PLACE EST FINI !

1 Un aménagement contesté

Photographie prise en 2014 à Roybon.

Les « zadistes », opposés au projet du Centrer Parcs de Roybon, se sont installés en forêt de Chambaran.

J'extrais des informations

1 DOC. 2 ET 3 Quelles sont les inégalités de développement dont souffre ce territoire ?

J'identifie

2 DOC. 2 ET 3 Qui soutient ce projet et pour quelles raisons ?

3 DOC. 1 ET 4 Quels sont les arguments des opposants au projet ?

III**302**

3 Les arguments d'un collectif d'habitants de Roybon favorables au projet

« Démarré en 2007, soutenu par les collectivités locales (Commune de Roybon, Communauté de Communes, Département, Région) et porté par la société Pierre & Vacances, le projet Center Parcs consiste dans l'implantation d'un village de vacances au sud-ouest du bourg de Roybon, sur une superficie de 200 ha. Un Center Parcs est un village de vacances regroupant un grand nombre de bungalows (1000 prévus pour Roybon) dans un cadre naturel. Au centre du domaine se trouve le "dôme", une vaste zone couverte regroupant une grande piscine, des restaurants, des commerces, des activités sportives et ludiques. Le dôme ne représente qu'une petite partie du domaine. Ce projet va permettre :
- de développer des emplois : 700 emplois directs et 140 emplois induits dans la région (fournisseurs, sous-traitants, emplois locaux pour la crèche, implantation d'une maison médicale) ;
- de générer des recettes au niveau communal, intercommunal, départemental et régional : près de 3 000 000 € chaque année ;
- de dynamiser les activités de l'ensemble des communes environnantes (activités commerciales orientées vers les touristes). »

Site de l'association Vivre en Chambaran, vivreenchambaran.fr, 2016.

4 Les arguments des opposants au projet

« L'association Pour les Chambaran SANS Center Parcs (PCSCP) regroupe depuis 2009 des opposants au Center Parcs parachuté sur la commune de Roybon. Ce Grand Projet Inutile Imposé (GPII) est une caricature de toutes les aberrations possibles : destruction de 110 ha de zones humides précieuses pour l'alimentation en eau potable de la région [...], mise en péril localement de 37 espèces protégées, impactage de rivières classées en réservoir biologique, privatisation de biens communs publics d'usage libre et collectif, gaspillage d'argent public en faveur de Pierre & Vacances, mensonges et pressions de certains élus, désinformation politique sous couvert de développement durable et de création d'emplois, profits à court terme réalisés au détriment de petits investisseurs, niche fiscale abusive, etc. »

Site de l'association PCSCP, www.pcscp.org, 2016.

Maîtrise de la langue

Je raisonne

4 DOC. 1 ET 2 **En quoi le cas du Center Parcs de Roybon est-il emblématique de la mobilisation citoyenne autour d'un projet d'aménagement ?**

J'identifie un point de vue

Repérez dans le document 4 le vocabulaire d'un discours subjectif. En quoi peut-on dire qu'il s'agit d'un propos militant ?

Aménager pour

Le relief et le climat en France

1

ROYAUME-UNI

BELGIQUE

ALLEMAGNE

LUX.

Manche

BASSIN

PARISIEN

Seine

Moselle

Rhin

Vosges
1 424 m ▲
Ballon de Guebwiller

Loire

Saône

Jura

SUISSE

1 718 m
Crêt de la Neige

4 810 m
Mont Blanc ▲

OCÉAN

ATLANTIQUE

MASSIF
▲ 1 886 m
Puy de Sancy

CENTRAL

Rhône

ALPES

ITALIE

Barre des Écrins
4 103 m ▲

BASSIN

Garonne

AQUITAIN

PYRÉNÉES

N

0   100 km

ESPAGNE

Pic d'Aneto ▲
3 404 m

Mer
Méditerranée

2 710 m
Monte Cinto ▲

CORSE

Altitude
(en mètres)

200   500

ROYAUME-UNI

BELGIQUE

ALLEMAGNE

LUX.

Manche

BASSIN

PARISIEN

Seine

Moselle

Rhin

Vosges

Loire

Saône

Jura

SUISSE

OCÉAN

ATLANTIQUE

MASSIF

CENTRAL

Rhône

ALPES

ITALIE

BASSIN

Garonne

AQUITAIN

PYRÉNÉES

N

0   100 km

ESPAGNE

Mer
Méditerranée

CORSE

Climat

Océanique   Semi-continental

Océanique
dégradé   Méditerranéen   Montagnard

L'organisation du territoire français

2

Des études de cas...

1 À quel espace
appartient Lens ?

Lens, p. 298

2 Quelle est la position
de Roybon par
rapport aux axes de
communication ?

Roybon, p. 302

répondre aux inégalités

CARTE lienmini.fr/hgemc3-114

Saisissez cette adresse sur votre navigateur pour animer la carte.

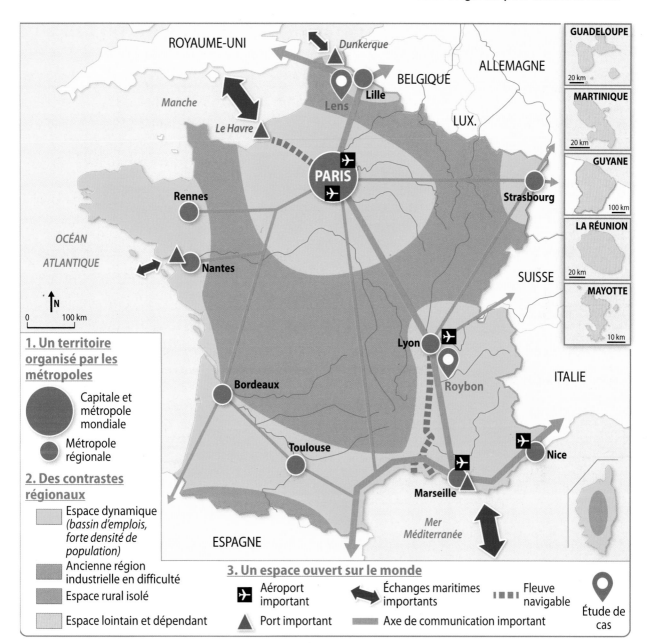

1. Un territoire organisé par les métropoles

- ⬤ Capitale et métropole mondiale
- ● Métropole régionale

2. Des contrastes régionaux

- Espace dynamique *(bassin d'emplois, forte densité de population)*
- Ancienne région industrielle en difficulté
- Espace rural isolé
- Espace lointain et dépendant

3. Un espace ouvert sur le monde

- ✈ Aéroport important
- 🔺 Port important
- ⬌ Échanges maritimes importants
- ▬ Axe de communication important
- ▰▰▰ Fleuve navigable
- 📍 Étude de cas

Carte labels : ROYAUME-UNI, Dunkerque, ALLEMAGNE, BELGIQUE, Lille, Lens, LUX., Manche, Le Havre, PARIS, Strasbourg, Rennes, OCÉAN ATLANTIQUE, Nantes, SUISSE, Lyon, Roybon, ITALIE, Bordeaux, Toulouse, Nice, Marseille, ESPAGNE, Mer Méditerranée, GUADELOUPE 20 km, MARTINIQUE 20 km, GUYANE 100 km, LA RÉUNION 20 km, MAYOTTE 10 km

0 100 km N

... à une perspective nationale

3 Quels aménagements permettent de mettre en relation le territoire français avec les pays européens voisins ?

4 Quels aménagements mettent le territoire français en relation avec le reste du monde ?

5 Montrez quelques inégalités régionales qui sont mises en évidence par la carte et sa légende.

Cours

Aménager pour répondre aux inégalités

▶ **Quels sont les objectifs et les méthodes des acteurs de l'aménagement des territoires français ?**

A Pourquoi aménager les territoires français ?

▶ L'aménagement du territoire est mené à toutes les échelles. Il **tend à réduire les inégalités** face au logement ou au transport, à offrir aux citoyens un égal accès aux services publics, notamment en milieu rural.

▶ Face à la concurrence mondiale, **des aménagements stimulent l'économie des territoires**. Des métropoles régionales concurrencent des villes européennes grâce aux quartiers d'affaires, aux infrastructures de transports, aux musées.

▶ Les aménagements ont le devoir de respecter l'environnement. Mais entre la protection de la nature et le développement économique, **certains projets suscitent des conflits entre acteurs**.

B Les acteurs de l'aménagement des territoires

▶ Face à l'État, **les acteurs de l'aménagement sont nombreux. Régions et départements financent des aménagements locaux**. Des municipalités se regroupent pour supporter ensemble les couts. **L'Union européenne intervient** pour réduire les inégalités de développement entre régions. **Des entreprises financent** un projet pour prospérer et développer l'économie d'un territoire.

▶ Les habitants sont invités à s'exprimer sur la conception des aménagements qui les concernent : débats publics, participation citoyenne. Mais ils s'opposent parfois à des projets contraires à leurs intérêts.

C L'aménagement du territoire français et la prospective

▶ Les acteurs de l'aménagement ont besoin d'imaginer les territoires du futur. Ils font de la prospective territoriale en écrivant des scénarios sur différents avenirs possibles, tout en impliquant les habitants.

▶ Aujourd'hui, **la prospective territoriale soulève de nombreuses questions** : le rôle de l'habitant dans l'aménagement de son territoire ou la création de nouveaux modèles de développement durable.

CHIFFRES-CLÉS

14
grandes métropoles régionales disposent de la plupart des grands aménagements actuels.

7
régions françaises ont des aménagements transfrontaliers.

25%
de la population française vit dans un espace rural profond, marqué par des problèmes d'aménagement (faible présence de services publics et de commerces, d'infrastructures de transports).

INTERVIEW **lienmini.fr/hgemc3-115**

Saisissez cette adresse sur votre
navigateur pour visionner l'interview.

1 L'aménagement de l'Ile de Nantes

5 **minutes** avec...

Jean-Luc Charles
Directeur général de la SAMOA
(société d'aménagement
de la métropole ouest atlantique)

❝ Pour être urbaniste, il faut
d'abord aimer la ville, dans toutes
ses formes, toutes les villes. ❞

① Qu'est-ce qu'un urbaniste ? ▶

② Pourquoi l'aménagement de l'Île de Nantes est-il une réussite ? ▶

③ Quelles sont les étapes pour aménager un quartier ? ▶

CRÉDITS

Ⓜ MAGNARD

2 Les régions sont actrices de l'aménagement des territoires

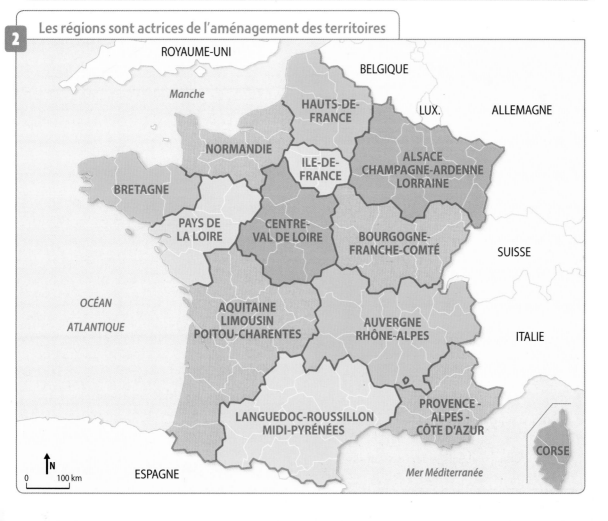

Réviser

carte mentale — lienmini.fr/hgemc3-116

Saisissez cette adresse sur votre navigateur pour découvrir la carte mentale.

CARTE MENTALE

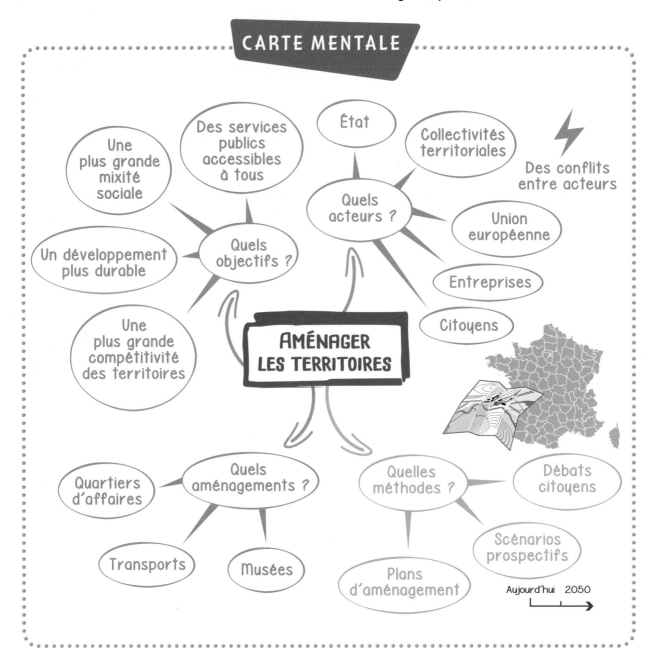

- Une plus grande mixité sociale
- Des services publics accessibles à tous
- État
- Collectivités territoriales
- Des conflits entre acteurs
- Quels acteurs ?
- Union européenne
- Un développement plus durable
- Quels objectifs ?
- Entreprises
- Une plus grande compétitivité des territoires
- **AMÉNAGER LES TERRITOIRES**
- Citoyens
- Quartiers d'affaires
- Quels aménagements ?
- Quelles méthodes ?
- Débats citoyens
- Transports
- Musées
- Plans d'aménagement
- Scénarios prospectifs
- Aujourd'hui   2050

Réviser en ligne

Je teste mes connaissances

QUIZ — lienmini.fr/hgemc3-117

Saisissez cette adresse sur votre navigateur pour lancer le quiz.

Le tuto pour créer ma carte mentale.

TUTO vidéo

lienmini.fr/hgemc3-001

MÉTHODE
Décrypter un témoignage

Étape 1 ▸ **Présentez l'acteur :** public (député européen, ministre, maire, président de région, président de communauté de communes…), privé (entreprise, architecte, constructeur BTP…), associatif (association de riverains ou d'usagers, association pour le développement local…)…

Étape 2 ▸ **Décrivez ses propos :** la nature et le support de ce témoignage (article de presse, document institutionnel, rapport d'entreprise…), le sens général de ce propos, son point de vue, ses arguments…

Étape 3 ▸ **Interprétez ses propos :** dans quel contexte ce témoignage s'insère-t-il, et comment le rapprocher de vos connaissances générales ?

L'aménagement de Rennes vu par son maire

« Un des [éléments les] plus structurants [de mon action en tant que maire de Rennes], c'est la deuxième ligne de métro qui va voir le jour. Ce n'est pas simplement un outil de transport, mais un outil urbain exceptionnel au bénéfice de la cohésion sociale de la ville. C'est une stratégie d'aménagement pour accueillir les populations. Avec Toulouse et Montpellier, nous sommes la troisième ville la plus dynamique démographiquement. On accueille 4 500 nouveaux habitants chaque année dans la métropole, et 7 000 à 8 000 sur le bassin de vie. Il y a une dynamique malgré la crise, qui traduit l'attractivité rennaise. Notre agglomération a quatre piliers : le numérique, avec 730 emplois créés dans la technopole l'an dernier et 15 000 depuis sa création. L'agro-alimentaire, au sens large, est le deuxième. La filière automobile, avec PSA, la troisième. […] Enfin, le bâtiment et les travaux publics ont pour particularité ici de ne pas compter que Vinci ou Bouygues, mais un tissu de PME. »

Camille Allain, David Blanchard et Jérôme Gicquel, « Daniel Delaveau : "On accueille 4500 nouveaux habitants chaque année" », 20minutes.fr, 11 février 2013.

---

1 Présentez l'acteur
Qui est l'acteur mis en avant dans ce texte ?

2 Décrivez ses propos
Identifiez le grand projet d'aménagement évoqué dans ce texte.
Quelle est l'influence de la démographie de la population rennaise sur les aménagements de la ville ?

3 Interprétez ses propos
Quel est l'objectif de cet aménagement ?
Selon vous, quel lien peut-on établir entre aménagement de la métropole et création d'emplois ?

Exercice 1 Analyser et comprendre des documents

> **Entretien avec Pierre Bernard,**
> **architecte de la rénovation du Pile, un quartier dégradé de Roubaix**

1 « C'est un quartier qui a subi de plein fouet comme beaucoup d'autres la fin du travail dans le textile. Mais ce qui est étonnant c'est qu'il n'a pas beaucoup changé : ce sont toujours de petites
5 maisons habitées en grande partie par leurs propriétaires. Seule la teinturerie […] a laissé la place à un grand espace qui attend d'être aménagé en partie. Toutes ces maisons ont besoin d'être rafraichies ou franchement rénovées pour corres-
10 pondre aux modes de vie d'aujourd'hui. Dans ce quartier qui a été réalisé pour loger un maximum d'ouvriers, on n'a pas laissé de place pour la végétation dans les rues. Par chance, ce quartier est très proche du canal qui va devenir un pôle de
15 verdure. […] Nous allons tout faire pour donner de la place au végétal et au vivant, partout […]

On commence par des actions avec la population et on engage aussi des projets concrets. Les actions avec la population sont importantes :
20 écouter les habitants va nous faire gagner du temps. Cet été, on organise un "diagnostic en marchant". Pendant une journée complète, les habitants nous montrent sur place ce qui va et ce qui ne va pas, ce qu'il faudrait faire rapide-
25 ment et ce qui doit être réfléchi un peu plus longuement. On leur dira aussi comment on voit le quartier et ce qui nous semble important de travailler ensemble. De tout cela on va tirer des orientations qu'on montrera en septembre dans
30 une exposition à la Maison du Projet. »

« Il faudra l'énergie de tous », www.ville-roubaix.fr, 2016.

1 Qui est l'acteur interrogé ? Quel est son rôle dans le projet d'aménagement du quartier du Pile ?

2 Quels éléments montrent que ce quartier dégradé a besoin d'être réaménagé ?

> Lisez le diagnostic du quartier que l'acteur dresse (lignes 1 à 10)

3 Montrez que ce projet s'inscrit dans le cadre du développement durable du quartier.

> Lisez bien la partie consacrée au verdissement du quartier (lignes 10 à 16)

4 Comment l'acteur travaille-t-il avec les habitants du quartier ?

> Analysez la démarche de dialogue engagée entre l'acteur et les habitants du quartier (lignes 16 à 29)

Exercice 2 Maitriser différents langages pour raisonner

Sujet : Sous la forme d'un développement construit d'une vingtaine de lignes et en vous appuyant sur quelques exemples précis, vous décrirez et expliquerez le rôle des acteurs dans l'aménagement du territoire français.

Brevet

Sujet blanc

Exercice 1   Analyser et comprendre des documents

Affiche de la SNCF pour le projet Atlantique 2017, parue en 2015.

1 Quel aménageur a produit cette plaquette d'information ?

2 Quel projet d'aménagement est mis en avant par ce document d'information ?

3 En quoi ce projet permet-il de mieux connecter les différents territoires français et leurs habitants ?

4 Quels éléments de la plaquette indiquent la présence de nouvelles infrastructures de transports ?

5 Quels éléments de la plaquette montrent une volonté de l'aménageur de respecter l'environnement ?

Exercice 2   Maitriser différents langages pour raisonner

Sujet : Sous la forme d'un développement construit d'une vingtaine de lignes et en vous appuyant sur des exemples concrets, vous montrerez comment les acteurs publics aménagent le territoire pour réduire les inégalités.

Les territoires
ultramarins français

Projet de complexe touristique à Papeete, Tahiti

L'éloignement est le problème spécifique de la Polynésie française. Mais ce territoire cherche à se développer en aménageant des infrastructures touristiques attractives.

► Comment aménager les territoires d'outre-mer ?

OCÉAN PACIFIQUE
Équateur
Polynésie française
OCÉAN ATLANTIQUE
OCÉAN INDIEN

Image de synthèse du complexe Tahiti Mahana Beach Resorts & Spa, prévu pour 2022.

Les différents statuts des territoires ultramarins

Saint-Pierre-et-Miquelon
FRANCE
Saint-Martin
Saint-Barthélemy
Clipperton
Guadeloupe
Martinique
Guyane
Polynésie française
Mayotte
La Réunion
Wallis-et-Futuna
Nouvelle-Calédonie
Terres australes et antarctiques françaises (TAAF)

Métropole

Département et Région d'outre-mer

Collectivité d'outre-mer

Statut spécifique

Une nouvelle route du littoral pour La Réunion

Saint-Denis
OCÉAN INDIEN
LA RÉUNION
AFRIQUE

▶ **Comment des aménagements routiers d'envergure permettent-ils de s'adapter au relief accidenté de La Réunion ?**

Le relief accidenté de l'ile de La Réunion rend les communications difficiles entre les deux côtes de l'ile. Afin de favoriser un meilleur développement de l'ensemble du territoire, l'ile s'est lancée dans un projet d'aménagement de grande envergure.

1 Un axe majeur de circulation

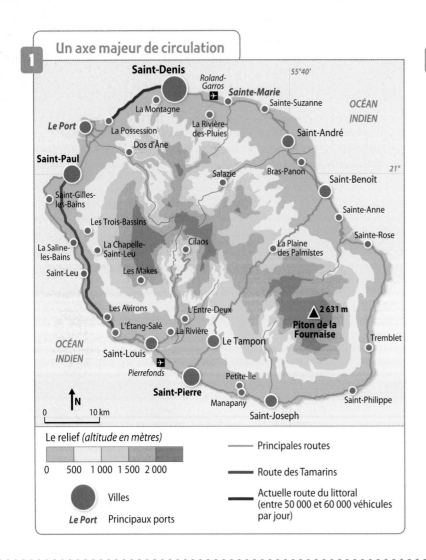

55°40'

Saint-Denis
Roland-Garros
Sainte-Marie
Sainte-Suzanne
OCÉAN INDIEN
La Montagne
Le Port
La Possession
La Rivière-des-Pluies
Saint-André
Dos d'Âne
Saint-Paul
21°
Salazie
Bras-Panon
Saint-Benoît
Saint-Gilles-les-Bains
Sainte-Anne
Les Trois-Bassins
Sainte-Rose
La Saline-les-Bains
La Chapelle-Saint-Leu
Cilaos
La Plaine des Palmistes
Saint-Leu
Les Makes
Les Avirons
L'Entre-Deux
▲ 2 631 m
Piton de la Fournaise
L'Étang-Salé
La Rivière
OCÉAN INDIEN
Le Tampon
Tremblet
Saint-Louis
Pierrefonds
Petite-Île
Saint-Pierre
Saint-Philippe
Manapany
Saint-Joseph

N
0   10 km

Le relief *(altitude en mètres)*
0   500   1 000 1 500 2 000

— Principales routes
— Route des Tamarins
— Actuelle route du littoral (entre 50 000 et 60 000 véhicules par jour)

Villes
Le Port Principaux ports

2 La mobilisation contre le projet

« Avec ce projet pharaonique[1] de nouvelle route du littoral, La Réunion court à la catastrophe. Sur le plan environnemental, car les deux énormes digues vont avoir un impact meurtrier sur la biodiversité terrestre et marine, sur le plan social car ce projet ne sert que les intérêts du lobby automobile au détriment du transport en commun aujourd'hui sacrifié, sur le plan économique car le chantier ne créera pas d'emplois durables, sur le plan financier car cette route coutera au bas mot 2,5 milliards d'euros et tous les dépassements du budget initialement prévu seront supportés par les contribuables réunionnais qui sont actuellement parmi les plus endettés de France. Vous aussi dites Non à la nouvelle route du littoral. »

Pétition lancée le 1er juillet 2012 par le Collectif réunionnais « Non à la nouvelle route du littoral ».

1. Démesuré.

Je situe

1 DOC. 1 ET 3 Localisez la route du littoral sur une carte de La Réunion.

2 DOC. 1 Pourquoi la route du littoral a-t-elle une importance stratégique pour l'ile de La Réunion ?

J'extrais des informations

3 DOC. 3 Quel problème pose la falaise qui borde la route du littoral ?

4 DOC. 4 Décrivez ce paysage. À quelle contrainte les aménageurs ont-ils dû faire face ?

5 DOC. 3 ET 4 Qui sont les acteurs de ces projets ?

3 Le projet de la nouvelle route du littoral

La construction de la nouvelle route du littoral, lancée en 2013 et dont les travaux doivent s'achever en 2020, est réalisée par Vinci, Bouygues et Demathieu & Bard. Elle est financée à 9 % par l'Union européenne (soit 151 millions d'euros).

4 La route des Tamarins

Mise en service en 2009, la route des Tamarins a été financée à 85 % par la Région et à 15 % par l'Union européenne. Elle comporte 4 viaducs, comme celui de la Grande Ravine, ici en 2013.

Parcours avenir

J'émets des hypothèses

6 DOC. 2 **Pourquoi certains s'opposent-ils à la construction de cette route ? Quels sont les arguments des opposants ?**

Je découvre les métiers du BTP

Rendez-vous au CDI pour découvrir les multiples métiers qu'offrent la filière du Bâtiment et des Travaux Publics.

Étude de cas

La forêt amazonienne en Guyane

OCÉAN ATLANTIQUE
Cayenne
GUYANE
AMÉRIQUE

▶ **Comment valoriser la forêt amazonienne tout en la préserver ?**

Le triplement en 30 ans de la population guyanaise impose un développement de la région adaptée à l'exceptionnelle biodiversité de la forêt.

1 La richesse de la forêt

« *Pourquoi préserver les forêts tropicales primaires et leurs canopées[1] ?*

- Les forêts tropicales sont les réserves de vie de notre planète ! [...] La forêt tropicale, qui ne constitue que 6% des terres émergées, abrite en revanche au moins 75% de la biodiversité mondiale. [...] La France est donc concernée mais elle se conduit très mal à l'égard de ses forêts, en laissant faire les orpailleurs, qui détruisent la forêt et retournent les sols.

C'est pourtant une perte réelle pour l'Homme ?

- Oui, laisser ces forêts disparaitre, c'est passer à côté d'un formidable pactole biochimique ! Les recherches scientifiques ont montré qu'elles sont une réserve importante de molécules nouvelles, dont on n'a découvert à ce jour qu'une partie. Autant de possibilités de recherches, pour mettre au point les parfums ou les médicaments du futur. N'oublions pas que la forêt a déjà fourni de nombreux remèdes à nos maladies. L'écorce du quinquina, petit arbre d'Amérique du Sud, fournit par exemple la quinine, qui a longtemps été le seul remède, encore très utilisé en Afrique, contre le paludisme. »

Entretien de Francis Hallé par Thomas Vampouille, « Les forêts tropicales, un pactole biochimique», lefigaro.fr, 14 janvier 2010.

1. La canopée : l'étage supérieur de la forêt formé par la cime des arbres.

2 Un parc national en Amazonie

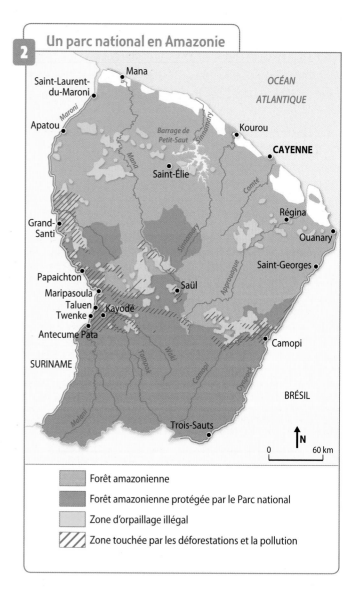

Forêt amazonienne

Forêt amazonienne protégée par le Parc national

Zone d'orpaillage illégal

Zone touchée par les déforestations et la pollution

Je situe

1 DOC. 2 Localisez la Guyane et la forêt amazonienne.

Je prélève des informations

2 DOC. 1 De quelle richesse est-il question dans ce document ? En quoi la préservation de la forêt est un enjeu pour la Guyane et pour la planète entière ?

3 DOC. 2 ET 3 Quelles sont les activités humaines qui pèsent sur le milieu forestier en Guyane ? Pourquoi cela pose-t-il un problème ?

3 L'armée française et le Surinam collaborent dans la lutte contre l'orpaillage illégal

L'orpaillage illégal pollue les rivières amazoniennes car les orpailleurs utilisent du mercure.

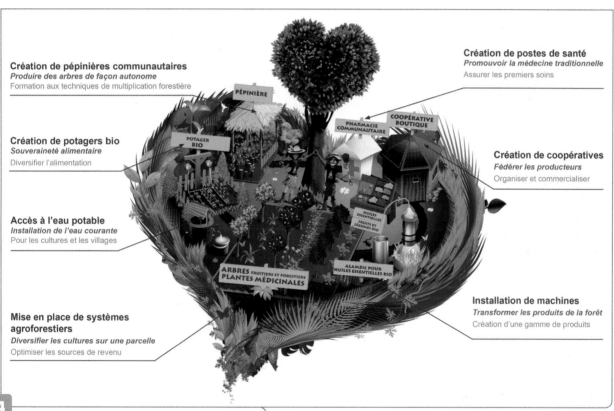

Création de pépinières communautaires
Produire des arbres de façon autonome
Formation aux techniques de multiplication forestière

Création de potagers bio
Souveraineté alimentaire
Diversifier l'alimentation

Accès à l'eau potable
Installation de l'eau courante
Pour les cultures et les villages

Mise en place de systèmes agroforestiers
Diversifier les cultures sur une parcelle
Optimiser les sources de revenu

PÉPINIÈRE

POTAGER BIO

HUILES ESSENTIELLES

FRUITS ET LÉGUMES BIO

PHARMACIE COMMUNAUTAIRE

COOPÉRATIVE BOUTIQUE

ARBRES FRUITIERS ET FORESTIERS PLANTES MÉDICINALES

ALAMBIC POUR HUILES ESSENTIELLES BIO

Création de postes de santé
Promouvoir la médecine traditionnelle
Assurer les premiers soins

Création de coopératives
Fédérer les producteurs
Organiser et commercialiser

Installation de machines
Transformer les produits de la forêt
Création d'une gamme de produits

4 Des aménagements locaux et durables

Système de l'association Cœur de forêt pour lutter contre la déforestation.

« [L'association] Cœur de Forêt œuvre pour la protection de la forêt et des peuples qui y habitent depuis 2005. Nous développons des alternatives économiques à la déforestation car nous pensons que c'est en alliant des actions de reforestation et le développement d'un commerce mondial plus équitable que nous aboutirons à un monde dans lequel il fait bon vivre ! »

Piste EPI

Je raisonne

4 DOCS. 2 ET 3 **Quelle est la ressource la plus convoitée dans la forêt amazonienne ? Quelles solutions l'État a-t-il trouvées ?**

5 DOC. 1 ET 4 **Pourquoi une gestion durable de la forêt amazonienne est-elle une nécessité ?**

Géographie – SVT

Quelle est l'importance de la forêt au niveau de la régulation du climat et de l'absorption du CO_2 ? Rédigez un argumentaire pour plaider en faveur de la préservation de la forêt amazonienne.

Transition écologique et développement durable

Intégrer la Martinique à l'espace américain

FRANCE
6 800 km

MARTINIQUE

Mer des Caraïbes

AMÉRIQUE

▶ **Comment la Martinique essaie-t-elle de s'intégrer à l'espace régional américain ?**

La Martinique est une ile des Antilles située en Mer des Caraïbes. Région française, elle fait également, à ce titre, partie des régions ultrapériphériques européennes. La Martinique est donc partagée entre l'espace américain et l'espace européen.

1 Une faible intégration régionale

Échanges commerciaux entre la Martinique et ses partenaires (en millions d'euros en 2009).

	La Martinique importe	La Martinique exporte	Solde
France métropolitaine	1 175	83	-1092
UE hors France	261	12	-249
Caraïbe hors ACP	72	3	-69
Guadeloupe	27	99	72

La *Martinique carrefour de la Caraïbe*
Du 14 octobre au 15 décembre 2013

La conférence des investisseurs
› Investissez en Martinique

Forum Caribéen de l'énergie :
› Aujourd'hui les ressources de demain...

All 4 One
› Le 1ᵉʳ concours de chant à l'échelle Caribéenne

Salon de l'agriculture :
› La Martinique Terre d'innovation

2 Une région carrefour ?

Fin 2013, la Région Martinique organise une série d'évènements et de conférences sur le thème du développement économique et de l'intégration régionale.

VOCABULAIRE

L'intégration régionale : l'ensemble de mesures économiques communes prises par des États d'une même région pour développer leurs échanges.

La métropole : l'ensemble des parties européennes de la France (par opposition à outre-mer). À ne pas confondre avec « métropole » (cf. chapitre 12).

Les Pays ACP (Afrique-Caraïbes-Pacifique) : le regroupement de 79 États ayant passé des accords de coopération commerciale avec l'UE.

Une RUP (Région ultrapériphérique) : un territoire de l'UE situé hors du continent européen.

Je situe

1 DOC. 4 Localisez la Martinique dans l'espace américain.

Je prélève des informations

2 DOC. 1 Quels sont les partenaires commerciaux privilégiés de la Martinique ? Sont-ils situés dans l'espace américain ?

3 DOC. 2 ET 4 Justifiez l'expression « Martinique, carrefour de la Caraïbe ».

4 DOC. 3 À quoi donnera lieu la convention entre la Martinique et l'État du Pará au Brésil ?

Créer une nouvelle coopération régionale

« Le gouverneur de l'État du Pará a reçu le Président de Région hier, afin de signer une convention de coopération multisectorielle portant notamment sur :
- les transferts de technologies sur l'agro-industrie et l'élevage,
- la recherche de synergie en matière de recherche et d'industrie pharmaceutique,
- le développement des énergies renouvelables,
- la biodiversité et la nutrition animale,
- le secteur touristique et la culture.
À l'issue de cette convention un programme d'actions spécifiques sera mis en place dans chacun de ces domaines. La coopération avec le plus grand pays d'Amérique du Sud est plus que nécessaire, comme l'explique le Président de Région : "Il n'est pas normal que l'on soit à 2 heures de vol du plus grand pays d'Amérique du Sud avec plus de 200 millions d'habitants et que l'on ne soit tourné que vers l'Europe. Notre relation historique avec l'Europe est une relation institutionnelle. Cependant notre bassin géographique de proximité à la fois culturelle mais aussi technique, économique et sociale c'est la Caraïbe et aussi l'Amérique du Sud. C'est dans ce sens que nous devons engager ces processus de coopération." »

« Convention signée avec l'État du Pará au Brésil ! », domtomnews.com, 17 avril 2014.

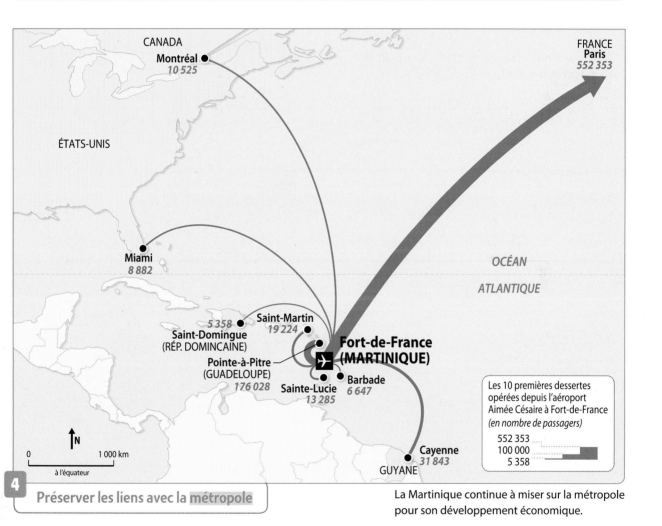

Préserver les liens avec la métropole

La Martinique continue à miser sur la métropole pour son développement économique.

- -

Je raisonne

5 DOC. 2 **Quel message la Martinique veut-elle faire passer avec cette affiche ?**

6 **Montrez que la Martinique est partagée entre l'espace américain et la métropole.**

▶ Rédigez un texte montrant :
- le désir de la Martinique de s'intégrer à son espace régional,
- son besoin de maintenir des liens forts avec la métropole.

Changer d'échelle

Les territoires

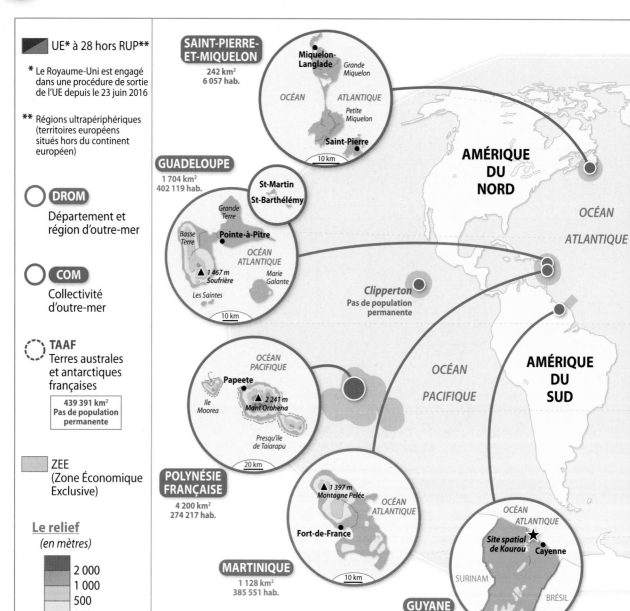

UE* à 28 hors RUP**

* Le Royaume-Uni est engagé dans une procédure de sortie de l'UE depuis le 23 juin 2016

** Régions ultrapériphériques (territoires européens situés hors du continent européen)

DROM
Département et région d'outre-mer

COM
Collectivité d'outre-mer

TAAF
Terres australes et antarctiques françaises

439 391 km²
Pas de population permanente

ZEE
(Zone Économique Exclusive)

Le relief
(en mètres)

2 000
1 000
500
200

SAINT-PIERRE-ET-MIQUELON
242 km²
6 057 hab.

Miquelon-Langlade
Grande Miquelon
OCÉAN   ATLANTIQUE
Petite Miquelon
Saint-Pierre
10 km

GUADELOUPE
1 704 km²
402 119 hab.

St-Martin
St-Barthélémy

Grande Terre
Basse Terre
Pointe-à-Pitre
OCÉAN ATLANTIQUE
▲ 1 467 m Soufrière
Marie Galante
Les Saintes
10 km

AMÉRIQUE DU NORD

OCÉAN

ATLANTIQUE

Clipperton
Pas de population permanente

AMÉRIQUE DU SUD

OCÉAN PACIFIQUE

OCÉAN PACIFIQUE
Papeete
Ile Moorea
▲ 2 241 m Mont Orohena
Presqu'île de Taiarapu
20 km

POLYNÉSIE FRANÇAISE
4 200 km²
274 217 hab.

▲ 1 397 m Montagne Pelée
OCÉAN ATLANTIQUE
Fort-de-France
10 km

MARTINIQUE
1 128 km²
385 551 hab.

OCÉAN ATLANTIQUE
Site spatial de Kourou ★
Cayenne
SURINAM
BRÉSIL
50 km

GUYANE
86 504 km²
244 118 hab.

De l'étude de cas...

1 Quel est le statut de La Réunion ?

La Réunion, p. 314

2 Quelle est la particularité de la Guyane par rapport aux autres territoires d'outre-mer ?

La Guyane, p. 316

ultramarins français

CARTE lienmini.fr/hgemc3-118

Saisissez cette adresse sur votre navigateur pour animer la carte.

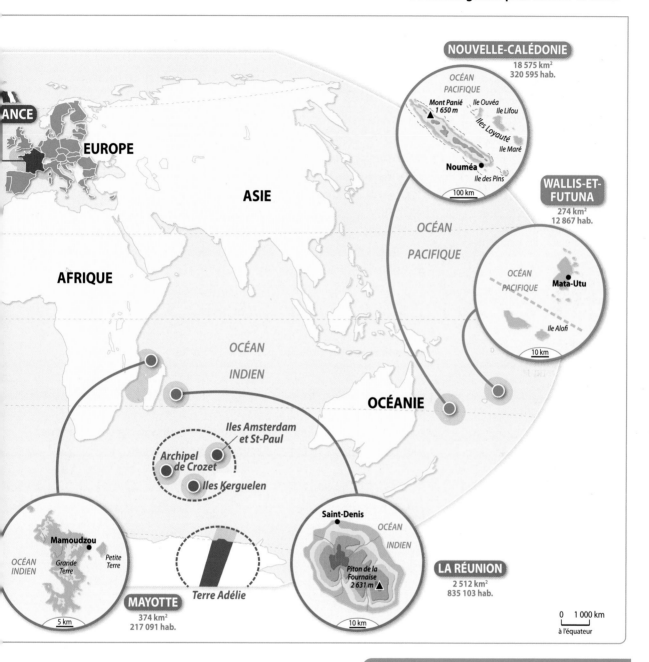

NOUVELLE-CALÉDONIE
18 575 km²
320 595 hab.

OCÉAN PACIFIQUE

Mont Panié 1 650 m ▲
Ile Ouvéa
Ile Lifou
Iles Loyauté
Ile Maré

Nouméa ●
Ile des Pins

100 km

WALLIS-ET-FUTUNA
274 km²
12 867 hab.

OCÉAN PACIFIQUE
Mata-Utu ●
Ile Alofi

10 km

EUROPE

ASIE

AFRIQUE

OCÉAN PACIFIQUE

OCÉAN INDIEN

OCÉANIE

Iles Amsterdam et St-Paul
Archipel de Crozet
Iles Kerguelen

Saint-Denis ●
OCÉAN INDIEN

Piton de la Fournaise 2 631 m ▲

LA RÉUNION
2 512 km²
835 103 hab.

Mamoudzou ●
OCÉAN INDIEN
Grande Terre
Petite Terre

Terre Adélie

MAYOTTE
374 km²
217 091 hab.

5 km

10 km

0   1 000 km
à l'équateur

... à l'échelle du monde

3 Dans quel espace la Martinique est-elle située ?

📍 La Martinique, p. 318

4 Quelles sont les caractéristiques communes aux territoires ultramarins ?

5 Quels avantages les territoires ultramarins présentent-ils pour la France ?

L'aménagement des territoires ultramarins français

▶ **Comment aménager les territoires d'outre-mer ?**

VOCABULAIRE

L'IDH (Indice de développement humain) : un indicateur, compris entre 0 et 1, créé par les Nations unies pour évaluer le niveau de développement d'un pays à partir de 3 critères : le PNB par habitant, l'espérance de vie à la naissance et le niveau d'éducation.

Une RUP (Région ultra-périphérique) : un territoire de l'UE situé hors du continent européen.

La ZEE (Zone économique exclusive) : la zone maritime s'étendant jusqu'à 200 miles marins (370 km) à partir des côtes et dont l'exploitation est réservée au pays côtier.

A   Les territoires ultramarins : une France originale et lointaine

▶ Les territoires ultramarins sont **répartis sur l'ensemble des continents** et des océans, et permettent ainsi à la France d'avoir **la 2e ZEE du monde**.

▶ Ces territoires français ont des problématiques spécifiques : ils sont **éloignés de la métropole ou sont insulaires (les Antilles, la Polynésie…). Ils ont des reliefs accidentés** comme La Réunion, **des climats rudes** comme Saint-Pierre-et-Miquelon, ou des **écosystèmes fragiles** comme la Guyane.

▶ Pour favoriser leur développement, ces territoires mettent en place de grands projets d'aménagement, afin de répondre à leur problématique et de valoriser leur territoire.

B   Des liens étroits avec la France

▶ Outre un lien politique, ils entretiennent également une **relation de dépendance économique avec la métropole**.

▶ En tant que RUP, les territoires ultramarins bénéficient des aides de l'UE pour financer des aménagements destinés à favoriser leur autonomie économique.

▶ Tout en demeurant français, **les territoires ultramarins développent des identités propres**, notamment caraïbe dans les Antilles.

C   Une intégration difficile dans l'environnement régional

▶ Malgré leurs difficultés, notamment leur IDH inférieur à celui de la métropole, ces territoires font figure d'**îlots de prospérité au sein d'espaces régionaux moins développés**. Leur niveau de vie, leurs aménagements et les services qu'ils proposent attirent de nombreux migrants régionaux en quête d'une vie meilleure.

▶ Cependant, ce sont des territoires mal intégrés à leurs espaces proches, leurs liens restant assez faibles avec les États voisins. Aussi bien au niveau agricole que touristique par exemple, 60 % des échanges commerciaux des territoires ultramarins se font avec la métropole.

CHIFFRES-CLÉS

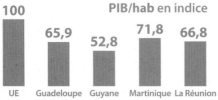

France = **2e ZEE** (11 millions de km²) derrière les États-Unis (12,2 millions de km²)

PIB/hab en indice

UE	Guadeloupe	Guyane	Martinique	La Réunion
100	65,9	52,8	71,8	66,8

Source : Eurostat, 2009-2011

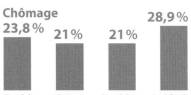

Chômage

Guadeloupe	Guyane	Martinique	La Réunion
23,8 %	21 %	21 %	28,9 %

Source : Eurostat, 2010

1 Mayotte, un eldorado pour ses voisins comoriens

Arraisonnement d'une embarcation
d'immigrants illégaux à Mayotte.

Depuis que Mayotte est devenue un DROM en 2011, elle fait figure d'îlot de prospérité. L'immigration clandestine, comorienne mais aussi malgache ou africaine, ne cesse de croître.

2 Carrière de nickel en Nouvelle-Calédonie

À la différence de la plupart des autres territoires français ultramarins dont l'économie repose principalement sur le tourisme, la Nouvelle-Calédonie a un important secteur industriel tourné vers l'exploitation du nickel.

3 L'indice de développement humain (IDH) des territoires ultramarins

	IDH	Rang mondial
France hexagonale	0,883	20
Guadeloupe	0,822	38
Martinique	0,814	39
Nouvelle-Calédonie	0,789	50
IDH seuil des pays à niveau d'IDH très élevé	0,780	
La Réunion	0,774	54
Wallis-et-Futuna (2005)	0,763	53
Saint-Pierre-et-Miquelon	0,762	66
Guyane	0,740	73
Polynésie française	0,737	75
Saint-Martin (1999)	0,702	64
Saint-Barthélemy (1999)	0,688	69
IDH seuil des pays à niveau d'IDH élevé	0,697	–
Mayotte (2005)	0,637	107

Source : AFD, 2010.

CHIFFRES-CLÉS

Part du tourisme dans le PIB

7%	9%	7,7%	2,6%
Guadeloupe	Martinique	Polynésie française	Réunion

Répartition de la programmation FEDER et FSE pour les objectifs « Compétitivité régionale et emploi » et « Convergence »

Période 2007-2013, en millions d'euros	FEDER	FSE	TOTAL
GUADELOUPE	360,54	197,74	558,28
GUYANE	296,20	96,02	392,22
MARTINIQUE	384,90	108,58	493,48
RÉUNION	608,81	538,57	1 147,37
FRANCE (métropole et outre-mer)	7 080,00	5 784,15	12 864,15

Réviser

carte mentale lienmini.fr/hgemc3-119

Saisissez cette adresse sur votre navigateur pour découvrir la carte mentale.

CARTE MENTALE

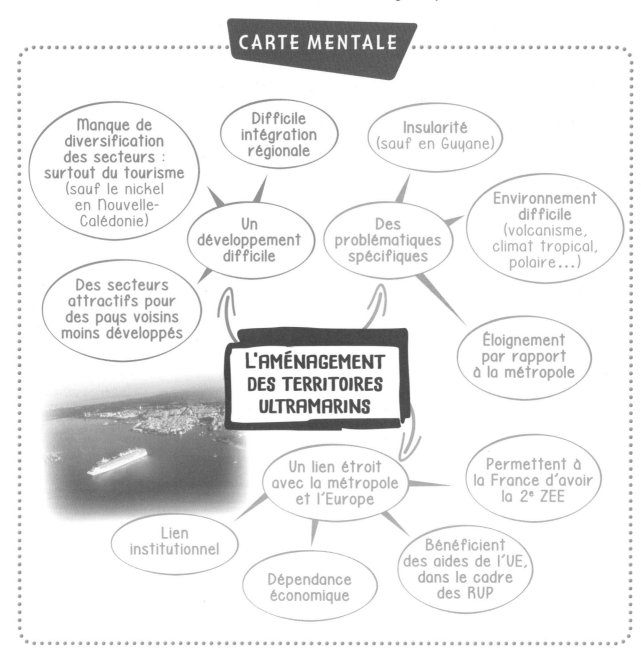

Manque de diversification des secteurs : surtout du tourisme (sauf le nickel en Nouvelle-Calédonie)

Difficile intégration régionale

Insularité (sauf en Guyane)

Environnement difficile (volcanisme, climat tropical, polaire...)

Un développement difficile

Des problématiques spécifiques

Des secteurs attractifs pour des pays voisins moins développés

Éloignement par rapport à la métropole

L'AMÉNAGEMENT DES TERRITOIRES ULTRAMARINS

Permettent à la France d'avoir la 2e ZEE

Un lien étroit avec la métropole et l'Europe

Lien institutionnel

Dépendance économique

Bénéficient des aides de l'UE, dans le cadre des RUP

Réviser en ligne

Je teste mes connaissances

QUIZ lienmini.fr/hgemc3-120

Saisissez cette adresse sur votre navigateur pour lancer le quiz.

Le tuto pour créer ma carte mentale.

TUTO vidéo

lienmini.fr/hgemc3-001

MÉTHODE

Lire un article de presse

Étape 1 ▶ **Présentez l'article :** un article de presse est un texte qui raconte un évènement ou présente des faits en exposant un point de vue. Il s'appuie sur différentes sources d'information orales ou écrites. Donnez la date de publication, identifiez l'auteur ainsi que le ou les destinataires.

Étape 2 ▶ **Analysez l'article :** reformulez la ou les idées développées dans l'article.

Étape 3 ▶ **Interprétez l'article :** replacez ces idées dans leur contexte (historique, géographique, économique, etc.) et indiquez éventuellement la tendance politique du journal si vous la connaissez.

Les ressources de Saint-Pierre-et-Miquelon

« Invisible sur les cartes, ce confetti caché sous l'ile de Terre-Neuve est la plus petite collectivité territoriale de France avec ses 6 080 habitants. […] "On vit au rythme de la météo pas toujours facile en hiver. On est habitués à affronter seuls toutes les difficultés quand on vit à 18 heures et deux escales de Paris", raconte Annick Girardin, seule députée de gauche (PRG) réélue sur quinze partielles depuis 2012.

Au fait… de quoi vit-on à Saint-Pierre-et-Miquelon ? De la pêche comme de tout temps. En dépit de la raréfaction de la ressource et de l'appétit, les droits de pêche font l'objet d'un conflit entre la France et le Canada qui se disputent 170 km d'océan Atlantique. L'ONU doit arbitrer de nouveau en 2015 ce litige sur la propriété maritime des miles nautiques de moins en moins poissonneux mais de plus en plus convoités. Annick Girardin ne le cache pas : "L'enjeu, ce sont les ressources en gaz et en pétrole. Aujourd'hui, on ne connait que 7 % de ces réserves. C'est capital pour l'avenir de Saint-Pierre-et-Miquelon." »

« Saint-Pierre-et-Miquelon, entre outre-mer et outre-tombe », AFP (Agence France-Presse), 23 décembre 2014.

---

1 Présentez l'article

D'où ce texte est-il extrait ?

2 Analysez l'article

Quelle est l'activité principale de Saint-Pierre-et-Miquelon ?
Pourquoi le Canada est-il en conflit avec la France ?

3 Interprétez l'article

Quel est l'enjeu de ce litige ? Pourquoi cette question est-elle essentielle pour l'avenir de Saint-Pierre-et-Miquelon ?

Brevet

Sujet guidé

Exercice 1   Analyser et comprendre des documents

Le tourisme en Nouvelle-Calédonie

« Ils sont venus de tout le Pacifique. Forts de leurs expériences en matière de tourisme dans leurs îles respectives (Nouvelle-Calédonie, Wallis-et-Futuna, Polynésie française, Fidji, Nouvelle-Zélande, Île de Pâques et même Pitcairn).

Depuis hier et ce jusqu'à vendredi, ils travaillent pour établir une liste de recommandations pour mettre en place un tourisme durable dans leurs régions respectives.

Cette rencontre s'est mise en place dans le cadre du projet Integre (Initiative des territoires pour la gestion régionale de l'environnement). Ce projet de développement durable vise à promouvoir la gestion intégrée des zones côtières et à renforcer la coopération régionale dans le domaine du développement durable. Ce projet est mis en œuvre par le Secrétariat général de la Communauté du Pacifique (CPS) avec le soutien financier de l'Union européenne.

Propos de Victor Tutugoro, second vice-président de la Province Nord de Nouvelle-Calédonie

Quelle est la situation touristique de la Province Nord de Nouvelle-Calédonie ?

De manière globale, la fréquentation touristique est stable. Nous sommes à 105 000 touristes par an dans la province Nord. Nous avons principalement une clientèle locale notamment des gens qui travaillent pour l'usine du Nord, voire à Nouméa ou dans l'administration.

Qu'avez-vous mis en place pour favoriser le développement touristique ?

Depuis quelques années, la Province Nord met en place un projet d'écotourisme. On a déjà commencé les formations de guide touristique qui peut parler de la culture, des plantes...

Qu'attendez-vous de ces quatre journées de travail ?

Nous voulons voir ce qui se fait à Tahiti. Il y a également un représentant de Fidji. L'an dernier, ils ont eu près de 700 000 touristes. On sait que l'on ne pourra pas faire comme eux. Aujourd'hui, la priorité de la Nouvelle-Calédonie, c'est le développement et la valorisation du nickel. Mais on souhaite quand même renforcer le tourisme local et trouver des niches à l'extérieur. »

Mélanie Thomas, « Des conseils de tout le Pacifique pour un tourisme durable », www.tahiti-infos.com, 24 février 2015.

1 **Présentez le document et son sujet.**

> L'analyse du texte doit faire ressortir les caractéristiques de ce projet.

2 **De quels espaces ultramarins français sont originaires les participants de la réunion ?**

3 **Quel est le but de cette réunion ?**

4 **Pourquoi d'autres îles sont-elles invitées ?**

> Utilisez un vocabulaire spécifique : écotourisme, aménagements, accessibilité, développement, financement.

5 **Comment les territoires ultramarins envisagent-ils ici le développement durable ?**

Exercice 2   Maîtriser différents langages pour raisonner et se repérer

Sujet : Sous la forme d'un développement construit d'une vingtaine de lignes et en vous appuyant sur les exemples étudiés en classe, montrez quels sont les enjeux spécifiques de l'aménagement des territoires ultramarins.

> Rappelez les caractéristiques communes des territoires ultramarins.

Exercice 1   Analyser et comprendre des documents

1   Le commerce extérieur de La Réunion

	2014 (millions d'euros)
Ensemble des importations	**4650**
France métropolitaine	2675
Asie	967
UE (hors France)	632
Afrique	137
Iles océan Indien[1]	54
Reste du monde	185
Ensemble des exportations	**285**
France métropolitaine	99
UE (hors France)	65
Asie	53
Iles océan Indien[1]	47
Amérique du Nord	9
DOM (hors Mayotte)	3
Reste du monde	9

1. Mayotte, Madagascar, Maurice, Comores, Seychelles.

Source : Douanes.

2   Ce que La Réunion importe et exporte

« La Réunion importe principalement des produits agricoles : pour plus de 100 millions d'euros. Puis viennent les produits pétroliers, d'une valeur moitié moindre et en chute de 11% sur l'année. Pour ce qui est des voitures, près de 300 millions sont arrivées sur l'île en 2013.

Quant à l'exportation, le produit qui se vend le plus est le sucre. Plus de 75 millions d'euros de recette à l'extérieur, un chiffre en augmentation de près de 5%. Ce sont les fruits secs qui ont connu le plus gros bond avec une exportation en hausse de 122%. […] Et ce sont les déchets que La Réunion exporte le moins (-50%). À noter que ces derniers sont principalement envoyés en Inde. […]

À ses voisins, La Réunion vend principalement des préparations utilisées pour l'alimentation des animaux (à Madagascar : 9 millions d'euros), puis les voitures de tourisme (à Mayotte et à Madagascar : 2 millions d'euros vers chaque destination). De Madagascar, La Réunion importe des légumes, poissons et du café. »

Baradi Siva, « Ce que La Réunion importe et exporte », www.linfo.re, 30 juin 2014.

1   Que représentent les données chiffrées du tableau ?

2   Vers quel pays La Réunion exporte-t-elle et importe-t-elle le plus ? Pourquoi ?

3   Localisez La Réunion. Avec quelles régions proches d'elle La Réunion commerce-t-elle ?

4   Quelles sont les marchandises que La Réunion importe et qu'elle exporte vers ces régions ? Est-ce un commerce important ? Pourquoi ?

Exercice 2   Maitriser différents langages pour raisonner et se repérer

a   **Sujet :** Sous la forme d'un développement construit d'une vingtaine de lignes et en vous appuyant sur les cas et les exemples étudiés en classe, montrez que les liens étroits que les territoires ultramarins français entretiennent avec la métropole sont des freins à leur intégration régionale.

b   À quoi correspondent sur la carte ci-contre les points A, B et C ?

CHAPITRE 17

L'Union européenne,
un nouveau territoire de référence et d'appartenance

Trois ponts pour relier Strasbourg et Kehl

AIDE VISUELLE

1 Strasbourg

2 Kehl (Allemagne)

3 Pont de l'Europe

4 Passerelle (image de synthèse)

5 Pont ferroviaire

Quels éléments font de l'Union européenne un nouveau territoire de référence pour de nombreux habitants ?

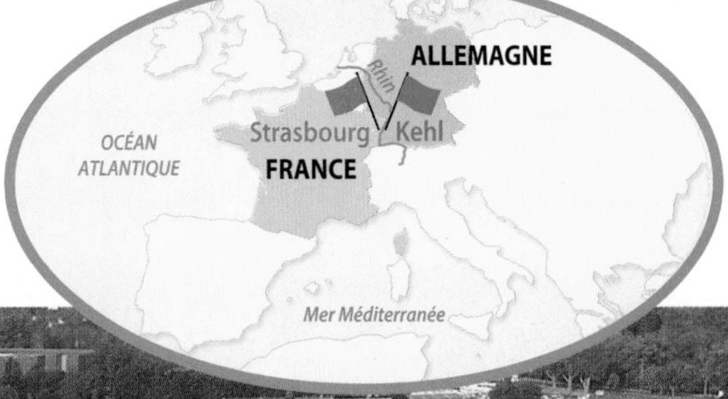

OCÉAN ATLANTIQUE

ALLEMAGNE

Strasbourg / Kehl

Rhin

FRANCE

Mer Méditerranée

Pendant des siècles, le Rhin a été une frontière disputée entre la France et l'Allemagne. Déjà reliées par deux ponts, Strasbourg et Kehl le seront par un troisième en 2017, sur lequel on pourra passer en tramway, à pied ou en vélo. Cet aménagement a été décidé lors d'un conseil municipal commun.

Image de synthèse du 3e pont (celui du milieu), entre Kehl et Strasbourg, projet mené par Bouygues Travaux Publics Régions France.

Étude de cas

L'eurodistrict catalan, un territoire transfrontalier

FRANCE

EURODISTRICT CATALAN

Mer Méditerranée

FRANCE

ESPAGNE

ESPAGNE

▶ **Quelles pratiques quotidiennes font de cet eurodistrict un espace de vie transfrontalier ?**

Cet eurodistrict correspond au département français des Pyrénées-Orientales et à la province espagnole de Gérone. Dans ce territoire très diversifié (littoral méditerranéen et montagnes pyrénéennes), les liens transfrontaliers entre les populations sont particulièrement forts.

1 Le Perthus, une zone commerciale transfrontalière

Le Perthus attire chaque jour de nombreux visiteurs qui viennent profiter de prix attractifs du côté espagnol. Le côté gauche de la rue appartient à la France, celui de droite à l'Espagne.

VOCABULAIRE

Un eurodistrict : une entité administrative transfrontalière regroupant des zones urbaines et/ou rurales, destinée à favoriser la coopération.

INTERREG : le programme européen visant à promouvoir la coopération entre les régions des différents pays membres.

2 L'école bilingue du Perthus

« Depuis de nombreuses années, l'école du Perthus se distingue par un fait peu commun: le tiers de ses effectifs provient du pays voisin. D'ailleurs, le terme "international" a servi dès 1931 pour qualifier l'école.

Les élèves reflètent cette image transfrontalière et l'on peut voir se côtoyer dans les classes des enfants de père et mère français, de père catalan et mère française, de père français et mère catalane,... bref les configurations sont multiples et les jeunes perthusiens dans la cour de l'école entendent quotidiennement les trois langues: français, espagnol et catalan.

La municipalité, l'équipe enseignante et l'équipe de Circonscription ont décidé d'élaborer un projet autour d'une école transfrontalière bilingue et multilangues. L'objectif est donc de permettre à tous les enfants de l'école d'aborder l'apprentissage de deux langues en plus de leur langue maternelle. »

« École transfrontalière du Perthus », www.le-perthus.com consulté le 6 janvier 2016.

Je situe

1 DOC. 3 Dans quelle partie de l'Union européenne se situe l'eurodistrict catalan ?

J'extrais des informations

2 DOC. 2 ET 3 Relevez les informations indiquant l'existence de nombreux flux de part et d'autre de la frontière.

3 DOC. 1 ET 3 Quels éléments montrent que le Perthus est un village transfrontalier ?

4 DOC. 2 ET 4 Comment ces deux projets permettent-ils de faciliter la vie des populations au quotidien ?

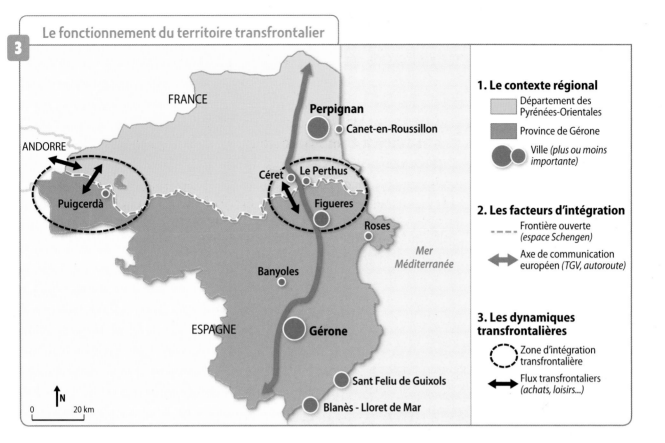

3 Le fonctionnement du territoire transfrontalier

FRANCE

ANDORRE

Puigcerdà

Perpignan
• Canet-en-Roussillon

Céret • Le Perthus
Figueres

Roses

Mer Méditerranée

Banyoles

ESPAGNE

Gérone

Sant Feliu de Guixols

Blanès - Lloret de Mar

N

0   20 km

1. Le contexte régional

Département des Pyrénées-Orientales

Province de Gérone

Ville *(plus ou moins importante)*

2. Les facteurs d'intégration

- - - - Frontière ouverte *(espace Schengen)*

↔ Axe de communication européen *(TGV, autoroute)*

3. Les dynamiques transfrontalières

Zone d'intégration transfrontalière

↔ Flux transfrontaliers *(achats, loisirs...)*

---

4 Puigcerdà, le premier hôpital transfrontalier européen

« La Cerdagne est une vallée pyrénéenne située à plus de 1200 m d'altitude, elle compte environ 30 000 habitants permanents. […] En cas d'urgence hospitalière, les habitants dev[aient] se rendre à Barcelone ou à Perpignan à deux heures de route. […] Mais en septembre 2014, l'hôpital transfrontalier a ouvert ses portes sur le territoire de la commune de Puigcerdà (Catalogne) non loin de la frontière française.

L'hôpital transfrontalier contribue grandement au bien-être des habitants de la Cerdagne et du Capcir en leur offrant des soins de santé de proximité (maternité, service de radiologie, spécialité en médecine du sport de montagne, etc.). L'hôpital fonctionne, avec un personnel médical et administratif binational qui accueille les patients dans 3 langues (catalan, espagnol et français). Les patients catalans et français utilisent leurs cartes de santé et ils sont pris en charge comme dans n'importe quel hôpital français ou catalan. »

Mathieu Henceval, « L'hôpital transfrontalier de la Cerdagne : de l'Europe concrète », www.taurillon.org, 15 mai 2015.

Cet hôpital, unique en son genre, a été financé à 60 % par l'UE (programme INTERREG).

Je raisonne

5 Expliquez quelles pratiques et quels projets font de l'eurodistrict un territoire transfrontalier.

▶ - Donnez la définition d'un eurodistrict.
- Appuyez-vous sur l'exemple de l'école et de l'hôpital pour décrire la dimension transfrontalière de cet eurodistrict.

Étude de cas

La liaison ferroviaire Lyon/Turin, un projet d'aménagement transfrontalier

▶ **Ce projet d'aménagement est-il bénéfique pour les populations de cette région transfrontalière ?**

La France, l'Italie et l'Union européenne ont décidé de réaliser une liaison ferroviaire à grande vitesse de 250 kilomètres à travers les Alpes. Ce projet qui devrait permettre de relier Lyon et Turin en deux heures crée d'importants débats entre citoyens.

1 | Un élément clé dans le réseau de transport ferroviaire européen (en 2015)

☐ Union européenne	—— Grand axe de communication	▪▪▪▪ Axe de communication Lyon-Turin en projet

2 | Faciliter les transports dans les Alpes

« La ligne nouvelle Lyon-Chambéry-Turin offrira aux Alpes du Nord une meilleure accessibilité […]. Alors que le réseau européen à grande vitesse est déjà une réalité entre la France, l'Angleterre, l'Espagne, l'Allemagne et la Suisse, il n'existe toujours pas de liaison ferroviaire moderne entre la France et l'Italie. Pourtant, la France est le second partenaire économique de l'Italie. Elle contribuera aussi à faciliter les relations entre les grandes régions frontalières, en réduisant les temps de transport tant pour les voyageurs que pour les marchandises.

[…] En favorisant le transport ferroviaire vers les Alpes franco-italiennes, la nouvelle liaison permettra de rééquilibrer les différents modes de transport et offrira une alternative écologique à la route. »

« Un projet pour un territoire », www.lyon-turin.info consulté en janvier 2016.

VOCABULAIRE

Le fret : les marchandises chargées dans un avion, un bateau, un camion.

Un « Grand Projet Inutile » : une expression militante apparue dans les années 2010, pour désigner des projets d'aménagement de grande ampleur et dont l'utilité est remise en cause.

Je situe

1 DOC. 1 **Dans quelle partie de l'Union européenne se situe ce projet ?**

J'extrais des informations

2 DOC. 1 **Pourquoi la liaison Lyon/Turin peut-elle être considérée comme le chainon manquant dans le réseau de transport européen ?**

3 DOC. 1 ET 2 **Relevez les différents atouts que représente ce projet pour les habitants et l'économie de cette région transfrontalière (France/Italie).**

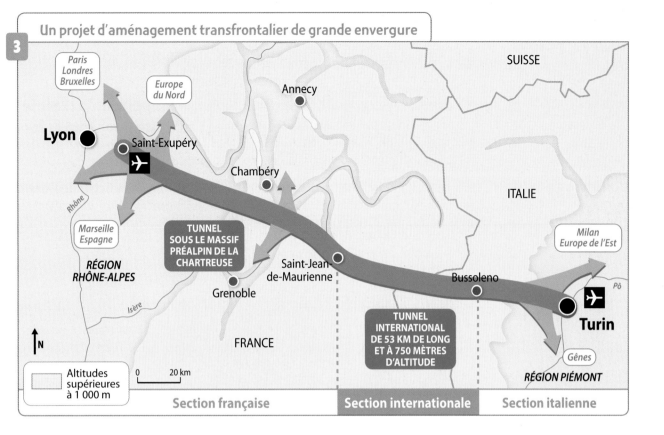

3 | Un projet d'aménagement transfrontalier de grande envergure

SUISSE

Paris Londres Bruxelles

Europe du Nord

Annecy

Lyon

Saint-Exupéry

Chambéry

ITALIE

Rhône

Marseille Espagne

TUNNEL SOUS LE MASSIF PRÉALPIN DE LA CHARTREUSE

RÉGION RHÔNE-ALPES

Saint-Jean-de-Maurienne

Milan Europe de l'Est

Bussoleno

Pô

Isère

Grenoble

TUNNEL INTERNATIONAL DE 53 KM DE LONG ET À 750 MÈTRES D'ALTITUDE

Turin

FRANCE

Gênes

RÉGION PIÉMONT

N

Altitudes supérieures à 1 000 m

0   20 km

Section française   Section internationale   Section italienne

---

4 | Le projet suscite des débats entre citoyens

Pour

« Le trafic routier de fret transitant à travers les Alpes Françaises (2 600 000 camions par an soit plus de 90 % du trafic total de fret) a transformé les vallées alpines […] en couloirs à camions dangereux et pollués. […] Loin d'être le "grand projet inutile" diabolisé par les écologistes, […] le Lyon-Turin peut permettre un transfert massif du trafic routier sur le rail, et contribuer ainsi à la réduction de la pollution des vallées alpines et des émissions de gaz à effet de serre. »

« La FNAUT réaffirme son soutien au projet Lyon-Turin », Fédération Nationale des Associations d'Usagers des Transports, www.fnaut.fr, 20 janvier 2015.

Contre

« Comme pour tous les Grands Projets inutiles, son cout est pharaonique : il est estimé à 26 milliards d'euros. […] Son utilité publique n'est pas avérée. La ligne existante est utilisée à moins de 20 % […]. [Ce projet] impacte aussi les zones d'habitation sur tout le trajet entre Lyon et Saint-Jean-de-la-Porte.

Il implique le percement de nombreux tunnels, le stockage et la gestion de montagnes de gravats, le tarissement probable des sources, des nuisances pour l'environnement et les habitants. »

« Appel contre le Lyon-Turin : tous à Chapareillan en Isère le 14 juin », www.reporterre.net, 14 juin 2015.

Conseil Brevet

J'analyse des documents

④ DOC. 3 Pourquoi ce projet est-il très difficile à réaliser et couteux ?

⑤ DOC. 4 Relevez les arguments pour et contre ce projet.

Confronter deux témoignages

Pour confronter deux témoignages sur un même sujet, identifiez puis comparez le point de vue de chacun.

Dossier

L'Union européenne, un territoire d'appartenance

▶ **Les différentes politiques de l'UE ont-elles permis de créer le sentiment d'appartenir à un même territoire pour toutes les populations ?**

L'Union européenne est un modèle de territoire unique au monde. Depuis la fin de la Seconde Guerre mondiale, elle tente d'associer de plus en plus d'États (28 actuellement) autour d'un grand projet commun. Un des principaux objectifs est de créer une citoyenneté commune à tous les pays.

1 Les fonds structurels au service de la solidarité européenne

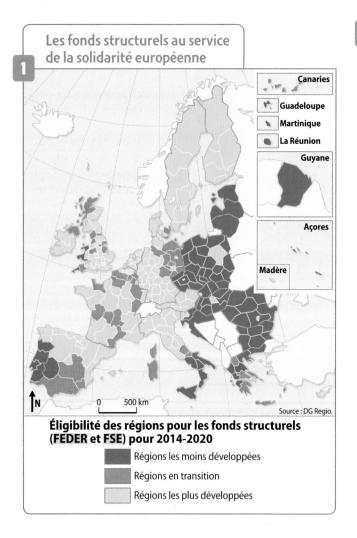

Canaries
Guadeloupe
Martinique
La Réunion
Guyane
Açores
Madère

Source : DG Regio.

Éligibilité des régions pour les fonds structurels (FEDER et FSE) pour 2014-2020

- Régions les moins développées
- Régions en transition
- Régions les plus développées

2 Le programme Erasmus

Chaque année plus de 200 000 étudiants partent étudier dans un autre pays de l'UE grâce à ce programme.

« Une fois sur place, j'ai pu faire des rencontres et échanger au quotidien. J'ai d'ailleurs pu parler anglais, tchèque et espagnol. [...].

Ce fut une expérience enrichissante qui m'a permis d'ouvrir mon esprit et de me rendre compte que malgré les différences culturelles, nous avons tant à découvrir et à échanger avec l'autre. Cette véritable aventure humaine est le symbole même de la paix. Je suis bilingue anglais aujourd'hui grâce à cette expérience où j'étudiais uniquement en anglais ou en tchèque et j'ai appris à vivre en autonomie et à être plus ouvert aux autres. [...]

Si je devais résumer, je dirais que c'était un séjour merveilleux dans le premier sens du terme, qui invite à la tolérance et à la camaraderie. Je ne sais pas vraiment ce que veut dire être européen au-delà d'être dans une position géographique précise, mais ce qui est sûr, c'est que j'ai arrêté d'étiqueter les gens, quelle que soit leur origine ou nationalité. »

« Sélim, Erasmus en République tchèque », Maison de l'Europe en limousin, europe-limousin.eu, consulté en janvier 2016.

- -

Je situe

1 DOC. 1 **Dans quelles parties de l'UE se trouvent les régions les plus aidées ?**

J'extrais des informations

2 DOC. 2 **Pourquoi Erasmus favorise-t-il le sentiment d'être Européen chez les jeunes ?**

3 DOC. 3 **Comment ce rassemblement permet-il aux jeunes de faire l'expérience de la citoyenneté européenne ?**

4 DOC. 4 **En quoi l'organisation de ce vote montre-t-elle un faible sentiment d'appartenance à l'Union européenne de la part des Britanniques ?**

Le Parlement européen, un lieu d'expression citoyenne pour les jeunes

Des milliers de jeunes Européens participent, ici en 2014, aux rencontres « EYE », lors desquelles ils peuvent débattre entre eux et avec des experts et décideurs européens.

Après sa victoire aux élections britanniques le 7 mai 2015, le premier ministre promet l'organisation d'un référendum sur la sortie du Royaume-Uni de l'UE (appelé « Brexit »). Tenu le 23 juin 2016, il voit la victoire des partisans du Brexit.

4 Le Royaume-Uni sort de l'UE

Dessin de Chappatte, *The International New York Times*, 11 mai 2015.

VOCABULAIRE

Le **Brexit** (contraction de *Britain* et *exit*) : la sortie du Royaume-Uni de l'UE, votée par référendum le 23 juin 2016 par les électeurs.

FEDER : le Fonds européen de développement régional, il distribue des aides financières pour favoriser le développement et réduire les inégalités entre régions.

FSE : le Fonds social européen, destiné à améliorer l'employabilité des citoyens européens.

Je raisonne

5 À la lecture de ces documents, avez-vous le sentiment qu'il existe un véritable sentiment d'appartenance à l'UE de la part des populations ? Justifiez votre point de vue.

Conseil Brevet

Lire une carte

Pour lire une carte, il faut repérer le sens des figurés dans la légende.

1. Un nouveau territoire d'appartenance

- - - - - Forte intégration transfrontalière

▬▬▬ Grand axe de communication

☐ Espace Schengen

€ Zone euro

▨ État engagé dans une procédure de sortie de l'UE depuis le 23 juin 2016

2. Un espace de citoyenneté

◆ Siège de la commission européenne

◇ Siège du Parlement européen

3. De forts contrastes spatiaux

▬ Région de fort développement

☐ Région de développement intermédiaire

☐ Région peu développée *(aides du FEDER)*

● Plus ou moins grande métropole

📍 Étude de cas

ISLANDE

IRLANDE
Dublin

OCÉAN

ATLANTIQUE

PORTUGAL

Madrid

ESPAGNE

0   300 km

↑N

Des études de cas...

1 Dans quels pays se situe l'eurodistrict catalan ?

📍 Le Perthus, p. 330

2 Quels pays sont reliés par le projet Lyon-Turin ?

📍 Lyon-Turin, p. 332

CARTE *lienmini.fr/hgemc3-121*

Saisissez cette adresse sur votre navigateur pour animer la carte.

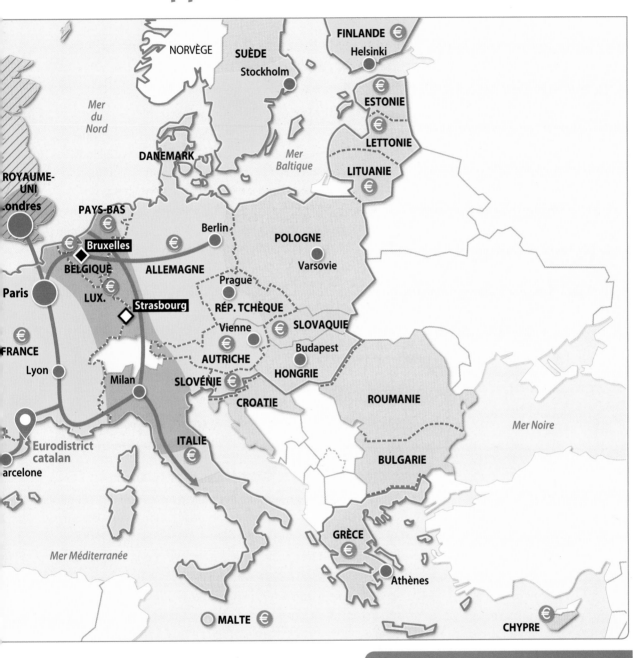

NORVÈGE

SUÈDE
Stockholm

FINLANDE €
Helsinki

Mer du Nord

ESTONIE €

Mer Baltique

LETTONIE

DANEMARK

LITUANIE €

ROYAUME-UNI
Londres

PAYS-BAS €

€ Bruxelles

Berlin

POLOGNE
Varsovie

BELGIQUE €

ALLEMAGNE

Prague

LUX.

Strasbourg

RÉP. TCHÈQUE

Paris

Vienne €

SLOVAQUIE

€ FRANCE

AUTRICHE

Budapest

Lyon

HONGRIE

Milan

SLOVÉNIE €

ROUMANIE

Mer Noire

Eurodistrict catalan
Barcelone

CROATIE

ITALIE €

BULGARIE

Mer Méditerranée

GRÈCE €

Athènes

MALTE €

CHYPRE €

3 Quelles sont les villes-sièges des institutions européennes ?

L'Union européenne, p. 334

... à l'échelle de l'Europe

4 Comment les populations et les territoires européens sont-ils reliés ?

5 Identifiez les régions européennes aidées par le FEDER.

6 Identifiez les régions européennes les plus développées.

L'Union européenne, un nouveau territoire de référence et d'appartenance

▶ **Quel éléments font de l'Union européenne un nouveau territoire de référence ?**

VOCABULAIRE

Erasmus : le programme européen permettant à des jeunes d'étudier dans un autre pays de l'UE.

L'espace Schengen : l'espace de libre circulation des personnes au sein de l'UE.

Eurosceptique : se dit d'une personne opposée à l'UE et à l'intégration européenne.

LGV : les lignes (de chemin de fer) à grande vitesse.

Les régions transfrontalières : les régions appartenant à deux États différents où de nombreux échanges économiques et culturels se font par-delà la frontière.

A Un nouveau territoire d'appartenance

▶ L'Union européenne correspond avant tout à la volonté de **créer une citoyenneté à l'échelle des États partenaires**. Ainsi, Strasbourg (siège du Parlement européen) et Bruxelles (siège de la commission européenne) constituent de **nouveaux lieux d'exercice de la démocratie**.

▶ Dans certaines régions transfrontalières, les liens entre citoyens européens sont concrets : **de nombreuses personnes traversent régulièrement les frontières d'un autre État pour le travail ou les loisirs**.

▶ La France est un des principaux acteurs de l'UE. Elle multiplie les projets pour mieux se connecter aux pays voisins (autoroutes, LGV…).

B L'UE, un acteur territorial majeur pour les populations

▶ De nombreuses mesures concrètes menées par l'UE modifient la vie des populations au quotidien : faire des achats dans un autre pays de la zone euro, **circuler librement dans l'espace Schengen**, étudier à l'étranger grâce au projet Erasmus…

▶ Comme les autres pays membres, les régions françaises bénéficient des nombreux projets financés par le FEDER ou le FSE.

C Fragilités, contestations et euroscepticisme

▶ La principale fragilité correspond à **l'existence de très fortes inégalités** à l'échelle de l'UE. On constate un très net **déséquilibre entre les pays de l'Est et ceux de l'Ouest**, mais aussi une véritable **fracture Nord/Sud**.

▶ La question des limites extérieures (intégration de la Turquie ou de la Serbie) constitue un des principaux débats.

▶ On peut également constater dans plusieurs pays (dont la France) **des formes de remise en cause de l'appartenance à l'UE**. Ainsi les électeurs britanniques ont voté pour le « Brexit » en juin 2016. De même l'abstention aux élections européenne reste forte dans certains pays.

CHIFFRES-CLÉS

506 millions d'habitants

UE

28 États

36% du budget de l'UE consacré à l'aide aux régions

PIB/habitant du Luxembourg 7 fois plus élevé que celui de la Roumanie

1 L'Union européenne en région, l'exemple de la Bourgogne

FONDS EUROPÉENS ALLOUÉS POUR DES PROJETS BOURGUIGNONS EN 2014-2020

Feder (Fonds européen de développement régional) :
183 millions d'euros

- Recherche publique
- Partenariats public-privé
- Innovation
- Compétitivité des PME
- Réduction de la consommation énergétique et développement de la mobilité
- Énergies renouvelables
- Développement des technologies de l'information de la communication (TIC)
- Développement urbain durable

FSE (Fonds social européen) :
40 millions d'euros

- Qualification des demandeurs d'emploi et accès à la formation
- Qualification des jeunes par l'apprentissage
- Orientation professionnelle

2 Les limites au sentiment de citoyenneté européenne

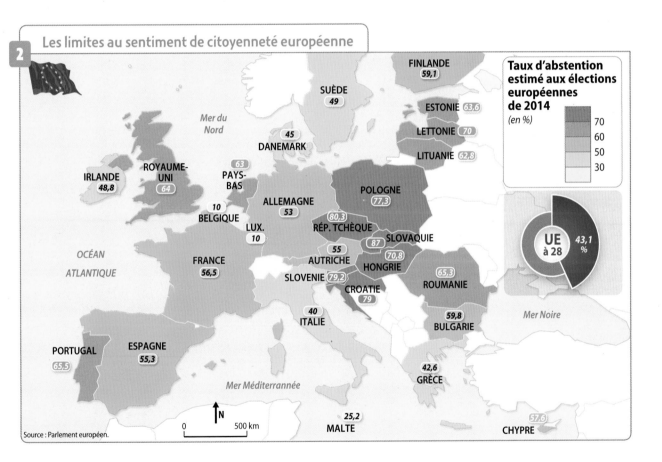

Taux d'abstention estimé aux élections européennes de 2014
(en %)

70
60
50
30

FINLANDE 59,1
SUÈDE 49
ESTONIE 63.6
LETTONIE 70
LITUANIE 62.8
Mer du Nord
DANEMARK 45
ROYAUME-UNI 64
IRLANDE 48,8
PAYS-BAS 63
ALLEMAGNE 53
POLOGNE 77,3
BELGIQUE 10
LUX. 10
RÉP. TCHÈQUE 80,3
SLOVAQUIE 87
OCÉAN ATLANTIQUE
FRANCE 56,5
AUTRICHE 55
HONGRIE 70,8
ROUMANIE 65,3
SLOVENIE 79,2
CROATIE 79
Mer Noire
ITALIE 40
BULGARIE 59,8
PORTUGAL 65,5
ESPAGNE 55,3
GRÈCE 42,6
Mer Méditerrannée
MALTE 25,2
CHYPRE 57,6

UE à 28 — 43,1 %

N
0   500 km

Source : Parlement européen.

DOCUMENTS CLÉS

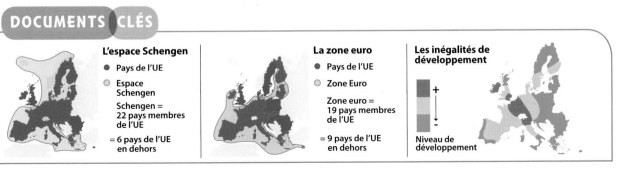

L'espace Schengen
- Pays de l'UE
- Espace Schengen

Schengen = 22 pays membres de l'UE

= 6 pays de l'UE en dehors

La zone euro
- Pays de l'UE
- Zone Euro

Zone euro = 19 pays membres de l'UE

= 9 pays de l'UE en dehors

Les inégalités de développement

+
-

Niveau de développement

carte mentale lienmini.fr/hgemc3-122

Saisissez cette adresse sur votre navigateur pour découvrir la carte mentale.

CARTE MENTALE

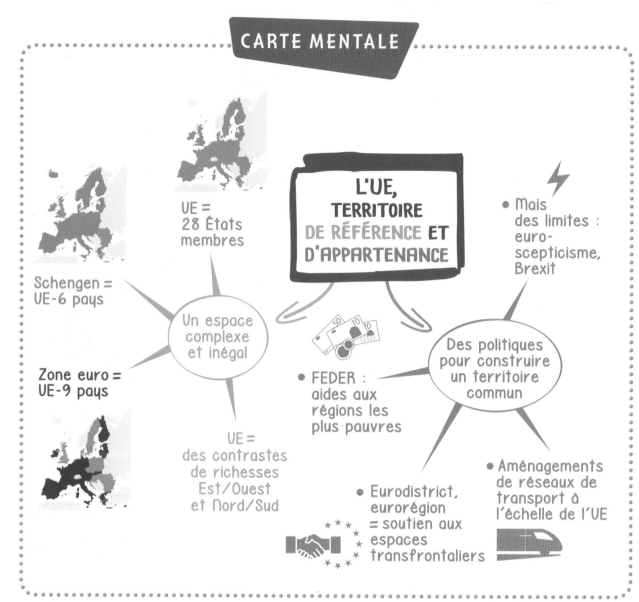

L'UE, **TERRITOIRE** DE RÉFÉRENCE ET D'APPARTENANCE

UE = 28 États membres

Schengen = UE-6 pays

Zone euro = UE-9 pays

Un espace complexe et inégal

UE = des contrastes de richesses Est/Ouest et Nord/Sud

- Mais des limites : euro-scepticisme, Brexit

Des politiques pour construire un territoire commun

- FEDER : aides aux régions les plus pauvres

- Eurodistrict, eurorégion = soutien aux espaces transfrontaliers

- Aménagements de réseaux de transport à l'échelle de l'UE

Réviser en ligne

Je teste mes connaissances

QUIZ lienmini.fr/hgemc3-123

Saisissez cette adresse sur votre navigateur pour lancer le quiz.

Le tuto pour créer ma carte mentale.

TUTO vidéo

lienmini.fr/hgemc3-001

Analyser une caricature

Étape 1 **Présentez le dessin :** indiquez le titre, le nom de l'auteur, la date, la source.

Étape 2 **Analysez le contenu du dessin :** décrivez la situation présentée.

Étape 3 **Interprétez :** mettez en relation les informations du dessin et les connaissances tirées du cours ou de l'actualité.

Les hésitations du Royaume-Uni

Ici, que représentent les bandes du drapeau britannique ?

Dessin de Wofgang Ammer,
Courrier international, 17 juillet 2013

*« backward/ forward » :
en arrière, en avant ;
« Out/in » « dehors/dedans ».*

1 Présentez le dessin
Le dessin est-il récent ?
Provient-il d'une source fiable ?

2 Analysez le contenu du dessin
Relevez les textes et les symboles présents sur le dessin.
Que signifie concrètement, pour un État européen, être en « dehors ou dedans » de l'UE ?

3 Interprétez
Comment le dessin fait-il ressortir les hésitations du Royaume-Uni au sujet de son maintien dans l'UE ?
Savez-vous si les populations d'autres pays se posent les mêmes questions ?

Exercice 1   Analyser et comprendre des documents

JE TE DIS QU'ILS BLUFFENT !

EUROPE

L'Union européenne face aux difficultés financières de la Grèce

Dessin de Plantu,
Le Monde, 16 juin 2015.

1 Décrivez la scène représentée.

> Décrivez les attitudes des différents personnages et expliquez les symboles.

2 À quelles difficultés de la Grèce fait-on référence ici ?

> Pourquoi avoir représenté le drapeau en mauvais état ? Que symbolisent les bouées dans ce dessin ?

3 Quelle situation le dessinateur dénonce-t-il ?

Exercice 2   Maîtriser différents langages pour raisonner

Sujet : Sous la forme d'un développement construit d'une vingtaine de lignes, montrez en quoi l'Union européenne est devenue un nouveau territoire de référence pour de nombreux habitants.

> Pour rassembler les exemples, au brouillon, utilisez un tableau comme celui-ci :
>
> | un territoire de référence | l'action de l'UE sur les territoires | les doutes sur l'action de l'UE |
> |---|---|---|
> | - citoyenneté européenne
 - territoires transfrontaliers | - aides pour les régions en difficulté : FEDER
 - Espace Schengen | - inégalités entre territoires
 - eurosceptiques |

Brevet

Exercice 1 Analyser et comprendre des documents

1 Les objectifs de la politique régionale de l'UE

« La politique régionale vise à réduire les écarts de développement entre les régions de l'Union par un transfert de ressources des régions les plus riches vers celles les plus démunies. Le traité de Lisbonne définit les régions concernées par la politique de cohésion comme "des zones rurales, des zones où s'opère une transition industrielle et des régions souffrant de handicaps naturels ou démographiques graves et permanents". Afin de rattraper le retard économique des régions en difficulté et de renforcer la cohésion de l'Union, la politique régionale concentre son action sur 3 axes principaux : soutenir la croissance et l'emploi, lutter contre le changement climatique et la dépendance énergétique et résoudre le problème de l'exclusion sociale. »

« Objectifs et fonctionnement de la politique régionale », www.touteleurope.eu, 21 août 2014.

L'EUROPE, ÇA FONCTIONNE EN GUADELOUPE !
4 480 BÉNÉFICIAIRES
D'UNE AIDE EN FAVEUR DE L'AGRICULTURE, DE L'AGROALIMENTAIRE ET DU DÉVELOPPEMENT RURAL EN GUADELOUPE ENTRE 2007 ET 2013

l'Europe s'engage en Guadeloupe

WWW.EUROPE-GUADELOUPE.FR
L'EUROPE S'ENGAGE EN GUADELOUPE AVEC LE FONDS EUROPÉEN AGRICOLE POUR LE DÉVELOPPEMENT RURAL (FEADER)

2 L'UE soutient les agriculteurs guadeloupéens.

Affiche de la DAAF (Direction de l'Alimentation, de l'Agriculture et de la Forêt) en Guadeloupe, 2013.

1 Identifiez les sources des deux documents.

2 Selon le document 1, quel est le principal objectif de la politique régionale de l'UE ?

3 Dans le document 1, relevez les trois types de régions les plus aidées et les trois principaux objectifs de l'UE.

4 Dans le document 2, expliquer ce que signifie l'expression « 4 480 bénéficiaires » (des aides de l'UE en Guadeloupe).

5 À partir de vos réponses, montrez que l'UE est un acteur important dans l'aide aux territoires les plus fragiles.

Exercice 2 Maitriser différents langages pour raisonner

Sujet : Sous la forme d'un développement construit d'une vingtaine de lignes et en vous appuyant sur des exemples concrets, vous montrerez comment l'Union européenne est devenue un territoire d'appartenance pour les populations.

La France et l'Europe
dans le monde

Le prestige de la France dans le monde

Dans la ville chinoise de Hangzhou, ici en 2014, le quartier de Tiandu Cheng est une copie d'un quartier parisien. Une Tour Eiffel de 108 mètres sert de décor devant lequel la classe moyenne chinoise aime se faire photographier.

Équateur

OCÉAN PACIFIQUE
OCÉAN ATLANTIQUE
OCÉAN INDIEN
OCÉAN PACIFIQUE

Hangzhou
CHINE

▶ **Quelles sont la place de la France
et celle de l'Europe dans le monde ?**

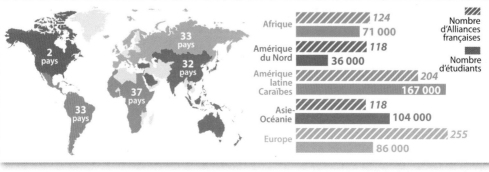

Afrique — 124 / 71 000

Amérique du Nord — 118 / 36 000

Amérique latine Caraïbes — 204 / 167 000

Asie-Océanie — 118 / 104 000

Europe — 255 / 86 000

Nombre d'Alliances françaises

Nombre d'étudiants

2 pays
33 pays
32 pays
37 pays
33 pays

Airbus, un avion européen et français

▶ **L'industrie aéronautique est-elle le reflet de la puissance industrielle de la France ?**

Avec la mondialisation et les déplacements de population à l'échelle de la planète, l'industrie aéronautique est une activité en plein essor. Depuis 1970, date de sa création, Airbus Industrie produit des avions dans 5 pays européens. Si la France compte plusieurs sites de production, c'est à Toulouse que se réalise l'assemblage des avions.

1 L'A380, un avion « made in europe »

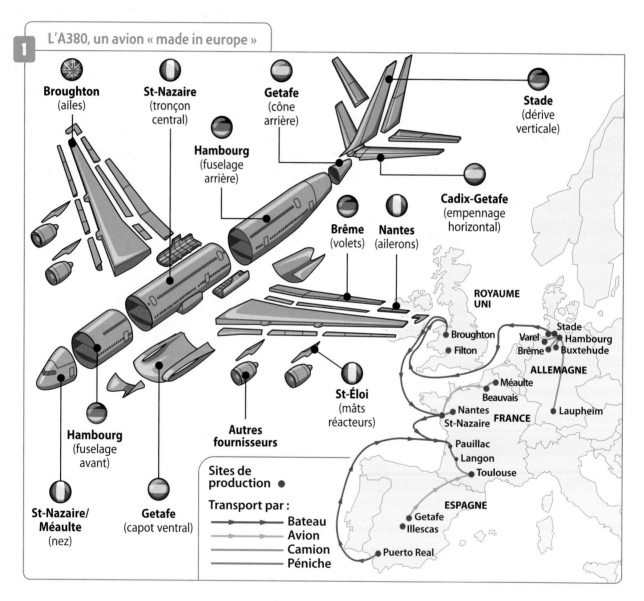

Broughton (ailes)

St-Nazaire (tronçon central)

Getafe (cône arrière)

Stade (dérive verticale)

Hambourg (fuselage arrière)

Cadix-Getafe (empennage horizontal)

Brême (volets)

Nantes (ailerons)

St-Éloi (mâts réacteurs)

Hambourg (fuselage avant)

Autres fournisseurs

St-Nazaire/ Méaulte (nez)

Getafe (capot ventral)

ROYAUME UNI

Broughton
Filton

Stade
Varel · Hambourg
Brême · Buxtehude

ALLEMAGNE

Méaulte
Beauvais
Nantes
St-Nazaire FRANCE
Laupheim

Pauillac
Langon
Toulouse

ESPAGNE

Getafe
Illescas

Puerto Real

Sites de production ●

Transport par :
━━▶ Bateau
━━▶ Avion
━━━ Camion
━━━ Péniche

Je situe

1 **DOC. 1** À l'aide des informations fournies par la carte, justifiez le titre du document « l'A380 un avion "made in Europe" ».

J'analyse

2 **DOC. 2 ET 3** Quelle région et quelle ville française sont particulièrement spécialisées dans l'industrie aéronautique ?

3 **DOC. 4 ET 5** Quelle est la place de l'industrie aéronautique française et européenne dans le monde ? Quel est le principal concurrent ?

2
La France championne de l'aéronautique

« Grâce au succès d'Airbus, Midi-Pyrénées est l'une des régions françaises qui a le plus profité de la mondialisation. Depuis 1982, le trafic aérien de passagers a doublé tous les 15 ans. Et Airbus prévoit [...] qu'il devrait continuer de progresser à un rythme de 4,7 % par an au cours des vingt prochaines années. Sur la période, ce sont ainsi 29 226 avions qui seront livrés pour renouveler la flotte mondiale et répondre à la nouvelle demande, en particulier en provenance des pays émergents. Et une bonne part de ses appareils seront construits par Airbus sur son site de Toulouse.

L'industrie aéronautique locale emploie déjà 70 000 personnes. Elle se place même au "1er rang européen pour la conception et la réalisation de systèmes aéronautiques et spatiaux", selon une étude de l'Apec [...]. La région contribue à elle seule à 10,5% du commerce extérieur français et se classe à la quatrième position dans l'Hexagone en nombre de brevets par habitant. »

Jean-Louis Dell'Oro, « Et si la région de Toulouse perdait Airbus ? », challenges.fr, 19 février 2014.

3 Toulouse, capitale française de l'industrie aéronautique

Exportateurs aéronautiques en 2014

4

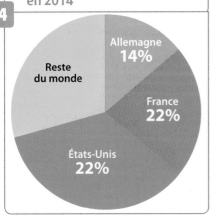

- Allemagne 14%
- France 22%
- États-Unis 22%
- Reste du monde

VOCABULAIRE

L'industrie aéronautique : la fabrication des avions.

Airbus/Boeing, un match très disputé

5

« [En 2015], Airbus finit devant son rival américain en nombre total de commandes (engagements d'achats et options incluses) : 421, représentant 57 milliards de dollars, contre 331 à Boeing, valant 50,2 milliards de dollars. [...] Mais si l'on s'en tient aux seules commandes fermes, véritable juge de paix du secteur, Boeing est bel et bien devant : 145 commandes contre 124 pour son concurrent toulousain. [...] Ce salon se clôt donc sur un match nul dans cette guerre ultramédiatisée, les deux avionneurs pouvant légitimement se proclamer vainqueurs. [...]

Le plus gros coup du salon a d'ailleurs été annoncé sur le segment spatial avec la sélection d'Airbus Defence & Space pour la fabrication de 900 satellites destinés à offrir l'Internet haut débit partout dans le monde. »

Vincent Lamigeon, « Airbus-Boeing : match nul au Bourget », challenge.fr, 18 juin 2015.

Coopérer

Je fais des hypothèses

4 DOC. 4 ET 5 **Pourquoi l'industrie aéronautique et spatiale sera-t-elle dans l'avenir une industrie en constant essor ?**

Nous préparons un exposé

Constituez un groupe. Recherchez quelles sont les 10 plus grandes firmes transnationales françaises. Choisissez-en une et présentez-la à la classe.

Le français,
sur tous les continents

▶ Quelle est la place de la langue française dans le monde ?

La France est présente sur tous les continents par sa langue. L'usage du français, comme langue officielle à l'ONU et aux Jeux Olympiques, participe au rayonnement de la France dans le monde. Avec l'augmentation du nombre de locuteurs dans le monde, la francophonie est un enjeu d'avenir.

1 L'importance de l'Organisation internationale de la francophonie (OIF)

Réunion des ministres de la francophonie à Erevan, en Arménie, en octobre 2015.

L'Organisation internationale de la francophonie (OIF) est une institution dont les membres, francophones, ont en commun la langue française, la francophilie, et certaines valeurs comme la démocratie, le respect des droits de l'Homme… L'OIF compte 80 États ou gouvernements dont 30 sont des pays africains.

2 RFI (Radio France Internationale), la France en Afrique ?

« L'histoire de la radio est longue. […] Mais, à chaque étape [de son histoire], l'objectif est resté le même : contribuer à la diffusion de la culture française à l'étranger. "Il s'agit d'aider à se projeter autour des valeurs de liberté et d'égalité que véhicule la France. Il s'agit aussi de donner aux Français des clés de compréhension du monde", précise Cécile Mégie, directrice de la station depuis 2012. Si RFI se partage l'espace africain avec d'autres radios internationales comme les chaines britannique BBC World Service, américaine Voice of America et allemande Deustche Welle, elle dispose cependant du premier réseau FM au monde, avec plus de 156 relais installés dans 62 pays. Cette proximité a valu à la chaine une augmentation de son audience en Afrique de plus de 8 % en 2014. À tel point que, aux yeux de certains, RFI est devenue une "radio africaine". »

Raoul Mbog, « RFI, l'Afrique au cœur », lemonde.fr, 27 novembre 2015.

VOCABULAIRE

Francophile : qui aime la France et tout ce qui s'y rapporte.
La francophonie : l'ensemble des personnes qui utilisent la langue française.
Un(e) locuteur(trice) : une personne qui utilise une langue (maternelle ou seconde).

· ·

Je situe

1 DOC.3 **Nommez les continents où la langue française est parlée.**

J'analyse

2 DOC. 3 Sur quel(s) continent(s) la part des francophones est-elle très importante ? Faible ?

3 DOC. 3 Relevez les noms des pays où le nombre de francophones est supérieur à 10 millions (utilisez l'atlas à la fin du manuel).

4 DOC. 4 Pourquoi la francophonie est-elle un atout pour la France ?

La langue française dans le monde

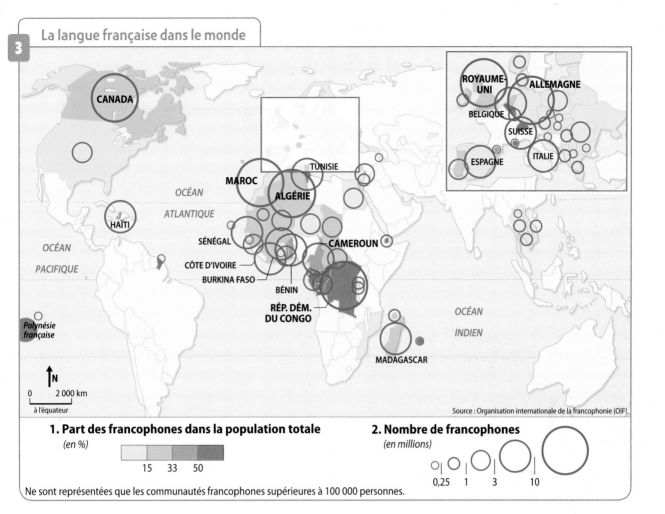

CANADA
ROYAUME-UNI
ALLEMAGNE
BELGIQUE
SUISSE
ESPAGNE
ITALIE
TUNISIE
MAROC
ALGÉRIE
HAÏTI
OCÉAN ATLANTIQUE
SÉNÉGAL
CÔTE D'IVOIRE
BURKINA FASO
BÉNIN
CAMEROUN
OCÉAN PACIFIQUE
Polynésie française
RÉP. DÉM. DU CONGO
OCÉAN INDIEN
MADAGASCAR
N
0   2 000 km
à l'équateur

Source : Organisation internationale de la francophonie (OIF).

1. Part des francophones dans la population totale
(en %)

15   33   50

2. Nombre de francophones
(en millions)

0,25   1   3   10

Ne sont représentées que les communautés francophones supérieures à 100 000 personnes.

La francophonie, réserve de croissance

4

« "Le potentiel économique de la francophonie est énorme", a indiqué [Jacques Attali, dans un rapport remis au Président de la République], qui suggère la création d'une "union économique francophone aussi intégrée que l'Union européenne" dans les domaines de la santé, la technologie, l'enseignement, la culture, la recherche/développement, ou encore les infrastructures. "La France a vocation à être un acteur majeur au sein de deux zones intégrées : l'Union européenne et le monde francophone. C'est bien pour elle un enjeu stratégique, à l'image du Royaume-Uni, qui se considère comme partie intégrante tant de l'Union européenne que du Commonwealth", souligne le rapport.

Ce potentiel existe pour une raison mathématique, d'abord : les 230 millions de gens parlant actuellement français dans le monde pourraient atteindre 770 millions d'ici à 2050 et former alors le 4ᵉ espace géopolitique de la planète. [...] Alors que les francophones ne représentent encore aujourd'hui que 4 % de la population mondiale, les 37 pays francophones comptent déjà pour 8,5 % du PIB mondial, et même 16 % si on y ajoute les pays francophiles, avec un taux de croissance moyen de 7 % et près de 14 % des réserves minières et énergétiques [...]. »

Daniel Bastien, « La francophonie, un "potentiel énorme" insuffisamment exploité par la France », lesechos.fr, 27 août 2014.

Je fais des hypothèses

5 **DOC. 1 ET 2** Remplissez le tableau et montrez en quoi l'OIF et RFI participent au rayonnement de la France dans le monde.

	Rayonnement diplomatique	Rayonnement culturel
OIF		
RFI		

L'Europe, acteur majeur de la mondialisation

▶ **Quel est le poids de l'Union européenne dans le monde actuel ?**

Densément peuplés, les 28 États de l'Union européenne (UE) forment le premier espace économique mondial. Première puissance économique du monde, l'UE possède de nombreux atouts dans la compétition mondiale. Elle est aussi un modèle politique et culturel majeur dans le monde actuel.

1 L'industrie européenne : une présence mondiale

Ouverture d'une usine BMW à Shenyang, en Chine, en janvier 2016.

	UE	États-Unis	Chine	Japon
Population en 2015 (en millions de dollars)	508	321	1 371	126
PIB en 2014 (milliards de dollars)	18 349	18 287	11 285	4 882
Nombre de firmes transnationales parmi les 500 premières mondiales (2014)	117	128	98	54

2 L'Union européenne dans la compétition mondiale

Sources : INED, Banque mondiale, Fortune Global 500.

VOCABULAIRE

Un pôle : un lieu géographique important, qui attire et exerce une influence sur les espaces qui l'environnent.

Je situe

1 DOC. 3 Dans cette représentation, quel ensemble géographique est positionné au cœur des terres émergées ?

J'analyse

2 DOC. 3 Quelles sont les deux informations fournies par la légende de la carte ?

3 DOC. 3 Nommez les trois grands pôles du commerce mondial. En utilisant les valeurs en pourcentage, dans quel ensemble régional la part de l'UE dans les échanges est-elle supérieure à 50 % ? Inférieure à 15 % ?

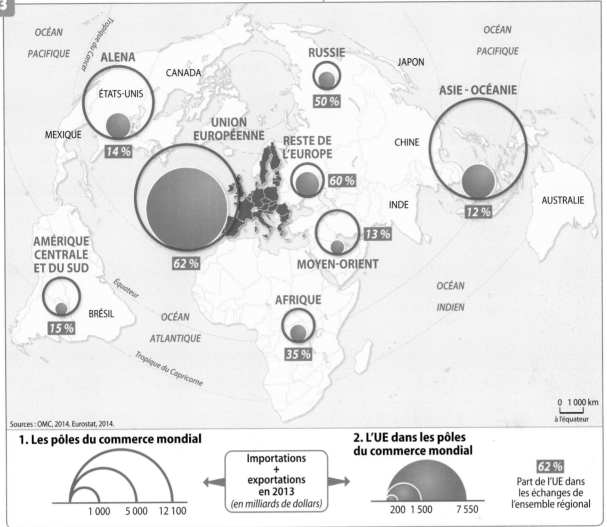

3 L'UE, premier pôle du commerce mondial (2014)

OCÉAN PACIFIQUE

OCÉAN PACIFIQUE

Tropique du Cancer

ALENA
ÉTATS-UNIS
CANADA
MEXIQUE
14 %

RUSSIE
50 %

JAPON

ASIE - OCÉANIE
CHINE
12 %
AUSTRALIE

UNION EUROPÉENNE
62 %

RESTE DE L'EUROPE
60 %

INDE

13 %
MOYEN-ORIENT

OCÉAN INDIEN

AMÉRIQUE CENTRALE ET DU SUD
Équateur
BRÉSIL
15 %

OCÉAN ATLANTIQUE

AFRIQUE
35 %

Tropique du Capricorne

0 1 000 km
à l'équateur

Sources : OMC, 2014. Eurostat, 2014.

1. Les pôles du commerce mondial

1 000   5 000   12 100

Importations
+
exportations
en 2013
(en milliards de dollars)

2. L'UE dans les pôles du commerce mondial

200 1 500   7 550

62 %
Part de l'UE dans les échanges de l'ensemble régional

4 L'Union européenne, une forte attractivité dans le monde

« L'Union européenne demeure encore un modèle social, politique et culturel pour de nombreux pays […]. Elle est un repère dans le domaine de la démocratie et des droits de l'Homme et du citoyen. […] Elle tisse des liens diplomatiques et stratégiques, linguistiques et culturels, universitaires et scientifiques, économiques et financiers avec toute la planète. Elle est le premier pôle touristique au monde, avec 575 millions d'entrées en 2014 […]. Dans le domaine universitaire, la France, le Royaume-Uni, l'Allemagne, l'Italie et l'Espagne attirent plus d'un quart des étudiants qui ne font pas leurs études dans leur pays d'origine. […] En ce qui concerne les mobilités, l'Union européenne est devenue le premier pôle attirant les flux d'immigration. »

États et régions du monde contemporain, sous la direction de Vincent Adoumié, Hachette, 2015.

Je fais des hypothèses

Conseil Brevet

4 DOC. 1 À 4 **Relevez les informations montrant l'importance de l'UE dans le monde. Dans cette compétition, quels sont les atouts et les faiblesses de l'UE ?**

Analyser des données chiffrées

Quand vous devez analyser des données chiffrées dans un tableau, graphique ou sur une carte, demandez-vous si les chiffres sont des données brutes ou des pourcentages. Dans un cas on comparera des quantités, dans l'autre des proportions.

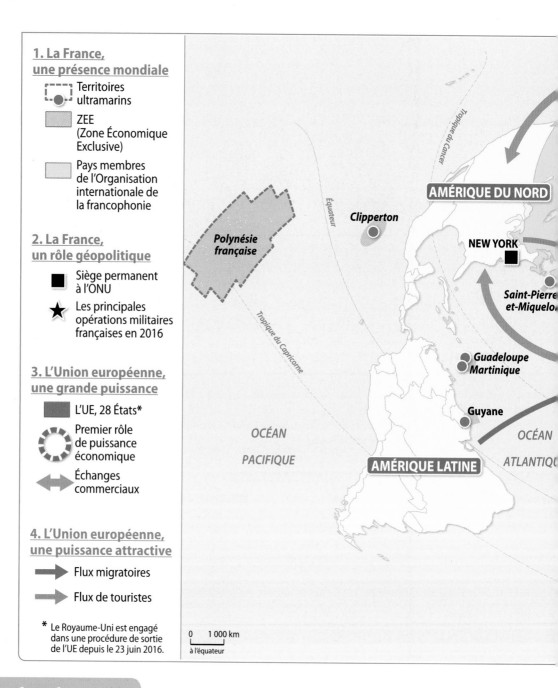

1. La France, une présence mondiale

- - - • Territoires ultramarins

ZEE (Zone Économique Exclusive)

Pays membres de l'Organisation internationale de la francophonie

2. La France, un rôle géopolitique

■ Siège permanent à l'ONU

★ Les principales opérations militaires françaises en 2016

3. L'Union européenne, une grande puissance

L'UE, 28 États*

Premier rôle de puissance économique

Échanges commerciaux

4. L'Union européenne, une puissance attractive

→ Flux migratoires

→ Flux de touristes

* Le Royaume-Uni est engagé dans une procédure de sortie de l'UE depuis le 23 juin 2016.

0   1 000 km
à l'équateur

Tropique du Cancer

AMÉRIQUE DU NORD

Équateur

Clipperton

NEW YORK

Polynésie française

Saint-Pierre-et-Miquelon

Tropique du Capricorne

Guadeloupe
Martinique

Guyane

OCÉAN PACIFIQUE

OCÉAN ATLANTIQUE

AMÉRIQUE LATINE

Des études de cas...

 1 Quels flux témoignent de l'importance économique de la France et de l'Europe ?

 Airbus, p. 346

2 Quels sont les atouts de la France dans le monde ?

31e SESSION DE LA CONFÉ... MINISTÉRIELLE DE LA FRANCO... EREVAN 2015

 La francophonie, p. 348

dans le monde

CARTE lienmini.fr/hgemc3-124

Saisissez cette adresse sur votre navigateur pour animer la carte.

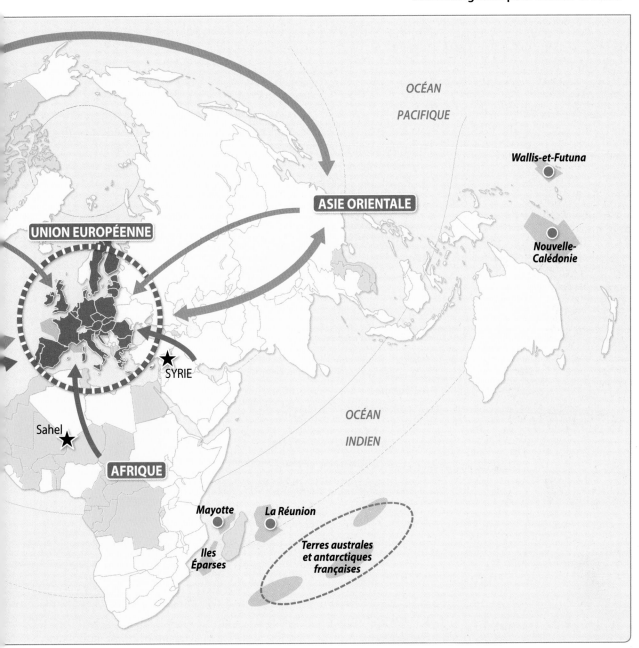

OCÉAN PACIFIQUE

Wallis-et-Futuna

ASIE ORIENTALE

UNION EUROPÉENNE

Nouvelle-Calédonie

★ SYRIE

Sahel ★

AFRIQUE

OCÉAN INDIEN

Mayotte

La Réunion

Iles Éparses

Terres australes et antarctiques françaises

3 Quelle est la place de l'Union européenne dans le monde?

📍 L'Europe, p. 350

... à l'échelle du monde

4 Montrez que la France est insérée dans la mondialisation.

5 Montrez que l'Union européenne est un acteur majeur de la mondialisation.

Cours

La France et l'Europe dans le monde

▶ **Quelles sont les forces et les faiblesses de la France et de l'Europe dans la mondialisation ?**

VOCABULAIRE

L'agroalimentaire : l'industrie qui transforme la production agricole en produits alimentaires.

Une délocalisation : le déplacement d'une entreprise du territoire national vers un pays étranger.

Une firme transnationale (FTN) : une entreprise qui exerce ses activités dans plusieurs pays.

Les services : l'ensemble des activités ni agricoles ni industrielles (par exemple : banques, transport, publicité, enseignement, tourisme, santé…).

La Zone économique exclusive ou ZEE : la bande de mer large de 370 km depuis les côtes dont les ressources appartiennent à l'État maritime concerné.

A La France une puissance ouverte sur le monde

▶ **La France est la 6e puissance économique mondiale**, la 3e en Europe par le PIB et le 6e exportateur de marchandises. **Elle possède des firmes transnationales (FTN)** bien intégrées dans la mondialisation : Carrefour, Michelin, Danone… Sa puissance repose aussi sur l'agriculture (1er producteur de l'Union européenne), l'agroalimentaire et les services.

▶ **La France est présente sur tous les continents par sa langue et la diffusion de sa culture**. Son territoire s'étend outre-mer, avec une vaste zone économique exclusive (ZEE). Elle est membre permanent du Conseil de Sécurité de l'ONU, a une forte influence politique, militaire et diplomatique mondiale.

B L'Europe, des atouts dans la compétition mondiale

▶ **L'Union européenne est la première puissance économique du monde :** elle réalise le quart du PIB mondial. Puissance industrielle, elle est aussi un lieu majeur d'innovation et de production scientifique et technique (Airbus, fusée Ariane…).

▶ **Espace attractif, elle attire plus du tiers des investissements** réalisés par les FTN mondiales. L'Union a un poids important grâce à l'euro, seconde monnaie mondiale après le dollar.

C La France, l'Europe : des fragilités ?

▶ En France, depuis les années 1970, la place de l'industrie a diminué alors que s'accentuaient les délocalisations. Plusieurs activités industrielles manquent de firmes de rang mondial : informatique, logiciels, textile… Les exportations ne suffisent pas à compenser les importations de marchandises.

▶ Les États de l'Union européenne ont des intérêts divergents : **l'UE n'a pas de politique de défense**, pas d'armée ni de diplomatie communes. Elle doit affronter de nombreux défis : vieillissement de sa population, faible croissance économique, disparité de richesse entre États membres, dépendance énergétique, immigration clandestine…

ÉLÉMENTS-CLÉS

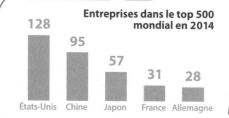

Entreprises dans le top 500 mondial en 2014

128 États-Unis
95 Chine
57 Japon
31 France
28 Allemagne

Les secteurs dynamiques français en 2014 (excédents commerciaux, en milliards d'euros)

Aéronautique et spatial **20**
Chimie, parfums, cosmétiques **11**
Agroalimentaire **7**
Pharmacie **2**

494 établissements scolaires français, implantés dans 136 pays qui scolarisent près de **340 000 élèves** (60 % sont étrangers et 40 % sont français).

Soldats français et maliens en patrouille à Tombouctou, Mali, en juin 2015.

Lancée en août 2014, l'opération Barkhane est une opération menée par l'armée française en partenariat avec cinq pays africains (Mauritanie, Mali, Burkina Faso, Niger et Tchad) contre les groupes armés djihadistes salafistes au Sahel.

1 L'opération Barkhane au Sahel

Le CERN, situé à quelques kilomètres de Genève, à cheval sur la frontière franco-suisse, est le plus grand centre de recherche au monde sur les constituants de la matière.

2 L'Organisation européenne pour la recherche nucléaire (CERN)

3 L'Union européenne, puissance incomplète

Souvent divisée sur les politiques à mener, l'UE parait en position de faiblesse face aux deux géants que sont les États-Unis et la Chine.

La puissance économique de l'UE en 2013, en % du PIB mondial

- 26% Union européenne
- 25% États-Unis
- 9,5% Chine
- 8,5% Japon
- 31% Autres pays

Les instituts culturels européens à l'étranger

Alliances françaises : **819** instituts dans **137** pays — France

Instituts Goethe : **159** instituts dans **98** pays — Allemagne

Instituts Cervantes : **65** centres dans **44** pays — Espagne

Instituts Dante-Alighieri : plus de **500** comités dans **80** pays — Italie

carte mentale lienmini.fr/hgemc3-125

Saisissez cette adresse sur votre navigateur pour découvrir la carte mentale.

CARTE MENTALE

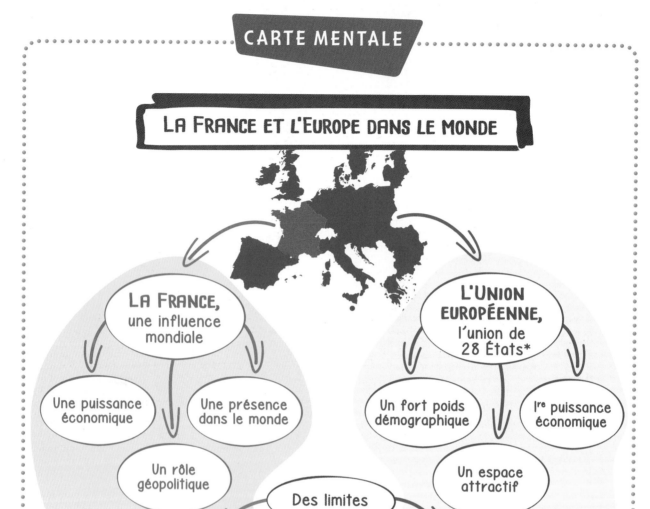

LA FRANCE ET L'EUROPE DANS LE MONDE

LA FRANCE, une influence mondiale

- Une puissance économique
- Une présence dans le monde
- Un rôle géopolitique

L'UNION EUROPÉENNE, l'union de 28 États*

- Un fort poids démographique
- Ire puissance économique
- Un espace attractif

Des limites

Faible compétitivité économique (crise, chômage)

- Faible influence politique
- Fortes inégalités entre États

* Le Royaume-Uni est engagé dans une procédure de sortie de l'UE depuis le 23 juin 2016.

Réviser en ligne

Je teste mes connaissances

QUIZ lienmini.fr/hgemc3-126

Saisissez cette adresse sur votre navigateur pour lancer le quiz.

Le tuto pour créer ma carte mentale.

TUTO vidéo

lienmini.fr/hgemc3-001

Étudier un graphique

Étape 1 Identifiez le type de graphique :

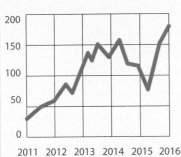

Le **graphique évolutif** est constitué par une ou plusieurs lignes montrant l'évolution d'une information dans le temps.

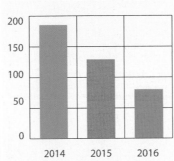

Le **graphique en barres** (ou histogramme) est constitué de rectangles dont la hauteur est proportionnelle à l'importance de la valeur de l'information représentée.

Le **graphique circulaire** est constitué par un cercle divisé en secteurs dont les surfaces sont proportionnelles à l'importance des valeurs représentées.

Étape 2 Analysez le graphique : relevez le thème du graphique et notez si les informations sont indiquées en valeurs absolues (millions, milliards...) ou relatives (pourcentages).
Le **graphique en courbes** indique une évolution. Le **graphique en barres** permet de faire des comparaisons (il peut aussi indiquer une évolution lorsque l'axe des abscisses indique des années). Le **graphique circulaire** montre une répartition entre différents territoires, au sein d'une population, etc.

Étape 3 Interprétez le graphique : indiquez s'il y a « augmentation », « stagnation » ou « diminution ». Précisez l'ampleur des inégalités de répartition ou de l'évolution en citant des chiffres précis. La maitrise du vocabulaire et des idées principales du cours facilite la description puis permet de proposer des éléments d'explication.

Observez si les valeurs représentées sont absolues (exprimées en millions, milliards...) ou relatives (exprimées en pourcentage).

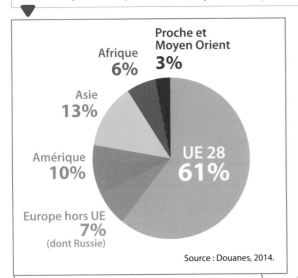

Source : Douanes, 2014.

Les exportations de la France par zone géographique (2014)

❶ Identifiez
De quel type de graphique s'agit-il ? Les valeurs représentées sont-elles absolues ou relatives ? Relevez le thème de géographie illustré par le graphique. Les informations se rapportent-elles à un ensemble de pays ? À un pays ? Notez la date et la source du graphique.

❷ Analysez
Classez par ordre d'importance les zones géographiques où la France exporte. Avec quelle zone géographique la France exporte-t-elle beaucoup ? Peu ?

❸ Interprétez
Pourquoi peut-on dire que la France a une économie ouverte sur l'Europe et le monde ?

Le titre indique le thème et les informations représentées par le graphique.

Exercice 1   Analyser et comprendre des documents

1 Les principaux partenaires commerciaux de l'UE en 2013

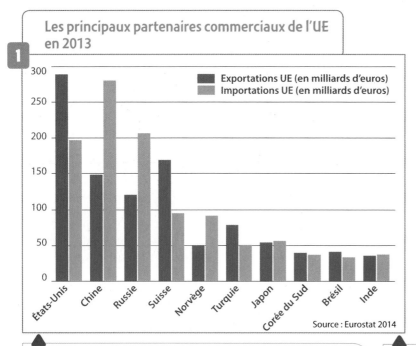

■ Exportations UE (en milliards d'euros)
■ Importations UE (en milliards d'euros)

Source : Eurostat 2014

▲ Observez les échanges de l'UE avec les pays développés (États-Unis, Suisse, Japon...) et émergents (Chine, Brésil, Inde, Turquie...).

2 Des concurrents pour l'UE

« Si l'on exclut le commerce [interne au États européens], l'UE représente un peu plus de 15 % des exportations mondiales de marchandises [...] et 25,19 % des exportations mondiales de services [transports, banques, tourisme...]. Elle est ainsi la première puissance commerciale du monde, devant la Chine [...] et les États-Unis [...]. Mais sa part dans le commerce mondial décroît, au profit de la Chine et des pays émergents. »

« La politique commerciale commune », www.touteleurope.eu, 19 novembre 2014.

▲ Relevez les informations fournies par la légende du graphique.

1 Présentez les documents : quel est le type du graphique 1 ? Quelle est la nature du document 2 ?

2 Sur le document 1, les informations sont-elles représentées en valeurs absolues ou relatives ? Quel est le thème de géographie qu'il illustre ?

3 Qu'est ce qui caractérise les échanges de l'UE avec ses principaux partenaires ?

Exportations de l'UE supérieures aux importations	Importations de l'UE supérieures aux exportations	Importations/ exportations équilibrées
Pays :	Pays :	Pays : *Japon, Inde*

L'UE exporte-t-elle uniquement vers les pays développés ?

4 À l'aide du document 2, dites quels pays prennent une place majeure dans le commerce mondial.

5 À l'aide des informations des documents, montrez que l'UE est une grande puissance commerciale et quelles en sont les limites.

Exercice 2   Maîtriser différents langages pour raisonner

Sujet : Sous la forme d'un développement construit d'une vingtaine de lignes et en vous appuyant sur des exemples concrets, montrez que la France a une présence mondiale.

◀ Pour rassembler les exemples, au brouillon, utilisez un tableau :

La France a une puissance :			
Territoriale	Culturelle	Économique	Politique
Ex :	Ex :	Ex :	Ex :

Brevet

|||||||||||||||||||||||||||||||||||||||||||||||||||||||||||||||||| **Sujet blanc**

Exercice 1   Analyser et comprendre des documents

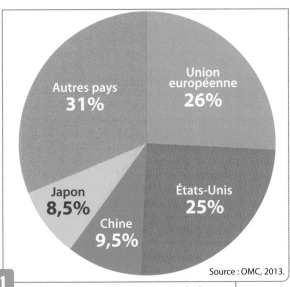

1 La puissance économique de l'UE en 2013 (en % du PIB mondial)

Source : OMC, 2013.

- Autres pays **31%**
- Union européenne **26%**
- États-Unis **25%**
- Chine **9,5%**
- Japon **8,5%**

2 Face aux difficultés, l'UE, surchargée et divisée, n'arrive plus à avancer.

Dessin de Plantu, *Le Monde*, 17 octobre 2013.

❶ Identifiez la nature et la source des deux documents.

❷ Quel aspect de l'UE le document 1 évoque-t-il ? Expliquez en quelques lignes, en faisant appel à vos connaissances, les atouts de l'UE dans l'économie mondiale.

❸ Comment expliquer la représentation de l'UE qui est donnée par le document 2 ?

❹ À l'aide des informations des documents et en faisant appel à vos connaissances, classez dans un tableau les forces et faiblesses de l'UE.

Exercice 2   Maitriser différents langages pour raisonner et se repérer

ⓐ **Sujet :** Sous la forme d'un développement construit d'une vingtaine de lignes et en vous appuyant sur des exemples précis, présentez la place de l'Europe dans le monde.

ⓑ Indiquez quels figurés du schéma ci-contre représentent :
- les espaces de la francophonie,
- le siège permanent de la France à l'ONU,
- l'attractivité touristique de la France,
- les exportations françaises.

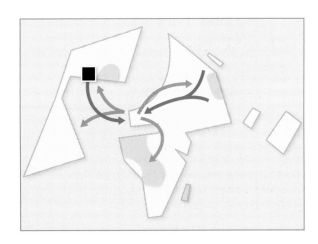

359 ||

ENSEIGNEMENT MORAL ET CIVIQUE

PENSER PAR SOI-MÊME

QUESTIONS

1 Écoutez l'interview. Qui est Michel Tozzi ?

2 Si vous avez un avis sur une question, est-ce la vérité ?

3 Comment y réfléchir pour savoir si votre avis est justifié ou non ?

4 Pour faire le bon choix, comment allez-vous raisonner ?

> « L'intérêt d'une discussion est d'apprendre à penser par soi-même. Penser par soi-même veut dire : essayer de réfléchir à une question qui concerne tous les hommes, comme savoir si la vie a un sens ou si l'amour est une illusion. Comment peut-on apprendre à réfléchir en profondeur sur ces questions ? Il me semble qu'il faut d'abord se poser des questions. Généralement, quand on pense à quelque chose, on ne se met plus en question, on pense que c'est vrai. On se demande même à quoi sert la discussion puisqu'on se dit que ce que l'on pense est la vérité. Réfléchir avec les autres me permet d'avoir des points de vue différents et me permet de comprendre que ce que je pense est une hypothèse. »

Découvre quatre autres interviews dans la partie EMC.

- **Pilar Jaramillo Cathcart**, p. 364
- **Julien Aubert et Sabine Buis**, députés de l'Assemblée nationale, p. 376
- **Abdennour Bidar**, philosophe, p. 388
- **Sophie Adeyema**, engagée dans le service civique, p. 398

Saisissez cette adresse sur votre navigateur pour télécharger les exercices.

> « L'intérêt d'une discussion est d'apprendre à penser par soi-même. Penser par soi-même veut dire : essayer de réfléchir à une question qui concerne tous les hommes, comme savoir si la vie a un sens ou si l'amour est une illusion. Comment peut-on apprendre à réfléchir en profondeur sur ces questions ? Il me semble qu'il faut d'abord se poser des questions. Généralement, quand on pense à quelque chose, on ne se met plus en question, on pense que c'est vrai. On se demande même à quoi sert la discussion puisqu'on se dit que ce que l'on pense est la vérité. Réfléchir avec les autres me permet d'avoir des points de vue différents et me permet de comprendre que ce que je pense est une hypothèse. »

Découvre quatre autres interviews dans la partie EMC.

- **Pilar Jaramillo Cathcart**, p. 364
- **Julien Aubert et Sabine Buis**, députés de l'Assemblée nationale, p. 376
- **Abdennour Bidar**, philosophe, p. 388
- **Sophie Adeyema**, engagée dans le service civique, p. 398

Saisissez cette adresse sur votre navigateur pour télécharger les exercices.

Chapitre 1 La sensibilité : soi et les autres

Les mots du chapitre

Je suis un-e futur-e **citoyen-ne** français-e et européen-ne

→ Interview, p. 364

et à défaut d'être **citoyen-ne du monde**, ...

→ Débat, p. 366

... je **partage le destin** commun de l'humanité.

→ Dossier, p. 368

> « L'homme **vaut** parce qu'il est homme, **non parce** qu'il est juif, catholique, protestant, allemand, italien, etc. »

Hegel, philosophe allemand du XIXe siècle, *Principes de la philosophie du droit*, 1820.

⚙ Selon Hegel, à quoi ne peut-on réduire l'identité de quelqu'un ?

⚙ Pourquoi peut-on dire que cette citation est humaniste ?

Une cérémonie de naturalisation

OBJECTIF
Connaitre les principes, valeurs et symboles de la citoyenneté française

1 Acquérir la nationalité française

« Tout postulant à la naturalisation est appelé [outre les démarches administrative] à se présenter devant un agent de préfecture pour un entretien individuel. Cet entretien a pour but de vérifier […] que le demandeur possède notamment une connaissance suffisante de l'histoire, de la culture et de la société françaises. […] Le livret du citoyen permet d'illustrer les domaines et le niveau des connaissances attendues. […] Il rappelle les principales caractéristiques de l'organisation actuelle de la République et de la démocratie, les principes et valeurs qui s'attachent à elles et qui constituent notre cadre quotidien d'exercice de la citoyenneté. Il comporte en outre quelques grandes dates de notre histoire pour resituer dans le temps les origines de la France et son évolution jusqu'à maintenant et souligne la contribution d'un certain nombre de personnes naturalisées au rayonnement de notre pays. »

« Le livret du citoyen »,
www.immigration.interieur.gouv.fr , 2016.
Les droits de reproduction sont réservés et strictement limités.

2 La citoyenneté européenne

Depuis le traité de Maastricht en 1992, tout citoyen d'un État membre de l'Union européenne acquiert automatiquement la citoyenneté européenne.

« Les citoyens européens disposent de droits liés à leur citoyenneté et garantis par les traités :
– le droit de circuler et de séjourner, de travailler et d'étudier sur le territoire des autres pays membres, […]
– des droits civiques et politiques : droit de vote et d'éligibilité [être élu] aux élections municipales et aux élections du Parlement européen dans l'État membre où ils résident ; droit de pétition devant le Parlement européen ;
– un droit d'initiative citoyenne créé par le traité de Lisbonne : un comité de citoyens (ONG, association, parti politique, etc.), composé d'au moins sept ressortissants de sept États membres différents, a la possibilité, depuis le 1er avril 2012, de présenter une initiative citoyenne européenne (ICE), invitant la Commission à exercer son droit d'initiative, en vue de l'adoption d'un texte qu'ils estimeraient nécessaire […] ;
– certaines garanties juridiques : la protection diplomatique et consulaire par un autre État membre sur le territoire d'un pays tiers, non membre de l'Union européenne (UE), si le leur n'y est pas représenté ; le droit d'adresser au Médiateur européen une plainte contre un acte de mauvaise administration commis par une institution européenne. »

« Quels sont les droits et les devoirs du citoyen européen ? », vie-publique.fr, 2016.

VOCABULAIRE

La citoyenneté : le fait d'avoir des droits sociaux et politiques dans un État.

La nationalité : le fait d'appartenir à une nation. Cette appartenance donne des droits et impose des devoirs.

1. DOC. 1 Quels éléments, rappelés dans le livret du citoyen, doivent être connus du postulant à la naturalisation française ?

2. DOC. 2 À quoi la nationalité française donne-t-elle accès ?

3. DOC. 2 À quelles élections un citoyen européen peut-il voter ?

INTERVIEW **lienmini.fr/hgemc3-137**

Saisissez cette adresse sur votre navigateur pour visionner l'interview.

3 Un moment symbolique

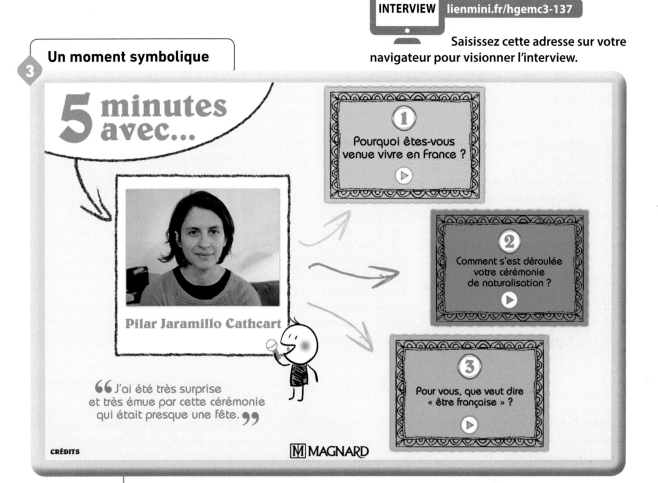

5 minutes avec...

Pilar Jaramillo Cathcart

1 Pourquoi êtes-vous venue vivre en France ?

2 Comment s'est déroulée votre cérémonie de naturalisation ?

3 Pour vous, que veut dire « être française » ?

66 J'ai été très surprise et très émue par cette cérémonie qui était presque une fête. 99

CRÉDITS

M MAGNARD

66 Être française pour moi veut surtout dire que je suis comme tout le monde. Étant colombienne, je ressens le fait d'être comme tout le monde même si je viens de loin. C'est appartenir au même lieu que tout le monde. Dans ma vie quotidienne, il y a des sensations physiques de gaîté et de fierté par exemple. Je me sens plus "quelque part" qu'avant. 99

· ·

4. DOC. 3 Écoutez l'interview. Quelles émotions Pilar a-t-elle ressenties lors de cette cérémonie ?

5. DOC. 3 Qu'est-ce qui, d'après elle, peut favoriser son intégration ?

EMC et anglais

◆ Recherchez le serment d'allégeance que doivent réciter les nouveaux citoyens des États-Unis.
◆ Comparez-le à la cérémonie française de naturalisation.

Peut-on être citoyen du monde ?

OBJECTIF
Comprendre la diversité des sentiments d'appartenance

LES MOTS DE LA DISCUSSION

Un citoyen du monde : une personne qui pense qu'il n'y a qu'un seul peuple, les humains, ayant des droits et des devoirs universels, mais sans qu'existe une citoyenneté universelle.

A. PRÉPARATION DU DÉBAT

1. Répondez spontanément à la question : « Peut-on être citoyen du monde ? ».

2. Partagez la classe en deux groupes, selon que vous avez répondu oui ou non. Dans chaque groupe, désignez une personne qui sera à la fois régulateur de parole et secrétaire de séance. Ces deux personnes sortent des groupes. Elles répartiront les prises de paroles et noteront les arguments du débat.

3. Chaque groupe débat de son côté et cherche des arguments en s'aidant des documents proposés.

B. DÉBAT

4. Les deux groupes débattent. Les régulateurs veillent à ce que la parole soit équitablement répartie et prennent en note le déroulement du débat.

C. BILAN DU DÉBAT

5. Rédigez votre conclusion au débat, avec votre réponse personnelle, en expliquant si le débat vous a fait changer d'avis.

Nous avons beau avoir tous des nationalités différentes, nous sommes tous des êtres humains.

S'il existait une citoyenneté mondiale, il existerait des élections pour un gouvernement mondial. Ce gouvernement aurait tellement de pouvoir qu'il deviendrait totalitaire.

Qui dit « nationalité » dit « nationalisme », et le nationalisme conduit à la guerre. Pour éviter la guerre, il faudrait supprimer les citoyennetés nationales et devenir citoyen du monde.

Être citoyen du monde, c'est avant tout un sentiment d'appartenir à l'humanité, mais ça n'a pas de réalité juridique. L'ONU, c'est pour les nations, pas les individus.

Il existe déjà les Nations Unies, pourquoi pas bientôt une citoyenneté mondiale ?

Il faut se méfier des beaux sentiments. On pense avoir des valeurs humanistes universelles, mais les égoïsmes finissent toujours par l'emporter.

1 Une citoyenneté mondiale

« Aujourd'hui surgit un nouveau débat, concernant la possibilité du développement d'une citoyenneté mondiale. Cette nouvelle forme de citoyenneté est bien évidemment rendue plus facile par l'évolution technologique (moyens de transports plus nombreux et moins couteux que par le passé ; développement d'Internet...). Les récentes manifestations lors des grands sommets mondiaux (réunions de l'OMC, du G8[1]...) ont pu faire croire à la naissance d'une opinion publique internationale.

Néanmoins, si cette opinion s'exprime, les instruments de la citoyenneté n'existent pas au niveau mondial : pas de droit de vote, pas d'enceinte parlementaire légitime, pas d'exécutif clairement identifiable, et pas non plus de pouvoir judiciaire unifié. »

« D'une citoyenneté nationale à une citoyenneté mondiale », vie-publique.fr, 2016.

1. Le groupe des 8 premières puissances mondiales.

2 Une humanité divisée

Dans la Genèse, le premier livre de la Bible, les êtres humains formaient un peuple unique, ne parlant qu'une seule langue. Ils décidèrent de construire une tour assez haute pour atteindre le Paradis, la Tour de Babel, représentée ici par Brueghel l'Ancien. Dieu, pour les punir de leur orgueil, introduisit différentes langues. Les êtres humains, qui ne se comprenaient plus, ne purent mener à bien leur construction et, devenus étrangers entre eux, se dispersèrent sur la Terre.

La Tour de Babel, Pieter Brueghel l'Ancien, 1563. Musée d'histoire de l'art de Vienne.

3 L'espéranto comme langue internationale

L'espéranto est une langue internationale créée en 1887 par un Polonais, Lazare-Louis Zamenhof.
« Il vivait dans une ville où se côtoyaient difficilement quatre communautés différenciées par la langue, l'écriture et la religion (Polonais, Russes, Allemands, et Juifs). Il avait constaté que ces quatre groupes avaient des rapports d'autant plus violents, qu'ils ne se comprenaient pas. L'idée de construire une langue neutre et facile pour permettre à ces gens de se parler, de se comprendre, et peut-être de vivre ensemble harmonieusement, avait germé dans l'esprit de Zamenhof, dès son enfance. [...]
Depuis cette époque, le vocabulaire et la grammaire de l'espéranto ont évolué, du fait de son utilisation par de nombreux individus dans le monde entier [...], par la publication de nombreux livres, œuvres de traduction ou même romans et poésies originales. [...]
L'espéranto est donc une langue construite, pour servir de langue internationale auxiliaire, en permettant à chacun de conserver sa culture, sa langue maternelle, et éventuellement sa langue régionale. Elle permettrait à tout le monde de communiquer avec le monde entier sur un plan d'égalité. Elle favoriserait les échanges entre toutes les cultures. »

« Origine de l'espéranto », esperanto-wallonie.be, consulté en 2016.

OBJECTIF
Comprendre la diversité des sentiments d'appartenance civiques, sociaux, culturels, religieux

Le mur de Berlin a longtemps été le symbole de la division en Europe et dans le monde. Il a séparé des peuples, des familles. Après sa chute en 1989, 118 artistes venus du monde entier ont réalisé sur certains tronçons des fresques porteuses de messages humanistes.

A Le « mur de la honte » devenu œuvre d'art

1 Le peuple allemand réuni

« L'East Side Gallery est considérée comme un symbole de liberté. Dès janvier 1990, 118 artistes issus de 21 pays différents se sont donné rendez-vous pour décorer la plus longue fresque à ciel ouvert du monde. Le thème était bien sûr la division et la réunification de l'Allemagne. Mais les peintures reflètent avant tout le changement, l'euphorie et l'espoir d'un monde meilleur qui régnaient après la chute du Mur. En 1992, l'East Side Gallery est classée au patrimoine des monuments historiques. »

« Mur de Berlin : les fresques de l'East Side Gallery », vanupied.com, consulté en 2016.

VOCABULAIRE

Une fresque : une grande peinture murale.

La réunification : le processus politique de réintégration de l'Allemagne de l'Est (ex-RDA, République Démocratique Allemande, appartenant au bloc de l'Est) au sein de l'Allemagne de l'Ouest (ex-RFA, République Fédérale Allemande, appartenant au bloc de l'Ouest).

1. DOC. 1 ET 3 En quoi les scènes dessinées sont-elles représentatives de la chute du mur de Berlin ?

2. DOC. 2 ET 3 Montrez que ces fresques ne célèbrent pas uniquement l'unité allemande.

3. DOC. 1, 2 ET 3 Quelles valeurs communes à toute l'humanité ces fresques célèbrent-elles ?

2 **Une fresque pacifiste pour un monde uni**

« Danser pour la liberté », « Plus de guerre. Plus de mur ».

3 **Un lieu de mémoire**

Le mur est devenu un lieu de mémoire très prisé des touristes. Les peintures ont cependant tendance à se dégrader avec le temps et les graffitis. En 2009, en vue du vingtième anniversaire de sa chute, le mur a fait l'objet d'une grande opération de restauration.

ACTION !

◆ Recherchez d'autres lieux ou moments où les hommes et les femmes célèbrent leur appartenance à l'humanité.
◆ Vous pouvez, par exemple, penser à des rencontres sportives internationnales.

A ▸ Je suis citoyen-ne français-e et européen-ne

• En tant que membre d'une nation, nous avons des droits et des devoirs, qui forgent un sentiment d'appartenance à une communauté nationale. Comme citoyen, nous participons à la vie politique de notre pays, en votant et/ou en nous présentant aux élections.

• En tant que Français, nous sommes aussi des citoyens européens avec la liberté de vivre et de travailler dans un autre pays d'Europe. Des étrangers, partageant nos valeurs, peuvent aussi être naturalisés français, c'est-à-dire acquérir la nationalité française.

B ▸ ... et à défaut d'être citoyen-ne du monde, ...

• Si le sentiment d'appartenance national est souvent le plus fort, les individus peuvent aussi se sentir appartenir à d'autres ensembles : une région, une orientation sexuelle, une religion... ou même à l'humanité toute entière. Nous pouvons nous sentir citoyens du monde.

• Cependant, citoyen du monde est une notion sans valeur juridique. Il n'y a pas de passeport de citoyen du monde, ni d'élections de représentants de toute la planète.

B ▸ ... je partage le destin commun de l'humanité.

• Même si citoyen du monde n'est pas une identité au sens propre, nous pouvons partager entre citoyens du monde entier des valeurs communes. La conscience d'une humanité unie par un destin commun se développe face à l'émergence de problèmes dont le règlement dépasse les frontières nationales (le changement climatique, les crises financières mondiales...).

• Cette prise de conscience mondiale, fragile, a donné naissance à une gouvernance mondiale qui se met difficilement en place autour de questions ponctuelles, comme celle des réfugiés.

VOCABULAIRE

Un gouvernement mondial : l'idée d'un gouvernement global sur l'ensemble de la planète.

La gouvernance mondiale : la gestion des questions internationales par les États, les organisations internationales, les ONG..., fondée le plus souvent sur la coopération internationale. Cette notion s'oppose à celle de « gouvernement mondial » car dans la « gouvernance », il n'y a pas d'acteur unique.

Ils en parlent aussi ....

Différence et attirance
Xavier-Laurent Petit,
L'Attrape-rêves,
L'École des loisirs, 2009

Quand Chem s'installe avec sa mère dans la vallée, où les étrangers ne sont pas les bienvenus, Louise est tout de suite attirée par sa différence, elle est bien la seule.

1 Qu'est-ce que l'olympisme ?

« L'olympisme est une philosophie de vie qui met le sport au service de l'humanité. Cette philosophie repose sur les interactions entre les qualités du corps, de la volonté et de l'esprit. L'olympisme s'exprime à travers des actions qui allient le sport à la culture et à l'éducation. Cette philosophie est un élément essentiel du Mouvement olympique et de la célébration des Jeux. C'est aussi ce qui les rend uniques. […]

Les valeurs [excellence, amitié, respect] et la signification de l'olympisme sont exprimées par le symbole olympique (les cinq anneaux) et par les autres éléments identitaires olympiques (la flamme, le relais, la devise, la maxime, l'hymne et les serments). Ceux-ci permettent de transmettre un message de façon simple et directe. Ils donnent une identité au Mouvement olympique et aux Jeux. »

« L'olympisme, c'est quoi ? », www.olympic.org, 2013.

2 La flamme olympique

Passage de la flamme olympique en Kalmoukie (région russe) pour les Jeux Olympiques de Sotchi (Russie) en 2014. La flamme parcourra 65 000 km et traversera 83 régions russes avant d'arriver à Sotchi.

À l'occasion de chaque olympiade, une course de relai est organisée, au cours de laquelle la flamme olympique est transportée depuis Olympie, le berceau des jeux antiques, jusqu'au stade où auront lieu les jeux.

1. Quels sont les valeurs et symboles de l'olympisme ?

2. De quel pays est originaire l'idéal olympique ? En quoi le rituel évoqué dans ce document est-il une mise en scène de l'idéal olympique ?

3. Pourquoi peut-on dire que l'olympisme donne le sentiment d'appartenance à un destin commun de l'humanité ?

4. Vous soutenez la candidature de Paris et de la France à l'organisation des Jeux Olympiques d'été de 2024. Présentez l'idéal olympique à un camarade qui ne le connait pas.

Chapitre 2

Le droit et la règle : des principes pour vivre avec les autres

Les mots du chapitre

Des **droits** et des **lois**…

→ Dossier, p. 374

… établis par nos **représentants**…

→ Interview, p. 376
→ Dossier, p. 378

… qui garantissent la **démocratie**.

→ Débat, p. 380

" *Une **loi** ne pourra jamais obliger un homme à **m'aimer** mais il est important qu'elle lui **interdise** de me lyncher.* "

Martin Luther King (1929-1968),
leader de la lutte pour la reconnaissance des droits
civiques des Noirs aux États-Unis,
dans le *Wall Street Journal*, le 13 novembre 1962.

⚙ À quel principe fondamental des droits de l'Homme
Martin Luther King fait-il référence dans sa citation ?

⚙ À votre avis, pourquoi a-t-on besoin de lois pour protéger
la vie des femmes et des hommes ?

OBJECTIF
Définir les éléments des grandes déclarations des droits de l'Homme

Pour bien vivre ensemble, les êtres humains ont besoin de définir les droits de chaque personne. Les déclarations des droits de l'Homme les énoncent, pour garantir la liberté de tous. À chacun d'être responsable et de respecter ces règles de vie en société.

A Les droits et les lois

1 Les déclarations des droits de l'Homme

« **Article 1.** Les hommes naissent et demeurent libres et égaux en droits.

Article 4. La liberté consiste à pouvoir faire tout ce qui ne nuit pas à autrui : ainsi, l'exercice des droits naturels de chaque homme n'a de bornes que celles qui assurent aux autres Membres de la Société la jouissance de ces mêmes droits. Ces bornes ne peuvent être déterminées que par la Loi. »

Déclaration des droits de l'Homme et du citoyen, 1789.

« **Article 3.** Tout individu a droit à la vie, à la liberté et à la sureté de sa personne.

Article 17. Toute personne, aussi bien seule qu'en collectivité, a droit à la propriété. Nul ne peut être arbitrairement privé de sa propriété. »

Déclaration universelle des droits de l'Homme, 1948.

2 Ce que dit la loi

« Le vol est puni de dix ans d'emprisonnement et de 150 000 euros d'amende lorsqu'il est précédé, accompagné ou suivi de violences sur autrui ayant entrainé une incapacité totale de travail pendant plus de huit jours. »

Article 311-6 du Code pénal.

3 Qu'en pensent les philosophes ?

« L'homme est un animal sociable, selon Emmanuel Kant, un philosophe allemand du XVIIIe siècle : il ne peut vivre et s'épanouir qu'au milieu de ses semblables. Mais il est aussi un animal égoïste. Il ne peut ni se passer des autres ni renoncer, pour eux, à la satisfaction de ses propres désirs. C'est pourquoi nous avons besoin de politique. Pour que les conflits se règlent autrement que par la violence. C'est pourquoi nous avons besoin d'un État. Non pas parce que les hommes sont bons ou justes, mais parce qu'ils ne le sont pas. Non parce qu'ils sont solidaires, mais pour qu'ils aient une chance, peut-être, de le devenir. »

André Comte-Sponville, *Présentations de la philosophie*, © Albin Michel, 2000.

VOCABULAIRE

Un dilemme moral : une situation où une personne est confrontée à un choix qui oppose deux valeurs. Aucun de ces deux choix n'est bon ou juste a priori.

1. **DOC. 1** Listez les droits définis dans les déclarations de 1789 et 1948.
2. **DOC. 1** Donnez, dans votre quotidien de collégien, des exemples de limites à l'un de ces droits.
3. **DOC. 2** Quel droit inscrit dans la déclaration de 1948 est protégé par le Code pénal ?
4. **DOC. 3** Selon le philosophe Kant, pourquoi faut-il des lois ?

B Être responsable

4 Dilemmes moraux

Le vol de Léa

Anaïs et Léa, deux amies, travaillent pendant les vacances scolaires, dans un supermarché. Un jour, Anaïs surprend son amie en train de voler des marchandises dans la réserve.

○ **Que devrait faire Anaïs ?**

► Fermer les yeux, menacer Léa de prévenir le chef de rayon ?

Dénoncer un ami ?

Un soir, alors qu'il reconduit son ami Vincent chez lui en scooter, Mattéo heurte violemment un piéton dans une rue déserte et le blesse. Paniqués, Mattéo et Vincent prennent la fuite, sans avoir été vus.

○ **Que devrait faire Vincent ?**

► Prévenir la police ou attendre que son ami le fasse lui-même ?
Si ce dernier refuse absolument, que devrait faire Vincent ?

ACTION !

◆ Lisez le document 4. Selon vous, que devraient faire Anaïs et Vincent ? Répondez individuellement et par écrit.

◆ Partagez la classe en deux groupes. Discutez de votre choix en vous aidant des documents.

◆ Présentez le résumé du débat de votre groupe à toute la classe.

◆ Donnez chacun par écrit la réponse qui vous a le plus convaincu après les débats.

Le parcours d'une loi

OBJECTIF
Identifier les grandes étapes du parcours d'une loi

1 De l'initiative à l'application

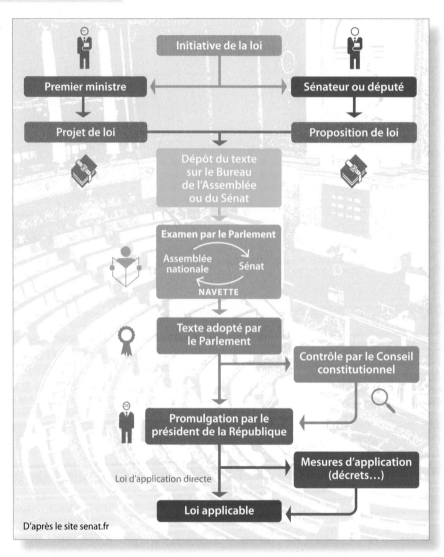

D'après le site senat.fr

VOCABULAIRE

La démocratie représentative : une forme de démocratie dans laquelle les citoyens élisent des représentants à qui ils délèguent leurs pouvoirs. Ces élus, qui représentent la volonté générale, votent la loi et contrôlent éventuellement le gouvernement.

1. **DOC. 1** Qui peut être à l'initiative d'une loi ?
2. **DOC. 1** Qu'appelle-t-on « la navette » ?
3. **DOC. 2 Écoutez l'interview.** Qui sont les deux députés interrogés ?
4. **DOC. 2** Sont-ils du même parti ? Défendent-ils la même chose ?

INTERVIEW lienmini.fr/hgemc3-138

Saisissez cette adresse sur votre navigateur pour visionner l'interview.

② La loi sur la transition énergétique

5 minutes avec...

① Quelles sont les grandes lignes du projet de loi de la transition énergétique ? ▶

② Que souhaitiez-vous défendre en priorité ? ▶

③ Quelle était l'ambiance dans l'hémicycle ? ▶

Sabine Buis
Députée à l'Assemblée nationale

Julien Aubert
Député à l'Assemblée nationale

CRÉDITS   Ⓜ MAGNARD

Julien Aubert, député Les Républicains, Vaucluse

❝ Nous avons ciblé quelques combats particuliers : le nucléaire, mais aussi les entreprises produisant des sacs en plastique qui se sont retrouvées sans perspective de marché en France. Nous avons essayé de montrer que toutes ces mesures étaient antiéconomiques et que la rapidité avec laquelle le gouvernement entendait agir présentait un risque évident [pour les emplois]. ❞

Sabine Buis, députée Parti Socialiste, Ardèche

❝ Dans l'énoncé même de la loi il y avait le mot "transition" ce qui signifie que nous cherchons à transformer les emplois qui sont aujourd'hui polluants vers des emplois moins polluants. Le président de la République a annoncé un grand plan sur les formations et a annoncé que les priorités étaient sur l'écologie et l'économie et que l'économie ne vient pas s'opposer à l'écologie et que l'écologie ne vient pas s'opposer à l'économie, mais que les deux sont possibles. ❞

5. DOC. 2 Qui est à l'initiative de la loi sur la transition énergétique ?

6. DOC. 2 Dans quel contexte international cette loi a-t-elle été élaborée ?

ACTION !

◆ À quoi servent les députés ?

◆ En vous aidant de l'interview, montrez quel est le rôle des députés à l'Assemblée nationale. Pourquoi le débat est-il important pour faire vivre une démocratie ?

La démocratie représentative

La France est une république : le pouvoir est confié
à des représentants. Cette république est démocratique
parce que ces représentants sont élus au suffrage universel
et qu'ils expriment la volonté du peuple.

A Quels sont les principes de la démocratie représentative ?

1 Prendre en compte l'avis des citoyens

« **Article 6.** La Loi est l'expression de la volonté générale. Tous les citoyens
ont droit de concourir personnellement, ou par leurs représentants, à sa
formation. Elle doit être la même pour tous, soit qu'elle protège, soit qu'elle
punisse. »

> Extrait de la Déclaration des droits de l'Homme et du citoyen de 1789.

« **Article 21.** Toute personne a le droit de prendre part à la direction des
affaires publiques de son pays, soit directement, soit par l'intermédiaire de
représentants librement choisis. »

> Extrait de la Déclaration universelle des droits de l'Homme de 1948.

2 Le pouvoir au peuple

1jour1actu.com,
illustration «Que
deviennent les
printemps arabes»,
11 septembre 2011,
Jacques Aram,
© Milan Presse.

. . . .

1. DOC. 1 Pourquoi parle-t-on de démocratie « représentative » en France ?

2. DOC. 2 ET 3 Quel principe de la Constitution de 1948 est illustré dans cette caricature ?

3. DOC. 4 Pour quelle cause milite le collectif Votation citoyenne ?

3 Ce que dit la loi

« **Article 3.** La souveraineté nationale appartient au peuple qui l'exerce par ses représentants et par la voie du référendum. […]

Le suffrage peut être direct ou indirect dans les conditions prévues par la Constitution. Il est toujours universel, égal et secret.

Sont électeurs, dans les conditions déterminées par la loi, tous les nationaux français majeurs des deux sexes, jouissant de leurs droits civils et politiques.

Article 24. Le Parlement vote la loi. Il contrôle l'action du gouvernement. Il évalue les politiques publiques.

Il comprend l'Assemblée nationale et le Sénat. Les députés à l'Assemblée nationale […] sont élus au suffrage direct. Le Sénat […] est élu au suffrage indirect. Il assure la représentation des collectivités territoriales de la République.

Article 45. Tout projet ou proposition de loi est examiné successivement dans les deux assemblées du Parlement en vue de l'adoption d'un texte identique. »

Extraits de la Constitution française de 1948.

4 Élargir la représentativité

Le droit de vote a été acquis en France par les hommes en 1848, et par les femmes en 1944. Certaines organisations militent aujourd'hui pour que les résidents étrangers vivant en France puissent aussi voter aux élections locales (les citoyens européens peuvent déjà voter aus élections municipales de l'État membre dans lequel ils résident).

Affiche du collectif Votation citoyenne, 2011.

ACTION !

◆ **Lisez le règlement intérieur** de votre collège et sélectionnez ensemble un article que vous aimeriez modifier.

◆ **Faites 2 groupes :** le premier rédige l'amendement à l'article. Le second rédige les arguments pour ou contre l'article choisi.

◆ **Votez** tous ensemble l'amendement présenté par le groupe 1. Le groupe 2 relit l'amendement et le modifie (cela s'appelle une navette parlementaire). Votez à nouveau tous ensemble l'amendement présenté par le groupe 2.

Faut-il tirer au sort parmi les citoyens une partie des hommes politiques ?

OBJECTIF
Comprendre les principes des sociétés démocratiques

LES MOTS DE LA DISCUSSION

Un citoyen : une personne ayant des droits civils et politiques – participer à la vie politique, pouvoir être électeur et être éligible – et des devoirs civiques – accomplir son service militaire ou civique, voter aux élections, être juré.

A. PRÉPARATION DU DÉBAT

1. Répondez spontanément à la question « Faut-il tirer au sort parmi les citoyens une partie des hommes politiques ? » et proposez des arguments.

2. Partagez la classe en deux groupes : l'un défend le oui, l'autre le non.

3. Dans votre groupe, sélectionnez les arguments qui défendent votre position, trouvez-en d'autres, et préparez des réponses possibles aux arguments de vos adversaires.

B. DÉBAT

4. Débattez en alternant les arguments pour et contre.

C. BILAN DU DÉBAT

5. Rédigez une conclusion au débat, avec votre réponse personnelle, en expliquant si le débat vous a fait changer d'avis ou non.

Contre

Et si on tire au sort des incompétents !

Laisser à des inconnus choisis au hasard le soin de nous représenter, c'est absurde, ça ne correspond pas à la démocratie représentative, ils n'auraient aucune légitimité à participer à des prises de décision.

Les citoyens tirés au sort seraient à la merci des groupes de pression qui les manipuleraient, alors que les hommes politiques élus ont plus l'habitude de faire face à ces influences, et doivent rester fidèles aux idées de leur parti politique.

Des citoyens tirés au sort seraient tentés de ne défendre que leur intérêt personnel. Il vaut mieux des partis politiques qui défendent un projet global, et que les citoyens choisissent en votant.

Une partie du peuple, même représentative de la diversité de l'ensemble, n'est pas le peuple : quelques citoyens tirés au sort, ce n'est pas tout le peuple d'un pays. Il faut plutôt renforcer la pratique du référendum pour avoir l'avis de chaque citoyen le plus souvent possible.

Mesdames et Messieurs les jurés ...

Pour

On tire bien au sort des citoyens pour participer au jury des cours d'assises dans les tribunaux !

La classe politique actuelle est discréditée, les citoyens votent de moins en moins, il faut proposer autre chose !

Dans la première des démocraties, à Athènes, on utilisait très souvent le tirage au sort pour faire une place aux Dieux, pour montrer que tous les citoyens sont vraiment égaux et qu'on est tour à tour gouvernant et gouverné, pourquoi pas en France ?

Et la combinaison gagnante est ...

LE GRAND LOTO PRÉSIDENTIEL

La politique ce n'est pas un métier ou une activité spécialisée, tous les citoyens sont concernés.

En tirant au sort les citoyens parmi des catégories de population, on assure une meilleure représentation de la population dans toute sa diversité. On règlerait mieux les problèmes en prenant en compte une pluralité de points de vue.

A Des droits et des lois...

• Pour vivre ensemble, nous avons besoin de définir des règles de vie en société et de les respecter, sinon c'est la loi de la jungle, la loi du plus fort. La Déclaration des droits de l'Homme et du citoyen de 1789 définit les droits naturels (la liberté, l'égalité, la propriété) et les droits politiques du citoyen.

• Le respect de ces droits garantit à chacun la liberté et la possibilité de vivre sereinement, en sécurité. La loi prévoit des sanctions (amende, prison) pour ceux qui ne respectent pas les règles de vie en société.

B ...établis par nos représentants...

• Chaque Français participe à la création des lois grâce à ses représentants et par la voie du référendum. Les citoyens élisent directement des députés et indirectement des sénateurs. Les députés et les sénateurs réunis ensemble constituent le Parlement.

• Le vote d'une loi est un long processus démocratique où l'on discute, où l'on corrige pour arriver au texte satisfaisant le plus grand nombre et l'intérêt général. Le référendum permet aux citoyens de répondre par « oui » ou par « non » à un projet de loi. C'est ce qu'on appelle « la démocratie directe ».

C ... qui garantissent la démocratie

• Le bon fonctionnement des instances de la République garantit la démocratie. Il est important de continuer à réfléchir sur les façons d'améliorer et de protéger notre système démocratique pour s'assurer que tous se sentent représentés et écoutés.

• Par exemple, il est régulièrement question d'étendre le droit de vote aux étrangers résidents en France ou d'avoir recours plus souvent au référendum afin de consulter directement les citoyens.

VOCABULAIRE

Un citoyen : une personne ayant des droits civils et politiques – participer à la vie politique, pouvoir être électeur et être éligible – et des devoirs civiques – accomplir son service militaire ou civique, voter aux élections, être juré.

La démocratie représentative : une forme de démocratie dans laquelle les citoyens élisent des représentants à qui ils délèguent leurs pouvoirs.

Un député : un représentant élu du peuple qui siège à l'Assemblée nationale. Il représente la volonté générale, vote la loi et contrôle le gouvernement.

Ils en parlent aussi

La justice des mineurs
Ahmed Kalouaz,
Les Sauvageons,
Le Rouergue, 2013.

L'histoire d'un jeune garçon enfermé dans une colonie pénitentiaire au XIXe siècle, un récit d'aventure qui rappelle le chemin parcouru dans la reconnaissance des droits de l'enfant.

Comment nait une loi

Dessin de Plantu pour l'association des journalistes parlementaires.

1. Complétez le tableau :

Le sujet du dessin de Plantu	
Les institutions nommées dans le dessin	
Les personnes représentées dans le texte ou le dessin	
Ceux qui peuvent présenter une loi	
Ceux qui votent la loi	

2. En quoi le système de la « navette » parlementaire montre la supériorité de l'Assemblée nationale ?

3. Comment les citoyens influent-ils sur l'élaboration des lois ?

4. Expliquez la dernière bulle du dessin (en bas à droite) : « C'est pas trop tôt » ?

5. Expliquez en quelques lignes à un camarade étranger, qui ne connait pas le système français, comment sont élaborées les lois en France.

Chapitre 3

Le jugement : penser par soi-même et avec les autres

Les mots du chapitre

La **démocratie** s'oppose à la **dictature** ;

➜ Dossier, p. 386
➜ Interview, p. 388

… en France, elle se fonde sur des principes comme la **laïcité**…

➜ Dossier, p. 390

… et a mené à la création de l'**ONU**.

➜ Dossier, p. 392

" Et pourtant elle tourne "

Galilée, mathématicien, géomètre, physicien et astronome italien du XVIIᵉ siècle.

En 1633, Galilée, qui soutient la théorie de l'héliocentrisme, selon laquelle la Terre tourne autour du soleil et non l'inverse, subit un procès de l'Inquisition, tribunal de l'Église catholique luttant contre l'hérésie (toute pensée sortant du dogme). Alors qu'il est contraint de revenir sur sa théorie, il aurait déclaré en aparté : « Et pourtant elle tourne ».

⚙ De quelle institution Galilée subissait-il la censure ?

⚙ Pourquoi peut-on dire que, du temps de Galilée, la liberté d'expression était limitée ?

DOSSIER — Dictature, démocratie : ça change quoi ?

OBJECTIF
Reconnaitre les caractéristiques d'un État démocratique

La France est un État démocratique. Contrairement à une dictature, notre État repose sur la séparation des pouvoirs et le respect des droits et des libertés.

A Les principes démocratiques

1 La théorie de la séparation des pouvoirs

La théorie de la séparation des pouvoirs, élaborée par Locke (philosophe anglais du XVIIe siècle) et Montesquieu (philosophe français du XVIIIe siècle) a pour but de séparer les différentes fonctions de l'État, pour empêcher la tyrannie, la dictature. La théorie de la séparation des pouvoirs distingue donc trois pouvoirs principaux :

1. le pouvoir législatif qui écrit les lois,

2. le pouvoir exécutif qui les fait appliquer,

3. le pouvoir judiciaire qui règle les problèmes, les litiges.

L'objectif est d'aboutir à l'équilibre entre les différents pouvoirs. Comme le dit Montesquieu, « pour qu'on ne puisse pas abuser du pouvoir, il faut que, par la disposition des choses, le pouvoir arrête le pouvoir ».

© Magnard 2016.

2 Les institutions de la Ve République française

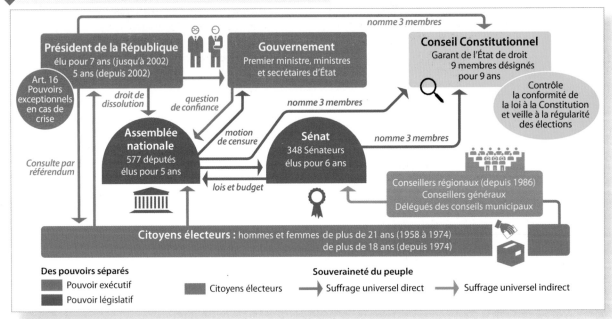

Des pouvoirs séparés — Pouvoir exécutif / Pouvoir législatif

Souveraineté du peuple — Citoyens électeurs — Suffrage universel direct — Suffrage universel indirect

---

VOCABULAIRE

La démocratie : le régime politique dans lequel les dirigeants sont élus par les citoyens et où les droits de l'Homme sont garantis.

Une dictature : un régime politique dans lequel une personne ou un groupe de personnes exercent tous les pouvoirs de façon absolue, sans qu'aucune loi ne les limite.

Une constitution : la loi fondamentale qui explique le choix d'organisation et de gouvernement d'un pays.

Le suffrage universel : le droit de vote pour tous les citoyens, quels que soient leur sexe ou leur niveau de richesse.

B Une dictature : la Corée du Nord

3 L'organisation du pouvoir en Corée du Nord

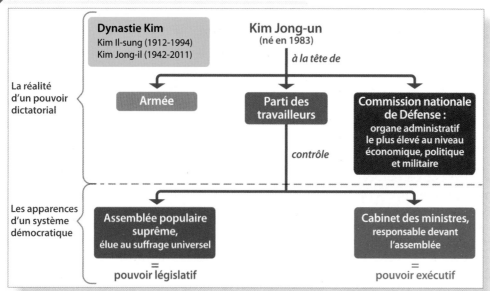

4 Le droit de vote en Corée du Nord

Le 9 mars 2014, Kim Jung-un est élu à 100% des suffrages exprimés, lors d'élections parlementaires où les électeurs ne pouvaient voter que pour un seul candidat par circonscription.

Dessin de Barret,
paru dans *Vigousse*
(hebdomadaire suisse), 2014.

1. DOC. 1 ET 2 Comment les pouvoirs législatif et exécutif s'équilibrent-ils dans la Ve République ?

2. DOC. 4 Pourquoi le droit de vote ne signifie-t-il pas la démocratie en Corée du Nord ?

3. DOC. 3 ET 4 Pourquoi peut-on parler d'une apparence de démocratie en Corée du Nord ?
Pourquoi s'agit-il en fait d'une dictature ?

ACTION !

◆ À partir des documents, rédigez un texte qui rassemble les informations montrant que la Corée du Nord n'est pas une démocratie, en comparant avec la situation française.

Les principes de la démocratie

OBJECTIF
Reconnaitre les grandes caractéristiques d'un État démocratique

1 La monarchie parlementaire anglaise

Dans une monarchie parlementaire, la famille royale incarne la continuité de l'État, mais sans avoir de rôle politique. Lors du « discours du trône », ici en mai 2015, la reine d'Angleterre lit devant les députés un discours, rédigé par le Premier ministre, décrivant le programme législatif du gouvernement nouvellement élu au suffrage universel.

2 Les États-Unis : un exemple de régime présidentiel

« Le régime présidentiel se caractérise par une stricte séparation des pouvoirs : le pouvoir législatif a le monopole de l'initiative et la pleine maitrise de la procédure législative ; le pouvoir exécutif, qui dispose d'une légitimité fondée sur le suffrage universel, ne peut être renversé ; le pouvoir judiciaire dispose de larges prérogatives.

La principale caractéristique du régime présidentiel réside dans le mode de désignation du chef de l'État, élu au suffrage universel direct ou indirect. Le président jouit ainsi d'une forte légitimité qui fonde les larges pouvoirs dont il dispose. Il a le pouvoir de nommer et de révoquer les ministres et a autorité sur eux. L'exécutif relevant du seul président, celui-ci est à la fois chef de l'État et chef du Gouvernement. Sa responsabilité politique ne peut être mise en cause par les assemblées, mais, réciproquement, il dispose de peu de moyens de contrainte à leur égard. En effet, il ne peut pas les dissoudre et dispose seulement d'un droit de veto sur les textes législatifs qui ne lui conviennent pas. Les assemblées parlementaires détiennent pour leur part d'importantes prérogatives de législation et de contrôle. Elles ont ainsi la pleine maitrise du vote des lois et le monopole de l'initiative législative. »

« Les différents types de régime politique », www.vie-publique.fr, 2016 © La Documentation française.

VOCABULAIRE

Une république : un régime politique où le pouvoir est détenu par des représentants du peuple, et non par un roi.

1. DOC. 1 Pourquoi le Royaume-Uni est-il une démocratie tout en étant une monarchie ?

2. DOC. 2 Quel est le risque d'un pouvoir exécutif fort ? Comment est-il équilibré ?

3. DOC. 3 **Écoutez l'interview.** Citez les principes de la démocratie selon Abdenour Bidar.

3 République et démocratie en France

INTERVIEW lienmini.fr/hgemc3-139

Saisissez cette adresse sur votre navigateur pour visionner l'interview.

5 minutes avec...

Abdennour Bidar
Philosophe

❝ Au-delà de la diversité de nos identités, nous appartenons au même peuple. ❞

① Quels sont les grands principes de la démocratie en France ?

② Pourquoi la République française est-elle une démocratie solidaire ?

③ Qu'est-ce que signifie : « La République française est indivisible » ?

CRÉDITS

Ⓜ MAGNARD

❝ En France, la notion de démocratie est solidaire de celle de république. Cette solidarité est bien indiquée dans la Constitution de la Ve République de 1958 qui déclare que la République française est indivisible, démocratique, laïque et sociale. ❞

- -

4. DOC. 1, 2 ET 3 Pourquoi pouvons-nous dire que le principe de démocratie est respecté dans ces trois régimes différents ?

ACTION !

◆ Le principe démocratique ne prédispose pas à un type de régime unique. Mettez-vous à plusieurs et trouvez de nouvelles formes de régime respectant les principes de la démocratie.

Depuis 1905 et la loi de séparation des Églises et de l'État en France, la laïcité est un des fondements de la République. Si l'enjeu est de limiter l'emprise de la religion sur la vie publique, il est aussi de protéger la liberté de croyance.

OBJECTIF
Comprendre les enjeux de la laïcité

A Vivre dans un État laïc

1 La séparation des Églises et de l'État

Lithographie anonyme, 1905.

Émile Combes s'apprête, en 1905, à couper le lien entre l'Église (ici représentée par un pape aveuglé) et la République, en se plaçant sous l'autorité de la philosophie des Lumières et la bienveillance de Voltaire.

2 La laïcité à l'école

« **Article 1.** La France est une République indivisible, laïque, démocratique et sociale. Elle assure l'égalité devant la loi, sur l'ensemble de son territoire, de tous les citoyens. Elle respecte toutes les croyances.

Article 3. La laïcité garantit la liberté de conscience à tous. Chacun est libre de croire ou de ne pas croire. Elle permet la libre expression de ses convictions, dans le respect de celles d'autrui et dans les limites de l'ordre public.

Article 14. Dans les établissements scolaires publics, les règles de vie des différents espaces, précisées dans le règlement intérieur, sont respectueuses de la laïcité. Le port de signes ou tenues par lesquels les élèves manifestent ostensiblement une appartenance religieuse est interdit. »

Charte de la laïcité à l'école, 2013.

VOCABULAIRE

La laïcité : le principe de séparation de l'État et de la religion, s'oppose à la reconnaissance d'une religion d'État.

Le fanatisme : l'attitude d'une personne dont l'attachement passionné à une religion ou une doctrine la conduit à l'intolérance et souvent à la violence.

1. DOC. 1 Quels éléments de cette caricature donnent une image antireligieuse de la loi de 1905 ?

2. DOC. 2 En quoi la laïcité protège-t-elle la liberté de croire ?

3. DOC. 3 ET 4 En quoi peut-on dire que l'Iran n'est pas un pays laïc ?

3 Le fanatisme religieux

Persepolis raconte l'enfance de la dessinatrice, Marjane Satrapi, en Iran, lors de la révolution islamique, qui mène au pouvoir des partisans d'un islam très strict. Ils en font la religion d'État. Les « gardiennes de la révolution », chargées de faire respecter la loi islamique dans la rue, arrêtent les filles qui ne sont pas habillées comme il faut.

Persepolis, tome 2, Marjane Satrapi, © L'Association, 2001.

4 Un regard plus nuancé

« Quand on parle de l'Iran, surtout aujourd'hui, c'est pour résumer ce pays aux fanatiques et aux islamistes. À force, ce discours ôte toute part d'humanité à ce peuple, réduit à des notions abstraites. [...] Je voulais dire qu'en Iran il y a aussi des adolescents qui aiment écouter du rock et qui tombent amoureux. Si le bonheur n'existe pas, le malheur absolu non plus. Les Iraniens ne sont pas tous des fous de Dieu. Cette division du monde m'a toujours paru idiote. Quel est le point commun entre un fanatique iranien et moi ? Il n'y a en a pas. Quel est le point commun entre un catholique intégriste français et vous ? Aucun. Mais il y en a beaucoup, j'imagine, entre vous et moi. S'il y a un partage du monde à faire, c'est entre les cons et ceux qui ne le sont pas. Entre les fanatiques et les démocrates. Pour la majorité des gens, l'Iran c'est soit Schéhérazade, soit les terroristes. Entre les deux il n'y a rien. Eh bien, si. Et c'est ce que je voulais montrer. »

Marjane Satrapi, propos recueillis par Éric Libiot, « Je me bats surtout contre les idées reçues », lexpress.fr, 20 février 2008.

---

4. DOC. 4 À quoi Marjane Satrapi oppose-t-elle le fanatisme ? Contre quelles idées reçues se bat-elle ?

ACTION !

◆ Une nouvelle élève arrive en classe. Elle est iranienne.

◆ Expliquez-lui les principes de la laïcité, et les implications que cela a concrètement dans votre vie de tous les jours au sein du collège.

OBJECTIF
Comprendre les problèmes de la paix et de la guerre dans le monde

En 1945 et après l'échec de la Société des Nations à empêcher la Seconde Guerre mondiale, l'Organisation des Nations unies est créée pour garantir durablement la paix, la prospérité et la démocratie dans le monde.

A Comment fonctionne l'ONU ?

1 Les institutions de l'ONU

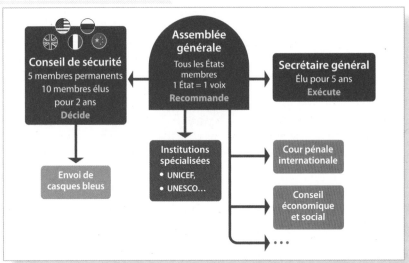

2 Le maintien et le rétablissement de la paix et de la sécurité

« Les 69 missions de maintien de la paix et d'observation que l'ONU a déployées dans les points chauds du globe au cours des six dernières décennies ont contribué à rétablir le calme et aidé de nombreux pays à se relever de conflits. [...]
Depuis les années 1990, l'ONU a participé au règlement de nombreux conflits [...] : Sierra Leone, Liberia, Burundi, Soudan (conflit Nord-Sud), Népal. Des recherches ont montré que l'action de l'ONU en matière de rétablissement et de maintien de la paix et de prévention des conflits était un élément déterminant dans la diminution (40 %) du nombre de conflits qui s'est produite depuis les années 1990 à l'échelle mondiale. Par la diplomatie et d'autres formes d'action préventive, l'ONU a désamorcé nombre de conflits potentiels et [...] administre aussi les situations d'après conflit. »

« Paix et sécurité », sur le site de l'ONU : www.un.org, 2016.

VOCABULAIRE

L'Organisation des Nations unies (ONU) : une organisation internationale, fondée en 1945, regroupant presque tous les États de la planète. Ses objectifs sont de faciliter la sécurité internationale, le développement économique, les droits de l'Homme et la réalisation à terme de la paix mondiale.

1. DOC. 1 ET 3 Pourquoi les États vainqueurs de la Seconde Guerre mondiale ont-ils plus de pouvoir au sein des institutions de l'ONU ?

2. DOC. 1 Quel est l'organe des Nations unies dans lequel le principe démocratique est le plus respecté ?

3. DOC. 2 Expliquez comment l'ONU intervient dans le règlement d'un conflit.

3 Réformer l'ONU ?

« **Le Figaro.** Ukraine, Syrie, Irak, Gaza : les conflits s'embrasent, divisant la communauté internationale. Pourtant l'ONU apparait à la fois impuissante et inaudible. Comment expliquez-vous ce relatif immobilisme?

Stéphane Baumont. [...] En matière de paix, l'ONU c'est d'abord le Conseil de sécurité et sa règle de l'unanimité des votes qui bloque souvent le processus de décisions. Ainsi, les tentatives d'intervention en Libye ou en Syrie ont été bloquées par la Russie et la Chine. [...] Le temps juridique des décisions à 196 États [...] est bien plus lent que le temps des armes et de la guerre. [...]

Le Figaro. Compte tenu de ces limites actuelles, l'ONU doit-elle être réformée? Comment renforcer son pouvoir ?

Stéphane Baumont. Oui l'ONU doit être renforcée. [...] Il faudrait urgemment mettre en œuvre certaines propositions qui y sont présentées, comme la réforme du Conseil de sécurité (agrandir le nombre des permanents pour casser le monopole du véto des vainqueurs de 1945). En outre, il faut continuer à améliorer la représentativité de tous les continents en son sein, en donnant à tous les membres les mêmes droits. [...]

Dans un monde multipolaire, la difficulté est de trouver une voix forte unanimement entendue et écoutée. Pour l'instant l'ONU arbitre : à terme, elle doit trancher. Pourquoi pas une présidence internationale ? Renforcer la paix dans le monde passe par la coopération internationale au sein de l'ONU, et cela ne se fera qu'au détriment des orgueils nationaux. Mais le gain serait universel ! »

Stéphane Baumont, propos recueillis par Adrien de Volontat « Ukraine, Syrie, Irak, Gaza : mais que fait l'ONU ? », *Le Figaro*, 7 août 2014.

4 Réfugiés dans un camp de l'ONU en République Démocratique du Congo, en janvier 2013

Depuis 1999, l'ONU intervient en RDC pour superviser la mise en place du cessez-le-feu, démilitariser les groupes armés, faciliter l'aide humanitaire et protéger les populations civiles. Face au manque de moyens alloués aux casques bleus pour réaliser ces objectifs, le conflit persiste et les populations civiles en sont les premières victimes.

4. DOC. 3 ET 4 Quelles sont les critiques faites au fonctionnement de l'ONU et à certaines de ses opérations de maintien de la paix ?

ACTION !

◆ En tant que président d'une association militant pour la paix, vous préparez le discours que vous allez proclamer à l'assemblée générale de l'ONU. Vous voulez montrer qu'en réformant le fonctionnement actuel de l'ONU, on pourrait régler plus efficacement le problème de la guerre et de la paix dans le monde.

A La démocratie, s'oppose à la dictature ;

• La République française est une démocratie : elle est dirigée par des représentants du peuple, élus au suffrage universel. Dans un État démocratique, à l'opposé d'une dictature, les différents pouvoirs sont séparés : le pouvoir législatif vote les lois, le pouvoir exécutif exécute les lois et le pouvoir judiciaire contrôle l'application des lois. Cet équilibre des différents pouvoirs garantit la liberté.

• La République est aussi sociale : elle protège les plus démunis, cherche à réduire les inégalités, selon les valeurs de fraternité et d'égalité.

B en France, elle se fonde sur des principes comme la laïcité...

• La République française est laïque : elle respecte la liberté de conscience et ne privilégie aucune religion.

• La République française est indivisible : la loi est la même pour tous partout et nous formons un peuple partageant les mêmes valeurs.

C ... et a mené à la création de l'ONU.

• L'Organisation des Nations unies a été créée en 1945 pour défendre les populations soumises à des dictatures et tenter de garantir la paix et l'amitié entre les peuples dans le monde. Presque tous les pays de la planète sont membres de cette organisation. L'ONU essaie de régler des conflits, de défendre les droits de l'Homme, grâce à la négociation et à la justice. Elle peut aussi utiliser la force, en envoyant des casques bleus, les soldats des pays membres de l'ONU mis à sa disposition.

• L'ONU cherche surtout à limiter les risques de conflits en agissant en amont, en favorisant le développement économique, la démocratie, et le respect des droits de l'Homme.

VOCABULAIRE

Une République : un régime politique où le pouvoir est détenu par des représentants du peuple, et non par un roi.

Une démocratie : un régime politique dans lesquels les dirigeants sont élus par les citoyens et où les droits de l'Homme sont garantis.

Une constitution : une loi fondamentale qui explique le choix d'organisation et de gouvernement d'un pays.

Le suffrage universel : le droit de vote pour tous les citoyens, quel que soit leur sexe ou leur richesse.

Ils en parlent aussi

Comprendre les religions

Patrick Banon, Olivier Marboeuf (Illustrateur),
Pour mieux comprendre les religions, Actes Sud junior, 2008.

Un ouvrage qui traite des religions monothéistes, leurs thèmes, leurs rites, leurs questionnements fondamentaux...

1 Créationnisme et théorie de l'évolution à l'école

« L'évocation du mot "créationnisme" renvoie […] à la doctrine de la création du monde en six jours telle qu'elle est racontée dans la Genèse[1]. […] Ce mot apparait à la fin du XIXᵉ siècle pour désigner des mouvements anti-évolutionnistes nés dans des Églises évangéliques[2] du sud des États-Unis. Ces oppositions se sont développées parallèlement à l'acceptation de plus en plus large, au sein de la communauté scientifique, de la théorie de l'évolution[3] des espèces proposée en 1859 par le naturaliste Charles Darwin (1809-1882) dans *L'Origine des espèces*, et à sa diffusion dans la société. Dans un sens premier, les créationnistes sont ceux qui affirment que le récit de la Création, tel qu'il apparait par exemple dans la Genèse, doit être accepté à la lettre : le créationnisme est alors qualifié de littéraliste. Ses partisans considèrent la théorie de l'évolution comme une remise en cause de leurs croyances et de leur conception du monde. <u>Leur objectif principal est l'interdiction de l'enseignement de la théorie de l'évolution.</u> »

Cyrille Baudouin et Olivier Brosseau, *Enquête sur les créationnismes. Réseaux, stratégies et objectifs politiques*, Belin, 2013.

1. La Genèse : le premier livre de la Bible.
2. Les Églises évangéliques : des mouvements protestants.
3. La théorie de l'évolution : la théorie selon laquelle l'être humain et le singe ont un ancêtre commun.

3 Un enseignement laïc et scientifique

« **Article 12** Les enseignements sont laïques. Afin de garantir aux élèves l'ouverture la plus objective possible à la diversité des visions du monde ainsi qu'à l'étendue et à la précision des savoirs, aucun sujet n'est a priori exclu du questionnement scientifique et pédagogique. Aucun élève ne peut invoquer une conviction religieuse ou politique pour contester à un enseignant le droit de traiter une question au programme. »

Charte de la laïcité à l'école, 2013.

1. À quel livre se réfèrent les créationnistes pour expliquer la création du monde ?
2. En quoi s'opposent-ils à la théorie de l'évolution ?
3. Expliquez en quoi la phrase soulignée s'oppose à la conception de la laïcité telle qu'exposée dans la charte de la laïcité.
4. Vous devez expliquer à un partisan du créationnisme qu'il ne peut s'opposer à l'enseignement de la théorie de l'évolution en SVT. Quels seront vos arguments ?

Chapitre 4

L'engagement :
agir individuellement et collectivement

Les mots
du chapitre

S'engager

dans le cadre d'un service
civique ou dans l'humanitaire,...

➜ Interview, p. 398
➜ Dossier, p. 400

... dans la Défense nationale...

➜ Dossier, p. 402

... ou dans un parti politique.

➜ Débat, p. 404

« Être homme, c'est précisément être **responsable**. C'est sentir, en posant sa pierre, que l'on **contribue** à bâtir le monde. »

Antoine de Saint-Exupéry,
Terre des Hommes, © Gallimard, 1939.

⚙ À quoi Saint-Exupéry compare-t-il le fait d'être responsable ?

⚙ Pourquoi peut-on dire que, pour Saint-Exupéry, l'engagement a une dimension concrète et collective ?

Le service civique

1 Qu'est-ce que le service civique ?

« Le service civique est un engagement volontaire au service de l'intérêt général, ouvert à tous les jeunes de 16 à 25 ans et jusqu'à 30 ans pour les jeunes en situation de handicap, sans conditions de diplôme ; seuls comptent les savoir-être et la motivation.

Le service civique, indemnisé 573 euros net par mois, peut être effectué auprès d'associations, de collectivités territoriales (mairies, départements ou régions) ou d'établissements publics (musées, hôpitaux, universités…) ou de services de l'État (collèges, lycées, écoles, préfectures…), sur une période de 6 à 12 mois en France ou à l'étranger, pour une mission d'au moins 24h par semaine. […]

Il peut être effectué dans 9 grands domaines reconnus prioritaires pour la nation : culture et loisirs, développement international et action humanitaire, éducation pour tous, environnement, intervention d'urgence en cas de crise, mémoire et citoyenneté, santé, solidarité, sport. »

www.service-civique.gouv.fr, 2016.

2 Une campagne pour développer le service civique

Campagne d'affichage de l'Agence du service civique, mars 2012.

VOCABULAIRE

Un réfugié : une personne immigrée qui ne peut pas retourner dans son pays car elle y est persécutée du fait de son origine, de sa religion, de ses opinions politiques…

Un demandeur d'asile : un réfugié dont la demande est en cours d'examen.

1. DOC. 1 ET 2 Pourquoi le service civique, est-il une expérience où l'engagement est primordial ?

2. DOC.1 ET 3 Écoutez l'interview. Dans le(s)quel(s) dans 9 grands domaines énoncés dans le document 1, Sophie Adeyema effectue-t-elle son service civique ?

3. DOC. 3 Quelles sont les motivations de Sophie Adeyema ?

INTERVIEW lienmini.fr/hgemc3-140

Saisissez cette adresse sur votre navigateur pour visionner l'interview.

3 S'engager pour les demandeurs d'asile

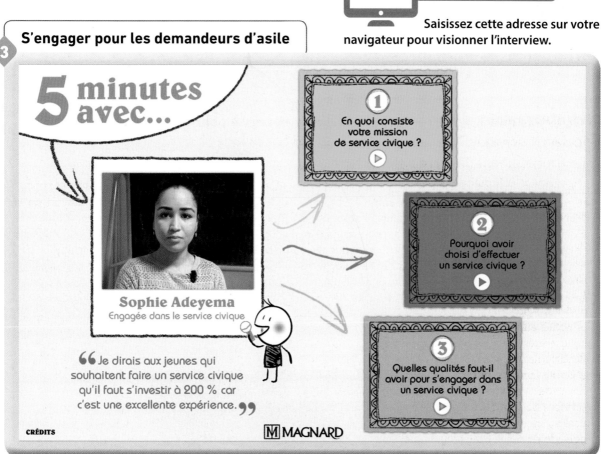

5 minutes avec...

Sophie Adeyema
Engagée dans le service civique

① En quoi consiste votre mission de service civique ?

② Pourquoi avoir choisi d'effectuer un service civique ?

③ Quelles qualités faut-il avoir pour s'engager dans un service civique ?

❝ Je dirais aux jeunes qui souhaitent faire un service civique qu'il faut s'investir à 200 % car c'est une excellente expérience. ❞

CRÉDITS

Ⓜ MAGNARD

❝ Ma mission de service civique consiste à sensibiliser les demandeurs d'asile à la langue française et à favoriser leur insertion et leur autonomie pour qu'ils aient les clés pour s'intégrer. Ça se traduit par des cours de français mais aussi par les clés des normes et des valeurs de la République française pour qu'ils sachent ce que c'est d'être un citoyen. J'ai également un rôle d'animatrice, auprès des enfants et des adultes et on fait des sorties culturelles, des ateliers thématiques et enfin j'ai pour rôle d'animer des groupes de parole. ❞

4. DOC. 2 ET 3 En quoi Sophie Adeyema œuvre-t-elle à une société plus solidaire ?

ACTION !

◆ Allez sur le site du service civique (www.service-civique.gouv.fr), créez-vous un espace « jeune volontaire » et recherchez une mission qui pourrait vous intéresser. Présentez-la à la classe et expliquez vos motivations.

OBJECTIF
Comprendre l'engagement humanitaire

L'action humanitaire est une forme d'action, menée le plus souvent par des associations (ONG) ou des organisations de l'ONU, au nom de valeurs de solidarité, dans des cas de catastrophes naturelles ou de crises graves (guerres, famine...).

A L'intervention d'urgence

1 Le tremblement de terre à Haïti en 2010

« À 16 h 53, le mardi 12 janvier 2010, un séisme de magnitude 7,2 s'est produit en Haïti. [...] La mauvaise qualité des constructions, l'absence de normes parasismiques, l'importance de l'agglomération de Port-au-Prince expliquent le nombre de victimes : plus de 220 000 morts, 300 000 blessés, dont la moitié sont des enfants, plus de 2 millions de sans-abris. Ces chiffres font de ce séisme [...] l'une des plus importantes catastrophes naturelles connues. L'ensemble des dégâts matériels et des pertes économiques est évalué [...] à 120 % du PIB haïtien. Plus de 100 000 maisons d'habitation ont été complètement détruites. »

L'Aide française à Haïti après le séisme du 12 janvier 2010, Rapport de la Cour des Comptes, janvier 2013, www.ladocumentationfrançaise.fr.

2 L'action d'urgence après le séisme

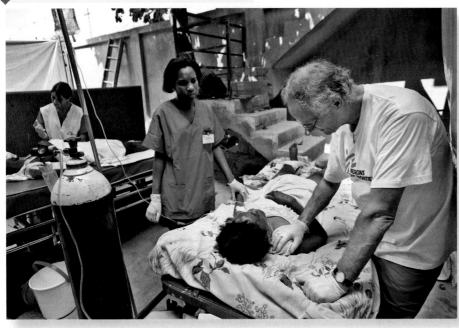

Une intervention chirurgicale en Haïti, menée par un médecin de MSF (Médecins sans Frontières) après le séisme qui a frappé l'île en janvier 2010.

VOCABULAIRE

Une ONG : une organisation non gouvernementale, à but non lucratif, menant différents types d'actions, souvent humanitaires (interventions d'urgence, aide au développement, lutte contre l'illettrisme, défense de l'environnement...).

1. DOC. 1 ET 2 Pourquoi peut-on parler ici d'intervention d'urgence ? De quoi le pays a-t-il besoin en premier ?

2. DOC. 3 ET 4 Pourquoi les actions menées par Linda et Laura sont-elles tournées vers l'avenir ? Expliquez pourquoi, après le stade de l'urgence, les missions de reconstruction sont tout aussi importantes.

B Aider à reconstruire le pays

3 Accompagner le retour à la normale

Linda, psychologue haïtienne, fait partie de l'équipe de soutien psychologique de la Croix-Rouge française et haïtienne.

« Deux fois par semaine, Linda rejoint l'équipe de soutien psychosocial installée sur la Place Saint-Pierre et les 400 enfants accueillis chaque jour. Elle supervise et conseille les volontaires, veille surtout sur les enfants qui, durant quelques heures, profitent d'un espace sécurisé et peuvent s'exprimer à travers des activités ludiques : dessin, sport, jeux… "Les enfants dessinent des maisons qui s'effondrent, des femmes qui pleurent. Ces dessins montrent à quel point ils sont touchés. Mais les enfants pleurent moins que les adultes, explique Linda. Certains enfants oublieront, d'autres n'oublieront jamais…". »

Propos recueillis par Laetitia Martin, déléguée info Croix-Rouge française en Haïti, www.croix-rouge.fr, 4 février 2010.

4 Préparer l'avenir

« Laura est pour 6 mois en Haïti où elle agit dans le cadre du service civique comme professeur volontaire dans les écoles haïtiennes. À 22 ans, Laura a déjà un fameux parcours à son actif. Elle raconte : "Au niveau de l'école, nous sommes en train de monter divers projets qui prennent de plus en plus forme". Et d'expliquer qu'elle réalise une exposition des travaux des enfants avant les vacances de Noël. "Nous leur apprenons une chanson et nous travaillons chaque niveau (4e, 5e et 6e année) sur un thème : le monde, le racisme et l'environnement." Autre projet : la mise en place d'une bibliothèque. "Après une demande auprès de Bibliothèque Sans Frontières nous avons reçu cette semaine 135 livres. Nous recevrons un deuxième don en décembre. Après discussion avec l'école, une salle va être réservée pour créer une vraie bibliothèque et aménager un lieu d'évasion : mobilier, fresque sur les murs." La création d'une salle informatique est également en projet mais l'équipement en matériel est beaucoup plus long. »

« Laura fait son service civique en Haïti », *La Dépêche*, 30 novembre 2010.

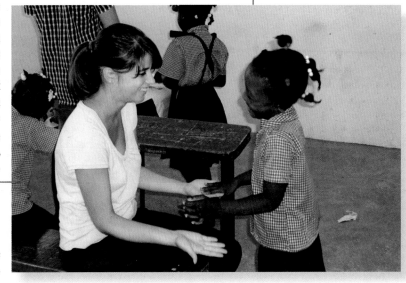

Laura, en service civique en Haïti, avec une de ses élèves.

ACTION !

◆ Dans quels domaines vous verriez-vous bien vous engager ? La reconstruction d'un pays après un séisme, l'aide à la scolarisation, les soins aux personnes malades, la préservation de l'environnement… ? Plutôt en France ou à l'étranger ? Expliquez votre choix.

OBJECTIF
Connaitre les grands principes qui régissent la Défense nationale

Défendre ses valeurs peut prendre la forme d'un engagement dans l'armée. L'armée française est chargée d'opérations de maintien de la paix sur notre territoire et dans plusieurs endroits dans le monde, où la paix est menacée.

A La Défense nationale aujourd'hui

1 L'armée française en chiffres

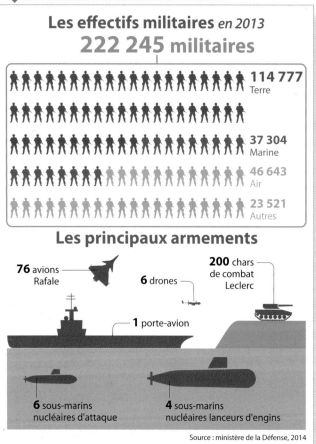

Les effectifs militaires *en 2013*
222 245 militaires

114 777 Terre

37 304 Marine

46 643 Air

23 521 Autres

Les principaux armements

76 avions Rafale

6 drones

200 chars de combat Leclerc

1 porte-avion

6 sous-marins nucléaires d'attaque

4 sous-marins nucléaires lanceurs d'engins

Source : ministère de la Défense, 2014

2 La Journée Défense et Citoyenneté

Après la suppression du service militaire en 2001, a été instaurée la Journée d'Appel et de Préparation à la Défense, devenue Journée Défense et Citoyenneté, obligatoire pour tous les jeunes de moins de 18 ans.

« Les pouvoirs publics et les forces armées agissent chaque jour pour que la liberté puisse exister, sur notre territoire, mais également en Europe et sur d'autres continents.

La JDC est une journée qui permet de rappeler à chacun que cette liberté a un prix. C'est aussi une occasion unique de contact direct avec la communauté militaire, et de découverte des multiples métiers et spécialités, civiles et militaires qu'offre aujourd'hui aux jeunes, la Défense.

Opportunités professionnelles mais également opportunité d'aide spécifique pour les jeunes en difficulté, qui pourront – s'ils le souhaitent – obtenir lors de cette journée des conseils d'orientation vers des structures d'aide adaptée. [...]

En fin de journée, un certificat de participation est remis. Il est obligatoire pour l'inscription aux examens et concours soumis au contrôle de l'autorité publique. »

« Journée Défense et Citoyenneté »,
www.defense.gouv.fr, 19 décembre 2014.

VOCABULAIRE

La Défense nationale : une défense globale, à la fois militaire (rôle de dissuasion et de prévention des menaces militaires et terroriste), mais aussi civile (protection contre les risques naturels et technologiques), économique (lutte contre les trafics et les contrefaçons) et culturelle (promotion de la francophonie).

1. En étudiant les documents, définissez les principales missions de l'armée française.

2. En comparant avec des périodes où la France était en guerre au XXe siècle, quelle différence voyez-vous avec l'armée française aujourd'hui ?

B Des missions diversifiées

3 Un exemple d'opération de maintien de la paix à l'étranger

La France est l'un des principaux pays contributeurs de la FINUL (Force intérimaire des Nations unies au Liban) avec près de 900 soldats. Les militaires français au Liban sont déployés depuis 2006 dans le cadre de l'opération Daman, nom de la participation française à la force internationale. Ils ont pour mission d'empêcher le retour des hostilités entre le Liban et Israël, et d'apporter une aide humanitaire aux populations.

4 Exemple de mission en France

Les missions intérieures sur le territoire national sont le deuxième engagement opérationnel des forces françaises. Elles comprennent des missions de secours et d'assistance à la population en cas de sinistres, ainsi que des missions de protection du territoire. Au lendemain des attentats de janvier 2015, pour faire face à la menace terroriste et protéger les libertés, des soldats sont chargés de protégés les « points » sensibles : écoles, lieux de culte, équipements sportifs ou de transport, comme ici la gare de l'Est à Paris.

ACTION !

La réalisation d'une affiche

◆ Répartissez-vous en groupe de 3 ou 4. Par groupe, choisissez une des missions de l'armée française présentées dans les documents 3 et 4 et cherchez des informations sur cette mission.

◆ Réalisez une affiche qui explique cette mission et exposez-la dans le CDI, ou dans un couloir du collège.

DÉBAT

Pourquoi s'engager dans un parti politique ?

LES MOTS DE LA DISCUSSION

S'engager : agir concrètement au sein d'une association, d'un parti politique... pour faire vivre ses valeurs, et ainsi pouvoir donner un sens à sa vie.

A. PRÉPARATION DU DÉBAT

1. Écrivez les réponses qui vous viennent spontanément à l'esprit en lisant la question « Pourquoi s'engager dans un parti politique ? ». Lisez les documents 1 à 3 ainsi que les bulles d'arguments proposés ci-contre.

2. Faites trois groupes : le groupe 1 trouve des arguments pour l'engagement en politique, le groupe 2 trouve des arguments contre et le groupe 3 s'informe sur le sujet, liste les différentes raisons de l'engagement en politique, et prépare les questions qu'il posera aux groupes 1 et 2.

B. DÉBAT

3. Commencez le débat : les groupes 1 et 2 exposent leurs arguments. Le groupe 3 réagit aux arguments des deux groupes et leur pose des questions.

C. BILAN DU DÉBAT

4. Rédigez une conclusion au débat, avec votre réponse personnelle, en expliquant si le débat vous a fait changer d'avis ou non.

Être dans un parti politique, c'est être embrigadé, c'est être obligé de penser comme la ligne du parti, c'est trop directif...

Appartenir à un parti politique, c'est trouver des personnes qui se battent à nos côtés pour défendre les mêmes valeurs et les mêmes convictions que nous.

Le monde est devenu trop compliqué, on n'arrive plus à réfléchir sur les problèmes de notre société et à trouver des solutions.

La permanence des inégalités et des injustices donne envie de s'engager pour faire changer les choses.

Avec le chômage et le terrorisme, l'envie de s'engager en politique diminue, on préfère se concentrer sur sa vie de famille.

La politique ça peut être beaucoup de haine, on peut se faire insulter par ses adversaires en défendant ses idées, c'est violent.

Les nouveaux mouvements de protestation, comme les Indignés, ne font pas de la politique, ils ne font qu'en parler. Pour changer les choses, il faut pouvoir prendre des décisions, et pour cela il faut être élu.

1 L'importance de la politique selon un philosophe

« On aurait tort de ne voir dans la politique qu'une activité subalterne ou méprisable. C'est bien sûr le contraire qui est vrai : s'occuper de la vie commune, du destin commun, des affrontements communs, c'est une tâche essentielle. Vas-tu laisser le champ libre aux racistes, aux fascistes, aux démagogues ? Vas-tu laisser des bureaucrates décider à ta place ? Vas-tu laisser des technocrates ou des carriéristes t'imposer une société qui leur ressemble ? De quel droit alors, te plaindre de ce qui ne va pas ? Comment, si tu ne fais rien pour l'empêcher, n'être pas complice du médiocre ou du pire ? »

André Comte-Sponville,
Présentations de la philosophie,
© Albin Michel, 2000.

2 L'engagement de Michel Rocard

« Le 12 mai 1945, j'ai décidé que je ferais de la politique. À l'époque, je n'avais pas 15 ans, et la Seconde Guerre mondiale venait juste de se terminer.

Ce jour-là, les jeunes d'Ile-de-France appartenant au scoutisme furent mobilisés pour participer aux opérations d'accueil des déportés qui avaient survécu aux camps de concentration des nazis. Une fois les cars arrivés, nous les jeunes avons découvert avec effarement des hommes et des femmes hagards. Jamais je n'ai oublié ces terribles images.

De ces jours, en tout cas, date mon intérêt pour la politique. Comme la décision personnelle de m'engager. Pourquoi ? Ces survivants réduits à la déchéance physique ne se retrouvaient pas par hasard dans cette situation insupportable.

C'étaient des hommes qui avaient mis d'autres hommes dans un tel état. L'horreur avait été voulue, l'avilissement, calculé. Il n'y avait rien d'accidentel là-dedans. La politique était devenue criminelle et folle.

Avec la résolution de défendre et de promouvoir en priorité les humbles, je suis engagé dans l'action publique depuis plus de soixante ans. »

Michel Rocard, *La Politique, ça vous regarde,* © Gallimard Jeunesse, 2012, www.gallimard-jeunesse.fr.

3 L'engagement de Rama Yade

« J'ai publié une tribune dans *Le Monde* le 30 août 2005 pour dénoncer l'incendie du boulevard Vincent Auriol[1] qui a fait 17 morts, et le traitement de cette affaire par les hommes politiques et les médias. Cette tribune a été pour moi un acte politique fondateur.

À l'époque, j'étais administratrice du Sénat. Je n'étais pas encore engagée en politique, ni à droite ni à gauche, il m'arrivait de m'abstenir ou de voter blanc. J'étais très loin de tout ça. Même si je sentais qu'il fallait que je me trouve un engagement qui aille au-delà du métro, boulot, dodo.

[…] C'est à ce moment-là qu'a eu lieu l'incendie du boulevard Vincent-Auriol. Je me suis dit que ça aurait pu être moi, à la place de ces gens. J'ai jeté mes réflexions sur le papier. Mon futur mari m'a dit d'essayer de faire publier le texte. Il a été publié, et il a permis de me faire connaître et d'écrire un livre. J'ai ensuite envoyé une lettre à Nicolas Sarkozy, parce que j'aimais bien son volontarisme. J'ai fini par le rencontrer et par travailler avec lui pour sa campagne électorale. »

Pierre Jaxel-Truer, « 30 août 2005, où Rama Yade s'engage en politique », *Le Monde*, 6 août 2014.

1. Incendie d'un immeuble vétuste dans lequel habitaient des familles africaines en attente de relogement.

Rama Yade pendant la campagne électorale pour les élections législatives de 2012.

A S'engager dans le cadre d'un service civique ou dans l'humanitaire, …

• Entre 16 et 25 ans, et pour une durée de 6 mois à un an, on peut s'engager, en service civique, à travailler pour une association, un musée, une mairie, une école, en France ou à l'étranger. Cela permet d'être utile dans un domaine qui nous tient à cœur (la protection de l'environnement, l'aide aux enfants défavorisés, etc.). Cet engagement est indemnisé.

• On peut aussi s'engager dans l'humanitaire. L'action humanitaire se professionnalise de plus en plus : les ONG recherchent des infirmiers, des techniciens agronomes… très motivés et solides psychologiquement.

B … dans la Défense nationale…

• Tout jeune Français ou Française doit accomplir un parcours de citoyenneté avec le recensement à 16 ans, puis la Journée Défense et Citoyenneté où l'on découvre les missions et les métiers liés à la Défense nationale.

• La Défense concerne tous les citoyens, même si l'armée est devenue professionnelle en 2001, avec la disparition du service militaire. Le Président est le chef des armées, il peut engager la France dans un conflit militaire avec l'accord du Parlement. L'armée française peut aussi servir la protection des citoyens ou le maintien de la paix à l'étranger.

C … ou dans un parti politique.

• La démocratie peut s'exercer pleinement en France si des citoyens acceptent de prendre des engagements politiques.

• Cet engagement peut prendre plusieurs formes : exprimer ses opinions en votant, s'engager dans un parti politique et participer à des débats d'idée, s'informer dans les médias pour se forger ses opinions, se présenter à des élections locales (municipales) ou nationales (législatives).

VOCABULAIRE

S'engager : agir concrètement au sein d'une association, d'un parti politique… pour faire vivre ses valeurs, et ainsi pouvoir donner un sens à sa vie.

La Défense nationale : une défense globale, à la fois militaire (rôle de dissuasion et de prévention des menaces militaires et terroriste), mais aussi civile (protection contre les risques naturels et technologiques), économique (lutte contre les trafics et les contrefaçons) et culturelle (promotion de la francophonie).

La Journée Défense et Citoyenneté : une journée que doit accomplir tout jeune français avant ses 18 ans. Elle comprend un rappel des devoirs du citoyen et des enjeux de la défense, un test en français, une présentation des métiers proposés par l'armée et une initiation aux gestes de premiers secours.

Ils en parlent aussi

S'engager pour le société
Marion Brunet,
Dans le désordre,
Éditions Sarbacane, 2016.

Sept amis de manif, de révolte, qui se lient dans la lutte et l'engagement pour une vie « autre », qui ont choisi de vivre ensemble, en refusant une vie normale et aseptisée, et qui en paieront le prix.

ACLeFeu, une association engagée

Mohamed Mechmache, président du collectif ACLeFeu (Association, Collectif, Liberté, Égalité, Fraternité, Ensemble, Unis)

« Mohamed Mechmache avait 39 ans le 27 octobre 2005, et pourtant, c'est comme s'il était né ce jour-là. [...] Pendant les six nuits qu'ont duré les "révoltes sociales"[1] de 2005, Mohamed Mechmache, alors éducateur, n'a pratiquement pas dormi. Avec des amis, il a arpenté les rues de Clichy-sous-Bois (banlieue parisienne) pour raisonner les jeunes. [...]

Ses parents, tous les deux analphabètes, sont originaires de Marnia, en Algérie. Ils ont atterri dans un bidonville de Nanterre avant de rejoindre un oncle qui vivait à Montfermeil. [...] Très vite, au début des années 1980, la situation sociale à Montfermeil se dégrade. [...] "Il y avait une telle urgence sociale que j'ai été obligé de mettre les mains dans le cambouis très tôt. À 16 ans, pendant les vacances, j'étais animateur, avant de devenir éducateur sportif bénévole au club de foot de Montfermeil, à 19 ans." En parallèle, il décroche un CAP puis un BEP de conducteur routier. Premier vrai boulot. Entre 19 et 21 ans, il parcourt les routes de France avec un 12-tonnes. [...] Ensuite, pléthore de petits boulots : magasinier, chauffeur-livreur, désinsectiseur... Mais c'est en créant sa première association en 1990, *Priorité, Respect, Citoyenneté*, que Mohamed trouve sa voie. [...]

Cinq ans plus tard, la désormais très connue association française ACLeFeu est créée, il en devient le président et multiplie les passages télévisés. [...] L'association est très active sur le terrain, incitant les jeunes à aller s'inscrire sur les listes électorales. Elle a aussi organisé, en 2006, un tour de France pour récolter les doléances de "ces personnes qu'on n'entend pas". »

Nadir Dendoune, « Mohamed Mechmache, pompier de banlieue », *Jeune Afrique*, 11 mars 2013.

1. Vagues de violence urbaine en banlieue à la suite de la mort de deux adolescents électrocutés dans un poste électrique alors qu'ils essayaient d'échapper à la police.

1. Dans quel contexte familial a grandi Mohamed Mechmache ? Quel est son itinéraire professionnel ?

2. Dans quel contexte crée-t-il l'association ACLe Feu ? Quel est son rôle?

3. Expliquez le slogan imprimé sur le tee-shirt de Mohamed Mechmache « voter, c'est exister ».

4. Vous faites partie d'une association qui milite pour que les jeunes aillent voter. Vous essayez de convaincre un camarade de rejoindre votre association. Exposez-lui d'une part l'intérêt de s'engager dans une association et d'autre part vos arguments contre l'abstentionnisme.

LEXIQUE

La IIIe Internationale : ou Komintern, l'organisation internationale mise en place par le parti bolchevik en 1919 pour favoriser la diffusion du communisme dans le monde.

La IVe République : le régime politique de la France entre 1946 et 1958, caractérisé par d'importants pouvoirs accordés au Parlement.

Le 6 février 1934 : les émeutes contre le régime parlementaire organisées par les ligues d'extrême droite à Paris.

A

L'abstention : le fait de ne pas voter à une élection.

Les accords de Grenelle : les accords signés en mai 1968 sur des augmentations de salaires et la place des syndicats dans les entreprises.

Un acteur : un groupe de personnes ou une organisation qui agit sur l'espace en aménageant un territoire. On distingue acteurs publics (État, régions, communes…) et privés (entreprises).

L'adhésion : la dernière étape de la démarche menée par un État pour intégrer la CEE. Plusieurs critères doivent être remplis par le pays demandeur, et la procédure validée par la Communauté.

L'agriculture biologique : l'agriculture qui refuse d'utiliser des pesticides ou des engrais chimiques.

L'agriculture de précision : l'agriculture qui utilise les hautes technologies.

L'agroalimentaire : l'industrie qui transforme la production agricole en produits alimentaires.

Une aire urbaine : un ensemble constitué par une ville-centre avec son centre-ville, son péricentre, des communes suburbaines et des communes périurbaines.

Al-Qaida : le mouvement djihadiste fondé dans les années 1980 et dirigé de 1989 à 2011 par Oussama Ben Laden, responsable de plusieurs attentats meurtriers au Moyen-Orient, en Amérique, en Europe et en Afrique.

Les Alliés : l'alliance organisée contre les pays de l'Axe autour du Royaume-Uni, des États-Unis et de l'Union des républiques socialistes soviétiques (URSS).

Un aménagement : un ensemble d'actions menées sur un espace pour améliorer son fonctionnement.

Anticolonialiste : opposé à la colonisation.

L'antisémitisme : les attitudes et les actes d'hostilité à l'égard des Juifs.

L'AOF : l'Afrique occidentale française. Avec l'Afrique équatoriale française (AEF), elle regroupe l'ensemble des colonies de la France en Afrique subsaharienne.

L'Armée rouge : l'armée mobilisée par Lénine pour combattre les ennemis de la Révolution.

Un armistice : un accord permettant la fin des combats.

L'arrière : les espaces éloignés du front.

Une Assemblée constituante : une assemblée élue par le peuple et chargée de rédiger une Constitution.

L'Assemblée consultative provisoire : l'assemblée basée à Alger en 1943 et 1944, représentant les mouvements résistants et les partis politiques de la France libre.

L'Axe : l'alliance de l'Allemagne, de l'Italie et du Japon.

B

Le baby-boom : l'augmentation importante du taux de natalité durant les Trente Glorieuses.

Un bassin minier : un territoire marqué par l'exploitation intensive du charbon.

Un beur : ce terme, familier, désigne une personne d'origine maghrébine née en France de parents immigrés.

La biodiversité : la diversité des espèces vivantes et de leurs caractères génétiques.

La bipolarisation : la division du monde en deux blocs rivaux.

Un blocus : une stratégie militaire destinée à couper une ville de toute communication avec l'extérieur, notamment pour l'empêcher de recevoir vivres et secours.

Un blocus naval : un déploiement de navires de guerre pour empêcher les échanges maritimes d'un pays.

Un bolchevik : un communiste russe partisan de Lénine en 1917.

La Bourse : le lieu où se fixe la valeur des actions, de la monnaie et de certaines matières premières.

Le boycott : ici, le refus de consommer les produits importés d'un autre pays.

Les Brigades internationales : l'armée de volontaires venus du monde entier pour combattre en Espagne aux côtés des républicains.

C

Un califat : un territoire soumis à un calife, chef religieux et politique musulman.

Un camp d'internement : un lieu où sont regroupées et enfermées des personnes à la suite d'une décision administrative.

Un camp de concentration : un lieu de détention de masse dans lequel sont regroupés les opposants au régime.

Le capitalisme : le modèle idéologique fondé sur la propriété privée et sur la liberté des échanges.

Un centre de mise à mort : les installations dédiées à l'extermination immédiate (chambres à gaz, fours crématoires).

Le centre-ville : le noyau historique de la ville.

Un citoyen du monde : une personne qui pense qu'il n'y a qu'un seul peuple, les humains, ayant des droits et des devoirs universels, mais sans qu'existe une citoyenneté universelle.

La citoyenneté : le fait d'avoir des droits sociaux et politiques dans un État.

La citoyenneté européenne : les droits dont dispose tout ressortissant d'un État membre de l'UE.

Un cluster : un groupe d'entreprises d'un même secteur d'activités installlées sur un même lieu et mettant en commun leurs moyens pour être plus compétitives.

La collaboration : la politique de soutien à l'Allemagne nazie menée par le régime de Vichy.

La collectivisation : la mise en commun des moyens de production gérés par l'État.

Le colonialisme : la doctrine légitimant la colonisation.

Une colonie de peuplement : une colonie où s'installent durablement de nombreux ressortissants de la métropole.

Le Comité français de Libération nationale (CFLN) : le gouvernement de la Résistance française basé à Alger en 1943 et 1944 et dirigé par le général De Gaulle.

Le Commonwealth : l'association commerciale et culturelle réunissant le Royaume-Uni et ses anciennes colonies.

Une commune périurbaine : un territoire qui se situe en périphérie de la ville.

Le communisme : le modèle idéologique reposant sur une société sans classe et sur la propriété collective.

Un conflit : une lutte armée ou une guerre ouverte entre États ou entre peuples.

La Constitution : le texte fixant l'organisation et le fonctionnement de la République. Toutes les lois doivent être conformes à la Constitution.

Un contribuable : une personne qui contribue aux charges publiques en payant des impôts.

Une coopérative : une association d'agriculteurs qui se regroupent pour partager des outils de production, de conditionnement, de stockage, puis pour transformer et vendre les produits de leur exploitation.

Les crimes contre l'humanité : les violences les plus graves faites aux civils pour des motifs politiques, d'origines ou de religion.

La crise économique : la France connaît à partir de 1974 une baisse de la croissance, une réduction de l'emploi industriel et une forte augmentation du chômage.

La cyberguerre : un conflit qui repose sur l'utilisation d'armes informatiques pour déstabiliser l'adversaire, voire lui causer des pertes humaines ou matérielles.

D

Daech : cet acronyme arabe signifie « État islamique » et désigne l'organisation terroriste djihadiste basée au Moyen-Orient.

Décentraliser : rétablir un équilibre entre Paris et les régions en transférant en province certains établissements publics.

La Défense nationale : une défense globale, à la fois militaire (rôle de dissuasion et de prévention des menaces militaires et terroriste), mais aussi civile (protection contre les risques naturels et technologiques), économique (lutte contre les trafics et les contrefaçons) et culturelle (promotion de la franco-phonie).

Une délocalisation : le déplacement d'une entreprise du territoire national vers un pays étranger.

Un demandeur d'asile : un réfugié dont la demande est en cours d'examen.

La démocratie : le régime politique dans lequel les dirigeants sont élus par les citoyens et où les droits de l'Homme sont garantis.

La démocratie représentative : une forme de démocratie dans laquelle les citoyens élisent des représentants à qui ils délèguent leurs pouvoirs. Ces élus, qui représentent la volonté générale, votent la loi et contrôlent éventuellement le gouvernement.

La densité : le nombre moyen d'habitants sur un territoire de 1 km².

La déportation : le transfert forcé d'une population.

Un député : un représentant élu du peuple qui siège à l'Assemblée nationale. Il représente la volonté générale, vote la loi et contrôle le gouvernement.

La désobéissance civile : le refus pacifique d'obéir aux lois considérées comme injustes.

La détente : la période marquée par un relatif apaisement des tensions et une ouverture du dialogue Est-Ouest malgré des affrontements meurtriers dans le Tiers Monde.

Le devoir de mémoire : l'obligation morale de se souvenir de souffrances du passé.

La diaspora : la dispersion d'un peuple en dehors de son pays d'origine.

Une dictature : un régime politique dans lequel une personne ou un groupe de personnes exercent tous les pouvoirs de façon absolue, sans qu'aucune loi ne le limite.

Le « diktat » : le terme utilisé par les Allemands pour qualifier le traité de Versailles qui leur a été imposé.

Un dilemme moral : une situation où une personne est confrontée à un choix qui oppose deux valeurs. Aucun de ces deux choix n'est bon ou juste a priori.

La discrimination : le fait de distinguer et de mettre à l'écart une minorité de personnes par rapport au reste de la société.

La dissolution : la procédure qui permet au président de la République de mettre fin au mandat des députés et d'organiser de nouvelles élections.

Le djihadisme : la doctrine qui prône l'utilisation de la violence et de l'assassinat pour la réalisation des objectifs islamistes.

Les dommages collatéraux : les victimes et les dégâts matériels causés involontairement à la population civile en temps de guerre.

Le droit d'ingérence : pour l'ONU, c'est le droit d'intervenir directement dans un pays si les droits de l'Homme y sont bafoués.

E

Un écosystème : l'ensemble formé d'un environnement et des espèces qui y vivent.

Les Einsatzgruppen : les groupes mobiles de tuerie, commandos spéciaux chargés d'exterminer les Juifs, les Tziganes et les communistes.

L'élargissement : l'adhésion de nouveaux États membres à la Communauté européenne.

Les élections législatives : les élections des députés d'un parlement.

L'élevage extensif : une méthode d'élevage caractérisée par une faible densité d'animaux par hectare.

L'émancipation : ici, un processus d'accès à l'indépendance politique.

L'enclavement : l'isolement d'un territoire, peu accessible et mal relié à l'extérieur.

L'endiguement : la stratégie mondiale employée par les États-Unis et leurs alliés à partir de 1947 pour empêcher l'expansion du communisme.

S'engager : agir concrètement au sein d'une association, d'un parti politique… pour faire vivre ses valeurs, et ainsi pouvoir donner un sens à sa vie.

L'épuration : la répression contre les individus ayant collaboré avec les nazis durant la Deuxième Guerre mondiale.

L'« équilibre de la terreur » : la paix armée maintenue par la peur d'une destruction mutuelle.

Erasmus : un programme permettant à des jeunes d'étudier dans un autre pays de l'UE.

L'espace Schengen : la zone au sein de laquelle les personnes peuvent librement circuler. Créé en 1985, il compte aujourd'hui 26 pays.

L'« espace vital » : pour les nazis, l'expression désignant les territoires nécessaires au développement du peuple allemand.

L'Est : dans le contexte de la guerre froide, le mot désigne l'Union des républiques socialistes soviétiques (URSS) et ses alliés.

L'État-providence : un État qui garantit à tous le progrès social en donnant des droits nouveaux.

Une ethnie : un groupe dont les membres se reconnaissent une origine et une culture communes.

L'« Europe des Six » : les pays fondateurs de la CECA puis de la CEE (la Belgique, la France, le Luxembourg, l'Italie, les Pays-Bas et la République fédérale d'Allemagne).

Un eurodistrict : une entité administrative transfrontalière regroupant des zones urbaines et/ou rurales, destinée à favoriser la coopération.

L'euroscepticisme : le sentiment d'hostilité à l'encontre de l'Union européenne.

L'exode : la fuite des populations civiles devant la progression de l'armée allemande en mai et juin 1940.

F

Le fanatisme : l'attitude d'une personne dont l'attachement passionné à une religion ou une doctrine la conduit à l'intolérance et souvent à la violence.

Fasciste : désigne le type de gouvernement mis en place par Mussolini en Italie en 1922, s'appuyant sur un État totalitaire, la dictature et un parti unique.

FEDER : le Fonds européen de développement régional, il distribue des aides financières pour favoriser le développement et réduire les inégalités entre régions.

Le fédéralisme : ici, le mode d'organisation politique au sein duquel les États membres de l'UE délèguent une partie de leurs pouvoirs aux institutions européennes.

Une fédération : un État divisé en plusieurs territoires plus ou moins autonomes, capables d'élaborer leurs propres lois.

Le féminisme : le mouvement qui promeut les droits des femmes et l'égalité avec les hommes.

Une filière : l'ensemble des phases d'un processus de production qui permettent de passer de la matière première au produit fini vendu au marché.

Une firme transnationale (FTN) : une entreprise qui exerce ses activités dans plusieurs pays.

Le FLN : le Front de libération nationale, la principale organisation nationaliste algérienne.

Les Forces françaises de l'intérieur (FFI) : l'ensemble des organisations armées de la Résistance intérieure.

Les Forces françaises libres (FFL) : l'armée de la France libre fondée à Londres par le général de Gaulle durant l'été 1940.

Francophile : qui aime la France et tout ce qui s'y rapporte.

La Francophonie : ou Organisation internationale de la Francophonie, une association d'États partageant la langue française ainsi que certaines valeurs (démocratie, paix, diversité culturelle).

Une fresque : une grande peinture murale.

Le fret : les marchandises chargées dans un avion, un bateau, un camion.

Le front : la ligne le long de laquelle se font face les armées ennemies.

Le Front populaire : l'alliance électorale des partis communiste, socialiste (SFIO) et radical constituée en vue des élections législatives de 1936.

FSE : le Fonds social européen, destiné à améliorer l'employabilité des citoyens européens.

G

Gaulliste : une personne, ou une politique, inspirée par les idées du général de Gaulle.

Un génocide : une extermination planifiée et organisée d'un peuple en raison de ses origines ou de sa religion.

Un ghetto : un quartier d'une ville où sont concentrés et enfermés les Juifs.

Le goulag : l'administration d'un réseau de camps de concentration dans lesquels le régime soviétique déporte les opposants.

La gouvernance mondiale : la gestion des questions internationales par les États, les organisations internationales, les ONG…, fondée le plus souvent sur la coopération internationale. Cette notion s'oppose à celle de « gouvernement mondial » car dans la « gouvernance », il n'y a pas d'acteur unique.

Un gouvernement mondial : l'idée d'un gouvernement global sur l'ensemble de la planète.

Un « Grand Projet Inutile » : une expression militante apparue dans les années 2010, pour désigner des projets d'aménagement de grande ampleur et dont l'utilité est remise en cause.

La Grande Dépression : la période de crise économique et sociale commencée aux États-Unis en 1929 et qui s'étend au reste du monde dans les années 1930.

Une grève générale : un mouvement social touchant toutes les catégories professionnelles.

Une guerre civile : une guerre entre des populations appartenant au même État.

Une guerre d'anéantissement : un conflit dont le but est de détruire l'ennemi, militaire ou civil.

Une guerre d'usure : la guerre visant à affaiblir les capacités matérielles et humaines de l'ennemi.

Une guerre de position : la phase de la guerre durant laquelle la ligne de front se fige entre les armées ennemies, abritées dans des réseaux de tranchées.

Une guerre éclair : une offensive à la fois aérienne et terrestre dont l'objectif est de percer le front très rapidement.

La guerre froide : l'état d'hostilité permanent mais sans affrontement armé direct entre les États-Unis et l'URSS de 1947 à 1991.

Une guerre industrielle : la guerre durant laquelle sont employés d'importants moyens matériels ayant une grande capacité de destruction.

Une guerre totale : la guerre durant laquelle les États mobilisent toutes leurs ressources matérielles et humaines, impliquant les militaires comme les civils.

H - I

Les harkis : les musulmans algériens servant dans l'armée française pendant la guerre.

L'« hyperpuissance » : le terme a été créé à la fin du xxe siècle pour désigner la suprématie incontestable des États-Unis sur le monde.

L'IDH (Indice de développement humain) : un indicateur, compris entre 0 et 1, créé par les Nations unies pour évaluer le niveau de développement d'un pays à partir de 3 critères : le PNB par habitant, l'espérance de vie à la naissance et le niveau d'éducation.

L'immigration : l'installation dans un pays de personnes originaires d'un autre pays.

L'industrie aéronautique : la fabrication des avions.

L'instabilité gouvernementale : les renversements successifs de gouvernements, obligés de démissionner, dans un temps court.

Les institutions : les structures et les règles qui organisent le fonctionnement de l'Union européenne.

Une insurrection : une révolte armée.

L'intégration : l'insertion sociale au sein d'une société.

L'intégration régionale : l'ensemble de mesures économiques communes prises par des États d'une même région pour développer leurs échanges.

INTERREG : le programme européen visant à promouvoir la coopération entre les régions des différents pays membres.

L'*intifada* : ce terme arabe désigne le soulèvement des Palestiniens des territoires occupés contre Israël.

L'islamisme : au sens actuel, l'idéologie religieuse et politique fondée sur une interprétation radicale du Coran et le rejet brutal de l'Occident.

J - L

La Journée Défense et Citoyenneté : une journée que doit accomplir tout jeune français avant ses 18 ans. Elle comprend un rappel des devoirs du citoyen et des enjeux de la défense, un test en français, une présentation des métiers proposés par l'armée et une initiation aux gestes de premiers secours.

Un Juste parmi les nations : le titre décerné par l'État d'Israël depuis 1953 rendant hommage à ceux qui ont sauvé des Juifs pendant la Deuxième Guerre mondiale.

La laïcité : le principe de séparation de l'État et de la religion, s'oppose à la reconnaissance d'une religion d'État.

La ligne Maginot : la ligne de fortifications construite par la France le long de ses frontières pour se protéger d'une invasion allemande.

LGV : les lignes (de chemin de fer) à grande vitesse.

Un lobby : une organisation cherchant à influencer les règlementations et les lois pour défendre ses intérêts (politiques, financiers ou professionnels).

Un(e) locuteur(trice) : une personne qui utilise une langue (maternelle ou seconde).

Une loi constitutionnelle : une loi qui modifie la Constitution.

Un lotissement : un ensemble de pavillons.

M

Un magistrat : une personne membre du corps judiciaire.

Un maquis : un regroupement, dans des zones difficiles d'accès, de résistants qui mènent des actions de guérilla contre l'occupant.

Le marché commun : l'espace économique européen dans lequel les pays membres de la CEE échangent librement des produits et des services.

La métropole : l'ensemble des parties européennes de la France (par opposition à outre-mer).

La Milice : l'organisation paramilitaire créée en 1943 par l'État français pour lutter contre les résistants et traquer les Juifs.

Le MLF : le Mouvement de libération des femmes est l'une des principales organisations féministes en France.

La mobilité : les déplacements de population.

La mondialisation : la multiplication des échanges et des flux de population, de marchandises et de services dans le monde.

Un mouvement de résistance : une organisation qui a pour objectif de sensibiliser et d'appeler la population à la résistance. Il mène aussi des actions militaires.

Une mutinerie : le refus collectif d'obéissance de soldats.

N

Une nationalisation : la prise de contrôle par l'État d'une entreprise privée ou d'un secteur économique entier.

Le nationalisme : la théorie qui affirme la supériorité de l'intérêt national par rapport aux autres appartenances ou identités.

La nationalité : le fait d'appartenir à une nation. Cette appartenance donne des droits et impose des devoirs.

Le *no man's land* : l'espace séparant les premières lignes de tranchées ennemies, lieu de combats meurtriers.

Le non-alignement : la position des États refusant de soutenir les États-Unis ou l'URSS pendant la guerre froide.

La non-intervention : la politique visant à empêcher l'intervention militaire ou la livraison d'armes de puissances étrangères en direction de l'Espagne.

La « Nuit de cristal » : l'expression désigne les violences, les déportations et les assassinats ordonnés par Hitler à l'encontre des Juifs, les 9 et 10 novembre 1938.

O

L'OAS : l'Organisation armée secrète, un groupe terroriste qui emploie la violence pour maintenir l'Algérie française.

Une ONG : une organisation non gouvernementale, à but non lucratif, menant différents types d'action humanitaire (interventions d'urgence, aide au développement, lutte contre l'illettrisme, défense de l'environnement…).

L'opération Dynamo : l'opération d'évacuation, du 26 mai au 4 juin 1940, de 338 226 soldats alliés, piégés à Dunkerque par l'armée allemande.

Une ordonnance : un texte de loi édicté par un gouvernement.

L'Organisation des Nations unies (ONU) : une organisation internationale, fondée en 1945, regroupant presque tous les États de la planète. Ses objectifs sont de faciliter la sécurité internationale, le développement économique, les droits de l'Homme et la réalisation à terme de la paix mondiale.

L'orpaillage : l'extraction de l'or dans les rivières.

L'orthodoxie : une des trois branches principales du christianisme, surtout répandue en Europe de l'Est et en Russie.

L'Ouest : dans le contexte de la guerre froide, le mot désigne les États-Unis et leurs alliés.

P

Le pacifisme : le rejet de la guerre et de la violence.

Une partition : une séparation d'un ensemble géographique en plusieurs parties indépendantes.

Le patrimoine : l'ensemble des sites historiques, des monuments hérités du passé.

Les Pays ACP (Afrique-Caraïbes-Pacifique) : le regroupement de 46 États ayant passé des accords de coopération commerciale avec l'UE.

Une pépinière d'entreprises : une structure destinée à faciliter la création d'entreprises en apportant un soutien technique et financier, des conseils et des services.

Le péricentre : le territoire à proximité du centre-ville.

Périurbain : en périphérie de la ville.

La périurbanisation : l'étalement des villes sur les territoires périurbains.

Les pieds-noirs : les Français d'origine européenne vivant en Algérie.

Un poilu : le surnom donné aux soldats français.

Un pôle : un lieu géographique important, qui attire et exerce une influence sur les espaces qui l'environnent.

Un pôle de compétitivité : la mise en relation dans un espace donné et sur des projets communs d'industries, d'universités et de centres de recherche publique.

Le pouvoir exécutif : le pouvoir chargé de faire appliquer la loi. Il est détenu par le président de la République et par le gouvernement.

Le pouvoir législatif : le pouvoir chargé de voter la loi. Il est détenu par le Parlement.

La propagande : l'action visant à influencer l'opinion des gens.

La prospective territoriale : la démarche visant à imaginer divers scénarios du futur d'un espace.

Q - R

Un quartier des affaires : un quartier qui rassemble des immeubles de bureaux.

Un quinquennat : l'exercice d'une charge ou d'un mandat dont la durée est de cinq ans.

Un quota : un nombre déterminé que l'on ne peut pas dépasser.

Le racisme : l'idéologie reposant sur l'idée fausse de l'existence de races et d'une supposée inégalité entre elles.

La RDA : fondée en octobre 1949 avec Berlin-Est pour capitale, la République démocratique allemande appartient au bloc de l'Est.

Une reconversion : un changement d'activités d'un espace.

Un référendum : un vote par lequel les électeurs répondent par « oui » ou par « non » à une proposition.

Un réfugié : une personne immigrée fuyant un pays en guerre et qui ne peut pas retourner dans son pays car elle y est persécutée du fait de son origine, de sa religion, de ses opinions politiques…

Un régime autoritaire : un régime politique dans lequel un pouvoir exécutif concentre un très grand pouvoir.

Un régime totalitaire : un régime politique dans lequel l'État et un parti unique imposent une idéologie par la propagande, l'encadrement de la population et la répression de l'opposition.

Les régions transfrontalières : les régions appartenant à deux États différents où de nombreux échanges économiques et culturels se font par-delà la frontière.

La réhabilitation : l'action de réaménager un local, un bâtiment ou un lieu.

La remilitarisation : ici, le déploiement de forces armées allemandes dans l'ouest de l'Allemagne malgré son interdiction par le traité de Versailles.

Une république : un régime politique où le pouvoir est détenu par des représentants du peuple, et non par un roi.

La république de Weimar : le nom donné au régime mis en place en Allemagne au lendemain de la Première Guerre mondiale.

Un réseau de résistance : une organisation créée en vue d'un travail militaire précis (renseignement, sabotage, évasion de prisonniers et de pilotes), en lien avec les Alliés et la France libre.

La réunification : le processus politique de réintégration de l'Allemagne de l'Est (ex-RDA, République Démocratique Allemande, appartenant au bloc de l'Est) au sein de l'Allemagne de l'Ouest (ex-RFA, République Fédérale Allemande, appartenant au bloc de l'Ouest).

La révolution bolchevik : la révolution communiste menée en Russie par Lénine et ses partisans en 1917.

La « Révolution nationale » : l'idéologie du régime de Vichy qui s'attache à restaurer un ordre moral incarné par la religion catholique, la famille et le monde rural.

La RFA : fondée en mai 1949 avec Bonn pour capitale, la République fédérale d'Allemagne appartient au bloc de l'Ouest.

Le « rideau de fer » : l'expression, employée par Winston Churchill en 1946, désigne la frontière militarisée séparant les blocs de l'Est et de l'Ouest en Europe.

Une rivalité : une opposition entre personnes ou groupes de personnes (communautés, États, etc.) pour l'obtention d'un avantage, qui ne conduit pas nécessairement à un conflit.

Une RUP (Région ultrapériphérique) : un territoire de l'UE situé hors du continent européen.

S

Un scrutin majoritaire à deux tours : un mode de scrutin par lequel seul le candidat qui a obtenu le plus de voix est élu. Si aucun n'a franchi la barre des 50 % des suffrages au premier tour, un deuxième tour est organisé entre les deux candidats arrivés en tête.

La SDN : la Société des Nations est une organisation internationale créée en 1919 par le traité de Versailles. Son but est de régler les problèmes de sécurité collective (guerre, armement) en Europe et dans le monde.

Un septennat : l'exercice d'une charge ou d'un mandat dont la durée est de sept ans.

Les services : l'ensemble des activités ni agricoles ni industrielles (par exemple : banques, transport, publicité, enseignement, tourisme, santé…).

La SFIO : la Section française de l'Internationale socialiste, fondée en 1905.

La Shoah : la « catastrophe » en hébreu, désigne le génocide des Juifs.

Un siège : une opération militaire qui vise à s'emparer d'une ville.

La société civile : l'ensemble des citoyens qui agissent de manière volontaire, en dehors de l'État ou des partis politiques.

La « solution finale » : le nom donné par les nazis à la politique d'extermination des Juifs en Europe.

Le souverainisme : la doctrine qui défend la supériorité et l'indépendance nationales.

Un soviet : une assemblée composée d'ouvriers, de paysans et de soldats durant les révolutions russes de 1917.

La spécialisation : la stratégie d'une entreprise (ou d'une région…) consistant à se concentrer sur un seul domaine, dans lequel celle-ci a un avantage spécifique (compétence, expérience) la rendant compétitive.

Une start-up (ou jeune pousse) : une jeune entreprise innovante, dans le secteur des nouvelles technologies.

Suburbain : entre le péricentre et le périurbain.

Le suffrage universel : le droit de vote pour tous les citoyens, quels que soient leur sexe ou leur niveau de richesse.

Une suffragette : une militante réclamant le droit de vote.

Une superpuissance : une nation qui est capable d'influer sur le monde par son rayonnement économique, culturel, politique et militaire.

T

Un territoire : un espace délimité par une frontière, géré par une autorité, occupé par une communauté humaine à l'identité marquée.

Un territoire annexé : le territoire d'un État placé sous la souveraineté d'un autre.

Le terrorisme : des actes de violence destinés à créer un climat de terreur au sein des populations.

Le Tiers Monde : l'expression désignant les pays qui ne font pas officiellement partie de l'un des deux blocs.

Le tourisme vert : le tourisme à la campagne.

Le traité de Versailles : le traité de paix signé en 1919 mettant fin à la Première Guerre mondiale.

Une tranchée : le fossé creusé dans le sol pour servir d'abri aux soldats.

Les Trente Glorieuses : la période de trente ans marquée par une forte croissance économique et démographique, entre 1945 et 1975.

U - V - X - Z

L'URSS : l'Union des républiques socialistes soviétiques.

Une ville-monde : une ville qui regroupe des fonctions qui lui assurent un rôle important dans le monde.

La xénophobie : la haine et le rejet des étrangers.

Une ZAD (Zone à Défendre) : l'occupation illégale d'un terrain à aménager par les opposants du projet.

La ZEE (zone économique exclusive) : la zone maritime s'étendant jusqu'à 200 miles marins (370 km) à partir des côtes et dont l'exploitation est réservée au pays côtier.

La zone euro : l'espace au sein duquel l'euro est la monnaie unique. Créée en 1999, elle compte aujourd'hui 19 pays.

Une zone humide : un terrain, exploité ou non, régulièrement gorgé d'eau, à préserver pour réguler les flux d'eau et prévenir les inondations.

PROGRAMMES DE LA CLASSE DE 3ᵉ

HISTOIRE

Repères annuels de programmation	Démarches et contenus d'enseignement
Thème 1 **L'Europe, un théâtre majeur des guerres totales (1914-1945)** • **Civils et militaires dans la Première Guerre mondiale.** • **Démocraties fragilisées et expériences totalitaires dans l'Europe de l'entre-deux-guerres.** • **La Deuxième Guerre mondiale, une guerre d'anéantissement.** • **La France défaite et occupée. Régime de Vichy, collaboration, Résistance.**	La classe de 3ᵉ donne aux élèves les clefs de compréhension du monde contemporain. Elle permet de montrer l'ampleur des crises que les sociétés françaises, européennes et mondiales ont traversées, mais aussi les mutations sociales et politiques que cela a pu engendrer. En mobilisant les civils aussi bien que les militaires, la Grande Guerre met à l'épreuve la cohésion des sociétés et fragilise durablement des régimes en place. Combattants et civils subissent des violences extrêmes, dont témoigne particulièrement le génocide des Arméniens en 1915. En Russie, la guerre totale installe les conditions de la révolution bolchevique, le communisme soviétique stalinien s'établit au cours des années 1920. Après la paix de Versailles puis la Grande Dépression, le régime nazi s'impose et noue des alliances. L'expérience politique française du Front Populaire se déroule dans ce cadre marqué par une montée des périls. Violence de masse et anéantissement caractérisent la Deuxième Guerre mondiale, conflit aux dimensions planétaires. Les génocides des Juifs et des Tziganes ainsi que la persécution d'autres minorités sont étudiés. À l'échelle européenne comme à l'échelle française, les résistances s'opposent à l'occupation nazie et aux régimes qui s'engagent dans la collaboration. Dans le contexte du choc de la défaite de 1940, la Résistance militaire et civile agit contre le régime de Vichy négateur des valeurs républicaines.
Thème 2 **Le monde depuis 1945** • **Indépendances et construction de nouveaux États.** • **Un monde bipolaire au temps de la guerre froide.** • **Affirmation et mise en œuvre du projet européen.** • **Enjeux et conflits dans le monde après 1989.**	L'effondrement rapide des empires coloniaux est un fait majeur du second XXᵉ siècle. On étudiera les modalités d'accès à l'indépendance à travers un exemple au choix. La guerre froide, l'autre fait majeur de la période, s'inscrit dans une confrontation Est-Ouest qui crée des modèles antagonistes et engendre des crises aux enjeux locaux et mondiaux. États-Unis et URSS se livrent une guerre idéologique et culturelle, une guerre d'opinion et d'information pour affirmer leur puissance. Les logiques bipolaires du monde sont remises en cause par l'indépendance de nouveaux États et l'émergence du Tiers Monde. Dans ce contexte, les étapes et les enjeux de la construction européenne sont à situer dans leur contexte international et à aborder à partir de réalisations concrètes. Quelle est la nature des rivalités et des conflits dans le monde contemporain et sur quels territoires se développent-ils ? On cherchera quelques éléments de réponses à partir de l'étude d'un cas (on peut croiser cette approche avec le programme de géographie).
Thème 3 **Françaises et Français dans une République repensée** • **1944-1947, refonder la République, redéfinir la démocratie.** • **La Vᵉ République, de la République gaullienne à l'alternance et à la cohabitation.** • **Femmes et hommes dans la société des années 1950 aux années 1980 : nouveaux enjeux sociaux et culturels, réponses politiques.**	En France, la Libération autorise la restauration de la légalité républicaine dans une dynamique de refondation. La République intègre politiquement les femmes. L'important programme de réformes du Conseil national de la Résistance prolonge et complète celui du Front Populaire, il élargit la démocratie dans un sens social. Le retour au pouvoir du général de Gaulle en 1958 donne naissance à la Vᵉ République marquée par le renforcement du pouvoir exécutif et le scrutin majoritaire. L'histoire permet ici de contextualiser l'étude des institutions républicaines, des principes et des pratiques politiques, réalisée aussi dans le cadre de l'EMC. Dans la seconde moitié du XXᵉ siècle, la société française connaît des transformations décisives : place des femmes, nouvelles aspirations de la jeunesse, développement de l'immigration, vieillissement de la population, montée du chômage. Ces changements font évoluer le modèle social républicain. L'étude de quelques exemples d'adaptation de la législation aux évolutions de la société offre l'occasion de comprendre certains enjeux du débat politique et les modalités de l'exercice de la citoyenneté au sein de la démocratie française.

GÉOGRAPHIE

Repères annuels de programmation	Démarches et contenus d'enseignement
Thème 1 **Dynamiques territoriales de la France contemporaine** • **Les aires urbaines, une nouvelle géographie d'une France mondialisée.** • **Les espaces productifs et leurs évolutions.** • **Les espaces de faible densité (espaces ruraux, montagnes, secteurs touristiques peu urbanisés) et leurs atouts.**	L'orientation de la classe de 3e consiste à proposer aux élèves des bases pour la connaissance de la géographie de la France et de l'Union européenne. Il s'agit d'un moment étape particulièrement important dans le cadre de la scolarité obligatoire. Cette approche peut être utilement articulée avec l'étude du dernier thème du programme d'histoire de l'année de 3e. Le territoire français a profondément changé depuis 50 ans, en raison de l'urbanisation qui a modifié les genres de vie et redistribué les populations et les activités économiques. Il s'agit de présenter aux élèves ces principaux bouleversements. La géographie des aires urbaines permet de sensibiliser les élèves à la diversité des espaces (centraux, péricentraux, périurbains, suburbains) concernés par l'urbanisation et aux relations entre les aires d'influences urbaines. Les mutations des espaces productifs, à dominante industrielle, agricole, touristique ou d'affaires peuvent être abordées en lien avec l'urbanisation et la mondialisation qui en redessinent la géographie. Les espaces de faible densité (espaces ruraux, montagnes, secteurs touristiques peu urbanisés) sont abordés sous l'angle de la diversité de leurs dynamiques et de leurs atouts. Ce ne sont pas seulement des marges délaissées et des espaces sans ressources productives via notamment les activités agricoles, touristiques ou liées à l'accueil de nouveaux types d'habitants. Les trois sous-thèmes sont abordés à travers des études de cas, des exemples concrets, au choix du professeur, et des cartes à différentes échelles. Ce thème se prête à la réalisation de croquis ou de schémas.
Thème 2 **Pourquoi et comment aménager le territoire ?** • **Aménager pour répondre aux inégalités croissantes entre territoires français, à toutes les échelles.** • **Les territoires ultramarins français : une problématique spécifique.**	Il s'agit de présenter aux élèves l'aménagement du territoire considéré comme une tentative des pouvoirs publics de compenser les inégalités entre territoires, qu'elles soient économiques, sociales, d'accès aux équipements publics. Ce thème permet de livrer aux élèves les bases des notions renvoyant à l'étude de l'aménagement de l'espace. Il permet notamment de les sensibiliser aux outils et acteurs de l'aménagement français et européen. Le sous-thème 1 est mis en œuvre à partir d'une étude de cas d'un aménagement local ou/et régional. Les approches de prospective territoriale sont particulièrement intéressantes pour sensibiliser les élèves à la portée de l'aménagement et aux débats qu'il suscite. L'étude de cas est mise en perspective aux échelles nationale et européenne. La démarche se prête à la réalisation d'un croquis de l'organisation du territoire national. L'étude du sous-thème 2 est conduite à partir de cartes à différentes échelles et d'exemples concrets.
Thème 3 **La France et l'Union européenne** • **L'Union européenne, un nouveau territoire de référence et d'appartenance.** • **La France et l'Europe dans le monde.**	L'analyse géographique permet d'aborder l'Union européenne dans une perspective de construction et de politiques territoriales. Cette étude est complémentaire de celle menée au thème 2 d'histoire en cette même classe de 3e. On présente les caractéristiques du territoire de l'UE en insistant sur la position du territoire français dans cette géographie européenne et le potentiel que l'UE représente pour notre pays. On aborde cette question en y intégrant l'examen d'une région transfrontalière. Cette approche permet de poser la question de la place et de l'influence culturelle, géopolitique, économique, de la France et de l'Europe dans le monde, qu'on examine à partir d'exemples concrets.

Extraits du *Bulletin officiel* spécial n° 11 du 26 novembre 2015

La sensibilité : soi et les autres

Objectifs de formation
1. Identifier et exprimer en les régulant ses émotions et ses sentiments.
2. S'estimer et être capable d'écoute et d'empathie.
3. Se sentir membre d'une collectivité.

Connaissances, capacités et attitudes visées	Exemples de pratiques en classe, à l'école, dans l'établissement
Exprimer des sentiments moraux à partir de questionnements ou de supports variés et les confronter avec ceux des autres (proches ou lointains). • Connaissance et reconnaissance de sentiments. • Connaissance et structuration du vocabulaire des sentiments moraux.	Réflexions sur les différentes formes de racismes et de discriminations : partir d'une délibération du Défenseur des droits, d'un récit fictionnel ou de la vie quotidienne, de jeux de rôles, d'une recherche documentaire, d'œuvres artistiques, ou de la pratique de l'éducation physique et sportive. La médiation scolaire : à partir d'une situation de tension dans une classe, travail mené par le professeur et le CPE avec le groupe d'élèves concernés, puis réflexion commune avec la classe (heure de vie de classe), puis travail écrit ou oral des élèves. Étude d'une action en faveur de la solidarité sociale ou du développement durable.
Comprendre que l'aspiration personnelle à la liberté suppose de reconnaitre celle d'autrui. • Connaissance de soi et respect de l'autre, en lien avec l'éducation affective et sexuelle. • L'identité personnelle ; l'identité légale. • La question des addictions.	
Comprendre la diversité des sentiments d'appartenance civiques, sociaux, culturels, religieux. • Expressions littéraires et artistiques et connaissance historique de l'aspiration à la liberté. • La francophonie. • Sentiment d'appartenance au destin commun de l'humanité.	
Connaitre les principes, valeurs et symboles de la citoyenneté française et de la citoyenneté européenne. • Citoyenneté française et citoyenneté européenne : principes, valeurs, symboles.	

Le droit et la règle : des principes pour vivre avec les autres

Objectifs de formation
1. Comprendre les raisons de l'obéissance aux règles et à la loi dans une société démocratique.
2. Comprendre les principes et les valeurs de la République française et des sociétés démocratiques.

Connaissances, capacités et attitudes visées	Exemples de pratiques en classe, à l'école, dans l'établissement
Expliquer les grands principes de la justice (droit à un procès équitable, droit à la défense) et leur lien avec le règlement intérieur et la vie de l'établissement. • Le rôle de la justice : principes et fonctionnement. • Le règlement de l'établissement et les textes qui organisent la vie éducative.	Du duel au procès, à partir d'exemples historiques ou littéraires. L'usage d'Internet dans la vie sociale et politique. Sensibilisation aux risques d'emprise mentale. Élaboration d'un projet de règlement intérieur ou d'une modification de celui-ci. Évolution de la perception de la place de l'enfant dans l'histoire. La question du dopage à partir de plusieurs entrées relevant de la physiologie, de l'analyse des pratiques sociales et de la question du droit. Participation à des audiences au tribunal.
Identifier les grandes étapes du parcours d'une loi dans la République française. • La loi et la démocratie représentative. • Leur lien avec la Constitution et les traités internationaux.	
Définir les principaux éléments des grandes déclarations des Droits de l'homme. • Les différentes déclarations des Droits de l'homme. • Le statut juridique de l'enfant.	

Le jugement : penser par soi-même et avec les autres

Objectifs de formation
1. Développer les aptitudes à la réflexion critique : en recherchant les critères de validité des jugements moraux ; en confrontant ses jugements à ceux d'autrui dans une discussion ou un débat argumenté.
2. Différencier son intérêt particulier de l'intérêt général.

Connaissances, capacités et attitudes visées	Exemples de pratiques en classe, à l'école, dans l'établissement
Expliquer les différentes dimensions de l'égalité, distinguer une inégalité d'une discrimination. • Les différentes dimensions de l'égalité. • Les différentes formes de discrimination (raciales, antisémites, religieuses, xénophobes, sexistes, homophobes...).	Étude de l'influence des sondages d'opinion dans le débat public. La question des médias : dans le cadre de la Semaine de la presse, mener une réflexion sur la place et la diversité des médias dans la vie sociale et politique, sur les enjeux de la liberté de la presse. Travail sur la Charte de la laïcité. Égalité et non-discrimination : la perspective temporelle et spatiale, la dimension biologique de la diversité humaine, sa dimension culturelle, l'expression littéraire de l'inégalité et de l'injustice, le rôle du droit, l'éducation au respect de la règle. Exercice du débat contradictoire.
Comprendre les enjeux de la laïcité (liberté de conscience et égalité des citoyens). • Les principes de la laïcité.	
Reconnaitre les grandes caractéristiques d'un État démocratique. • Les principes d'un État démocratique et leurs traductions dans les régimes politiques démocratiques (ex. : les institutions de la Ve République).	
Comprendre que deux valeurs de la République, la liberté et l'égalité, peuvent entrer en tension. • Les libertés fondamentales (libertés de conscience, d'expression, d'association, de presse) et les droits fondamentaux de la personne. • Problèmes de la paix et de la guerre dans le monde et causes des conflits.	

L'engagement : agir individuellement et collectivement

Objectifs de formation
1. S'engager et assumer des responsabilités dans l'école et dans l'établissement.
2. Prendre en charge des aspects de la vie collective et de l'environnement et développer une conscience citoyenne, sociale et écologique.

Connaissances, capacités et attitudes visées	Exemples de pratiques en classe, à l'école, dans l'établissement
Expliquer le lien entre l'engagement et la responsabilité. • Les responsabilités individuelles et collectives face aux risques majeurs. • La sécurité des personnes et des biens : organisations et problèmes.	Semaine citoyenne à l'occasion de l'élection des élèves délégués : procédure des candidatures, rédaction des professions de foi, règles du vote. Instances participatives associant les représentants des élèves. Les citoyens face aux risques naturels : à partir d'exemples de séismes, mener un travail sur les parts respectives des aléas naturels, des contextes sociaux et politiques, des responsabilités individuelles et collectives. À l'occasion du recensement des élèves âgés de 15 ans, faire comprendre le sens de cette opération, son lien avec la JDC et le rôle des citoyens dans la Défense nationale. Étude d'une action militaire dans le cadre de l'Onu. Création et animation de club ou d'association dans l'établissement, participation au foyer socio-éducatif et à l'association sportive.
Expliquer le sens et l'importance de l'engagement individuel ou collectif des citoyens dans une démocratie. • L'exercice de la citoyenneté dans une démocratie (conquête progressive, droits et devoirs des citoyens, rôle du vote, évolution des droits des femmes dans l'histoire et dans le monde...). • L'engagement politique, syndical, associatif, humanitaire : ses motivations, ses modalités, ses problèmes.	
Connaitre les principaux droits sociaux.	
Comprendre la relation entre l'engagement des citoyens dans la cité et l'engagement des élèves dans l'établissement. • Le rôle de l'opinion dans le débat démocratique. • L'engagement solidaire et coopératif de la France : les coopérations internationales et l'aide au développement.	
Connaitre les grands principes qui régissent la Défense nationale. • La Journée défense et citoyenneté. • Les citoyens et la Défense nationale, les menaces sur la liberté des peuples et la démocratie, les engagements européens et internationaux de la France.	

Responsable d'édition : Aurélie Joubert-Mérandat

Édition : Émilie Boutinaud, François Capelani

Conception de la maquette intérieure Histoire-Géographie : Laurence Durandau, Laurence Moinot

Conception de la maquette intérieure EMC : Aude Cotelli

Mise en page : Priscilla Garnier et Odile Picault (Jouve-Saran)

Iconographie : Marie-Laure Fior et Véronique Littré

Cartographie :
– coordination Marie-Christine Liennard, Gwendal Fossois
– réalisation Valérie Goncalves, Christel Parolini, Carl Voyer

Infographies : Agence Idé

Illustrations : Juliette Baily (p. 375 et 381)

Facilitation graphique : Marker Power accompagné par Philine Bellenoue, Nicolas Gros et Laure Villemaine

Interviews : Sophie Bordet-Petillon, Abdessamed Sahali

Relecture EMC : Juliette Tissot

Numérique : Dominique Garrigues, Charlotte Sperber

© Éditions Magnard, 2016 – 5, allée de la 2e D.B. – 75726 Paris Cedex 15

ISBN : 978-2-210-10618-5

IMPRIM'VERT®

PEFC 10-31-2065

Achevé d'imprimer en août 2017 par Pollina - 12119 - Dépôt légal : Avril 2016 - N° éditeur : 2017_1430

Les États du monde en 2016

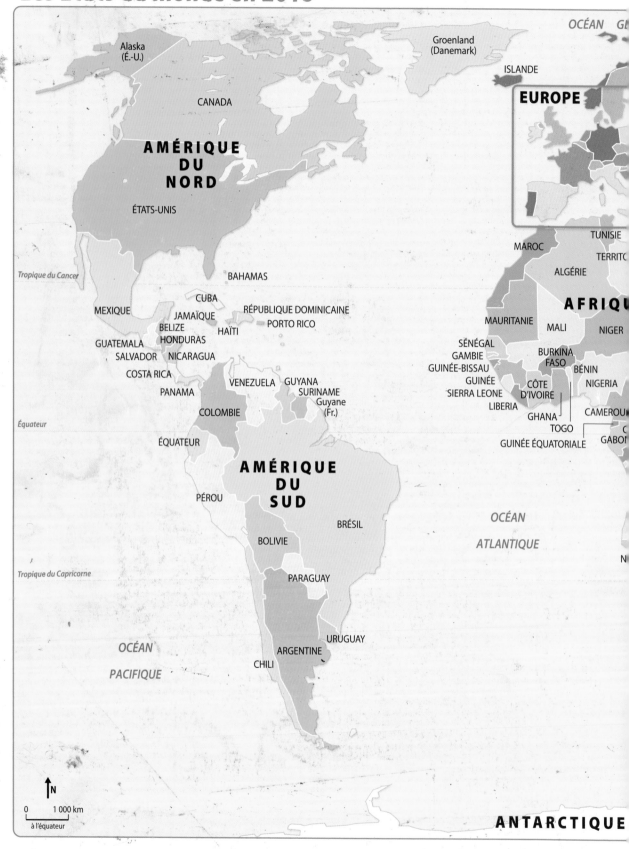

OCÉAN GL...

Groenland
(Danemark)

ISLANDE

EUROPE

Alaska
(É.-U.)

CANADA

**AMÉRIQUE
DU
NORD**

ÉTATS-UNIS

TUNISIE

MAROC

TERRITO...

Tropique du Cancer

ALGÉRIE

BAHAMAS

CUBA

AFRIQU...

MEXIQUE

RÉPUBLIQUE DOMINICAINE

MAURITANIE

MALI

NIGER

JAMAÏQUE

PORTO RICO

BELIZE

HAÏTI

SÉNÉGAL

BURKINA
FASO

HONDURAS

GAMBIE

BÉNIN

GUATEMALA

GUINÉE-BISSAU

NIGERIA

SALVADOR

NICARAGUA

GUINÉE

CÔTE
D'IVOIRE

COSTA RICA

SIERRA LEONE

VENEZUELA

GUYANA

LIBERIA

PANAMA

SURINAME

GHANA

CAMEROU...

Guyane
(Fr.)

TOGO

COLOMBIE

GUINÉE ÉQUATORIALE

GABON

Équateur

ÉQUATEUR

**AMÉRIQUE
DU
SUD**

PÉROU

BRÉSIL

OCÉAN

ATLANTIQUE

BOLIVIE

N...

Tropique du Capricorne

PARAGUAY

OCÉAN

URUGUAY

ARGENTINE

CHILI

PACIFIQUE

N

0   1 000 km

à l'équateur

ANTARCTIQUE